29,95 $L

D1282390

·

Les Éditions du Boréal
4447, rue Saint-Denis
Montréal (Québec) H2J 2L2
www.editionsboreal.qc.ca

PIKAUBA

La Pensée impuissante. Échecs et mythes nationaux canadiens-français (1850-1960), Montréal, Boréal, 2004.

Les Deux Chanoines, Montréal, Boréal, 2003.

Raison et Contradiction. Le mythe au secours de la pensée, Québec, Nota bene, Cefan, 2003.

Mistouk, Montréal, Boréal, 2002.

Genèse des nations et cultures du Nouveau Monde, Montréal, Boréal, 2000 ; coll. « Boréal compact », 2001.

Dialogue sur les pays neufs (en collaboration avec Michel Lacombe), Montréal, Boréal, 1999.

La Nation québécoise au futur et au passé, Montréal, VLB éditeur, 1999.

Quelques arpents d'Amérique. Population, économie, famille au Saguenay, 1838-1971, Montréal, Boréal, 1996.

Tous les métiers du monde. Le traitement des données professionnelles en histoire sociale, Sainte-Foy, Presses de l'Université Laval, 1996.

Pourquoi des maladies héréditaires ? Population et génétique au Saguenay–Lac-Saint-Jean (en collaboration avec Marc de Braekeleer), Sillery, Septentrion, 1992.

Histoire d'un génôme. Population et génétique dans l'Est du Québec (en collaboration avec Marc de Braekeleer *et al.*), Québec, Presses de l'Université du Québec, 1991.

Les Francophones québécois (en collaboration avec François et Guy Rocher), Montréal, Conseil scolaire de l'Île de Montréal, 1991.

Les Saguenayens. Introduction à l'histoire des populations du Saguenay, XVIe-XXe siècles (en collaboration avec Christian Pouyez, Yolande Lavoie, Raymond Roy *et al.*), Québec, Presses de l'Université du Québec, 1983.

Le Village immobile. Sennely-en-Sologne au XVIIIe siècle, Paris, Plon, 1972.

(Directeur ou codirecteur de 13 ouvrages)

Gérard Bouchard

PIKAUBA

roman

Greenfield Park

Boréal

Les Éditions du Boréal remercient le Conseil des Arts du Canada
ainsi que le ministère du Patrimoine canadien et la SODEC
pour leur soutien financier.

Les Éditions du Boréal bénéficient également du Programme
de crédit d'impôt pour l'édition de livres du gouvernement du Québec.

© Les Éditions du Boréal 2005
Dépôt légal : 1er trimestre 2005
Bibliothèque nationale du Québec

Diffusion au Canada : Dimedia
Diffusion et distribution en Europe : Les Éditions du Seuil

Données de catalogage avant publication (Canada)

    Bouchard, Gérard, 1943-

    Pikauba

    ISBN 2-7646-0371-1

    I. Titre.

PS8553.O764P54	2005	C843'.6	C2005-940335-7
PS9553.O764P54	2005		

C'est là, retranchés dans la sauvagerie, que le rêve, le goût de la liberté se perpétuaient.

Mistouk

À la mémoire de Philippe Bouchard, camionneur, qui très tôt dans la vie a révélé à ses enfants l'univers mythique des troques, les initiant à la philosophie compliquée des différentiels, à l'art si délicat, aujourd'hui méconnu, de la double-clotche et à quelques autres matières d'intérêt plus général.

G. B.

Avertissement

Les personnages de ce roman — sauf ceux dont l'identité est spécifiée — sont fictifs. Bien que l'action se déroule principalement dans la région du Saguenay, chacun est un amalgame imaginé à partir de traits et d'épisodes divers empruntés à l'histoire du Québec et de ses régions.

G. B.

Chapitre 1

Il courait. Sous la pluie battante du petit jour brumeux, il courait, épouvanté. Depuis longtemps maintenant. À bout de souffle, l'enfant dérapait dans les flaques d'eau du printemps, enjambait les ronces, les ornières, trébuchait sur les pierres, les bois morts. Il se relevait, poursuivait sa course échevelée, insouciant des blessures qu'il s'infligeait, emporté par la panique qui l'avait envahi tout à l'heure quand les adultes lui avaient montré la chose gisant devant le campement au milieu de la Réserve. Par moments, il perdait le fil du sentier, franchissait des ruisseaux, fonçait dans les branchages, s'y retrouvait d'instinct. Il courait, semant le trouble chez les animaux du boisé, hier encore ses compagnons de jeux, réveillés en sursaut. Il pleurait, haletait, criait à l'aide, oppressé par l'horrible vision qu'il tentait de fuir.

Sa tête lui faisait mal. Il essayait d'en chasser le visage boursouflé, difforme de la morte, ses enflures noircies, ses traits ravagés. Et ces yeux qu'il ne reconnaissait plus, ces yeux durcis, exorbités, comme s'ils étaient gonflés, tendus par un cri. Elle, pourtant si belle, si douce. Et si pure. Ses longues mains caressantes n'étaient plus que chairs lacérées. Il lui semblait qu'un monstre maintenant l'habitait ; elle avait vieilli de cent ans, Senelle. Sa mère.

Enfin, il parvint au camp de l'oncle Siméon.

— Léopaul ! Qu'est-ce qui t'arrive ?…

— Senelle… Senelle…

L'enfant se précipita dans les bras de l'Indien et l'étreignit longuement, émettant de petites plaintes de levraut effarouché. L'homme réussit à le maîtriser et, à travers le flot de mots et de sanglots, finit par comprendre. Il chargea son neveu sur son dos et se précipita en direction de la Réserve, coupant à travers bois.

Parvenus au village de Pointe-Bleue, ils se rendirent à la tente des Manigouche, près de la Petite Baie. Ils étaient encore là : le prêtre, le gérant du Poste de traite, les chasseurs, quelques parents entourant le traîneau. Immobiles, silencieux, la tête inclinée, ils considéraient d'un œil grave le cadavre enveloppé dans des peaux de caribou d'où seuls le visage et les mains émergeaient. Le corps déchiqueté de Senelle, attaquée par une meute de loups durant l'hiver sur les Territoires, à la tête de la Péribonka.

* * *

Senelle… Près de huit ans s'étaient écoulés depuis la dernière visite que Méo lui avait rendue à Pointe-Bleue. Méo Tremblay de Mistouk, le géant qui avait parcouru tout le continent et s'était signalé par tant d'exploits légendaires au Saguenay et ailleurs. C'était en 1918, au début de l'automne. Elle avait aperçu de loin sa longue silhouette sur le chemin de terre à l'entrée de la Réserve. À son regard, à sa démarche, avant même ses premiers mots, elle avait compris que le Grand en était déjà aux adieux, qu'elle ne le reverrait plus. Elle avait deviné qu'il avait d'autres femmes chez les Blancs, et surtout d'autres vies dans sa vie, d'autres routes, d'autres patries vers le nord et vers le sud. Même dans les moments d'intimité, ses yeux, ses pensées ne se reposaient pas. Il ne se donnait jamais entièrement, n'appartenait à personne ; il se prêtait seulement, et jamais pour longtemps. Mais cela lui suffisait à elle. Résignée, elle savait que ses bras puissants étaient faits pour étreindre l'univers. Ses pas étaient plus longs que les bonds du chevreuil, son souffle réchauffait tout le jour et sans cesse son regard balayait les lointains. Plusieurs esprits, plusieurs voix l'habitaient et le commandaient.

Ce jour-là, elle l'avait entraîné sur la rive, elle s'était dévêtue et ils s'étaient aimés une dernière fois parmi les feuilles mortes chuchotant sur le sable. C'est là que l'enfant avait été conçu. Plus tard, ils avaient marché un peu le long du Lac, en silence. Elle se doutait que la vie n'avait pas tissé de longs rêves pour eux, qu'ils avaient déjà épuisé leurs provisions de mots et de gestes, de rires et de caresses. Ils s'étaient immobilisés sur une butte. L'été sombrait lentement dans les douceurs de septembre. Ils apercevaient au large la silhouette d'un remorqueur surmonté d'un filet de fumée, tirant un train de billots vers l'ouest, et là-bas, très loin sur l'autre rive, le clocher de Mistouk qui se découpait sur l'horizon dégarni. Elle avait glissé sa main dans celle du Grand. Puis il avait prononcé les paroles terribles : il ne reviendrait pas ; il s'était promis à une autre femme de Mistouk.

Lorsqu'il s'était penché pour lui dire adieu, elle n'avait pu retenir deux larmes. Il les avait recueillies de ses doigts, effleurant sa joue. Un frisson lui avait parcouru tout le corps et ne l'avait plus jamais quittée. Elle était restée là, dévastée, les yeux fermés. Elle avait serré les poings, résolue à ne pas le regarder s'éloigner. Elle ne voulait pas conserver de lui cette image qui la terrifiait ; elle n'y aurait pas survécu.

Léopaul était né l'été suivant, le 25 juin 1919, au Poste de traite du lac Mistassini. La famille de Senelle s'y était arrêtée en revenant des Territoires de chasse où elle avait passé l'hiver. Quand on avait présenté à la jeune mère l'enfant encore maculé des traces de l'accouchement, elle avait souri et pleuré. Il tenait à la fois de Méo, son père, et de l'oncle Moïse, l'Indien ténébreux. Méo pour le visage bien dessiné et avenant, pour la chevelure abondante et les membres déjà vigoureux. Moïse pour la peau sombre et le regard posé, presque sévère. Il avait aussi hérité de l'un et l'autre les yeux et les cheveux noirs, ainsi que l'humeur tranquille qui dégageait une étrange assurance. Comme si l'enfant était né plus d'une fois déjà. Il fut baptisé en août par un missionnaire sous le nom de Moïse-Méo-Léopaul Tremblay-Manigouche.

Après l'accouchement, Senelle avait souffert d'une infection et mis du temps à guérir. Les Manigouche n'avaient pu rentrer à Pointe-Bleue comme ils le faisaient d'habitude et ils étaient repartis pour les Territoires à la fin de l'été. À Mistouk, la famille du Grand n'avait donc rien su de l'événement.

Senelle se demandait quelle vie attendait cet enfant qui comptait parmi son ascendance un géant qui avait passé sa vie à parcourir le monde et dont on avait perdu la trace depuis plusieurs mois, et un Indien rebelle qui avait choisi de le quitter brutalement en se précipitant du haut de la Source Blanche, là-bas dans le Grand Nord, presque au bout du monde, pour rejoindre la compagnie des dieux…

Dans son imagination, Léopaul, curieusement, allait très tôt se faire une idée précise, comme un souvenir tout frais, de ce qu'avait été le jour de sa naissance. Peut-être parce que, comme l'assuraient les Aînés de Pointe-Bleue, la lumière qui renaissait avec la saison était plus vive à cette période de l'année? Il croyait se rappeler le visage apaisé de Senelle, l'agitation autour de sa couche, le monticule où la tente avait été dressée, le lac immense, la longue vallée immaculée — ou était-ce une plaine? — que parcouraient mille caribous. Peu après, il y courait lui aussi jusqu'à perdre haleine. Et cette grande allée lumineuse n'était plus sortie de sa tête.

*　*　*

Ramené des Territoires tantôt en canot, tantôt en traîneau, le corps de l'Indienne fut inhumé dans le cimetière de Pointe-

16

Bleue, près d'un bosquet de merisiers. Une croix de bois, faite de deux bouts de branche, en marqua l'emplacement. Léopaul, en état de crise, dut être tenu à l'écart.

La maladie l'avait empêché d'accompagner les siens à la chasse cet hiver-là, mais comme il le regrettait! Il aurait voulu se trouver là-bas près de sa mère, jusqu'au bout. Oppressé par le chagrin, affolé, il interrogeait les adultes du regard : comment cela était-il possible? Plus tard, il se renfrogna et prit la Réserve en grippe. Les gens, les lieux, les objets qu'il avait tant aimés lui étaient un rappel douloureux du drame. Ses plus chers souvenirs désormais lui faisaient mal : la vie insouciante sur les bords du grand Lac, les jeux dans les bois environnants, la fréquentation des bêtes. Il revivait ses hivers aux Territoires à imiter les gestes de Senelle; les longues nuits quand le froid le réveillait et qu'elle l'allongeait près d'elle pour lui donner la chaleur de son corps; les matins de printemps quand, par l'ouverture de la tente, s'infiltraient les premiers rayons du soleil; et la joie, l'exubérance des hommes quand ils revenaient de la chasse avec les toboggans chargés.

Il se souvenait très vaguement d'Alishen, sa grand-mère montagnaise décédée lorsqu'il avait deux ans. Plus tard, les oncles et tantes avaient quitté Pointe-Bleue pour d'autres Réserves et il ne les avait jamais revus. Seul Siméon, un oncle de Senelle, était demeuré avec eux. Léopaul avait d'abord eu du mal à prononcer son nom qui, dans sa bouche, était devenu Méon; l'appellation lui était restée. L'enfant, dès qu'il put marcher aux abords de la Réserve, interrogeait sans fin ce grand-oncle qui avait réponse à tout : l'origine des ruisseaux et des rivières, les directions du vent, l'ordre des saisons.

Léopaul se rappelait que, l'hiver sur les Territoires, quand toute la famille était en déplacement sur de longues distances, c'est Méon qui, des heures durant, le portait sur son dos. Il l'installait sur les paquetons dont il était déjà lourdement chargé et ils allaient tous les deux, conversant. Quand il faisait trop froid, l'enfant enfouissait son visage dans le cou de l'Indien pour y trouver de la chaleur. L'oncle affectait de maugréer :

— Mon p'tit snoreau*, t'as pas honte? Quand j'avais ton âge, je transportais déjà ma tente pis mon canot avec une moitié d'orignal…

Puis Léopaul connut cette petite fille, Cibèle Courtois, dont les parents, des Malécites de Kamouraska, avaient migré à Pointe-Bleue. Le gouvernement les avait d'abord établis dans le Petit Rang au sud de la Réserve, pour en faire des cultivateurs. Mais ils avaient vite abandonné la terre et s'étaient installés au village, près du Poste. Les deux enfants s'accordèrent et ne se quittèrent plus.

Ils ouvraient des sentiers dans les bois, s'arrêtaient pour cueillir et manger des canneberges, ou bien les mettaient à sécher et en faisaient des colliers pour Cibèle. Ils apprivoisaient des lynx, des perdrix, des écureuils, déplaçaient les collets des chasseurs, s'amusaient avec les bilboquets que Méon leur fabriquait avec de petites branches de sapin compressées. De temps à autre, ils montaient vers la Traque pour voir passer les trains dont ils comptaient les wagons jusqu'à dix — ils ne savaient aller au-delà. Puis, cheveux au vent, ils s'engageaient sur la voie ferrée et y marchaient de front, chacun sur un rail, jusqu'à ce que l'un des deux perde pied. Ils faisaient en chemin mille découvertes. Souvent, ils descendaient à la Pointe et s'affairaient sur la rive du Lac à rechercher des coquillages, à chasser les galets qui roulaient avec l'écume.

Ils répandaient de la gaieté partout où ils se trouvaient. Même les jours de pluie avaient leurs attraits. L'eau formait des lacs et des cours d'eau dans le sable. Ils y découpaient des Réserves, des forêts, des territoires de chasse, et y disposaient des postes, des relais, des portages. Ils y hivernaient toute une

---

* Pour les mots accompagnés d'un astérisque, voir le « Glossaire » à la fin du livre.

matinée. Lorsqu'ils étaient surpris par l'orage, le tonnerre les effrayait, mais ils se tenaient par la main et la peur s'en allait. Ils apprenaient ensemble les caprices de l'hirondelle, la vie compliquée des fourmilières, les travaux lents du barbeau, et s'étonnaient de l'oisiveté de l'oie. Ils couraient sous l'averse du soir, tout empreinte des couleurs, des parfums, des heures du jour. Ils enfouissaient les trésors qu'ils avaient découverts sur la rive; c'étaient leurs secrets pour toujours.

Et ils s'amusaient aussi des étrangers drôlement vêtus qui traversaient la Réserve dans de grosses automobiles noires et s'exprimaient en des langues incompréhensibles. Certains descendaient de voiture, les faisaient asseoir tous les deux dans une tente et les fixaient avec de mystérieux appareils. Léopaul et Cibèle avaient appris à en faire surgir de grands jets de lumière dont les étrangers s'amusaient beaucoup. C'était facile; il suffisait de les regarder assez longtemps sans cligner des yeux et sans bouger.

Cibèle, donc. Mais aussi, mais surtout Senelle et sa voix caressante, son geste protecteur, sa présence chaude. Toute la vie de Léopaul gravitait autour de ces deux êtres et de l'oncle Méon. Il lui semblait qu'un même jour, doux et léger comme un feuillage de mélèze, se levait tous les matins.

Senelle aimait l'enfant pour ce qu'il était, la chair de sa chair, mais aussi pour tout ce qu'il évoquait : le Grand revivait dans ce petit garçon, dans le tracé de ses gestes, dans la lumière toujours tamisée de son regard, dans sa manière retenue, et déjà, déjà, dans sa gravité discrète, dans sa présence toujours un peu lointaine, comme exilée au creux de sa personne.

Léopaul avait franchi sans heurt les six premières années de sa vie. Sa vie qui ressemblait à la toile de bronze, lisse et lustrée, dont se recouvrait souvent le Lac à la tombée du jour. C'est cette toile qui s'était déchirée avec la mort de Senelle. Une longue échancrure était apparue dans l'âme et la vie de l'enfant, par où le désordre, la douleur s'étaient infiltrés. Et son ancienne vie maintenant fuyait de partout.

Chapitre 2

Léopaul fut pris en charge par une famille montagnaise. Après quelque temps, il ne songea qu'à fuir. À sept ans, il refusa de retourner à l'École Blanche que tenaient dans la Réserve les sœurs du Bon Conseil. On le retrouva de plus en plus souvent rodant dans Roberval ou aux environs. À huit ans, il marcha toute une journée sur la voie ferrée en direction de Chicoutimi. L'année suivante, il sauta carrément dans le train qui passait sur la Côte à Pointe-Bleue. Une longue montée forçait les convois à ralentir, ce qui facilitait la manœuvre. On retrouva le jeune garçon trois jours plus tard, errant dans la basse-ville de Québec. L'agent de la Réserve en conféra avec le missionnaire desservant et avec les religieuses. L'une d'elles connaissait bien Julie Blanchette, alors enseignante à Mistouk. Elle y vivait en solitaire, toujours dans l'attente de Méo ; Méo dit le Grand. C'est pour elle qu'il avait délaissé Senelle en 1918. Il parut avisé de lui confier, pour un temps du moins, la garde de l'enfant.

Un jour de mai 1929, elle vint à Pointe-Bleue pour voir Léopaul qui demeurait maintenant avec l'oncle Méon, dans son camp hors du village. La rencontre eut lieu à l'école en présence de la mère directrice, de l'agent du gouvernement et de Méon. Dès que Julie aperçut l'enfant, elle se précipita et le serra très fort dans ses bras. Elle promenait ses doigts dans ses cheveux, sanglotant doucement. Puis elle relâcha son étreinte et le considéra longuement. Sauf pour la peau qu'il avait plus cuivrée, Léopaul était la réplique de Méo : les traits, le regard, le teint, et même la longue chevelure rebelle. Elle retrouvait chez lui la même lumière et les mêmes ombres. Elle aurait pu détester ce garçon qu'elle aurait dû normalement enfanter et dont elle n'avait jamais senti la vie, la chaleur dans son corps ; rejeter cette naissance qui lui avait été volée. Mais il était la réincarnation du Grand ; c'était bien l'enfant dont elle avait toujours rêvé. Elle voulut tout de suite l'emmener avec elle ; il serait son fils.

Ils sortirent de l'école et marchèrent dans la Réserve. Allant d'une tente, d'une maison à l'autre, on présenta Julie à quelques chefs de famille. Elle avait pris Léopaul par la main et ne le lâchait plus. D'abord déconcerté par le comportement de cette étrangère, l'enfant trouva bientôt un réconfort dans son sourire, son visage franc et toutes les attentions qu'elle lui prodiguait. Après quelques heures, Julie prit congé, mais elle fut de retour la semaine suivante, cette fois chargée de cadeaux pour Léopaul et même pour l'oncle Méon qui la reçut à son camp. Empruntant le traversier qui la déposait au quai de Roberval, elle put répéter ses visites tout au long de l'été, inondant l'enfant de son affection. Peu à peu, il se laissa vaincre par ces assauts de tendresse qui lui rappelaient la chaleur de Senelle. Il s'attacha à Julie. Entre temps, son comportement avait changé ; il se faisait plus conciliant et ne cherchait plus à fuir. Il avait toujours en aversion la vie de la Réserve et continuait de bouder l'école, mais les heures qu'il passait avec Julie l'apaisaient.

En juin 1930, il eut onze ans. Méon l'informa du projet d'adoption ; s'il le voulait, il pourrait aller vivre avec son amie à Mistouk. Sur le coup, l'enfant s'assombrit. Il se pressait contre son oncle :

— Qu'est-ce que t'en dis, Méon?

— Tu seras mieux avec Julie qu'avec moi. Tu vois comme elle te gâte? En plus, elle fait l'école. Tu pourras recommencer tes classes; il faut que tu t'instruises. C'est bon aussi que tu connaisses la famille de ton père.

— Mais toi, qu'est-ce que tu vas faire?

— Moi, je vais rester ici, dans mon camp, à pêcher, à faire la petite chasse. J'suis un vrai Sauvage, moi, pas un mêlé comme toi...

Il essayait de sourire mais n'y parvenait pas. Léopaul non plus.

— Je vais te revoir?

— Mais oui, j'irai te visiter. Mistouk, c'est pas loin, c'est juste de l'autre côté du Lac. C'est rien pour un chasseur. J'amènerai Cibèle. Je...

Sa voix s'étranglait. Il serra l'enfant encore plus fort contre lui.

— Tu dois essayer. Ici, sur la Réserve, c'est pus comme avant; sur les Territoires non plus. T'as la chance de connaître autre chose chez les Blancs; si ça marche pas, ce sera toujours le temps de revenir.

La demande d'adoption fut agréée par le Département des Affaires indiennes et, en septembre, Léopaul vint s'installer avec Julie à Mistouk, dans une petite maison qu'elle louait aux abords du village. Elle-même orpheline, elle avait été adoptée très jeune par des Blanchette et avait été élevée dans le rang des Chicots, tout près de la famille Tremblay. Depuis la disparition du Grand, elle vivait d'espérance. Mais elle avait l'habitude de l'attente; il lui semblait qu'elle n'avait fait que cela depuis son adolescence: guetter le retour de Méo, toujours à l'aventure, tantôt vers le sud, tantôt vers le nord.

Après les événements tragiques de 1918, elle avait enseigné à l'école du rang des Chicots. Mais tout lui renvoyait l'image, l'écho du disparu: la maison des Tremblay devant laquelle elle passait tous les jours pour aller à son travail, la coulée de l'Ours-Malin, les savanes et les boisés qui avaient été le théâtre de leurs jeux, le Cran-Rouge dressé sur la rive du Lac, associé à tant d'épisodes de son enfance avec Méo, l'Île Beemer et son manoir maintenant en ruine, et là-bas, vers l'est, les terribles rapides de la Décharge où tout avait basculé une fois de plus en ce mois de septembre 1925, juste au moment où, enfin, la vie semblait leur sourire à tous les deux. Le Grand venait alors de rentrer à Mistouk après sept années de fuite et ils avaient fait l'amour pour la première fois sur les crans derrière l'école. Mais tout de suite après, ce fut l'irruption des policiers et, de nouveau, l'escapade de son fiancé, sa folle chevauchée en canot dans les rapides. Après quoi nul ne l'avait revu.

Lorsque les Blanchette avaient décidé de quitter le Saguenay en 1926, elle avait refusé de les suivre et demandé son transfert à l'école du village où elle enseignait maintenant depuis quatre ans. Elle vivait en bons termes avec la communauté bien qu'en retrait, n'ayant jamais pensé à refaire sa vie avec un autre homme. Elle avait trente-sept ans, il était encore temps ; mais le Grand reviendrait, elle en était sûre.

Joseph Tremblay, le père de Méo, était décédé en 1925. Sa veuve, Marie, habitait toujours la vieille maison du rang des Chicots avec son fils Adhémar, sa femme Jessée et leurs enfants. Au cours de l'été 1930, Julie les avait informés de l'existence de Léopaul et des démarches qu'elle avait entreprises pour l'adopter. Dès que l'enfant fut installé au village de Mistouk au début septembre, elle l'amena chez les Tremblay et le présenta à sa grand-mère. Ils se tinrent un moment l'un devant l'autre, sans bouger. L'aïeule retrouvait dans Léopaul les traits, la manière de Méo. Un passé plein de douceurs et de chagrins la submergea tout à coup ; elle parut défaillante et Jessée dut la soutenir. Marie avança une main tremblante pour la porter à la chevelure de l'enfant, mais elle retint son geste. Ce petit-fils né chez les Indiens lui était en même temps étranger, hostile même ; il évoquait tout ce qui avait séduit le Grand et entraîné sa perte. Son trouble se prolongea quelques secondes puis, subitement, les larmes lui montèrent aux yeux et elle se précipita sur Léopaul, le couvrant de baisers. Le mouvement du cœur l'emportait. Dans la minute qui suivit, elle pressait son petit-fils contre elle et ne voulait plus s'en séparer. La visite s'étira jusqu'au soir ; Julie dut promettre de revenir le dimanche suivant.

La nouvelle mère entoura le garçon de tant de soins et de douceur qu'il s'adapta vite à sa nouvelle vie. En dehors de sa relation avec Julie, il restait renfermé, durci, mais à l'école du village, également tenue par des sœurs du Bon Conseil, il combla assez vite le retard qu'il accusait sur les autres élèves. Julie avait tenu à l'avoir dans sa classe ; elle lui enseignait aussi le soir à la maison. Tout se passa bien pendant quelque temps. Léopaul montrait beaucoup de facilité et progressait très vite. Bientôt il fut aux premiers rangs. Mais il continuait à se tenir en retrait, ne se mêlait guère aux jeux des autres et rentrait chez lui tout de suite après l'école.

Pour le distraire, tous les dimanches, Julie se faisait déposer avec lui chez les Tremblay. En novembre, profitant d'un congé, elle l'emmena à Pointe-Bleue où il retrouva Cibèle. Puis, durant les vacances de Noël, l'oncle Méon et la petite fille séjournèrent quelques jours à Mistouk. Le plaisir que les deux enfants eurent à se retrouver fut presque aussi grand que leur chagrin au moment de se quitter. Julie vit à ce que les deux visiteurs reviennent à Pâques, puis au début de l'été 1931. Chaque fois, ce fut le même enchantement et la même douleur.

Cependant, le curé Girard, que l'on avait omis de consulter au moment de l'adoption, commença à manifester de l'aversion envers l'enfant. Il l'interrogeait durement durant ses visites d'inspection à l'école. Enhardis, des élèves peu à peu s'en mêlèrent : d'où venait ce Sauvage qui occupait le devant de leur classe ? Julie veillait, ramenait les choses à l'ordre. Mais bientôt le mot courut dans le village : plus qu'un Sauvage, l'étranger était un bâtard ! Il y eut quelques incidents qui amenèrent Julie à sévir. Son initiative n'eut pas l'heur de plaire aux parents concernés qui demandèrent des comptes, tandis que des dirigeants d'associations pieuses et d'autres esprits vigilants s'intéressaient à l'affaire. Léopaul redevenait agressif, se désintéressait de ses leçons et de ses travaux.

Le dimanche, il était content de fuir le village pour se réfugier chez sa grand-mère. Il avait fait connaissance avec l'oncle Adhémar, la tante Jessée et leurs enfants qui habitaient la vieille maison avec Marie. Il avait aussi rencontré d'autres oncles et tantes, d'autres cousins et cousines auxquels il s'attacha peu à peu. Des parents de la ville visitaient également la maison des Chicots, tout heureux, en ces années de Crise, de pouvoir s'approvisionner en produits de la terre. Léopaul se lia surtout avec le jeune Valère, un fils de Léon-Pierre, frère de Méo, établi à Saint-Nazaire, à quelques milles de Mistouk. Et il s'attacha plus encore à Nazaire, un autre fils de Léon-Pierre. C'était un compagnon étrange, malingre, presque difforme, paisible et rêveur, qui semblait à la fois passionné et détaché de tout. Il s'intéressait à la vie des plantes et des insectes et entraînait son cousin dans de longues excursions sur la terre des Tremblay. Ayant reçu au baptême les prénoms de Joseph-Élie, l'enfant était né chétif et repoussait le sein que sa mère lui tendait. Un moment, on le crut sur le point de mourir. Le curé de Saint-Nazaire suggéra une neuvaine au patron de la paroisse. Et le miracle se produisit (le père, il est vrai, faisait boire à l'enfant un peu de lait de vache en cachette). En reconnaissance de cette guérison, on annexa le prénom du saint à ceux que portait déjà le miraculé. Sa croissance, néanmoins, demeura difficile. Sa taille squelettique et sa poitrine rabougrie inspiraient de l'inquiétude aux siens, bien que lui-même ne s'en plaignît jamais.

On crut longtemps que le même mal avait affecté son esprit. Il tenait des propos singuliers et, à l'école, il assimilait assez mal les matières du programme. C'est que le petit Nazaire avait les siennes, qu'il cultivait pour lui-même. D'un naturel paisible, toujours souriant, il vivait seul dans son univers. Son entourage prenait pour de la nonchalance la sérénité qui l'habitait et, parce que sa curiosité se portait naturellement vers le sens profond des choses, on le croyait désintéressé des affaires du jour. À la fréquentation des enfants de son âge, il semblait préférer la contemplation des étoiles ; car en toutes choses, le firmament lui servait de guide, de manuel.

Léopaul appréciait ce compagnon fragile et attentif qui parlait tout bas aux fourmis et aux pissenlits. Mais dans ces courtes promenades, il réservait toujours du temps pour Marie, dont la parole lui faisait découvrir un monde nouveau. Alors âgée de soixante-sept ans, la grand-mère avait conservé une bonne santé, malgré une arthrite qui ne lui laissait guère de répit. Ses cheveux d'un blanc immaculé et sa voix haut perchée ajoutaient à la douceur qui émanait de son visage. Vêtue de noir, elle priait tout le jour et se retirait souvent dans sa chambre où elle avait fait installer un prie-Dieu que dominait une statue de la Vierge flanquée d'un lampion.

Le dimanche, dès l'heure du midi, elle se tenait à la fenêtre du salon, guettant l'arrivée de Julie. Celle-ci avait un voisin charitable qui la conduisait en automobile aux Chicots. Dès qu'elle arrivait avec Léopaul, Marie faisait asseoir l'enfant auprès d'elle et engageait la conversation. Elle lui relatait sa semaine puis l'interrogeait sur sa vie au village, son école, ses progrès au catéchisme. Mais, très vite, elle en venait au passé. Elle se penchait vers l'enfant et lui parlait de Joseph, son « défunt », de leur première rencontre à Woonsocket où leurs familles avaient émigré jadis, puis de leur arrivée à Mistouk, des défrichements aux Chicots. Et de Méo. Toujours Méo, le Grand, le géant. Son enfance, son agitation ; sa soif de tout voir, de tout faire ; ses virées dans les bois, ses premières escapades autour du Lac, ses derniers voyages au loin. Parfois elle s'interrompait ; une larme perlait à sa paupière, qu'elle chassait discrètement, puis elle reprenait son discours, elle revenait à Méo.

Elle racontait ses traversées du Lac en canot ou à la nage, ses hivers de chasse avec les Indiens sur les Territoires, l'épisode du dirigeable américain qui avait un jour échoué le long de la rivière Péribonka et que le Grand était allé récupérer avec son ami Moïse. Et ce long, cet étrange voyage dans le Grand Nord, en un endroit nommé la Source Blanche, toujours avec Moïse :

— Ces deux-là, ils restaient jamais en place ; ils étaient partout à l'étroit.

Léopaul ouvrait de grands yeux, pressait Marie de questions, mais la vieille femme se faisait évasive. L'enfant se tournait vers Julie qui évitait son regard. Encore un mystère ?

Chaque visite aux Chicots était une occasion de découvertes. Marie promenait son petit-fils à travers la maison, lui faisait visiter les chambres : celle des quêteux qui se faisaient de plus en plus rares, celles des filles où rien n'avait été changé, et celle que Méo occupait jadis avec son jeune frère Félix. Un jour, elle conduisit l'enfant au grenier où s'entassait dans un coin tout un bric-à-brac. C'étaient les objets que le Grand rapportait de ses chevauchées. Léopaul put répertorier une paire de jumelles, une vieille épée rouillée, deux cerfs-volants de toile orange (vestiges de l'aéronef américain), un boomerang, même un casque de scaphandrier. Marie se saisit des jumelles et les lui remit :

— Tiens, ça te fera un souvenir de ton père. Il les avait achetées aux États.

Plus tard, elle lui montra des photos de son grand-père que le Grand avait prises au moyen d'un appareil-photo rapporté également des États-Unis.

— Il doit être resté au grenier, cet appareil. Tu l'as pas vu ?

Léopaul y était retourné, avait remué tout ce qui s'y trouvait, mais en vain.

Lorsque le temps était beau, ils sortaient tous les deux et marchaient lentement autour de la vieille maison blanche ceinturée de longues galeries. L'enfant soutenait sa grand-mère. Elle l'emmenait d'abord à un enclos où paissaient ses deux chèvres qu'elle caressait au passage. Ils allaient ensuite jusqu'au Lac. Désignant le large, elle expliquait que, par beau temps, à certaines périodes de l'année, on apercevait jusqu'à vingt et un clochers et alors on pouvait faire un vœu.

— T'en as déjà fait un ?

— Plusieurs…

Elle lui racontait le Cran-Rouge d'où le Grand s'était élancé avec une espèce de parachute de son invention, l'Île Beemer que, très jeune, il avait ralliée à la nage, le petit tertre qui servait d'arène de lutte sur le bord de la coulée, l'école qu'il avait fréquentée avec Julie. Léopaul se faisait expliquer le Pré-du-Loup, les Eaux-Belles, la coulée de l'Ours-Malin, tous ces lieux qu'habitait encore le géant lointain dont il était le fils.

Il retraitait vers la maison avec Marie puis allait se baigner aux abords du Cran-Rouge. Parfois il s'éloignait vers le large, se prélassait un moment sous le soleil, revenait avec la vague. Chacune de son côté, discrètement, Marie et Julie se pressaient à une fenêtre et retrouvaient dans les ébats de l'enfant le mouvement souple et racé du Grand quand, au même âge, il faisait ses longues sorties sur le Lac.

De retour au village, il interrogeait encore Julie sur son père :

— Pourquoi est-ce qu'il revient pas ?

— Je te l'ai déjà dit.

— Tu lui écris jamais…

— Je n'ai pas son adresse ; il voyage tout le temps.

— Il écrit pas lui non plus ?

— Il est probablement sur un bateau, en forêt, trop loin…

— Pourquoi tu pleures quand je t'en parle ?

— C'est des idées que tu te fais… Arrête, veux-tu ?

Craignant de livrer toute la vérité, elle retarda l'échéance aussi longtemps qu'elle le put. Mais lorsqu'il eut douze ans, elle dut s'ouvrir. Elle résuma la vie de Méo, l'homme qu'il avait été pour elle et pour les autres, comment il était parti pour un long voyage dont il reviendrait un jour. Il voulut en savoir encore plus.

Elle lui raconta comment le Grand avait quitté Mistouk, seul à bord de son canot lancé dans les rapides du Saguenay qui menaient à Shipshaw et, plus loin, à Chicoutimi et au Fjord. Il continua de la questionner, mais elle se renferma.

À l'école, les choses ne s'arrangeaient pas. Des élèves, encouragés par leur famille, avaient pris le « bâtard » en grippe et lui menaient la vie dure. Un jour, le curé Girard intervint à nouveau, abordant le sujet à une réunion de la Commission scolaire dont il était l'aumônier. On était au printemps, soit le moment de l'année où les contrats des enseignants étaient renouvelés. Des voix s'élevèrent autour de la table pour dénoncer le comportement abusif de Julie Blanchette qui avait amené cet enfant de Pointe-Bleue :

— Après tout, c'est un Sauvage.

— Bâtard en plus…

— Il a une mauvaise influence sur les élèves.

— Pourquoi ne pas le renvoyer parmi les siens dans la Réserve ?

Là-dessus, quelqu'un proposa l'expulsion de l'enfant, mais l'opinion penchait pour le congédiement de Julie. Certains prenaient sa défense ; parmi eux se trouvait la supérieure du couvent :

— Mme Blanchette s'est montrée généreuse en adoptant cet orphelin dont le comportement est sans reproche. Notre devoir est plutôt de leur venir en aide ; je ne comprends pas votre attitude.

Le curé était d'un autre avis :

— Ma sœur, on vous a confié la direction de cette école, mais moi, j'ai la responsabilité de la paroisse. De toute évidence, l'affaire a pris des proportions qui débordent votre mandat. Je suggère une mesure provisoire, une interruption de contrat. Nous réévaluerons la situation plus tard. Ce qui presse pour le moment, c'est de ramener l'ordre.

La proposition rallia la majorité des voix et plusieurs louèrent la clairvoyance du pasteur.

Julie, stupéfaite, comprit qu'elle était sans recours. En son absence, durant le mois qui suivit, le harcèlement contre son fils s'accentua. Un jour, des élèves l'attendirent à la sortie de la classe et l'injurièrent : son père n'était qu'un vaurien, un meurtrier, et tout le monde le savait au village. Quelques-uns le rudoyèrent. Bouleversé, il s'enfuit, laissant sur place son sac d'école. Il arriva à la maison en larmes, en proie à une violente crise. Il mit beaucoup de temps à raconter ce qui s'était passé. Julie parvint à le calmer :

— Ce sont des mauvaises langues. N'y fais pas attention.

— C'est vrai ce qu'ils ont dit sur…

Julie subitement s'emporta, attrapa l'enfant par le bras :

— Je te défends de revenir là-dessus, tu m'entends ? Je te le défends. Ce sont des menteries, rien que des menteries !

Léopaul ne dormit pas de la nuit. Il songeait à la réaction de sa mère, habituellement si douce. En plus, l'incident de l'école l'humiliait ; il avait honte de s'être enfui. C'est de ce temps-là qu'il résolut de ne plus jamais reculer dans la vie. Même pour prendre son élan. Le lendemain, il retourna au couvent, confronta durement les élèves qui l'avaient molesté la veille et les bouscula à son tour. Mais il refusa ensuite de retourner en classe. Julie en prit son parti et se résigna à quitter Mistouk.

La parenté en fut informée et quelques familles offrirent de les accueillir. Finalement, Julie accepta l'invitation de Blanche, une sœur de Méo établie à Jonquière avec son mari, Antonin. Un dimanche d'août 1931, elle se rendit avec Léopaul aux Chicots pour prendre congé des Tremblay. Le temps était couvert et le vent charriait de grosses vagues noires sur le Lac. Au moment de la séparation, ils se rassemblèrent tous sur la galerie avant de la maison. Il y eut peu d'effusions, chacun s'efforçant de contenir sa peine. Marie tenait son petit-fils contre son ventre et lui caressait les cheveux :

— Tu n'oublieras pas ta grand-mère ?

— Je vais t'envoyer des lettres.

— Ce serait encore mieux si tu me les apportais.

Julie embrassa Marie, prit la main de son fils :

— Ne vous inquiétez pas, nous allons revenir.

Léopaul s'écarta un moment du groupe pour aller saluer les deux chèvres, puis il rejoignit Julie et ils remontèrent dans l'automobile qui les attendait. À l'instant où ils s'engageaient dans le rang vers l'école, ils se retournèrent et aperçurent Marie restée seule sur la galerie, son regard errant sur le Lac.

La grand-mère mit du temps à rentrer. Cette scène lui en rappelait bien d'autres. Elle pensait au départ de sa fille aînée Mathilde pour le cloître aux États-Unis, où elle était morte sans que la famille l'ait jamais revue. Elle se rappelait aussi toutes les séparations que le Grand leur avait infligées, comme autant de déchirures qui ne s'étaient jamais refermées.

Chapitre 3

Julie avait le cœur lourd. Elle n'avait jamais cru devoir quitter la paroisse de son enfance, la patrie de Méo. Pendant le trajet vers Jonquière, elle repassa les années de sa vie tout en s'inquiétant de celles qui s'en venaient. Elle voyait bien que Mistouk avait changé, que l'esprit n'y était plus le même. Les premiers défricheurs étaient morts et leurs successeurs s'étaient assagis. Ils n'avaient voyagé ni chez les Américains ni chez les Sauvages. Au village, on n'entendait plus de ces conversations extravagantes qui, jadis, faisaient rêver la fillette qu'elle était. Comme si les familles s'étaient repliées sur leur petite vie, comme si elles avaient désappris à rêver. Même les étrangers avaient disparu : ceux qui arrivaient de Charlevoix par la route ; ceux qui, venant des États-Unis ou d'Europe, descendaient du bateau à Chicoutimi ou arrivaient par le train à l'ancien Château Roberval.

Elle s'en souvenait bien : les dimanches ensoleillés, les carrioles tout enrubannées qui parcouraient les rangs, les attelages de deux et même quatre chevaux parfois, et leurs passagers si colorés qui s'étonnaient de découvrir des habitants dans cette contrée du bout du monde. Certains s'arrêtaient aux Chicots pour demander leur chemin. Julie revoyait encore sur les sièges coussinés les petites filles de son âge, toutes sages, pressées contre leur mère, minuscules dans leur robe légère. Et les jeunes garçons agités qui, sautant de voiture, couraient parmi les souches avec leurs souliers vernis. Et Méo, encore plus excité, qui se mêlait à leurs jeux, puis voulait repartir avec eux — déjà !

Il y avait aussi tous ces personnages mystérieux qui l'avaient tant fascinée : les maquignons, les colporteurs, les quêteux, les charlatans, tous gens bavards, sincères et menteurs, qui savaient tout sur le monde et ses habitants et racontaient avec tant de vérité leurs histoires magnifiques. C'était bien fini tout cela. Elle pensait au Grand qui s'était nourri lui aussi de cet univers enchanté ; elle imaginait le choc, la déception qu'il éprouverait à son retour. Car il reviendrait un jour ; il revenait toujours.

*　*　*

La mère et l'enfant, alors âgé de douze ans, arrivèrent à Jonquière en août 1931 et s'établirent chez Blanche et Antonin au 282 de la rue Châteauguay, à l'ouest de la Rivière-aux-Sables. Tout le monde le disait dans la famille, Blanche était la réplique de sa mère, au physique comme au reste : accorte et solide, vaillante et prévoyante, tantôt rieuse et tantôt grave. L'oncle, grand et mince, rêveur et nerveux, se contentait de peu mais s'inquiétait de tout. Ne faisant guère confiance à la vie dont il redoutait les revers, il croyait s'en prémunir par le travail et l'austérité ; mais il avait des moments d'affaissement, et même de découragement. Blanche savait tout cela et le soutenait discrètement.

Il possédait un camion, un Chevrolet, et effectuait des livraisons pour diverses entreprises et magasins. À vrai dire, un cheval et une bonne charrette auraient suffi pour ces « pratiques » mal rémunérées. Les finances de la famille en souffraient un peu, mais Antonin était fou des camions. Cet ancien charretier, fils de charretier, aimait son Chevrolet (qu'il appelait sa « bête ») presque autant que ses enfants.

Il avait eu quatre filles et cinq garçons avec Blanche. La maisonnette qu'il avait lui-même bâtie abritait donc treize personnes avec l'arrivée de Julie et Léopaul. C'était une construction en bardeaux bruns avec deux toits en pente recouverts de papier goudronné. Deux petites galeries la prolongeaient devant et derrière où, l'été, Blanche aimait prendre la fraîche à la tombée du jour. Le rez-de-chaussée comprenait la cuisine, la petite chambre de Blanche et d'Antonin (qu'un rideau de cretonne séparait de la cuisine), ainsi qu'un salon où couchaient également deux garçons sur une divanette. Un escalier menait à l'étage où Julie occupait un lit derrière une cloison. Le reste, mi-mansarde, mi-grenier, était un espace ouvert, sans fenêtre, où dormaient les autres enfants. Les nuits y étaient torrides en été, glaciales en hiver. Le vent y soufflait à l'année longue, sur tous les tons.

La promiscuité pesait à tout le monde, mais chacun y mettait du sien. La vie familiale se déroulait surtout dans la cuisine, près du poêle, ou autour de la grande table de bois dont une patte, peut-être deux, étaient plus courtes que les autres — les enfants avaient appris à manger leur soupe dans le sens de la pente. L'oncle disait :

— C'est pas grave. Vous allez voir que dans la vie, y a pas grand-chose à l'équerre !

Dominant la tablée, un immense perroquet en plastique vert et jaune se balançait au bout de sa corde fixée au plafond, comme s'il présidait, mais en silence, aux délibérations. Antonin l'avait un jour rapporté de Québec ; c'était le plus gros cadeau qu'il ait offert à Blanche depuis leur mariage. Elle en avait été toute remuée :

— Tonin, t'es extravagant !

Avec les années, la décoloration avait fait grisonner le plumage de l'oiseau auquel plus personne ne semblait prêter attention, sauf l'oncle et la tante qui continuaient de lui prodiguer des regards affectueux. C'était la principale touche de fantaisie dans la pièce, avec deux images du Sacré Cœur et le grand calendrier offert chaque année par le garage Lagacé, là où Antonin avait acheté son camion. Quelques almanachs jaunis s'empilaient sur la glacière, à deux pas de l'évier. Un tue-mouche pendait aussi à un clou sous la vieille horloge que Blanche avait rapportée de Mistouk après ses noces ; c'était le gros de son héritage.

L'oncle et la tante se montraient généreux et d'un rapport facile. Leurs enfants également, qui composaient de bon cœur avec les nouveaux venus. Blanche veillait à tout, intervenait au besoin auprès de celui-ci ou de celui-là. Les jours s'écoulaient sans heurt, ponctués par les sonneries de l'horloge, sous le regard impassible du vieux perroquet.

La vie conjugale avait apporté au couple de grandes joies — la naissance de leurs enfants, l'installation dans leur maison — et quelques déceptions. Pour Blanche, la première était survenue le jour même de ses noces à Mistouk. Selon la règle ecclésiastique, on pouvait choisir des mariages de première ou de deuxième classe. Dans le premier cas, au terme de la cérémonie nuptiale, les nouveaux conjoints sortaient de l'église par la grande porte, sous les applaudissements et les lancers de riz, pendant que le bedeau actionnait les cloches. Dans le second cas, le couple s'éclipsait piteusement par la porte de côté, sans sonnerie ni facéties. Au cours des semaines précédant son mariage, Blanche avait vécu cent fois en rêve sa sortie triomphale par la grande porte, sous le regard des invités. Hélas, le jour venu, alors que, radieuse, elle arpentait l'allée centrale en direction de la sortie, Antonin l'avait soudainement tirée par le bras pour la pousser vers la petite porte de côté, lui infligeant la plus grande humiliation. Il avait dû fournir ensuite des explications embarrassées : il lui aurait fallu payer trente dollars, soit le salaire d'une semaine, pour emprunter la grande porte ; il n'en avait pas les moyens, mais n'avait pas eu le courage d'en prévenir sa fiancée. Grâce à Blanche, qui ne ratait pas une occasion de renoter* l'affaire, l'expression était restée dans la famille. Prendre la grande ou la petite porte : faire le floche* ou compter ses sous.

Antonin n'était guère visible durant la semaine. Le jour, il vaquait à ses livraisons dans la ville et aux environs. Le soir, il travaillait à son commerce de rippe*, de bran de scie* et de croûtes*. Depuis des années, c'était pour lui un précieux complément de revenus. En ces temps de Crise surtout, le bran de scie et la rippe étaient très en demande pour isoler les maisons contre le froid ou pour remplir les coulées. Quant aux croûtes, elles étaient recherchées en hiver pour le chauffage. L'oncle avait une entente avec quatre ou cinq propriétaires de scieries autour de la ville, trop heureux de se défaire de tous ces rebuts du sciage qui s'accumulaient à la diable autour des moulins. Mais si le produit était gratuit, sa manutention demandait beaucoup d'efforts. En dépit de sa maigreur et de ses longs bras osseux, Antonin était dur à l'ouvrage. Et il savait ordonner ses gestes et sa peine.

Il rentrait tard le soir et trouvait la maison plongée dans l'obscurité. Il gagnait alors sa chambre et remettait à Blanche qui l'attendait ce qu'ils appelaient tous les deux « l'argent des croûtes ». Elle se levait, allait à la cuisine et saisissait le gros perroquet dont elle dévissait la tête ; elle jetait un coup d'œil dans le ventre de l'animal et y glissait les revenus de la soirée : quelques dollars, des pièces de monnaie souvent. C'était leur réserve pour les mauvais jours — qui allaient venir, ou revenir, ils en étaient bien convaincus. Ils s'allongeaient ensuite et s'endormaient avec le sentiment que leur couche était plus chaude, plus moelleuse, et la nuit moins oppressante.

Le couple ne voyait rien d'exceptionnel dans sa condition. Il vivait au cœur d'un quartier délabré aux abords de la ville. La plupart des ménages qu'il connaissait comptaient dix ou douze enfants. Blanche aimait à répéter :

— On voit bin que la misère non plus aime pas la rareté.

Comme le voulait une expression de la rue, certaines familles étaient pauvres « à en manger le mastic sur les fenêtres ». Plusieurs hommes avaient perdu leur emploi depuis le début de la Crise ; ils se regroupaient tout le jour sur le trottoir de bois à demi défoncé à la porte de l'épicerie Tremblay ou du « salon » de barbier Moderne pour commenter les événements, relancer les rumeurs de l'heure, spéculer sur la reprise de l'« ouvrage » ; mais rien ne se produisait.

Après le passage d'une automobile ou d'un camion, ils avaient tous le même geste pour agiter leur casquette et en chasser la poussière épaisse qui s'élevait de la chaussée de terre et de gravier. Une fumée âcre s'y mêlait, en provenance de la Dompe*, à l'extrémité de la rue, où un feu brûlait jour et nuit. Des jeunes s'y regroupaient pour trier les déchets, chasser les rats ou malmener la carcasse des vieilles voitures qu'on y abandonnait. Mais ils s'en retiraient avant la tombée du jour, heure à laquelle deux ou trois ours affamés prenaient possession des lieux.

L'une des vieilles voitures, très célèbre, allait bientôt attirer l'attention de Léopaul. C'était la grosse Buick blanche du Sirop Gauvin qui, trente ans auparavant, avait fait son apparition à Chicoutimi ; les Saguenayens découvraient alors leur première machine*. Pendant des années, elle avait sillonné les routes de la région et s'était arrêtée dans tous les rangs, semant l'émerveillement chez les humains et la terreur parmi les animaux. Blanche racontait que son frère Méo, vers l'âge de douze ou treize ans, avait convaincu le chauffeur de le prendre à son bord ; il avait ainsi fait pour la première fois le tour du Lac Saint-Jean. Aux premiers mois de son arrivée à Jonquière, Léo se rendit plusieurs fois à la Dompe pour rôder autour de la voiture déglinguée. Il se glissait, pensif, sur le siège du passager, ou de ce qui en restait. Pendant quelques minutes, le dépotoir devenait un grand pays merveilleux qu'il parcourait avec son père.

À quelque distance de la Dompe, là où il n'y avait plus de trottoir, se dressait la maison de Godin-l'Alambic. Le père avait fondé cette industrie familiale plusieurs années auparavant, lorsque les municipalités de la région avaient prohibé le commerce des boissons enivrantes. Ayant perdu un pied dans un accident de chantier par suite d'un coup de hache mal dirigé, Godin ne pouvait plus guère travailler. Il dirigeait la petite entreprise avec ses garçons. On le voyait rarement à l'église, étant peu porté sur la religion; par contre, il était versé en spiritueux et en saint-pierre* et ses affaires étaient florissantes. Dans le quartier et au-delà, tout le monde savait, mais ne disait mot. Les policiers savaient eux aussi et se faisaient aussi discrets; Godin veillait à les approvisionner généreusement en esprit* et tout allait pour le mieux.

D'autres institutions, tout aussi communautaires, se trouvaient à proximité. Il y avait le collège des Frères du Sacré-Cœur avec sa grande cour de récréation que parfumaient deux ou trois fois par jour les vapeurs de l'alambic. Il y avait aussi un petit bureau de poste, presque toujours désert, hérité d'une promesse électorale irréfléchie d'un député désespéré qui, pour des raisons obscures, n'avait su la renier une fois réélu. Seuls des garçons y passaient pour y courtiser à loisir la jeune postière à qui ils glissaient parfois, en secret, une petite lettre d'amour. C'était le cœur du courrier.

À l'est, en descendant vers la Rivière-aux-Sables, des enfants qui en avaient fait leur terrain de jeux occupaient la rue une bonne partie de la journée : hockey en hiver, drapeau ou ballon-prisonnier en été. Des chiens effrontés y patrouillaient, et quelques poules aussi, pendant que de gros matous chassaient les rats dans les cours arrière des maisons et sous les hangars. Après l'orage, les plus jeunes enfants s'affairaient autour des puisards, aménageant des barrages, des bassins artificiels, des « pouvoirs électriques ». Le lundi, les femmes lavaient et « étendaient » sur la corde à linge en conversant d'une maison à l'autre. À tout prendre, il ne se passait pas grand-chose dans ces petites rues désœuvrées mais, l'imagination aidant, on trouvait beaucoup à dire. Car le champ de ce qui aurait pu s'y produire était illimité.

Le samedi soir, toute la rue Châteauguay s'animait. Les hommes passaient chez Godin pour s'approvisionner. Le rituel ne variait guère, en été comme en hiver. On frappait sept coups à la porte ; un enfant venait répondre :

— C'est pour quoi ?

— Un peu d'« esprit » pour se chauffer.

Chacun repartait avec son flasse* enroulé dans un vieux numéro de l'*Action catholique* ou du *Réveil,* l'hebdomadaire municipal. Plus tard dans la veillée, ça chauffait en effet dans les chaumières. Les réjouissances donnaient souvent lieu à des empoignades entre voisins, vite réparées le lendemain. La paix s'installait jusqu'au samedi suivant.

Au début, Léo se trouva isolé. Ses cousins et cousines, plus âgés que lui, avaient leurs occupations. Il rôdait autour de la maison, n'étant guère attiré par la vie de la rue. Les garçons d'Antonin s'en écartaient eux aussi ; leur existence était centrée sur le troque*. Blanche s'en réjouissait ; elle estimait les gens du quartier mais trouvait à quelques-uns des mœurs « communes » et elle souhaitait que ses enfants en sortent dès que possible :

— Vous en avez toujours bin assez d'être pauvres, s'il faut que vous deveniez copeurses* en plus !…

C'est surtout dans la cour du collège que les cousins de Léo s'adonnaient à leurs jeux. L'hiver, ils creusaient des tunnels sous les bancs de neige ou bien ils se glissaient en traîneau dans la Coulée qui séparait l'école du chemin de fer. Les allées* occupaient aussi une grande partie de leur temps. Un élève en alignait quelques-unes sur la neige durcie tandis que d'autres, à une certaine distance, essayaient de les atteindre en lançant une bille. À cette école, la règle voulait que la cible comporte six allées et que les tireurs prennent position à dix-huit pieds — c'est ce qu'on appelait du 6-18. Après avoir observé pendant quelques jours les rôles du metteur* et des viseurs*, Léo se présenta un matin dans la cour de l'école et lança à la ronde :

— Par icitt les viseurs, moi, je mets du 10-30 !

— Du quoi ?

— Du 10-30 ; fini le 6-18 !

39

Les maîtres tireurs se consultèrent. Puis :

— On vise pas, c'est pas réglementaire.

— Pourquoi, c'est trop loin pour vous autres ? Vous avez peur à vos allées ?

Nargués, ils se concertèrent à nouveau et, après un moment, annoncèrent :

— Okay, on va en essayer une. Juste pour te dompter.

Ils en essayèrent une, puis une deuxième, puis quelques autres. Au moment de retourner en classe, Léo marchait lourdement, les poches remplies de billes. Dans les jours qui suivirent, il fit des affaires d'or. Les viseurs, alléchés par l'appât, rataient leur cible et redoublaient d'ardeur. Quand ils étaient asséchés, le « metteur » offrait obligeamment de les réapprovisionner en munitions selon des tarifs raisonnables. Rentré à la maison, il entreposait ses gains du jour dans de vieilles boîtes de tabac Zig-Zag dont l'oncle Antonin faisait ses rouleuses*. Elles allaient rejoindre le précieux butin déjà accumulé au fond du grenier. Quant aux sous, il les entassait dans une autre boîte qu'il conservait sous son lit.

Toutefois, il perdit bientôt son avantage, d'autres metteurs s'étant convertis au 10-30 qui avait maintenant remplacé le 6-18 à l'école. Alors, il innova à nouveau avec une gigantesque bâlbeurigne* qu'il avait dénichée à la Dompe l'automne précédent. Après l'avoir astiquée, il l'avait mise à viser à soixante pieds. Les tireurs, incluant ceux qui étaient les plus réputés pour leur visou*, s'étaient esquintés pendant une semaine durant les récréations avant que l'un d'eux touche enfin la cible. Mais à ce moment-là, Léo se trouvait en possession d'un véritable trésor qu'il était allé transiger à l'épicier Tremblay.

Avec les beaux jours, les toupies de bois, que les garçons se taillaient au couteau dans un bout de branche, faisaient leur apparition. Les joueurs lançaient l'engin et le faisaient tourner à l'intérieur d'un cercle tracé sur le sol, en essayant d'en éjecter les toupies des concurrents. Léo et ses cousins se débrouillaient pas mal, mais comme tous les autres compétiteurs, ils étaient victimes de la concurrence déloyale que leur faisaient les cinq fils d'un menuisier du coin, Anatole Boily, munis chacun d'un énorme beu* confectionné par leur père.

Dans le quartier, des bandes de garçons noyautées par quelques voyous se partageaient la rue et chacune gardait jalousement son territoire. Les combats étaient fréquents. Le soir, les bandes effectuaient des sorties dans le cimetière adjacent où elles s'affrontaient et s'adonnaient à un peu de vandalisme; ce territoire-là aussi était cadastré. La réputation du quartier en souffrait. La veuve Maltais, qui louait les services de ses trois filles, y contribuait pour sa part. Les paiements se faisaient en espèces de préférence, mais l'argent était rare et le client pouvait aussi régler avec un vingt livres de farine, trois sacs de patates ou une corde de bois de poêle (« seulement du bois dur », disait la tenancière en clignant de l'œil). La dame avait élu résidence à proximité de l'alambic. Elle tirait ainsi profit de l'achalandage en offrant un heureux complément au service dispensé par Godin. C'était, comme on aurait dit à l'église, l'union de l'« esprit » et du corps.

Deux policiers patrouillaient le quartier dans une longue automobile noire qui soulevait un épais nuage de poussière. Des garçons la guettaient et, dès qu'elle se pointait, ils lançaient des tessons de bouteille sur la chaussée. Si par malheur (ou par bonheur) ils crevaient un pneu, les policiers se précipitaient dans les maisons pour dénicher les coupables; mais personne n'avait rien vu. Les patrouilles s'espaçaient pendant quelques jours; les « services » pouvaient opérer plus tranquilles.

Les prêtres, eux, se faisaient plus rares, Châteauguay n'étant pas leur fief préféré. Un petit vicaire pressé passait une fois l'an pour la visite paroissiale. Les habitants, amusés, le regardaient trottiner nerveusement d'une maison à l'autre, affublé d'une soutane trop cintrée qui emprisonnait ses pas, ce qui lui avait valu le surnom de Mille-Pattes. Il se déplaçait coiffé de sa barrette en se retournant constamment, à la manière d'un intrus ou d'un malfaiteur. Une fois admis dans une maison, il recueillait l'aumône en vitesse, bénissait à la ronde la maisonnée et c'en était fait pour cette année-là. Les enfants n'avaient même pas le temps de s'agenouiller, Mille-Pattes était déjà reparti. Il faisait les deux côtés de la rue en remontant vers la Dompe, mais rebroussait chemin avant d'arriver chez les Godin et la veuve Maltais.

De mémoire de paroissien, aucun autre prêtre ne s'était jamais pointé dans la rue, et surtout pas le curé, un vieil ecclésiastique grincheux et corpulent qui tirait du grand et marchait le nez en l'air sans regarder où il mettait les pieds, ce qui le contraignait à les relever exagérément pour éviter les obstacles. À la longue, il avait adopté un drôle de pas qui évoquait celui du cheval ; on devine les sobriquets dont l'avaient affublé les âmes peu révérencieuses de la rue Châteauguay. Mais l'intéressé n'en souffrait guère ; il se trouvait à Jonquière deux ou trois quartiers mieux éduqués où sa présence était davantage appréciée et ses attentions mieux rémunérées.

La vie l'avait déçu et, rue de la Fabrique, du côté est de la Rivière-aux-Sables, il traînait une vieillesse aigrie, arpentant son vaste presbytère qui surplombait la petite ville. Il était de ces hommes d'Église ambitieux et talentueux qui, en leur jeunesse, s'étaient destinés un peu à la prêtrise et beaucoup à l'épiscopat, mais dont l'ascension avait été cruellement compromise à la fois par le petit nombre de sièges disponibles et par la longévité aussi désolante que proverbiale de leurs titulaires. Ses proches l'avaient entendu plus d'une fois ronchonner :

— C'est à croire que le pourpre les garde verts…

Mais il ne désespérait pas tout à fait de voir un jour sa paroisse élevée à la dignité de cathédrale et il continuait à décorer richement son église, comme si la dépense allait un jour conduire à l'emploi. Il endettait la fabrique et multipliait les quêtes. Les paroissiens s'en plaignaient, surtout de l'autre côté de la rivière où la pauvreté s'agglomérait. Antonin grondait :

— Baptême, s'ils le laissent faire celui-là, y va nous manger l'argent des croûtes !

Chapitre 4

Une fois installée rue Châteauguay, Julie avait cherché un emploi dans les écoles de la ville, mais n'en avait pas trouvé ; elle était entrée, en attendant, comme vendeuse au Stihl, un magasin à rayons de la rue Saint-Dominique.

Léopaul, que ses cousins avaient tout de suite appelé Léo, avait fini par s'adapter à sa nouvelle vie. Julie avait appris à ne rien lui imposer quand il en avait décidé autrement et tout se passait bien. Ses cousins et cousines étaient tous plus âgés que lui, mais il s'était lié avec François et Marguerite, les plus jeunes d'entre eux.

À compter de septembre 1931, il était entré au collège Saint-Georges, dirigé par les Frères du Sacré-Cœur. C'était une vieille bâtisse de briques brunes à deux étages qui se dressait le long de la voie ferrée dans le bas de la rue Châteauguay, là où le boulevard Saint-Jean-Baptiste prenait naissance. Au début, tout se passa bien pour lui. Puis, vers la fin de l'automne, sa réputation de bâtard revint le hanter à l'école. Plusieurs de ses camarades ne le désignèrent plus que par ce nom et se mirent à le harceler. Il leur tint tête et arriva plus d'une fois à la maison les vêtements déchirés, le visage tuméfié.

C'était surtout sur le chemin du retour que l'adolescent avait maille à partir avec ses bourreaux. Chaque jour ou presque, et toujours au même endroit, des garçons l'attendaient sur son parcours : empiétant sur leur « territoire », le « bâtard » était sommé d'emprunter un autre trajet. Mais jamais il n'en changea. Il en payait le prix sous forme d'insultes, de bousculades, de coups et de bosses, sans se plaindre. À aucun moment non plus il ne songea à dénoncer les coupables. Chagrinée, Julie recousait les vêtements, soignait les ecchymoses et les contusions. Sa situation ne l'autorisait pas à élever la voix. Elle admonestait plutôt son fils qui l'écoutait sans mot dire, l'embrassait et retournait à l'école d'où il revenait le soir dans le même état.

Devant tant d'entêtement, ce furent finalement les assaillants qui fléchirent. Avec le temps, ils éprouvèrent de la honte et conçurent même du respect pour leur victime. Ils mirent fin à leurs hostilités. Dès lors, ce fut le « bâtard » qui passa à l'action. Usant de patience, il s'arrangea pour rencontrer isolément ses bourreaux et infligea à chacun une correction si sévère que, par la suite, sa seule vue les jetait dans l'effroi. Il y mit plus d'un an ; aucun n'y échappa. À la longue, par sa manière silencieuse et obstinée, il finit par imposer son ascendant sur toute la classe. Car pendant tout ce temps, il se montrait également le meilleur élève et s'attirait l'indulgence des Frères.

Un jour, il souffrit de violents maux de dents. Les soins du dentiste coûtaient cher et l'argent était rare. Il se trouvait dans la rue Châteauguay un ancien forgeron qui offrait ses services à peu de frais, mais pour diverses raisons, dont le mépris qu'il affichait pour toute forme d'anesthésiant, il était peu fréquenté. Malgré la répugnance de Julie, Léo insista pour s'y rendre, par économie. Une fois admis dans l'antichambre mal éclairée qui faisait office de cabinet, il prit place sur la chaise des supplices, s'agrippa aux deux bras de métal et, repoussant la sangle qui servait à assujettir le patient, ouvrit la bouche toute grande. Même lorsque, la dent s'étant effritée, les grosses pinces (que le forgeron, prétentieusement, appelait son « davier ») allaient et venaient dans la gencive éclatée, il ne fit aucun mouvement ni n'émit aucun son. À la fin, il redescendit de la chaise en vacillant, essuya les larmes qui avaient coulé sur ses joues et quitta le cabinet en s'appuyant sur le bras de Julie.

Les jours de congé, il prenait plaisir, avec ses cousins et d'autres jeunes, à explorer le quartier et à en découvrir les attraits : la Dompe, toujours fertile en découvertes, le Mont-Jacob avec ses crans, ses sous-bois, la patinoire du collège où il joua ses premières parties de hockey, le cimetière qu'il traversait le soir avec François pour épater Marguerite, et le pont de fer réservé aux trains, qui enjambait la Rivière-aux-Sables. Il ne manquait jamais, l'été, d'assister aux spectacles de lutte que des mastodontes vociférants venaient donner près du Pont-des-Chars justement. Des spectateurs allaient discrètement s'abreuver à l'Hôtel Pierre, à deux pas — les lutteurs aussi, sans façon. D'autres y apportaient du coke, du seven-up ; Léo et ses cousins ramassaient ensuite les bouteilles vides et les revendaient à l'épicerie Tremblay. En août, il cueillait près de la voie ferrée de grosses quantités de noisettes qu'il transportait dans des sacs de jute. Il les battait sur le trottoir de bois devant la maison, les épluchait, les répartissait scrupuleusement en paquets de cent et les glissait dans de petits sacs en papier, puis il les portait chez Tremblay l'épicier, toujours lui, qui les lui achetait en disant :

— Coudon, si tu continues comme ça, tu vas fenir dans le commerce çartain, toué, mon p'tit venimeux !

Les profits de la transaction allaient rejoindre le capital qui s'accumulait dans la boîte de tabac sous son lit.

Il ramassait aussi les vieux clous qu'il trouvait dans la rue et, quand un train s'annonçait, il courait les déposer sur les rails, à deux pas de chez lui. Après le passage du convoi, il les récupérait et s'en faisait des lames de couteau avec lesquelles il sculptait de petits camions dans des bouts de branche. Il les offrait à l'oncle Antonin qui, en récompense, l'emmenait faire un tour dans le gros Chevrolet rouge vin aux pare-chocs noirs. Au retour, Léo s'installait avec des seaux et des guenilles et procédait au lavage du véhicule. À la fin de l'opération, la « bête » rayonnait et l'oncle tout autant.

Ces jours de promenade étaient les plus beaux. Car l'adolescent, lui aussi, s'était pris de passion pour les troques. Au début, comme il l'avait déjà fait avec chacun de ses garçons, Antonin l'assoyait tout près de lui et lui faisait tenir le volant. Plus tard, lorsque ses jambes furent assez grandes pour atteindre les pédales, Léo occupa lui-même la place du chauffeur et se chargea de toutes les manœuvres. Ce fut un grand moment de bonheur. Il voulut tout apprendre : le démarreur, les pistons, l'embrayage et le bras de vitesses, la dompeuse*, et surtout le différentiel, la partie de loin la plus fragile de la « bête », toujours menacée de céder sur les mauvais terrains et qui préoccupait tant Antonin, car en cas de rupture, la réparation était hors de prix et, pendant que le camion était immobilisé, l'argent ne rentrait plus. C'est un sujet que l'oncle n'abordait qu'avec gravité. Léo et les autres enfants grandissaient dans l'angoisse du différentiel et ils s'expliquaient mal qu'une si belle machine soit affligée d'une telle infirmité.

Toutes les pannes étaient redoutées et il y avait pire encore que le différentiel. Un jour, Antonin avait dû faire remorquer son camion au garage Lagacé, en bas de la Côte-des-Saints-Anges, et il était rentré à la maison à pied — épreuve suprême pour un troqueur. À la table ce soir-là, il affectait un air sombre, picossant à peine dans son assiette. Un silence accablant régnait dans la cuisine et le perroquet lui-même semblait détourner le regard. Au dessert, Blanche s'était approchée de son mari et lui avait posé la main sur l'épaule :

— Tu peux nous le dire, Tonin.

— J'veux pas vous faire de peine avec ça.

46

— Tonin…

— Le mécanicien pense que c'est… ce serait le moteur. Le moteur serait touché.

— C'est grave ?

— Y vont l'ouvrir demain…

— Mon Dieu ! Mon Dieu !

— … Y pensent que c'est les valves.

Là-dessus, l'oncle s'était retiré dans sa chambre et les autres, la mine basse, avaient quitté la table.

Léo avait risqué, d'une voix éteinte :

— Je m'en doutais. Il avait plus la même voix depuis quelque temps.

Tout le monde avait prié cette nuit-là et quelques-uns n'avaient pas fermé l'œil. Léo était de ceux-là.

Finalement, le bris s'avéra mineur ; il avait suffi de suturer quelques conduits. Quel bonheur ! Le surlendemain, le vieux camion était revenu, caracolant, au 282 rue Châteauguay ; il avait retrouvé sa belle « voix ». Antonin, cigarette au coin de la bouche, avait soulevé le capot et, grimpé sur le pare-chocs, avait passé une bonne heure à expliquer à tout un chacun les tenants et aboutissants de « l'opération ».

Plus tard, Léo s'appliqua à conduire sur des terrains mous le véhicule lourdement chargé, assimilant l'art de « travailler avec son moteur », surtout dans les méchants trous où il fallait épouser le mouvement du camion en accélérant légèrement au moment de s'y engager, ce qui facilitait la remontée vers le plat et ménageait la mécanique ; mais il fallait maîtriser le synchronisme et procéder sans hésitation ni brusquerie. Aux côtés d'Antonin admiratif, l'adolescent avait vite pris le tour de ces mouvements de balancier et il assimilait aisément les autres manœuvres, s'appliquant à observer les consignes que l'oncle résumait ainsi :

— Le pied agile sur les pédales, la main douce sur le volant, un œil sur la route, l'autre dans le miroir.

À la table, rue Châteauguay, il expliquait à la maisonnée :

47

— En fait, un troque, c'est un peu comme si ça descendait du cheval. Surtout un Chevrolet. D'ailleurs, ça se conduit de la même façon : faut qu'y sente l'autorité du cocher, mais aussi son amitié.

Pédagogue, il ajoutait en levant le doigt :

— R'tenez bin ça, là, les enfants. J'ai pour mon dire que, dans la vie, c'est un peu la même chose.

Là-dessus, il se levait et gagnait la fenêtre de la cuisine d'où l'on voyait le Chevrolet fraîchement astiqué dans l'entrée du hangar :

— Vous direz pas que c'est pas une belle bête…

Il reprenait sa place à table et ouvrait la discussion sur les mérites comparés des Chevrolet et des autres marques. Chacun y allait de ses observations, puis le verdict tombait, sans surprise : le Chevrolet était le roi des troques.

Très tôt le matin, l'oncle déjeunait en vitesse puis sortait sa boîte de tabac Zig-Zag, son vieux moule en bois et son livret de papier Vogue. En moins de cinq minutes, il avait roulé sa provision de cigarettes pour la journée. Il se hâtait ensuite vers le hangar où il faisait le tour de son troque. Il vérifiait du pied la pression des pneus, assurait l'arrimage des haridelles, caressait un peu la carrosserie puis, fier comme Artaban, se hissait au volant et s'en allait effectuer ses livraisons. Durant les grandes vacances scolaires, il emmenait avec lui François et Marguerite, ses deux « jeunes », ainsi que Léo qui prenait place tantôt à l'intérieur de la cabine, tantôt à l'extérieur, dressé à l'avant de la boîte du camion, cheveux au vent ; c'était son poste préféré. Bientôt, il connut Jonquière comme le creux de sa main, ainsi que Kénogami et les environs.

Les deux villes, qui s'étalaient le long de la Rivière-aux-Sables, n'étaient distancées que d'un mille. En plus de la rivière, une artère principale, la rue Saint-Dominique, les reliait. Jonquière comptait alors dix mille habitants. Elle avait été fondée au milieu du XIXe siècle par des colons venus de Charlevoix. Sa croissance avait été activée à partir de 1900 avec la construction d'une usine de pâte à papier qu'exploitait la famille Price, d'origine britannique. Kénogami, beaucoup plus petite, avait été créée une dizaine d'années plus tard lorsque les Price y avaient également érigé une papeterie. Des centrales hydroélectriques, établies sur la rivière, alimentaient les deux établissements.

De son poste d'observation, Léo découvrait les quartiers ouvriers avec leurs alignements de maisonnettes lambrissées de bardeaux de cèdre. Il y avait aussi l'interminable pont couvert près de l'église Saint-Dominique, les côtes abruptes aux abords des deux localités, le riche quartier des Anglais à Kénogami et, un peu plus loin vers l'est, le modeste quartier des Acadiens qui étaient venus s'y installer vingt ans auparavant. Chacun de ces lieux émettait ses bruits familiers et l'adolescent, en fermant les yeux, pouvait dire où il se trouvait. Il reconnaissait les vibrations plaintives du pont couvert, la musique des pneus sur le bel asphalte du quartier anglais, les ruelles cahoteuses du quartier acadien, les grognements du moteur dans les deux côtes.

Parfois, ils descendaient vers le nord jusqu'à Shipshaw, là où se trouvaient l'immense barrage et la centrale de Chute-à-Caron. Vers l'ouest, ils allaient à l'Orée-des-Bois, à Dorval, au lac Long. Un jour, roulant vers le sud, ils s'étaient rendus jusqu'au village de Cascouïa dont presque toutes les terres venaient d'être baignées pour la construction d'un autre barrage. Par la suite, Léo avait rêvé plusieurs nuits et plusieurs jours à cette vie désormais enfouie, à tous ces défrichements inondés au milieu desquels se dressait encore, sur une butte qui dominait le lac, la petite église avec son frêle clocher gris, monument chétif à la mémoire du village défunt. Antonin s'était arrêté à proximité pour parler à un habitant qui, disait-il, venait chaque matin actionner la cloche de l'église; c'était sa façon de protester contre la manière dont les villageois avaient été chassés. L'homme expliquait qu'ils avaient résisté de leur mieux à la compagnie qui les avait expropriés; mais le gouvernement et l'évêché avaient pris parti contre eux.

Sur le chemin du retour vers la ville, l'oncle avait longé une clairière où l'ancien cimetière avait été transporté. Les habitants, avant de quitter leurs terres, s'étaient assurés qu'au moins leurs morts survivraient, bien au sec.

Partout où il se trouvait, Léo guettait le passage des troques. Il en assimilait les modèles, les plus anciens comme les plus récents, et les marques : les Dodge, les Ford, les Fargo, les International, et les Chevrolet, bien sûr. Il les démêlait par la taille, le son, le dessin et reconnaissait les tonnages à la boule du différentiel, dont le volume variait avec la puissance du véhicule. Il était sensible aux voix des moteurs dans l'effort : le Dodge, perpétuellement enrhumé, toussotait, chevrotait ; le Ford avait un filet de voix éraillé de vieille femme aigrie ; le Fargo traînait une grosse voix de taureau effronté, comme les lutteurs du Pont-des-Chars ; l'International semblait affligé d'une extinction permanente, comme s'il allait à tout moment manquer d'essence. Quant au Chevrolet, une fois lancé sur le plat, il prenait une petite voix chaude, très douce, presque parlante, et quand il roulait sur l'asphalte, il ronronnait comme un gros chat. Mais quand il s'y mettait, par exemple dans la Côte-des-Saints-Anges à l'entrée de Jonquière, sa voix devenait très grave, presque menaçante.

Chaque troque avait sa physionomie aussi, qui se lisait sur la forme du pare-chocs, les traits de la grille avant, le nez du capot. Le Ford faisait une moue revêche, boudeuse ; le Dodge et le Fargo affichaient un sourire niaiseux, un peu gêné, et comme ils avaient raison. Le Chevrolet, lui, présentait un visage franc, très noble. Tous les autres avaient un grand air insignifiant ou une petite face poignacée. L'oncle avait raison : c'était une bien belle « bête », le Chevrolet.

Léo apprit aussi la petite vie de Jonquière. Le Théâtre Centre entre les deux côtes, avec ses affiches criardes sur lesquelles des visages féroces de soldats dans des tranchées voisinaient avec des couples tendrement enlacés. La Glacière près du pont couvert, dont l'immense tas de bran de scie fumant au soleil abritait, disait-on, plusieurs tonnes de glace. La gare qui s'animait deux fois par jour au passage du train — c'est là que, pour la première fois de sa vie, Léo vit un vrai « nègre ». Il se captivait également pour les mouvements des chevaux dans les rues : celui du glacier justement, qui s'arrêtait en sifflant à toutes les portes pour y livrer sa brique de glace emprisonnée dans un énorme pic ; ceux du boulanger et du laitier qui connaissaient leur ronde par cœur et, depuis longtemps, se passaient des ordres de leur cocher. Il y avait aussi Pépère Joseph qui arpentait les rues et ruelles avec sa charrette pour ramasser cartons et vieux journaux qu'il revendait au « moulin » des Price. Et les robineux de la ville, Faux-Sourd, Vré-Fou, Mi-Blanc, Tout-Vert, et Cheville, et Miton, tous un peu brigands, un peu confidents aussi, inoffensifs au demeurant, que les citadins avaient adoptés et sur lesquels ils veillaient de loin.

Un jour, Léo eut la chance d'assister à l'installation des premiers feux de circulation dans la ville, au coin des rues Saint-Aimé et Saint-Dominique. Le *Réveil* en parlait depuis plusieurs semaines et l'événement était très attendu. Le jour venu, il se forma un attroupement à l'angle des deux rues puis, très vite, un très gros encombrement de machines et de voitures à cheval : par suite d'une erreur de branchement, seuls les feux verts s'allumaient. Quelques heures plus tard, nouveau bouchon : les feux étaient passés au rouge mais y restaient. Cette fois, il eut un concert de cris et de klaxons. Un employé de la ville, dominant le tumulte, expliquait :

— C'est bin ça qu'est écrit : ça passe du vert au rouge !
Des voix s'élevaient :
— Ça pourrait pas passer un peu plus vite, disons ?
— Pis r'venir de temps en temps au vert, calvaire ?

En mai 1932, l'adolescent fut encore plus émerveillé par l'immense parade qui souligna, comme chaque année, l'anniversaire du curé de la paroisse. La fanfare surtout l'impressionna, avec ses costumes aux médailles rutilantes, son imposant tambour-major et ses nombreuses oriflammes. Les cinq ou six clairons désaccordés qu'il avait aimés à Mistouk lui faisaient maintenant un peu honte.

Le samedi soir, l'oncle se procurait un peu d'« esprit » et invitait quelques voisins, les Saint-Gelais, les Coulombe, les Blackburn, pour jouer aux cartes. Une cordée de rouleuses était disposée sur un coin de la table à l'intention des fumeurs. Mais vers onze heures, Blanche se levait et allait remonter l'horloge. Les visiteurs comprenaient et rentraient chez eux. Le lendemain, la famille se levait très tôt pour assister à la basse messe de sept heures. Ce n'était pas la hâte d'assister à l'office qui motivait Antonin et les siens, mais le fait que cette messe était vite expédiée — ils fuyaient la grand-messe et les interminables homélies du curé. La majorité des assistants, rescapés très éméchés des veillées tardives, ronflaient dans les bancs en attendant de gagner leur lit. L'officiant lui-même semblait impatient d'en faire autant. Un autre prêtre, le célèbre Mille-Pattes, toujours aussi pressé, marmonnait un bout de sermon puis entendait les confessions, celles-ci aussi brèves que celui-là ; l'homme n'était porté ni sur la parole ni sur l'écoute, ce qui faisait l'affaire de tout le monde.

Pour Léo, le dimanche était un cauchemar. La famille était pauvre et il y avait peu à faire pour les enfants, surtout en juillet quand il faisait trop chaud pour aller jouer dans les bois environnants. Ils ne pouvaient pas non plus aller se baigner à la rivière qui charriait sur toute son étendue des pitounes* pour l'usine. L'enfant allait toujours se rappeler ces longues heures d'oisiveté et d'ennui, assis sur le trottoir de bois de la rue Châteauguay à regarder passer les voitures, espérant vaguement des événements, des surprises qui ne venaient jamais. Mais il pouvait rêver et ne s'en privait pas.

Vers la fin du jour, il secouait sa torpeur et, avec ses cousins, descendait flâner autour de l'Étang-aux-Quenouilles, près de la voie ferrée. Ils y attrapaient des queues-de-poêlon* qu'ils faisaient ensuite patiner dans une chaudière. Ils simulaient des parties de hockey, tenaient des scores.

Certains dimanches étaient plus prodigues. Par exemple, quand, après le petit-déjeuner, s'étant assurée qu'Antonin n'était pas trop fatigué, Blanche annonçait une visite à Mistouk. Ils mettaient plus d'une heure à s'y rendre, Blanche entassée dans la cabine avec ses filles, les autres dans la boîte, agrippés aux haridelles. Pendant tout le trajet, l'oncle ne cessait de siffloter ou de chantonner, comme il le faisait toujours quand il était au volant. *La Barque du rêve, La Valse perdue* et *La Belle Rose* étaient ses chansons préférées. Blanche grondait :

— Tu pourrais pas changer d'airs un peu, des fois ? C'est-y fourni avec le modèle du troque, coudon ?

Ils passaient une partie de la journée aux Chicots, où ils retrouvaient Marie la grand-mère, l'oncle Adhémar, la tante Jessée et d'autres cousins, dont Valère et surtout le petit Nazaire, de plus en plus tourné maintenant vers la religion. Léo, pour quelque raison, avait toujours plaisir à retrouver cet adolescent de son âge, malingre et lunatique, si différent des autres et qui ne se mêlait pas à leurs jeux. Nazaire s'était mis à la lecture des Évangiles dont il récitait des passages à Léo. En fait, l'idée de Dieu et de sa perfection l'avait très tôt occupé et il s'était voué à son service. Cet étrange apostolat était né dans les longues promenades auxquelles il s'adonnait dans les acres de savane jouxtant la maison familiale, dans le rang d'En-Bas. Dispensé des travaux de la ferme à cause de sa condition fragile, il observait longuement dans la fardoche la petite vie de la terre, celle des insectes et des fleurs. Il était fasciné par la complexité des arrangements, par l'étendue des harmonies que recelait ce monde insoupçonné de mouvements et de travaux, de concorde et de silence. Un monde apparemment si précaire et pourtant si robuste, si durable. C'est là qu'il s'était fait une idée de la vie. Un jour, au confessionnal, il s'en était ouvert au curé de sa paroisse et s'était mis à l'interroger :

— Monsieur le curé, pourquoi la vie des hommes est-elle donc si mêlée ?

— Euh… pardon ?

— Tout se trouve pourtant dans les Évangiles.

— Oui, bien sûr, bien sûr… T'as fini ta confession, Nazaire ?

— Je pense que les Évangiles sont pas très suivis.

— Ah bon ? Mais coudon, toi…

— La nature est plus ordonnée, je trouve.

— Oui, ça se peut mais…

— Même si elle a pas d'Évangiles…

— Envoueille, dépêche, Nazaire ; tu retardes la file, là !

— Ni de Bon Dieu.

— Écoute, on en reparlera une autre fois, veux-tu ?

— Y a quelque chose qui fait défaut, vous trouvez pas ?

Mais déjà le curé avait fait coulisser le volet pour se tourner vers un autre pénitent.

Lorsqu'il faisait beau, toute la famille pique-niquait sur le Cran-Rouge face à la vieille maison. Blanche et Antonin rendaient ensuite visite aux voisins, pendant que les enfants, après s'être amusés avec les chèvres, couraient aux Eaux-Belles, exploraient la vieille grange où s'entassaient encore les vestiges des canots de Méo puis allaient se baigner dans le Lac. Léo était de tous les jeux, de toutes les excusions, mais il terminait toujours sa journée aux côtés de sa grand-mère qu'il ne cessait d'interroger doucement sur son père :

— Mon pauvre enfant, je t'ai déjà raconté cent fois !

— S'il vous plaît…

Marie parlait souvent de Woonsocket et du Rhode Island. Elle racontait en s'arrêtant de temps à autre, surprise de retrouver dans le regard de l'enfant la fascination de son père au même âge quand des anciens de Mistouk se rassemblaient aux Chicots pour échanger leurs souvenirs des États. Elle évoquait aussi les « virées » du Grand en Nouvelle-Angleterre et beaucoup plus loin vers l'Ouest, jusqu'à « l'autre » océan.

Un dimanche, s'abandonnant à la mélancolie, elle avait parlé de sa fille Mathilde, entrée dans un cloître à Millbrook, dans l'État de New York. Léo l'avait pressée de questions :

— Un cloître? Aux États?

Malgré toute la peine, tout le mal qui se réveillait, elle s'était résignée à raconter. L'histoire de Mathilde tenait en peu de mots: elle avait vécu avec «un Indien très sauvage» un grand amour malheureux qui l'avait presque rendue folle et l'avait poussée à se retirer du monde et même de la vie.

— Bon, ça suffit. C'est pas des choses de ton âge.

Interrogée plus tard, Julie lui apprendrait que cet Indien était l'oncle Moïse…

Au moment du départ, Jessée disparaissait un moment par la porte arrière et en revenait avec trois ou quatre livres de beurre qu'elle remettait discrètement à Blanche. De retour rue Château-guay, le cadeau était partagé avec deux ou trois familles du voisi-nage.

Les heures passées aux Chicots enchantaient Léo, mais les retours lui étaient pénibles. Il en avait pour la semaine à sur-monter son trouble. Il n'était pas si déçu finalement lorsque, le dimanche suivant, la famille restait à Jonquière. Ces jours-là, en compagnie des cousins, il accompagnait Antonin qui allait avec le Chevrolet faire la tournée de ses débiteurs, ceux qu'il avait aidés à déménager, pour qui il avait effectué une livraison ou à qui il avait vendu des croûtes, du bran de scie, de la rippe. Ils par-couraient la ville et les environs, s'arrêtant souvent devant des masures d'où l'oncle ressortait bredouille après quelques minutes. Les enfants l'entendaient prononcer sa formule rituelle sur le pas de la porte:

— Bah, c'est pas grave, c'est pas grave; tu me paieras ça la prochaine fois.

De retour à la maison, il remettait à Blanche le maigre fruit de ses démarches. Elle prenait un air grave, sortait de l'armoire le cahier noir et, au milieu d'un silence pesant, écrivait méticu-leusement les entrées à l'aide d'un gros crayon à mine. Puis, réprobatrice cette fois, elle relevait la tête. Encore là, les enfants connaissaient la formule:

— Mon pauvre Antonin, ça paie à peine ton gaz. Tu leu donnerais ta chemise s'ils en voulaient !

Léo, lui, tenait un autre registre. Toute la semaine, il se souviendrait de ces sorties, dressé à l'avant de la boîte du Chevrolet, heureux d'observer la vie de la ville au ralenti, curieux de découvrir Pibrac, la Ratière ou la Petite Société. Il se plaisait à humer les senteurs du foin fraîchement coupé, à guetter les baigneurs dans les petits lacs, à imiter la mélodie plaintive des « machines » doublant le Chevrolet.

Un jour, durant la troisième année de son séjour à Jonquière, il sortit de sous son lit la boîte de tabac Zig-Zag contenant ses économies et la vida sur le plancher. Lentement, il entreprit de compter les pièces de monnaie : des noires, des blanches, des petites et des grosses (il y avait même une pièce de cinquante sous datée de l'année), tout le produit de ses ventes de bouteilles vides, de noisettes et d'allées. Il s'arrêta à neuf dollars et soixante-quatorze. Il replaça le butin dans la boîte et se rendit au Stihl. Là, il choisit quelques cadeaux pour Julie, Blanche et Antonin : un bracelet de cuir, un miroir, un nouveau moule permettant de rouler cinq cigarettes à la fois. Et pour lui-même, il acheta la plus grosse toupie qu'il ait jamais vue, plus grosse encore que les beus des fils Boily…

En grandissant, cependant, il vit ses cousins et cousines quitter la maison de la rue Châteauguay pour aller chercher du travail à l'extérieur. Il perdait ses compagnons. Et il s'ennuyait de Cibèle dont l'image le poursuivait. Il en venait parfois à se demander s'il la reverrait jamais. Le masque tragique de Senelle ne le quittait pas non plus. Elle le surprenait souvent la nuit dans son sommeil. Il revoyait la figure ravagée émergeant des fourrures sur le toboggan. Il chassait cette vision infernale en superposant au visage noirci de la morte celui de Julie, avec ses traits si fins, si doux. Mais aussitôt, ils se fondaient dans les traits crevassés de Senelle. Et le face à face cruel se prolongeait.

Chapitre 5

Lorsqu'il en eut terminé avec le collège, l'avenir de Léo, tout à coup, parut incertain. Les Frères le tenaient pour un sujet très talentueux, à l'aise dans toutes les matières, en particulier avec les chiffres. Ils le disaient aussi extrêmement curieux, original, « peut-être appelé à de grandes choses », en dépit de son caractère rentré, insondable. Ils voulurent le pousser plus loin. Julie étant démunie tout comme Blanche et Antonin, ils intervinrent auprès du curé de la paroisse pour qu'il le prenne à charge, comme c'était la coutume. Mais le prêtre déclina « par souci de moralité », arguant des origines « troubles » du garçon. Alors, les Frères eux-mêmes, en dépit de leurs moyens plus que modestes, offrirent de payer les frais de son instruction et Léo fut admis au Séminaire de Chicoutimi.

Il quitta à regret le collège ainsi que les Frères dont il avait apprécié la générosité. Il pensait à ce soir de décembre, alors que la famille revenait d'une veillée de Noël chez une sœur d'Antonin. La nuit était avancée et il faisait très froid. En passant devant le collège, ils avaient aperçu deux Frères qui arrosaient la patinoire afin que les enfants puissent y jouer le lendemain matin. Le vent, très fort, retournait les jets d'eau contre eux et de longs glaçons pendaient à leur visage et à leurs vêtements. C'étaient parfois aussi de toutes petites attentions. Trois ans auparavant, lorsque l'enfant en était à sa première ou deuxième semaine d'école, il tombait des clous au moment de la sortie des classes. Léo, qui était sans imperméable, attendait sous un porche. À l'instant où il allait s'élancer sous la pluie, un frère l'avait rattrapé pour lui prêter un manteau. Julie avait été très touchée par ce geste. Elle avait fait sécher le vêtement, l'avait repassé et en avait recousu quelques boutons avant de le retourner — avec les deux poches bourrées de sucre à la crème.

En septembre 1934, à l'âge de quinze ans, Léopaul Tremblay-Manigouche fit son entrée au Séminaire. Julie, Blanche et Antonin s'étaient entassés dans le Chevrolet pour le conduire à Chicoutimi. Aussitôt entré dans la ville, l'adolescent écarquilla les yeux : au loin se dressait le Mont-Valin, majestueux, et vers l'est, il pouvait apercevoir la naissance du Fjord. Le moment d'après, au premier croisement sur la rue Price, il vit passer une Cadillac rose :

— T'as vu, mon oncle ? C'est bien une Cadillac, an ?

— Oui, monsieur ; pis toute une à part ça !

Comme ils étaient en avance, Antonin voulut faire plaisir à son neveu et ils firent le tour de la ville. Léo allait de surprise en surprise. Après dix minutes, il avait déjà compté cinq feux de circulation, et tous en état de marche. La ville lui parut beaucoup plus grosse que Jonquière, avec des édifices de trois étages — c'était avant qu'il ne voie l'Hôpital, qui en faisait quasiment le double. Le site lui-même l'impressionnait. Le vieux quartier était érigé dans un enfoncement et, de tous côtés, des pentes descendaient abruptement vers la rivière Saguenay. Les rues principales étaient toutes coupées par un fort dévalement qui faisait la vie dure aux chevaux et plus encore aux automobiles ; les camions, eux, y étaient à l'aise.

En bas, ils longèrent le port, d'où ils découvrirent le magnifique pont neuf conduisant à Sainte-Anne, puis l'Hôtel de ville, la gare et le Château Saguenay, un gros hôtel défraîchi qui avait plus de passé que d'avenir. Obliquant vers le sud, ils passèrent devant l'évêché, dressé sur son large plateau, puis devant la cathédrale. De là, ils empruntèrent la rue du Séminaire, la rue des riches, qu'ils remontèrent lentement en s'exclamant, ébahis par les immenses maisons de briques et de boiserie. Antonin arrêta le camion devant la plus grosse, une sorte de manoir tout en pierres roses :

— Regardez-moué l'extravagance. Baptême, c'est quasiment le Château Roberval !

Ensuite, tournant vers l'ouest dans la rue Jacques-Cartier, ils longèrent d'un côté le Palais de justice et, de l'autre, la prison. L'oncle commentait :

— T'as remarqué, Léo, ils les ont bâtis face à face.

— C'est plus commode pour les prisonniers ?

— C'est ça.

Puis il ajouta, en riant déjà de sa blague :

— Peut-être aussi pour les avocats pis les juges, vas donc savoir…

Parvenus au bout de la rue, ils se dirigèrent vers le quartier du Bassin, aux abords de la ville, là où, dans des pâtés de petites maisons, était regroupée la population ouvrière. Léo put y voir aussi les usines désaffectées de la Compagnie de Pulpe qui s'étalaient le long de la rivière Chicoutimi, là où elle s'agite en de longues cascades. Ils descendirent du camion et Léo marcha un instant dans un vaste édifice de pierre abandonné, avec ses machines, ses meules, ses treuils, ses chariots, toute une vie compliquée à l'arrêt, frappée par on ne sait quel fléau. Puis ils remontèrent et se rendirent au Séminaire.

Une photo fut prise devant la grande entrée de l'établissement montrant l'étudiant avec la casquette réglementaire et le manteau bleu marine à nervures blanches, cintré d'un large foulard vert à la taille. Il n'avait pas été facile de l'habiller ; très grand pour son âge, élancé, il était également fort d'épaules. Ils se tinrent là un moment tous les quatre, silencieux, devant la porte principale. Puis Léo salua brièvement de la main et s'engouffra dans l'édifice. Plus tard, Julie fit encadrer le cliché du parvis et le conserva sur sa commode. Les traits de l'enfant, ceux qu'elle préférait, y étaient fortement imprimés : son teint sombre, ses cheveux noirs lustrés, son visage allongé — tout ce qui rappelait son père. Elle trouvait aussi un rappel de la tante Mathilde dans l'aplomb qu'il affichait, et aussi dans la vigueur, la fièvre contenue du regard.

*　*　*

Le premier jour, les arrivants prenaient leurs quartiers. Léo hérita d'un lit au milieu du dortoir des jeunes, au cinquième étage. Tous les élèves furent ensuite réunis dans un amphithéâtre pour entendre le directeur du Séminaire, Mgr Eugène Lapointe. L'homme était célèbre. Vingt-cinq ans plus tôt, il avait fondé des syndicats catholiques, dont il était encore l'aumônier général, et on disait qu'il conseillait les patrons et même l'évêque. Un prêtre apparut sur la scène et présenta le dignitaire qui prit la parole.

C'était un homme dans la cinquantaine avancée, d'allure imposante, qui manifestait encore une grande vivacité. S'exprimant d'une manière concise mais ferme, il salua les anciens élèves, souhaita la bienvenue aux nouveaux et rappela les objectifs de l'institution qui était vouée à « la formation d'esprits supérieurs, de têtes dirigeantes au service de Dieu ». Puis il rappela aux élèves tout ce que leurs maîtres attendaient d'eux, comme « futurs membres de l'élite ». Pour finir, l'assemblée fut invitée à chanter le *God Save The King,* accompagnée par la fanfare de la maison. Le dignitaire descendit ensuite de la tribune et se mêla un instant à l'assistance. Il serra des mains, s'entretint brièvement avec des élèves plus âgés.

Le hasard mit Léo sur son chemin. Lapointe s'arrêta aussitôt, le toisa longuement. L'autre, qui le dominait d'une tête, ne bronchait pas, soutenant le regard.

— Comment vous appelez-vous?

— Léopaul Tremblay-Manigouche.

— Tremblay-Manigouche…

— Je suis de Jonquière. Auparavant de la Réserve de Pointe-Bleue.

— Ah oui! Les Frères m'ont dit beaucoup de bien de vous. Nous sommes ici pour vous aider, Léopaul. Tâchez de nous aider vous aussi.

— Oui, monsieur.

— Il n'y a que des Blancs ici; ce ne sera peut-être pas toujours facile pour vous. N'hésitez pas à venir me voir si vous avez des difficultés.

— Je vais essayer de les régler tout seul, monsieur.

— … Je vois. C'est bien.

Plus tard dans la journée, le directeur réunit le corps enseignant, formé d'ecclésiastiques, pour terminer les préparatifs du semestre. Lorsque la séance prit fin, il interpella un jeune prêtre qui s'avançait vers lui. C'était le titulaire de la classe de Léo :

— Vous aurez à vous occuper d'un jeune métis un peu turbulent que m'envoient des Frères de Jonquière. Ils le disent exceptionnellement doué et ils n'ont pas eu de problème avec lui, mais ils recommandent de le prendre « dans le sens du courant », sinon…

— Sinon?

— Ce sera à vous de voir. Je viens tout juste de lui parler et je crois deviner ce qu'ils veulent dire. Je vous suggère d'établir un contact avec lui dès votre premier cours.

— Merci de me prévenir; je rencontre justement mes élèves tout à l'heure. Son nom?

— Léopaul Tremblay-Manigouche. C'est le fils de Méo Tremblay de Mistouk, cet aventurier qui a tant fait parler de lui avant de disparaître.

— Je sais. Et comment le reconnaîtrai-je?

— Soyez sans crainte; vous ne verrez que lui dans la classe!

L'adolescent obtint tout de suite de bonnes notes. Il excellait en calcul et en géométrie, en sciences naturelles et en français, tout en se montrant à l'aise dans les autres matières, sauf la religion. Il s'imposa aussi dans quelques sports, dont la balle au mur. Mais sa réputation le poursuivit encore. Un mois ne s'était pas écoulé que des élèves lui donnaient du «bâtard» et le persiflaient. Leur humour s'exprimait dans des billets qu'il trouvait le soir sur son oreiller, dans des inscriptions malveillantes sur le tableau de la classe. Les prêtres intervinrent, servirent des avertissements qui n'eurent pas beaucoup d'effets. Léo prit les choses en main et, après une quinzaine de jours, tout rentra dans l'ordre. Interrogés en classe sur l'origine des hématomes qu'ils affichaient au visage, ses bourreaux, devenus ses victimes, alléguaient qui une chute dans un escalier, qui une collision au jeu de balle.

Un jour, en plein dortoir, le Métis avait dû essuyer, sans broncher, les railleries d'un élève très populaire parmi les siens. Le lendemain était un samedi et l'étudiant en question, champion de tennis, allait justement défendre son titre à l'occasion du tournoi annuel de l'institution. Mais des circonstances malencontreuses firent qu'il n'apparut pas à la grande finale, pour laquelle il s'était pourtant qualifié, et il fut dépouillé de son titre. On le découvrit deux heures plus tard, tonitruant dans son casier où Léo avait eu l'idée de l'enfermer.

Il supportait mal le régime disciplinaire: un régime autoritaire qui lui faisait regretter la liberté dont il avait joui jusque-là. Il tolérait encore moins les accrocs qui étaient faits à la règle en faveur de certains élèves de la ville, issus de familles influentes. Cette hiérarchie discrète le dressa contre la maison. Il ne se plaisait guère non plus en compagnie de la majorité de ses camarades impatients de «briller parmi l'élite», comme les y invitaient leurs maîtres. Pour le reste, il avait bien pris soin d'apporter son beu, mais les séminaristes dédaignaient la toupie. Pour ce qui est des allées, ils s'en tenaient à du 5-15…

Vers le milieu de l'automne, il s'abstint de parader avec ses confrères dans la ville sous les acclamations des citadins, comme le voulait une vieille coutume de la maison. Son comportement le mit à l'écart. En plus, il se découvrit peu d'attrait pour la vie religieuse qui occupait une grande partie de l'horaire. Le Séminaire avait pour objectif de donner des vocations à l'Église ou, à défaut, de former des croyants qui y seraient dévoués. Enfin, Léo refusait de s'ouvrir à son directeur spirituel. Il ne trouvait rien à dire à ce vieil homme sévère, égrotant, qui parlait en fermant les yeux et cherchait continuellement à pénétrer son intimité, le questionnant sur des sujets qu'il n'avait même jamais abordés avec Julie :

— La spiritualité, ça va, Léopaul ?

— Tempête !

— Et la sexualité ?

— Ah ça, au beau fixe, monsieur ; au beau fixe…

Peu à peu, ses relations avec ses professeurs, et surtout avec les surveillants, se dégradèrent. Il admettait mal la raillerie qu'ils mettaient dans la réprimande et il répliquait sur le même ton. Un jeune prêtre lui reprocha un jour son insolence :

— Vous vous croyez plus fin que moi ? Vous me prenez pour un imbécile ?

Léo avait fait une moue, exprimant un doute :

— Vous nous avez enseigné qu'il faut pas toujours se fier aux apparences, monsieur.

Cet incident et quelques autres du même genre lui valurent des sanctions. Son professeur de français se portait à sa défense, ainsi que les Frères du collège qui s'informaient souvent de leur protégé. Il eut à comparaître quelquefois chez Mgr Lapointe qui passa l'éponge.

Le dimanche était le jour le plus pénible. La plupart des prêtres s'absentaient dès le samedi. Les élèves résidant à Chicoutimi retournaient dans leur famille, les autres partaient en excursion, mais il fallait payer et Léo, qui n'avait pas d'argent, ne voulait pas en demander à son oncle. Il lisait le *Zadig,* un hebdomadaire de Chicoutimi, très caustique, que publiait Louis-de-Gonzague Belley, un avocat de la ville. Il jetait aussi un coup d'œil sur *La Vérité,* un autre hebdomadaire local, très austère celui-là, et sur *L'Action catholique* de Québec. Il flânait un moment dans les corridors déserts ; l'immense édifice semblait abandonné. Il allait marcher un peu dehors puis il se réfugiait dans la salle de jeu. Il s'appuyait contre une fenêtre d'où il regardait le Fjord et le Mont-Valin à travers les vieilles jumelles de Méo que la grand-mère lui avait données. Il pensait au Grand, justement, ce père qui ne revenait toujours pas. Il écrivait à Julie. À Julie et à Cibèle. Au début d'octobre, Blanche, Antonin et Julie vinrent lui rendre visite. Ils le promenèrent à l'extérieur de la ville, vers Laterrière et la Baie, puis le ramenèrent au Séminaire.

Il restait à distance de ses camarades, qui le tenaient eux-mêmes en suspicion. La promiscuité du dortoir lui était pénible. Il lui arriva deux ou trois fois de se réveiller en criant au milieu d'un cauchemar, toujours le même : le visage tordu, brisé, de Senelle ficelée à son traîneau s'agitait follement devant lui. Le gardien de salle accourait, allumait, et tous découvraient Léo transpirant, dressé dans son lit.

En classe, il s'assoyait à l'arrière et intervenait rarement dans les discussions. Ses notes, cependant, restaient bonnes, surtout en mathématiques. Dans ses travaux d'histoire, il s'intéressait maintenant à la vie des industries, au commerce. Et il continuait d'exceller dans les sports. À partir de décembre, durant les récréations, les élèves jouaient au ballon sous la surveillance d'un prêtre. C'était un homme costaud, sévère, qui en profitait pour remettre à leur place les sujets qu'il avait en aversion en leur servant de dures mises en échec, sans avertissement. Léo l'avait à l'œil et s'en tira de justesse à quelques reprises. Mais un jour, il essuya une charge qui le laissa à demi assommé. Le lendemain, encore ébranlé, il était de retour au jeu, ainsi que les jours suivants. Enfin, l'occasion se présenta. Il frappa de face après avoir pris un furieux élan. L'autre culbuta et resta immobile, étendu au pied d'un banc de neige. Humilié, il omit de rapporter l'incident.

Enfin, juin arriva ; ce furent bientôt les vacances. Antonin, Blanche et Julie vinrent chercher Léo en camion et le ramenèrent rue Châteauguay où ce fut la fête. Mais les deux mois qui suivirent furent trop courts. L'adolescent passa la plus grande partie de ses journées à parcourir la ville et les environs en Chevrolet avec son oncle et son cousin François. Le soir, il restait avec Julie et les autres. La famille se regroupait autour de la balançoire derrière la maison. Des couples de la rue leur rendaient visite avec leurs garçons et leurs filles. Les conversations et les jeux se poursuivaient très tard. Léo se plaisait en compagnie des jeunes filles qui ne lui ménageaient pas leurs attentions. Parfois ils allaient tous marcher près de la rivière. Léo aurait voulu leur prendre un instant la main, mais les moments de solitude étaient trop brefs, trop rares.

Septembre approchait et la perspective de la rentrée lui pesait. La rupture fut difficile, autant pour lui que pour Julie. Elle l'embrassa bien tendrement, lui glissant à l'oreille :

— Fais ça comme il faut. Je sais que c'est pas facile pour toi.

— Je vais faire tout mon possible, je te le promets.

— Quand c'est trop dur, pense à ton père.

— J'y pense tout le temps…

Cette fois, Antonin le raccompagna seul à Chicoutimi. Léo fut intarissable pendant tout le trajet, comme s'il avait voulu faire le plein — ou le vide ? — avant la longue séparation. Antonin le sentit. Une fois entré dans la ville, il s'arrêta à une épicerie et acheta deux crèmes glacées qu'ils descendirent manger sur la rive du Saguenay, tout près du grand pont menant à Sainte-Anne. Là, Léo fut incapable de prononcer un mot. Le geste de l'oncle l'avait touché. Ils observèrent en silence la manœuvre du pont dont la travée centrale venait de s'élever légèrement et pivotait pour livrer passage à un caboteur. Au moment de repartir, Léo glissa à l'intention de l'oncle :

— Ouais… deux crèmes à glace ! Vous devenez gaspilleux ; vous allez manger l'argent des croûtes !

— Eille, c'est en cachette, ça ! Tu vas pas bavasser, an ?

— Ma tante dirait bien que vous prenez pas toujours la petite porte.

Ils sourirent et remontèrent dans le camion.

Il revit sans joie ses confrères du Séminaire, en salua quelques-uns rapidement et retrouva son lit au dortoir du cinquième. Il reprit ses cours et s'appliqua à ses travaux. Mais il n'arrivait plus à se concentrer. Cette vie cloîtrée l'étouffait. Un matin vers la fin d'octobre, il était monté du réfectoire pour prendre ses cahiers de notes. Au lieu de se rendre à son local de classe, il s'allongea sur son lit. Le soleil de l'avant-midi inondait le dortoir. Il se leva et alla à la fenêtre. Vers l'est, un navire quittait le port ; un autre mouillait au large de l'Anse-aux-Foins. Sur les rives du Fjord et sous le cap Saint-François, des bouquets de feuillus illuminés jetaient leurs dernières salves avant l'hiver. Plus loin vers le nord, la forêt s'étendait à perte de vue. Une première couche de neige recouvrait déjà les monts. Léo se rappelait les récits qu'on lui avait faits aux Chicots et balayait du regard ces paysages lointains que son père avait jadis parcourus avec Moïse et les siens.

Soudain, il n'y tint plus. Il enfila en vitesse un chandail, courut vers les escaliers qu'il dévala et se rua vers la sortie, ignorant les appels du surveillant derrière son guichet. Quelques minutes plus tard, il était sur le port. Il l'arpenta un instant, contournant des bâches, des camions, des hommes qui s'activaient dans une odeur de goudron et de pétrole. Il s'attarda près de trois ou quatre goélettes qui prenaient des chargements de bardeaux, de bois de pulpe, de fromage, et dont les noms se lisaient comme des appels : le *Zéphyr*, l'*Horizon*, l'*Intrépide*… Il pénétra dans un vaste entrepôt à demi rempli de meubles, de foin, de tôles. Il en ressortit et marcha en direction de la Rivière-du-Moulin. Parvenu à l'endroit où elle se jette dans le Saguenay, il s'engagea sur sa rive et suivit en amont un sentier qui le mena à une chute surmontée d'une écluse. Là, il s'étendit sur un rocher au soleil et observa longuement les formations de bernaches qui achevaient leur migration. Plus tard, il revint vers le Fjord et, affamé, entra dans une boulangerie où on lui donna des « retailles » de brioches dont il s'empiffra. Puis il longea le Saguenay vers l'est, jusqu'à ce que le rivage s'élève et se fonde dans un escarpement très raide. Le soir tombait.

Il était très tard quand il regagna le Séminaire où on s'inquiétait fort de son absence. Le lendemain, Mgr Lapointe tint à rencontrer le fugueur :

— Léopaul, je crois comprendre vos sentiments, mais ce que vous faites n'est pas raisonnable. Nous nous sommes déjà montrés tolérants avec vous. Vous devez comprendre qu'il y a des limites. Je crois que vous êtes en train de les franchir.

— Je sais.

— Vous êtes un élève talentueux, très prometteur ; j'aimerais vous aider.

— Il n'y a pas grand-chose que vous puissiez faire. Je suis malheureux ici.

— Pensez à votre avenir, à vos proches ; je sais qu'ils espèrent beaucoup de vous.

Léo baissa la tête ; cette remarque lui faisait mal. Le directeur continua sur un ton grave :

— Je connais votre situation, l'histoire de votre père, de votre famille. Je devine que c'est lourd à porter. Si vous me promettez de faire un effort, je vais oublier cette escapade.

— Je vais essayer, sincèrement. Mais sans rien vous garantir.

— Vous ne vous compromettez pas beaucoup… Songez que c'est la dernière chance qui vous est donnée.

— Je regrette. Vous allez devoir vous contenter de ça.

— Bon… Je vais m'en contenter.

Trois semaines plus tard, il récidivait. Cette fois, après être redescendu vers le Saguenay, il traversa le pont menant vers Sainte-Anne et erra vers l'ouest, en direction des Terrompues.

Courant sur les rochers, il s'arrêtait souvent. Il essayait, du haut des falaises, de se représenter son père dans son canot sortant des rapides de Shipshaw et, superbe, ramant vers Chicoutimi et le Fjord. Qu'était-il arrivé par la suite?

Il rentra le soir sans se faire d'illusion sur son sort. Le lendemain, comme de juste, il fut renvoyé. Antonin, assombri, perplexe, vint le cueillir sous le porche. Le trajet se fit en silence. Léo faisait le bilan de son passage au Séminaire et il éprouvait des sentiments partagés. Il avait aimé les études et appris à respecter les choses de l'esprit; mais ce genre de vie lui pesait. Parmi ses camarades et le personnel enseignant, il laissait un souvenir qui devait durer: celui d'un être très singulier, solitaire, redouté et respecté, fait de feu et de froid (« un jet de lave sous une couche de glace », disait son professeur de français), qui ne semblait appartenir à aucun parti sauf à celui de sa liberté.

Il retourna rue Châteauguay où il reçut un accueil plus que tiède. Julie surtout fut très affectée. Elle avait souhaité éloigner l'enfant des traces de son père, le délivrer, lui, des tourments qui la poursuivaient, l'arracher à l'emprise que, même après plusieurs années d'absence, l'autre ne cessait d'exercer. Mais c'était comme un mauvais sort; ni la mère ni le fils ne semblaient devoir y échapper.

Le lendemain de son retour à Jonquière, il se rendit au collège Saint-Georges pour remercier les Frères, et aussi pour s'excuser de les avoir déçus. Il en revint en suivant son ancien parcours et revit quelques visages familiers. Peu après, avec l'oncle Antonin que son travail appelait à Roberval, il put se rendre à Pointe-Bleue. Il trouva le village à moitié désert. De nombreuses familles étaient maintenant retournées à la chasse et presque toutes les tentes avaient disparu le long de la Pointe. Passant devant l'École Blanche, il alla d'abord se recueillir sur la sépulture de Senelle au cimetière, en profitant pour redresser la petite croix qui marquait son emplacement. Puis il revit Cibèle.

Alors âgée de quinze ans, elle en était à sa dernière année au couvent des Sœurs. Il l'attendit à la sortie de l'école où elle apparut dans une longue jupe garnie de broderies, avec un châle sur les épaules. Il la trouva changée. Elle portait ses cheveux très longs, en tresses, et avait grandi. Mais son visage, son regard étaient les mêmes. Léo avait pris quelques pouces lui aussi et il ressemblait à un homme déjà. Ils parcoururent en se tenant la main les sentiers de leur enfance le long de la Pointe et dans les boisés. Ils conversaient :

— Je me suis ennuyée de toi.

— Moi aussi.

— T'es plus beau qu'avant.

— Dis donc que j'étais lette…

— Simple !

Ils restaient silencieux un moment. Puis :

— T'as dû apprendre toutes sortes de choses au Séminaire ?

— J'ai surtout appris que c'était pas ma place.

Il s'était rembruni soudain. L'expérience de Chicoutimi était un échec dont il se sentait coupable. Il se ressaisit :

— Puis toi, ton école ?

— Un peu comme la tienne, je pense. Les Sœurs nous enseignent à être moins Sauvages. Mais je me sens pas plus Blanche pour autant.

Vers le milieu de l'après-midi, ils marchèrent sur la Traque, retrouvant sur leurs pas leurs anciens repères, les lieux qui les avaient enchantés et qu'ils avaient eux-mêmes baptisés : ici le Marais lisse, la Coulée douce, le Pont des écureuils, là le Ruisseau vide, la Terre qui penche, et au milieu d'un vieil arrachis*, le Sapin flottant, comme un phare échoué. Le long de la voie, le soleil réveillait les senteurs familières de souches pourries, d'herbes mouillées et d'automne déclinant. Ils redécouvraient aussi l'odeur d'écorce fauve qui s'élevait des dormants imprégnés d'huile, de goudron, de moisissure. Ils parvinrent à une élévation d'où la vue plongeait jusqu'à Tikouapé. Là, ils s'arrêtèrent. À travers le paysage de résineux et de feuillus, de rocs et de savanes, ils suivaient la ligne sinueuse du chemin de fer qui allait se fondre là-bas, très loin, très loin, dans l'horizon. Ils s'amusaient du mouvement des deux rails qui serpentaient en duo ; c'était le tracé de leur destin à tous les deux : ils jurèrent de ne s'en écarter jamais.

Plus tard, ils s'attardèrent sur la rive du Lac et, pendant un moment, ils se turent enfin. Mais c'était pour laisser parler leurs corps qui avaient beaucoup à se dire eux aussi. Ils y mirent beaucoup de douceur, une infinie tendresse. Ils se répétèrent même, comme pour être bien compris. Quand ils se redressèrent, leurs joues s'étaient empourprées et des grains de sable s'y allumaient sous le soleil. Ils revinrent en silence vers la Réserve.

À l'instant de la quitter, Léo pressa la jeune fille dans ses bras et lui souffla à l'oreille :

— Attends-moi, attends-moi. Un jour, je vais venir te chercher.

Chapitre 6

Tout l'automne et jusqu'à l'été 1936, il travailla avec l'oncle, dont tous les enfants avaient maintenant quitté la maison pour étudier ou exercer un métier. Certains avaient profité des programmes d'emploi créés par le gouvernement pour adoucir les effets de la Crise. Ils envoyaient un peu d'argent à la maison. L'oncle aurait pu ralentir un peu, mais son insécurité chronique ne lui laissait pas de répit. Et la récession semblait ne jamais devoir prendre fin.

Le jour, Léo aidait Antonin dans ses livraisons aux quatre coins de la ville. Le soir, ils prenaient leur repas en vitesse et repartaient aussitôt pour faire deux ou trois voyages de croûtes, de rippe ou de bran de scie. L'oncle n'était plus jeune et son neveu tâchait de le soulager en mettant les bouchées doubles. À seize ans, il était déjà plus grand, plus fort que lui. Ils passaient tous deux de longues soirées côte à côte à remplir la grosse boîte du Chevrolet, en s'éclairant avec un fanal branché sur la batterie du véhicule et perché sur un madrier. Ils y voyaient valser les moustiques en été, les flocons de neige en hiver. À partir de décembre, il leur fallait d'abord déneiger les piles de croûtes entassées pêle-mêle, figées dans la glace. Le bran de scie et la rippe aussi prenaient en gros mottons qu'ils brisaient à coups de perche ou de pic. C'était un travail épuisant. Seuls dans la nuit, les deux hommes travaillaient en vitesse pour lutter contre le froid. Leurs silhouettes s'agitaient au loin, dans le faisceau de la lampe. Quand la boîte du camion était enfin pleine, ils se réfugiaient dans la cabine où ils retrouvaient la bonne chaleur du moteur. Léo se mettait au volant ; Antonin allumait une rouleuse avec ses grands doigts secs, jaunis par la fumée. Ils étaient contents. Maintenant ils pouvaient converser ; le Chevrolet ferait le reste.

L'été était surtout la saison de la rippe et du bran de scie qu'ils recueillaient à la petite pelle à même de gigantesques amoncellements en forme de pyramides. Il fallait y mettre beaucoup de patience. Les premières pelletées surtout étaient désespérantes. Les granules se dispersaient comme des petites billes dans l'immense boîte en produisant un écho métallique. Une éternité s'écoulait avant que le plancher ne soit entièrement recouvert. Mais une fois le « fond » mis en place, le crépitement faisait place à un clapotis feutré puis à un léger bruissement. Le moral des pelleteurs revenait.

Les soirées étaient douces. Les moulins étant presque toujours établis près d'un lac, la fraîcheur du soir se mêlait au chant des crapauds sur la rive et à l'odeur de la rippe ou du bran de scie qui, à chaque pelletée, dégageait une bouffée de chaleur parfumée de sève de sapin ou d'épinette. Les deux hommes s'arrêtaient parfois pour s'éponger le front et boire à grandes lampées dans une cruche d'eau qu'ils allaient remplir dans le lac ou un ruisseau avoisinant. Puis ils s'attardaient un instant, un pied sur le revers de leur pelle, pour regarder le soleil qui se couchait de l'autre côté du lac. Par moments, le silence prenait la couleur du jour finissant, troublé seulement par les bonds des jeunes truites chassant les moustiques à la surface de l'eau.

Ils parlaient peu et rarement d'autre chose que de troques. Mais le sujet était riche et conduisait à de profondes réflexions. L'oncle exposait brièvement, pour la centième fois, ses théories sur le vieillissement du véhicule qui affectait invariablement les petites pièces d'abord puis les grosses, jusqu'au moteur :

— C'est pas mal la même chose chez les bêtes, je te ferai remarquer.

Il avait aussi un couplet sur la « voix » des camions, dont la force, curieusement, était souvent inversement proportionnelle à celle du moteur :

— Pour le monde aussi, c'est pareil. Tu l'as sûrement vu, des fois, c'est les plus petits qui ont les plus grosses voix. Y a pas de hasard là-dedans ; c'est comme qui dirait une compensation de la nature. Tu prends le p'tit Martel dans la chorale le dimanche. Quand tu regardes pas, t'as l'impression qu'y pèse trois cents livres ; y enterre les plus gros. Quand tu te détournes pour le regarder, tu le vois pas.

Il enchaînait avec la relation très compliquée, et jamais vraiment tirée au clair, entre l'usure des pneus et la souplesse des suspensions, ou entre la consommation d'essence et le maniement de la clotche*, autre sujet hautement spéculatif qui ouvrait sur toutes sortes de corollaires. Il s'en prenait aux chauffeurs indignes qui surchargeaient et maltraitaient leur troque, demeurant insensibles à la plainte du moteur. Il terminait toujours sur sa conviction qu'un bon camion, tout comme un cheval « de bonne foi », finissait par s'habituer à son chauffeur :

— Si tu veux, c'est un peu comme si le pied se faisait à la chaussure.

— Là, mon oncle, j'trouve que…

— Mais ris pas, ça s'est vu ! On voit que t'as pas vécu l'ancien temps. Chez nous, quand mon père achetait une paire de bottines, tu peux être sûr qu'à faisait le tour de tous les garçons, du plus vieux jusqu'au plus jeune. À la fin, on avait toutt le pied pareil, tu sauras !

73

Parfois, il ne terminait même pas ses phrases. Léo complétait mentalement et acquiesçait. De toute façon, l'exposé ne demandait guère de réplique. Quelle qu'en soit la matière, il se concluait toujours, en suivant les voies les plus détournées, par un hommage à la beauté, à la noblesse des chevaux et des troques.

Le samedi soir, ils ne faisaient qu'une livraison. Sur le trajet du retour, ils s'arrêtaient à une épicerie, toujours la même, dont la galerie donnait sur la Rivière-aux-Sables. Antonin s'achetait une couple de bières et un paquet de cigarettes Sportsman's ; durant la fin de semaine, il délaissait les rouleuses, ne fumant que des faites*. Léo, lui, commandait une bouteille de Saguenay Dry. Ils sortaient ensuite sur la galerie, s'assoyaient sur les marches et jasaient avec l'épicier, les clients, les flâneurs. Ce moment était l'un des plus plaisants de la semaine. L'oncle racontait ses histoires de charretier, ses derniers voyages avec Gesteux, un petit cheval noir, très coriace et très intelligent, qui devait son nom à son caractère taquin et qui, à en croire Antonin, avait même le sens de la réplique, ce qui était rare chez une espèce plutôt reconnue pour son quant-à-soi :

— Vré de vré. D'ailleurs, y faisait pas rien que converser, y se moquait de son maître, le p'tit torguieu.

Il rappelait de vieux trucs appris de son père, comme de glisser une pincée de sel sous la langue du cheval pour l'inciter à boire, ou d'uriner dans son avoine quand une fièvre s'annonçait. Léo reprenait :

— C'est ce qui s'appelle un remède de cheval ?

— Toué, moque-toué pas ! En tout cas, j'peux te dire que Gesteux a jamais souffert des fièvres.

— J'pense que j'aurais fait pareil…

— Mon malcommode ! Tu me fais donc penser à ton père quand tu parles comme ça…

L'oncle s'en voulut aussitôt. Il savait que la moindre allusion au Grand était douloureuse à Léo :

— Excuse-moi, j'te fais de la peine, là. Mais, c'que tu veux, je l'ai tellement bin connu Méo. J't'en parle pas mais j'y pense souvent moi aussi, tu sais?

— Je sais.

Il en revenait à Gesteux, à sa vieillesse, aux circonstances de sa mort :

— Sur la fin, y avançait pas vite, même dételé.

Il avait tardé autant que possible à le remplacer par un camion :

— Je l'ai étiré jusqu'au dernier pas, ce pauvre lui.

Plus tard, Léo reprenait le volant. En rentrant dans Jonquière, il trouvait toujours un prétexte pour emprunter la rue Saint-Dominique, très fréquentée à cette heure-là par les jeunesses de la ville. Il roulait lentement, vitre baissée, faisait pétarader le Chevrolet pour attirer l'attention des filles, croyant les séduire à coups de doubles-clotches alors qu'en réalité, elles n'en avaient que pour les machines. Le jeune homme le voyait bien et éprouvait un peu de mépris pour ces véhicules chromés et chétifs qui avaient plus de carrosserie que de moteur et n'auraient même pas porté vingt croûtes. Parfois aussi, traversant le quartier des notables à l'est de la Rivière-aux-Sables, il passait devant un terrain de tennis où s'activaient dans leurs jupettes immaculées des jeunes filles affriolantes qui, dans leur mouvement, dévoilaient une partie de leurs longues cuisses bronzées. Léo ralentissait, se laissait captiver un moment puis mettait vitement le cap sur la rue Châteauguay. Là, les deux hommes prenaient leur bain et mettaient à laver leurs pantalons de grosse toile recouverts d'une épaisse croûte de gomme d'épinette et de sapin. Blanche maugréait :

— Vous faites pas attention, çartain, sainte Bénite! Y tiennent quasiment debout! Un peu plus, y s'en iraient travailler tout seuls…

En mars 1936, Antonin reçut commande d'un voyage de bran de scie à livrer à un chantier forestier, à une vingtaine de milles au nord de Jonquière. L'acheteur prévint que, à cause du printemps, le chemin était défoncé, avec de nombreuses côtes recouvertes de glace fondante. En d'autres mots, il fallait un bon chauffeur. Le jour venu, l'oncle se réveilla grippé et fiévreux, incapable même de quitter le lit. Il demanda à Léo s'il pouvait faire le travail seul :

— Ça devrait.

— Écoute, le chemin est mauvais, ça se pourrait que tu restes pris. En plus, y a pas mal de côtes, ça va être glissant. Ça fait que, quand tu pourras pus avancer, force pas, tu vas juste te caler encore plus. Tout c'que t'as à faire, c'est d'ouvrir le panneau pis de mettre trois ou quatre pelletées de bran de scie sous tes roues. C'est pas plus compliqué. Pis dans les grosses côtes, évite de mettre le Chevrolet sur le beu*, ça va juste le faire glisser encore plus.

— Je sais ça.

— Ah, oublie pas de te faire payer. J'y ai fait ça trois piastres et demie parce que c'est loin.

— J'oublierai pas.

Parti tôt le matin, Léo ne revint qu'au début de la soirée. Antonin, toujours alité, se mourait d'inquiétude et s'en voulait d'avoir laissé partir son neveu. Quel soulagement quand, enfin, il entendit chanter le moteur du Chevrolet — il n'avait jamais eu une si belle voix !

Léo rangea le véhicule puis vint se présenter, piteux, devant son oncle.

— Pis ? T'as eu de la misère ? Cé qui est arrivé, veux-tu m'dire ?

— Bin…

— Tu t'es fait payer, au moins ?

— Non.

— Tu m'dis pas !

— J'ai fait comme vous m'avez dit. C'était plein de côtes, toutes en glace. Quand j'étais pris, je m'arrêtais, je mettais un peu de bran de scie.

— Oui, c'est correct ; pis ?

76

— J'ai… j'ai pas pu me rendre au camp.

— Comment ça, t'as pas pu te rendre? T'as manqué de gaz?

— Non, non…

Léo se dandinait d'un pied sur l'autre, baissait les yeux et la tête, comme un enfant coupable qui va se faire gronder :

— Ben, accouche, Léo.

— J'ai pas manqué de gaz mais… j'ai manqué de bran de scie.

— C'est pas vrai! T'as manqué de…

— Ah, pas beaucoup, là. J'étais presque arrivé.

— T'as manqué de…

L'oncle n'arrivait pas à terminer sa phrase. Pris d'un grand fou rire, il faillit s'étouffer dans son oreiller. Le lendemain, il en riait encore :

— Sais-tu, t'aurais dû y aller allége*. Tu te serais peut-être rendu…

Et il s'esclaffait à nouveau, bruyamment, en tapant sur l'épaule du neveu.

* * *

À force d'économiser, Antonin avait amassé assez d'argent pour s'acheter un camion neuf. Un avant-midi de juin, accompagné de Léo, il se rendit à la station de chemin de fer du Canadian National, rue Saint-Pierre, pour prendre possession du nouveau Chevrolet. Ils attendirent fébrilement devant un wagon, pendant qu'un employé du Cionnar* s'affairait à couper les scellés métalliques. Après une éternité, les deux grandes portes coulissèrent avec fracas, découvrant à la vue des deux hommes ébahis un superbe camion bleu marine aux pare-chocs verts. Il était bizarrement dressé sur ses roues arrière, comme un étalon fringant figé dans son élan. Un autre employé se joignit au premier et, ensemble, au moyen d'un treuil, ils opérèrent la délicate manœuvre qui ramena la « bête » à l'horizontale. Il fallut ensuite arracher les bandes protectrices qui recouvraient les phares et le pare-brise. Puis l'oncle dut signer cent papiers, après quoi il put enfin prendre place au volant. Il démarra. Tout de suite, une belle voix chaude emplit le wagon et le Chevrolet, étincelant, vint s'arrêter sur le débarcadère. Antonin en descendit et rejoignit Léo :

— R'garde-moi ça. Quand il aura sa boîte, ça va être de toute beauté !

— C'est sûr qu'il a l'air un peu déshabillé, comme ça.

— Inquiète-toi pas, on va le mettre sur son trente-six.

Ils se rendirent au Garage Lagacé où des mains expertes s'emparèrent du pur-sang. La boîte du vieux camion, repeinte, fut posée sur le nouveau et, vers la fin de l'après-midi, les deux hommes vinrent parader rue Châteauguay, allant jusqu'à la Dompe avant de revenir s'arrêter au 282. Blanche et Julie, au milieu d'un attroupement, les y attendaient, impatientes. Tout le monde voulut monter dans la cabine, qui sentait le neuf. Les connaisseurs notaient et commentaient les innovations par rapport au modèle précédent : les parasoleils pivotant, les doubles miroirs latéraux, les clignotants au volant et la nouvelle plaque d'immatriculation dont les chiffres bleus se découpaient sur le pare-chocs vert, se mariant ainsi avec le reste du véhicule. Antonin veillait à compléter l'inventaire :

— Vous avez vu le différentiel ? Ils l'ont tassé un peu sur le côté pour mieux parer les bosses. Pense pas, toué, qu'ils voient pas à toutt, ces Américains-là !

Il produisit ensuite un gros effet en actionnant le levier de la dompeuse. Chacun put voir la boîte s'élever lentement presque à la verticale, plus haut encore que les fils électriques — que le conducteur, trop pressé d'effectuer la manœuvre, faillit arracher. Plus tard, Blanche et Julie eurent droit à une promenade jusqu'au pont couvert, puis ce fut le tour des amis, des voisins, de leurs enfants et même de deux quêteux qui se trouvaient là. La nuit était tombée lorsque la « bête » put enfin gagner son écurie.

En se mettant au lit ce soir-là, Antonin enlaça Blanche et lui glissa :

— C'est vrai que c'est un beau troque, an?

En réalité, elle n'approuvait pas vraiment l'achat qu'elle jugeait extravagant. Mais c'était la passion d'Antonin et son seul vice. Elle laissa tout de même tomber :

— Disons que, ce coup-là, t'as pas pris la petite porte de côté, çartain…

En juillet, il accepta de faire une livraison au Lac-Saint-Jean. Il s'agissait de prendre un voyage de madriers à une petite scierie près de Dorval, à quelques milles à l'ouest de Jonquière, et de les porter à Saint-André-de-l'Épouvante, au sud de Métabetchouane. L'oncle et le neveu partirent un matin, s'arrêtèrent en chemin pour charger la marchandise puis roulèrent vers le Lac. En sortant de Saint-Bruno, un bruit inquiétant apparut dans la roue avant gauche du Chevrolet. Léo, qui tenait le volant, ralentit l'allure. Peu à peu, le bruit s'amplifia. À chaque tour de roue, un sourd cognement se faisait maintenant entendre. Le camion était lourdement chargé et Léo réduisit encore la vitesse. Ils parvinrent ainsi vers le milieu de l'après-midi à Saint-Gédéon où ils trouvèrent un garage. Le préposé procéda à un examen rapide et annonça qu'une vis de la roue s'était rompue à cause d'un écrou défectueux. Antonin protestait :

— Voyons donc, un troque à peine descendu des chars, baptême !

Le mécanicien était d'avis que la roue devait être remplacée, mais il faudrait se rendre à Alma pour s'en procurer une. Il sauta dans son picope* et ne revint que deux heures plus tard :

— J'ai pas trouvé. C'est un nouveau modèle de troque que vous avez là ; y en a pas encore par icitt.

Finalement, il put replâtrer l'affaire, tant bien que mal, en faisant une soudure :

— Je vous garantis rien, là. Mais j'peux pas faire plus.

Inquiet, Antonin avait soulevé sa casquette, se passait la main dans les cheveux en grimaçant. Léo s'approcha :

— Qu'est-ce qu'on fait ?

— Bah, on n'a pas le choix. On y va.

Ils se remirent en route. Léo sortit le journal dans lequel Blanche avait enveloppé des tranches de pain beurré, du fromage et des galettes. Ils mangèrent en silence, guettant le mouvement des essieux et des roues. Antonin avait pris le volant. Il roulait lentement, contournait les trous, freinait dans les descentes. Il commençait à faire noir quand ils quittèrent la route principale pour s'engager dans le rang de gravier conduisant à Saint-André. Dans un détour un peu sec, le bruit réapparut.

Antonin avait encore ralenti. Devant, les côtes s'annonçaient ; le véhicule avançait au pas d'un cheval. Tous les trois cents pieds, Léo descendait et, à l'aide d'un marteau, frappait sur la tête de la vis défectueuse pour la remettre en place. La nuit était tombée et la pluie s'était mise de la partie. Ils avaient encore près de dix milles à parcourir dans un mauvais chemin et tout le boulon était en train de se désagréger. Bientôt, les deux hommes durent alterner sans arrêt, l'un au volant, l'autre à la roue sous la pluie, dans le noir. Léo s'impatientait :

— Ouais ! C'est pas d'avance…

Mais le moral d'Antonin, lui, restait au beau fixe :

— Non, mais ça avance ! Ça va bin, Léo, ça va bin.

— Puisque vous le dites…

Ils arrivèrent au village vers la fin de la nuit, fourbus, transis. Ils attendirent jusqu'au matin pour faire leur livraison et eurent la chance de dénicher une vieille carcasse de camion sur laquelle ils prélevèrent une vis toute rouillée. Ce n'était pas exactement le bon format, mais le Chevrolet dut s'en accommoder. Sur le chemin du retour, ils firent encore quelques arrêts dans des garages et rentrèrent à Jonquière à la fin du jour. L'oncle avait pris le volant et, pendant tout le trajet, il ne cessa de chantonner ou de siffloter. Il avait épuisé sa provision de cigarettes. De temps à autre, il sortait de sa poche de chemise un paquet de tabac avec une petite feuille de papier puis, d'une seule main, l'autre sur le volant, il se roulait une cigarette entre les doigts. Il se tournait vers son neveu :

— Ça mon p'tit gars, y a rien que les vrais troqueurs qui savent faire ça !

— Pis quand on fume pas ?

— Quand on fume pas, on conduit des machines…

Ils souriaient. Léo l'observait en silence. Il ressentait les fatigues de la nuit, il avait faim et grelottait dans ses vêtements mouillés. Mais l'entrain d'Antonin le réchauffait. Il se laissait bercer par la musique du moteur et goûtait la senteur forte de la cabine. Une senteur d'homme à l'effort qui lui rappelait celle de l'oncle Méon lorsque, jadis sur les Territoires, il se laissait transporter sur son dos dans les trop longs portages. Il se tourna vers Antonin :

— Vous me faites penser à mon oncle Méon, là.

— C'était un troqueur ?

— Non, pas un troqueur. Mais pas vraiment un chauffeur de machine non plus. Lui, il transportait toute sa marchandise sur son dos…

* * *

Quand ils partaient pour leur travail le matin, l'oncle et le neveu descendaient la rue Châteauguay jusqu'au boulevard Saint-Jean-Baptiste qui longeait la Rivière-aux-Sables. Ils passaient alors devant une imposante maison de pierre, propriété du notaire Boulianne. Avec le retour de l'été, Léo y vit souvent une belle jeune fille aux airs enjoués qui se berçait sur la galerie ou s'amusait sur la pelouse. Il ralentissait pour mieux l'observer, ébloui par ses traits délicats, sa taille mince et ses longs cheveux blonds qui s'étalaient sur son dos. Elle ne manqua pas elle non plus de remarquer ce grand jeune homme racé aux fortes épaules et ils en vinrent à se saluer de la main. Le soir, en rentrant rue Châteauguay, il la revoyait parfois et la saluait de nouveau.

Un jour, il était allé faire une course avec le Chevrolet. Parvenu sur le boulevard, il aperçut la jeune fille qui s'éloignait de chez elle en direction de la ville avec un colis sous le bras. Il s'arrêta :

— Où allez-vous ?

— Chez ma marraine, de l'autre côté de la rivière. Je lui apporte un panier.

— Vous ne voulez pas monter ? Je m'en vais justement par là.

— J'ai peur de vous déranger…

— Donnez-moi au moins votre panier ; je pense pas que ça dérange beaucoup mon troq… mon camion !

Elle sourit et se laissa convaincre. Il l'aida à grimper dans le véhicule puis à fermer la lourde portière.

Lorsqu'il eut repris place derrière le volant, il n'osa pas la regarder tellement sa présence le troublait. Il passa la vitesse trop vite et faillit étouffer le moteur. Il voulut corriger cette mauvaise impression par un double-clotche trop appuyé qui fit hurler la transmission. Enfin, au premier arrêt, à l'approche du pont couvert sur la Rivière-aux-Sables, il freina si brusquement que la passagère faillit donner du nez contre le pare-brise. Léo était penaud :

— Excusez-moi ; vous vous êtes pas fait mal ?

— Non, non, ça va. C'est la première fois que je monte dans un camion ! C'est plus rude qu'une machine…

— Faites pas attention ; il est beaucoup plus calme d'habitude ; je pense que vous l'énervez… Comme vous voyez, c'est un jeune troque.

La suite fut moins chaotique. Ils se présentèrent ; elle s'appelait Céline, elle était la fille cadette du notaire et avait dix-sept ans. Léo sauta sur l'occasion :

— Tiens! moi aussi… Depuis le 25 juin.

— C'est vrai? Et moi le 26!

Ils s'amusèrent de la coïncidence. Mais ils arrivaient déjà chez la tante. Le chauffeur descendit et se précipita du côté de la passagère pour lui donner la main. Elle s'en saisit et s'extirpa chastement de la cabine en serrant sa petite jupe carreautée autour de ses genoux. Ils se regardèrent un instant, maladroits, puis se saluèrent. Léo remonta derrière le volant. Cette fois, il prit ses aplombs et exécuta un démarrage sans faute, tout en faisant gronder le Chevrolet un peu plus que nécessaire.

Les jours passèrent. Chaque fois qu'il l'apercevait seule hors de la maison, il freinait et descendait sur son marche-pied pour lui adresser quelques mots. Antonin attendait patiemment dans la cabine, s'étonnant de la hardiesse de Léo; il n'avait lui-même jamais adressé la parole au notaire. Bientôt, les deux jeunes gens convinrent de se rencontrer le dimanche après la messe, à l'entrée d'un bosquet près de la rivière. Elle apportait des gâteaux et lui de la liqueur — une Sun Crest à l'orange ou à l'ananas. Puis elle l'invita à lui rendre visite un samedi soir à la maison. Il emprunta le costume brun de son oncle, que Blanche et Julie repassèrent deux fois, et, plein d'appréhension, il se dirigea vers la résidence des Boulianne. Le veston était trop étroit aux épaules, ce qui en faisait remonter les manches sur les avant-bras. Léo résolut de l'enlever et se présenta en le tenant négligemment sur l'épaule. Il sonna. Céline ouvrit aussitôt et le conduisit au salon. Il fut surpris, et en même temps très soulagé, de constater qu'elle était seule dans la pièce:

— Vos parents ne sont pas là?

— La famille est allée veiller au chalet d'un oncle au Lac Kénogami. J'ai réussi à m'en dispenser.

Pour cette fois, il avait apporté deux bouteilles de crème soda; elle les porta dans un grand frigidaire puis invita Léo à prendre place à ses côtés sur un sofa moelleux. Il se laissa étourdir par le parfum délicat qui émanait de sa personne, par sa petite robe fleurie qui dégageait ses bras et son cou cintré d'un petit collier. Mal à l'aise, ils parlèrent d'abord de tout et de rien. Puis il l'interrogea sur sa famille et elle en fit autant. Léo se fit bref, mais sans cacher l'essentiel. Il était intimidé par la décoration de la pièce, très colorée, par les plafonds très hauts d'où pendaient plusieurs lampes, et surtout par le luxe du mobilier, tout en chêne. Il le dit à Céline, ce qui la fit sourire :

— Ce sont des vieilleries, mais mon père y est très attaché ; nous n'arrivons pas à le convaincre de s'en débarrasser.

— Ah bon…

Après un moment, elle se leva pour apporter un plateau de chocolats. Quand elle vint se rasseoir, il en profita pour allonger un bras sur le dossier du sofa, là où elle avait pris place. Il la fit parler de ses études, raconta lui-même son séjour au Séminaire, comment il s'était terminé. Elle en parut attristée. Plus tard, elle se releva pour mettre un disque sur le gramophone. C'était une chanson douce d'un jeune compositeur, un Français. La pochette le montrait souriant à pleines dents et sautillant sur une grande place, avec la tour Eiffel à l'arrière-plan. Céline avait repris sa place tout près de son ami. Il fit descendre lentement son bras sur ses épaules. Elle se rapprocha encore. Il pencha la tête, chercha sa joue ; elle la lui tendit. Et juste à ce moment, les phares d'une voiture apparurent dans la fenêtre du salon.

La jeune fille se raidit, surprise. La porte avant s'ouvrit ; c'était la famille Boulianne qui rentrait plus tôt que prévu. Léo se retrouva devant le notable, sa femme et quatre garçons et filles plus âgés que lui. Tous l'interrogeaient du regard. Prise en flagrant délit, Céline balbutiait. Léo comprit qu'elle l'avait reçu à leur insu. Il se leva, se présenta brièvement puis, mort de honte, se retira.

Les jours suivants, il revit quelquefois la jeune fille et ils se saluèrent timidement de loin. Mais il se rendait bien compte qu'elle se dérobait. Il ne pouvait en rester là. Après deux ou trois semaines, il prit le parti de lui écrire et lui donna rendez-vous

Chapitre 7

En août, il fut question d'inscrire Léo à une école technique ; il se montrait réceptif à l'idée. La question de l'argent se posait encore, mais le gouvernement offrait des bourses aux élèves doués et peu fortunés. Il fallait toutefois faire vite, les cours débutaient en septembre.

On était alors en 1936. Près de onze années s'étaient écoulées depuis que le Grand avait disparu. Mais dans les esprits, il était plus présent que jamais. Dans toute la région, on se remémorait ses paroles, ses exploits, ses virées « autour du monde ». Avec le temps, sa légende n'avait cessé de grandir, s'annexant les épisodes les plus extravagants. Les plus âgés qui prétendaient l'avoir bien connu le disaient aussi vif que l'écureuil, aussi rusé que le renard, aussi puissant que l'ours. À l'intention des plus jeunes, ils commentaient sa mémorable traversée du Lac Saint-Jean à la nage, sa longue marche avec Moïse à travers les Territoires jusqu'au pôle Nord ou presque, sans parler de son affrontement épique contre Canayen Corneau qui avait duré toute une journée et toute une nuit devant plus de cent mille personnes…

près de leur petit bois au bord de la rivière. Le jour venu, il s'y rendit à l'avance. Il attendait son amie, le cœur battant, mais au lieu de Céline, c'est son père qu'il vit venir. L'homme se campa devant lui :

— Écoutez-moi, jeune homme. Vous êtes sans doute un garçon honnête, mais ma fille n'est pas pour vous ; je le regrette.

Léo n'était pas habitué à ce genre de langage. Désemparé, il demanda tout de même, en se redressant :

— Je pourrais savoir pourquoi ?

— Je pensais que vous l'auriez compris.

— On n'est jamais trop clair.

— Bon. À la rigueur, on peut mélanger les conditions sociales, mais pas les races. Les Sauvages et les Blancs, ça ne va pas ensemble. Je n'y peux rien, c'est comme cela. Je ne veux plus vous voir rôder autour de ma fille.

Et là-dessus, il tourna les talons.

Léo ne vit plus Céline de l'été, mais il y pensa souvent. Puis c'est l'image du notaire qui s'imposa à lui, repoussant peu à peu son chagrin. Une sourde colère le remplaçait.

— Ça fait beaucoup de monde, ça, pepére! C'est à peu près toute la population de la région…

— Ben justement, ça veut dire qu'il en était venu même d'en dehors, baptême!

Un vieux missionnaire assurait avoir rencontré le Grand plus loin que la Baie d'Hudson, en déplacement avec un groupe d'Inuits. N'était-ce pas lui aussi le géant qui, sous un nom d'emprunt, venait de nager cinquante milles dans l'océan à travers les requins près des côtes de la Californie? Et pas plus tard que deux ans auparavant, des pêcheurs ne l'avaient-ils pas aperçu un matin près de la Gaspésie, tout vêtu de blanc, à la barre d'un grand voilier bizarre qui cinglait vers le large?

— À part de ça, c'était tout un nageur! Une fois, à Mistouk, en pleine tempête, y avait plongé dans le Lac pis y avait sauvé une morte, chose…

Chacun connaissait et commentait à sa façon le récit de sa dernière prouesse: sa fuite en canot sur le Lac Saint-Jean à l'approche des policiers fédéraux, puis sa chevauchée solitaire dans les rapides meurtriers de la Décharge. Après quoi, on avait perdu sa trace. On supposait que ce surhomme avait dû parcourir tout le Fjord jusqu'au golfe, et peut-être jusqu'à l'océan. Ou bien il avait pris à jamais « le bord des Sauvages », celui des « Inmourables » auxquels il appartenait en réalité:

— Dire vré, y était pas tout à fait des nôtres.

D'autres opinaient en faveur des États, « sa vraie patrie », où il y avait plein de Sauvages aussi. Certains le voyaient dans les « vieux pays », d'où il avait ensuite poursuivi ses « voyagements » vers la Russie lointaine et ses pays de neige, jusqu'à « l'autre bout » du monde en fait, là où il n'y a même plus de Sauvages et d'où il reviendrait un jour, c'est certain, mais cette fois « par le boutt d'icitt », après avoir achevé son tour de la planète. Il s'en trouvait même pour qui Méo était plus qu'un géant; ceux-là donnaient à entendre en murmurant qu'il était peut-être un peu comme un prophète, une sorte d'envoyé, si l'on veut, la preuve étant que lui aussi, il avait été chassé de son royaume…

— Dis-moué pas !

— Aussi vré que j'le dis…

— S'cusez, de quel royaume vous parlez, là ?

— Bin, du Royaume du Saguenay, c't'affére !

Chacun avait entendu ces rumeurs qui agitaient toutes les paroisses, tous les quartiers, ainsi que la rue Châteauguay, bien sûr. Ils étaient toute une bande à l'épicerie Tremblay à en débattre à cœur de jour. Mais plusieurs, sans se l'avouer, craignaient que le Grand ne soit allé rejoindre son ami Moïse, le jeune Indien ténébreux qui s'était précipité au fond de la Source Blanche, à l'autre bout des Territoires. Même Julie, Julie la fidèle, dont la foi n'avait jamais fléchi durant toutes ces années d'attente, même Julie s'abandonnait parfois à de noires pensées : et si Méo n'était pas invincible ? et s'il ne revenait pas cette fois… ?

À l'écoute de ces récits, Léo s'interrogeait. Un soir, Julie dut se résoudre à tout lui révéler sur ces événements de l'automne 1918 lorsque l'armée canadienne patrouillait dans la région pour capturer les conscrits insoumis. Elle lui dit tout ce qu'elle savait sur l'attaque du camp des Eaux-Belles derrière les Chicots où, à cause d'un délateur, son oncle Félix avait perdu la vie. Alors, pris de rage, le Grand avait vengé son frère dans un furieux combat sur la plage près du Cran-Rouge, après quoi on avait perdu sa trace pendant sept ans. Revenu pour les funérailles de son père en 1925, il avait été aussitôt repéré et avait dû reprendre la fuite, cette fois en canot dans les rapides avec les policiers à ses trousses. Après, plus rien.

À ce point du récit, Léo avait porté ses mains au visage de Julie et, avec une infinie douceur, avait demandé :

— Je veux savoir ce qui est arrivé à celui qui avait trahi.

— Tu en sais déjà trop comme ça.

— Qu'est-ce qui lui est arrivé ?

— Insiste pas…

Alors, il s'était durci :

— Qu'est-ce qui lui est arrivé ?

— On a… on a trouvé son cadavre un matin sur la plage, près du Cran Rouge.

*   *   *

Subitement, le mot se répandit. D'abord sur les côtes du Fjord, puis vers Chicoutimi et Jonquière et au-delà : on avait découvert les restes du Grand ! Trois chasseurs de l'Anse-Saint-Jean, des Boudreault, qui séjournaient en forêt du côté nord de la rivière Saguenay, étaient un jour descendus sur la rive, face au cap Trinité. Parvenus au bord d'une petite anse, ils avaient découvert un squelette. La dimension des os laissait croire à un homme de grande taille. Ils y avaient prélevé une très vieille bague indienne et une lame de couteau rouillée qu'ils avaient plus tard rapportées au village. Une rumeur prenait forme. Peu de temps après, les trois chasseurs, de passage à Chicoutimi, avaient annoncé leur découverte. Plusieurs citadins, qui avaient côtoyé le Grand lors de ses séjours dans la ville, n'eurent pas de mal à identifier la bague qu'il gardait attachée à son cou en guise de médaillon. Elle fut portée à Jonquière où Julie, effondrée, la reconnut ; c'était bien le corps de Méo qui gisait là-bas !

Alors, la région fut sens dessus dessous. *Le Réveil,* le *Zadig* et *La Vérité* n'en eurent que pour le Grand ; il y eut aussi un article dans *L'Action catholique* de Québec. Partout, dans les villes, les villages, des attroupements se formaient. Il devenait aisé de reconstituer le fil des événements. Méo avait plusieurs fois vaincu les terribles rapides de la Décharge, mais en compagnie de Moïse. On comprenait que, s'étant lancé seul dans cette furie, il n'avait pu contrôler son canot et avait chaviré. Son corps avait ensuite dérivé vers Chicoutimi et jusque dans le Fjord où les marées d'automne, exceptionnellement fortes cette année-là, l'avaient hissé très haut sur le rivage. C'est ce que pensaient aussi les Indiens.

Dans les jours qui suivirent l'annonce, des dizaines puis des centaines d'embarcations chargées de curieux se dirigèrent vers ce que l'on commença à appeler l'Anse-à-Méo. Elles se regroupaient puis s'immobilisaient à l'entrée de l'anse, d'où l'on pouvait apercevoir le squelette, presque intact. D'un côté et de l'autre, parmi les embarcations, s'élevaient des prières, maladroites, mais la plupart des passagers, intimidés, restaient silencieux. Quelques hommes débarquaient et s'approchaient des ossements, évitant toutefois d'y toucher, comme s'il s'agissait de reliques. Les premiers arrivés avaient dressé une croix de bois. Un peu plus tard, à la demande de Julie, la famille Tremblay et d'autres habitants de Mistouk mirent sur pied une petite expédition pour aller recueillir ce qui restait du Grand. L'hiver approchait; une mince couche de neige recouvrait déjà les lieux. Tout ce que l'on put prélever fut déposé dans un cercueil et porté à Mistouk.

Le jour des funérailles, une énorme foule se rassembla devant l'église du village, dont il fallut laisser les portes ouvertes; les gens se pressaient par centaines à l'intérieur et par milliers sur la place. Les frères et sœurs de Méo encore vivants étaient venus, même Gonzague, le gardien de phare, pour une rare fois descendu de la Côte-Nord. Tous les cousins et cousines étaient là aussi, dont Nazaire qui se tenait bizarrement à l'écart.

À la surprise générale, il n'y eut pas de service. Girard, le curé, anima plutôt une brève cérémonie de prières « pour l'âme du pécheur », puis conduisit le long cortège au cimetière où il y eut un autre incident. Le prêtre annonça en effet que, sur ordre du nouvel évêque, Mgr Bezeau, la dépouille ne serait pas inhumée en terre bénite. Une fosse avait été creusée à l'écart dans les broussailles, près de la butte sous laquelle reposait l'ignoble Barsalou, de sinistre mémoire dans la paroisse. Il y eut un murmure dans la foule. Girard expliqua qu'il n'était pas question de « troubler le repos des saintes âmes en leur imposant la compagnie d'un rebelle ».

Cette fois, des grognements s'élevèrent, mais on dut en passer par la volonté du pasteur. Almas, le grand-oncle irascible et séditieux, depuis toujours dressé contre son siècle, s'était retiré à l'arrière, dégoûté :

— C'est abôminable, abôminable… Encore une abômination !

Mais il ne s'adressait qu'à lui-même, en silence. Depuis longtemps, il avait perdu le goût des diatribes. Sa colère était intacte, mais sa voix s'était usée et elle n'avait pas été remplacée.

Léo, dominant la foule, attirait l'attention. Il se tenait à l'avant, impassible. Son regard errait au loin, vers des lieux que lui seul semblait apercevoir. Julie, le visage voilé, s'appuyait sur son bras. Et devant, recroquevillée sous un châle noir, comme repliée sur son passé, sur ses vieilles douleurs, la grand-mère Marie, silencieuse. Le Grand n'en finirait donc pas de mourir ?

Dans les années qui suivirent, là-bas dans le Fjord, l'anse où le géant avait été retrouvé allait devenir un lieu de pèlerinage très fréquenté, tant par les « Inmourables » qui voulaient faire revivre Mistapéo que par les Blancs qui n'arrivaient pas à l'oublier.

∗   ∗   ∗

Revenue à Jonquière, Julie semblait avoir effacé de sa mémoire la cérémonie du cimetière. Elle parlait abondamment de Méo : au présent, au futur, mais jamais au passé. Elle avait toujours cru secrètement à son retour ; il était impossible que le Grand ait disparu ; un jour, tout s'éclairerait. Lorsqu'on lui avait appris la découverte de son squelette, elle était restée étrangement inerte. Elle avait immédiatement reconnu le pendentif, qu'elle avait aussitôt passé à son cou, religieusement. Puis elle avait sombré dans un profond mutisme. À l'église et plus tard au cimetière, chacun s'était étonné de son air absent, détaché. Mais quelques jours après être rentrée rue Châteauguay, elle s'était enfermée dans sa chambre à l'étage et avait pleuré pendant trois jours, refusant de s'alimenter. Blanche veillait sur elle, essayait de la secourir. Le quatrième jour, la fièvre était apparue. Un médecin appelé à son chevet prescrivit des remèdes; la malade les repoussa. Elle délirait maintenant, entrait dans des crises violentes, surtout la nuit. Plus personne ne trouvait le sommeil dans la petite maison. Un matin enfin, les crises cessèrent, le délire aussi; elle accepta de manger. On la crut sauvée.

De retour du travail un midi, Léo l'aperçut dans le salon. Pour la première fois depuis une quinzaine de jours, elle avait fait sa toilette. Les yeux fermés, elle reposait dans un fauteuil. Ses longs cheveux noirs baignaient dans un rayon de soleil; la tendresse, la douceur avaient de nouveau gagné son visage. Elle se tourna vers lui:

— C'est toi, le Grand?

— Mais non, m'man...

— Viens, approche-toi.

Elle le tira vers lui, lui couvrit les mains de baisers.

— Je savais que tu reviendrais, je le savais. Je l'ai toujours su. Ils m'ont tous menti.

— Voyons, m'man...

— Tu m'as tellement manqué. Tu m'as tellement manqué pendant toutes ces années. Tu dois arriver de loin? T'as faim? Je vais te faire à manger.

— M'man, m'man...

— T'es beau, Méo; t'es encore plus beau qu'avant! On dirait que t'as rajeuni...

— J't'en supplie, m'man.

— Serre-moi fort. Ça fait si longtemps...

À quarante-trois ans, Julie était entrée dans une nouvelle vie. Une vie retranchée, loin des bruits et des fureurs du dehors d'où venait tout le mal, une vie remplie d'un bonheur tranquille et robuste, éclairée d'un rayon qui la réchauffait de l'intérieur, dont elle seule recevait la lumière. Le monde n'avait pas voulu se rendre ; elle avait donc aboli le monde. Et tout était bien ainsi ; rien de mal ne pouvait plus lui arriver maintenant. Elle abandonna son emploi au magasin. Désormais et à jamais réunie avec le Grand, elle écoulait des nuits et des jours heureux. Elle refusait de sortir, même pour aller à l'église ; elle ne voulait plus s'éloigner de Méo.

Dans son entourage, on finit par se résigner à cette étrange déraison qui se présentait sous un jour aussi doux. Julie était enfin apaisée. Elle soignait sa tenue, souriait, se montrait raisonnable en toutes choses, vaquait aux travaux de la maisonnée, glissait un mot dans les conversations. La plupart des visiteurs ne remarquaient rien. Elle avait retrouvé sa longue silhouette élégante et même, parfois, ses airs enjoués. Elle descendait souvent vers la voie ferrée d'où elle rapportait un bouquet de quenouilles et de marguerites. Tout semblait continuer comme avant, mieux qu'avant, y compris dans sa relation avec Léo, mais sous un autre prénom et dans un autre temps qui ne risquait pas de mourir : c'était déjà fait.

Avec les mois, chacun s'adapta tant bien que mal à cette nouvelle vie. Sauf Léo, qui souffrait maintenant autant de la présence de sa mère que de l'absence de son père.

Chapitre 8

Léo n'avait plus le goût de poursuivre ses études. Depuis la découverte des restes de son père, il s'était renfrogné. Le soir, il lisait rapidement *Le Réveil* ou le *Zadig* (auquel l'oncle s'était abonné, abandonnant *L'Action catholique*) puis il se retirait en vitesse dans sa chambre, ou bien il allait marcher longuement sur la voie ferrée, ainsi qu'il le faisait jadis à Pointe-Bleue avec Cibèle. Il en arpentait le tracé sinueux jusqu'à l'Orée-des-Bois et même au-delà, comme s'il avait pu lui livrer quelque secret. Il rentrait tard et se mettait tout de suite au lit. Même la compagnie d'Antonin semblait l'indifférer.

Étendu sous les combles, il ne trouvait pas sommeil. Il pensait à la fin de Méo, à la nouvelle vie de Julie, à la sienne qui n'allait nulle part. Et à tout ce qui s'était passé depuis qu'il avait quitté la Réserve six ans auparavant. Il lui revenait à l'esprit un récit de son enfance que lui faisait Méon. C'était l'histoire du héros Tshakapesh dont le père et la mère avaient été tués par un ours. Lui, se trouvant encore dans le sein de sa mère, avait survécu miraculeusement. Plus tard, il avait grandi avec une seule idée en tête : venger ses parents. Un jour, c'est ce qu'il avait fait. Il avait retrouvé l'ours et l'avait tué. Et les dieux l'avaient approuvé. Ce conte naïf le poursuivait. Avait-il raison d'y voir une image de son destin ?

* * *

L'année 1936 touchait à sa fin. Il y avait beaucoup de vie dans la ville maintenant. Les entreprises embauchaient, des étrangers arrivaient, des maisons se construisaient au bout de la rue Châteauguay. À l'église le dimanche, quand les marguilliers parcouraient les bancs pour la quête, les paniers se remplissaient plus vite et les sous noirs s'y faisaient plus rares, tout comme les médailles que les femmes avaient pris l'habitude d'y glisser pour obtenir quelque soulagement. Par contre, Antonin, vieillissant, réduisait ses activités et il fut convenu que Léo chercherait un emploi ailleurs. Un jour, il annonça aux siens qu'il avait trouvé à se placer comme journalier à Kénogami dans une manufacture de matériaux de construction. Comme il devait marcher trois milles pour s'y rendre, il se levait très tôt et revenait assez tard le soir, ce qui l'éloigna un peu de la famille. Le samedi, il veillait toutefois à la maison et, en compagnie de quelques voisins, écoutait à la radio la retransmission des joutes des Canadiens de Montréal. Chacun avait ses héros. Antonin, lui, n'en avait que pour le petit Aurèle Joliat, qu'il n'appelait jamais que par son prénom, comme s'il était de la place :
— Fonce, Aurèle, fonce…
À la manufacture de Kénogami, il y avait beaucoup de compétition entre les hommes et Léo dut apprendre à tenir son bout. Ses compagnons de travail lui donnaient les plus gros billots à manœuvrer, ils l'affectaient souvent au bent-saw* qui était la machine la plus dangereuse, et ils lui faisaient faire les heures longues, ce qui le forçait à rentrer plus tard rue Châteauguay. Mais il ne se plaignait pas. Il trimait dur, prenait du muscle et il

avait encore grandi. À dix-sept ans, il était l'un des plus jeunes mais il en imposait à plusieurs. Après quelques semaines, il dut affronter un fier-à-bras qui s'amusait à répéter :

— Y a un Sauvage de trop icitt.

Le combat eut lieu sur l'heure du midi dans la cour à bois, devant une soixantaine d'ouvriers qui faisaient cercle. Moins costaud que l'autre, Léo parvint cependant à déplacer l'action vers une mare de boue où il fit perdre pied à son rival et le renversa. Il laissa ensuite parler ses poings. Après cet incident, tous convinrent qu'il y avait place pour un Sauvage à la manufacture. Néanmoins, il veillait à s'épargner les ennuis qu'il avait connus au Séminaire en se montrant docile envers la direction. Il s'appliquait aussi à accélérer son apprentissage pour obtenir de l'avancement.

Ses contremaîtres étaient surpris de sa progression. Ils disaient :

— C'est surprenant pour un Sauvage !

Il saisissait rapidement le fonctionnement des machines, le sens des manœuvres, l'agencement des opérations. À quelques reprises même, il suggéra des modifications dans les procédés qui, chaque fois, entraînèrent une hausse des rendements. Au bout d'un an, il eut droit à un entretien dans le bureau du patron, un homme rondouillard, assez avenant, dans la soixantaine avancée. Plamondon, c'était son nom, l'interpella :

— Tu veux une bière ?

— Non, merci.

— Tu bois pas ?

— Non. Je suis pas un vrai Sauvage, comme vous voyez…

— T'es mêlé, métis ?

— Ça, complètement !

L'autre sourit, reprit :

— Je viens d'acheter une scierie au lac Long. C'est à cinq-six milles d'icitt, vers Dorval. Tu connais ?

— Un peu, oui.

Il songeait aux longues soirées qu'il y avait passées avec son oncle, à pelleter ou à charger des croûtes.

— Ça t'intéresserait d'y travailler? Tu commencerais comme claireur*, pour apprendre. Si tu fais bien ça, tu pourrais grimper vite.

— Quand est-ce que je commence?

— Demain, si tu veux.

En quelques semaines, Léo acquit une bonne connaissance de la scierie et passa à la position de canteur*. Après quelques mois, il remplaça même le scieur qui, à la suite d'une maladresse, s'était coupé les deux doigts qui lui restaient à la main gauche. Malgré son très jeune âge, il sut, encore une fois, s'imposer. Il apprenait l'art de faire vite sans se hâter, de forcer sans se fatiguer, de s'adonner à une tâche tout en pensant à une autre. Et là où son talent semblait ne pas suffire, sa sourde détermination et sa force physique compensaient. Peu à peu, il établit son ascendant et entretint de bons rapports avec les dix employés, qui l'appelaient le « Métis ». Plamondon visitait la scierie régulièrement et constatait, incrédule, le rapide apprentissage de son protégé.

À l'âge de vingt ans, Léo se retrouva en charge des opérations et obtint carte blanche pour changer les choses à sa guise; il serait jugé sur les résultats. Il commença par modifier la disposition des machines pour éviter aux hommes des déplacements, des gestes inutiles ou causes de blessures. Il réaménagea les fenêtres de l'édifice pour favoriser un meilleur éclairage l'hiver et plus de fraîcheur l'été. Puis il établit un système de primes au rendement, veillant toutefois à fixer des normes raisonnables qui incitaient à l'effort sans épuiser.

Le dimanche, il emmenait les siens au lac Long pour leur faire voir la scierie, les piles de planches et de madriers, les réserves de billots. Il expliquait les changements déjà effectués et ceux qu'il projetait. Antonin, ébloui, s'étonnait de tout, interrogeait:

— C'est pas croyable! Tu te rends compte? T'es déjà rendu boss, tu viens quasiment juste de commencer!

— C'est vrai, ça va vite ; je l'aurais jamais cru.

— Mais, coudon, tu m'as pas dit ce que tu fais de ton bran de scie pis de tes croûtes ?

— Justement, je vous les laisse, si vous voulez.

— Non, c'est trop pour moué. J'en livre pus tellement, tu sais.

— C'est pas grave ; on m'a parlé d'un gars de la rue Saint-François à Jonquière que ça intéresserait, il paraît.

Entre temps, la guerre avait éclaté dans les vieux pays et le Canada avait annoncé sa participation au conflit. Les journaux étaient inondés de manchettes alarmantes et multipliaient les appels patriotiques. À Jonquière, des jeunes décidaient de s'engager. Léo vit bientôt apparaître, dans son quartier, des visages familiers en uniforme kaki, surtout des fils de chômeurs qui n'avaient jamais été aussi bien vêtus avec leurs longues bottines noires bien cirées et leur grosse chemise empesée. Mais dans l'ensemble de la région, l'enrôlement allait au ralenti. La population n'avait pas encore oublié les méfaits de l'armée canadienne dont un détachement était venu en 1918 semer la terreur en chassant les conscrits insoumis. Chez Léo, le souvenir de l'attaque des Eaux-Belles à Mistouk, cette tragédie qui avait fait basculer le destin de sa famille, éteignait toute ferveur militaire. Et puis il avait à faire.

La scierie du lac Long augmentait sans cesse sa production. Plamondon s'était entiché de Léo :

— Écoute, je voudrais te ramener à Kénogami, j'ai une place de contremaître qui va se libérer ce sera pas long. Si tu te débrouilles bien, après quelques mois, tu pourrais la prendre. Penses-y comme il faut.

— Je vous dirais oui, mais à une condition.

— Une condition ? Tu prends du pic, coudon !

— Après trois ans, vous allez me vendre la scierie.

— Baptême, tu y vas pas de main morte !

L'entrepreneur aspirait à la retraite. La semaine suivante, il donna son accord : après trois ans, il vendrait à Léo la scierie du lac Long à un prix qu'ils fixèrent sur-le-champ.

Le futur contremaître écrivit à Cibèle pour lui transmettre les bonnes nouvelles. Il avait fait des économies et aurait aimé s'acheter un camion, mais il n'en avait pas les moyens, ni le besoin du reste. Il opta pour un picope qu'il exhiba fièrement devant le 282 rue Châteauguay, invitant les gens du voisinage à y monter. À partir de ce moment, une fois pas mois environ, il put se rendre à Pointe-Bleue pour rendre visite à sa fiancée. Il prenait soin de stationner la camionnette flambant neuve devant le magasin du Poste ; les Indiens, incrédules, formaient un cercle admiratif. Léo retrouvait Cibèle et, chaque fois, lui renouvelait son serment, tout en lui expliquant qu'il était trop tôt pour l'épouser, que sa situation n'était pas encore assez solide. Et ses nouvelles responsabilités l'accaparaient plus qu'il n'aurait voulu. Elle se faisait raisonnable :

— J'ai hâte que tu sois prêt. Ça va être plaisant.

Un jour, à l'occasion d'une de ces visites, Cibèle remit à son ami une longue veste en peau de chevreuil avec des franges :

— C'est pour ta fête.

Léo s'en revêtit aussitôt. L'autre, souriante, le regardait :

— Ça te va comme un mocassin !

— Tu parles d'une comparaison… Comme un chef, tu veux dire ?

— On peut dire ça aussi.

Il la prit dans ses bras, colla sa bouche à son oreille :

— Merci. Je m'en séparerai jamais. C'est comme une alliance, Cibèle.

À Kénogami, son ascension continua. Il connaissait déjà l'équipement, les moteurs ; il occupa diverses fonctions et accéda bientôt au poste de contremaître. Il se tenait près des hommes, s'informait de leurs soucis. Il continuait à s'intéresser aux machines. Et aux camions. Plamondon en possédait cinq, dont un Chevrolet. Quand Léo le pouvait, il l'empruntait et allait faire une livraison, même au loin ; c'était la plus belle des évasions. Une sensation de puissance et de liberté l'envahissait dès qu'il prenait place derrière le volant. Il goûtait la solitude, la chaleur, l'odeur de l'habitacle. Il aimait s'y réfugier l'automne sous les pluies glaciales qui fouettaient le pare-brise. Il prêtait attention au chant du moteur, à ses changements de rythme, d'accent, d'humeur. Et au différentiel, bien sûr.

Il poursuivit sur sa lancée, comblant les attentes de son protecteur, et en 1943, il fit comme convenu l'acquisition de la scierie du lac Long à laquelle il donna aussitôt beaucoup d'expansion. Il se passionnait pour sa nouvelle charge et y mettait tout son temps, prenant beaucoup de plaisir à distancer ses compétiteurs. Antonin applaudissait à sa réussite :

— Tu sais, Léo, toute la famille est bin fière de toué ! Pense à ton père, comme il serait content…

— Maintenant, c'est parti pour de bon, mon oncle.

Mais la guerre se faisait de plus en plus présente. Une base militaire avait été construite près de la Baie des Ha ! Ha ! et des avions de combat sillonnaient le ciel presque quotidiennement. Donnant suite aux instructions venues d'Ottawa, le maire de Jonquière décréta un couvre-feu. Dès que le soir tombait, il fallait rentrer et éteindre toutes les lumières ; Antonin s'interdisait même de fumer. Des exercices de parachutisme suscitaient aussi le plus grand émoi. Un jour, par erreur certainement, un soldat avait atterri à la Dompe — plus précisément, dans la Dompe. Toute la rue Châteauguay s'était vidée pour voir le héros. On l'avait trouvé dans une posture peu glorieuse, gigotant dans les déchets, emmailloté dans un fatras de ficelles et de tissus. Même les rats les plus costauds se tenaient à distance. On n'avait rien pu tirer du guerrier qui ne parlait qu'anglais. Peu après, impressionnés par l'incident, deux fils Godin s'enrôlèrent ; ils voulaient se faire parachutistes.

L'enrôlement volontaire ne suffisait plus et maintenant les journaux parlaient de conscription, comme vingt-cinq ans auparavant. Pour Léo, ce mot évoquait ce qui lui faisait le plus mal. Son parti était pris : quoi qu'il arrivât, il n'irait pas sous les drapeaux.

En compagnie de l'oncle et de Blanche, il continuait ses visites à la grand-mère et aux autres à Mistouk. Fin 1943, elle eut quatre-vingts ans et la famille organisa aux Chicots une grande fête. Elle coïncidait avec l'installation de l'électricité dans le rang. Presque toute la parenté, même éloignée, s'y réunit. Il y eut des chants, de la danse et « de la musique de gramophone ». Marie, submergée de cadeaux et de souvenirs, passa plusieurs fois du rire aux larmes. Léo voulait rencontrer Valère mais ne le trouva pas. Il s'informa auprès de l'oncle Adhémar :

— Valère est pas là ? J'ai besoin d'un homme à ma scierie ; j'ai pensé à lui.

L'autre lui avait glissé à l'oreille :

— Cherche-le pas. Il a trempé dans une affaire de vol à Alma. Ils l'ont placé dans une école de réforme.

— Pauvre diable ! Il en a pour longtemps ?

— On sait pas.

Il revit cependant Nazaire qui poursuivait alors son noviciat chez les Frères du Sacré-Cœur à L'Ancienne-Lorette, près de Québec. Les deux cousins conversèrent. Le jeune frère montra un grand intérêt pour les camions, les billots, le commerce, et voulut tout savoir sur les dents et les scies, les moteurs et les courroies. Léo fit dévier la conversation et interrogea son cousin sur le noviciat, les études qu'il y faisait, la vie qu'il y menait. Il fut étonné d'apprendre qu'il y jouissait d'une grande liberté et s'y trouvait le plus heureux du monde. Il observait à la dérobée son col mal ajusté, sa soutane défraîchie, ses souliers poussiéreux. Il remarquait aussi le regard éclairé, la parole simple, passionnée, et le sourire discret qui semblait illuminer en permanence ce visage déjà creusé. Il crut se trouver en présence d'un saint. En le quittant, il lui demanda s'il pouvait lui être utile, à quoi l'autre répondit :

— À moi, non, je n'ai besoin de rien. Mais aux pauvres, oui.

À partir de ce temps, quelquefois par année, Léo envoya de l'argent dans L'Ancienne-Lorette pour les pauvres de son cousin.

Il se donnait entièrement à sa scierie et dut espacer ses visites à Cibèle qui maintenant s'impatientait. Elle se résigna à accepter un emploi dans la Réserve, au magasin de Thomas Karkouas. Après un an au lac Long, le Métis s'offrit un congé et alla passer deux jours avec elle. Ils firent le tour du Lac en picope, s'arrêtant pour cueillir des bleuets ou se baigner. Dans presque tous les lieux qu'ils visitaient, il y avait quelque chose à raconter sur Méo. Méo le Grand, Méo-Mistapéo. Ils couchèrent dans une auberge à Mistassini, près des chutes. Là, ils firent le point longuement. Léo se fit pardonner ses absences, représenta à Cibèle l'avenir qu'il lui préparait, lui parla avec passion de ses grands projets, de sa réussite. Quand ils se laissèrent chez Karkouas, il avait le cœur léger ; il lui offrit des chocolats et de la liqueur. Il ne sembla pas voir la tristesse qui voilait le regard de l'Indienne.

Jusqu'à la dernière minute, elle avait espéré qu'il l'amène avec lui.

Chapitre 9

Les affaires de Léo prospéraient. Il trouvait dans son travail et sa réussite des motifs de réconfort. Ses revenus avaient augmenté et il pouvait maintenant adoucir la vie des siens. Il acheta à Blanche un frigidaire, une laveuse électrique, et à Antonin un appareil-radio à ondes courtes dont il fixa l'antenne sur le toit de la maison ; il pourrait ainsi écouter tous les matches des Canadiens, et non seulement ceux du samedi. À Julie, il offrit une robe, des bracelets, des broches, des petits colliers dont elle se parait le samedi soir pour recevoir son « amoureux ». Pour le reste, il n'en avait que pour ses affaires. Son rapport avec Cibèle se relâchait à nouveau, mais il refusait de le voir. En cet automne 1944, alors qu'il était âgé de vingt-cinq ans, son destin, enfin, prenait forme. Il allait justement en croiser un autre, dans des circonstances fort inusitées.

Après l'élection du mois d'août qui avait reporté l'Union nationale au pouvoir à Québec, Duplessis avait confié le porte-feuille de la Voirie à un certain Onésime Côté, personnage infatué sorti de nulle part (là où le Chef, pour mieux les dominer, recrutait volontiers ses ministres) et, selon les conjectures les plus réalistes, appelé à y retourner. Onésime s'était hissé très rapidement jusqu'aux plus hautes sphères de la politique québécoise, mais semblait ignorer qu'il pouvait en descendre encore plus vite. Fort des moyens qu'il se reconnaissait et que d'autres estimaient assez médiocres, il nourrissait secrètement des visées à long terme, et même à court terme. En cette fin de septembre, il devait se rendre au Saguenay pour inaugurer quatre ou cinq ponts et quelques milles de route, en plus d'appuyer le candidat du parti dans une élection complémentaire à Jonquière, le député récemment élu étant décédé subitement. Mais à trois jours de sa visite, il vit qu'elle n'avait même pas été annoncée dans les journaux locaux ; le profit qu'il comptait tirer de l'événement risquait d'être nul. Il eut alors l'idée de se faire accompagner par le Premier ministre lui-même.

Le projet n'était pas sans risque car le Chef ne prisait guère l'automobile. Mais Côté lui représenta que l'issue de l'élection était incertaine et insista tant que Duplessis se laissa convaincre d'aller voir cette région qu'il ne connaissait pas, alors même qu'elle lui avait été fidèle depuis la première victoire de son parti en 1936. Il s'était montré ferme toutefois : l'aller et le retour se feraient dans la même journée car il ouvrait le lendemain la session parlementaire avec le discours du Trône.

Le programme saguenayen prévoyait que les cérémonies d'inauguration auraient lieu en fin d'avant-midi et seraient suivies d'un banquet populaire en plein air à Jonquière, puis de quelques discours. Enfin, après un bref arrêt à l'évêché, les dernières heures de l'après-midi seraient consacrées à une excursion au « paradis » de l'Anse-Saint-Jean, que l'on décrivit au Premier ministre comme un petit village enchanteur, perché sur les bords du grand Fjord. On reviendrait à Québec en soirée.

Ils quittèrent la vieille Capitale au petit matin et parcoururent le long trajet vers le Saguenay en passant par Baie-Saint-Paul, Saint-Urbain et La Galette. Fatigué, grippé, le Chef promenait un regard distrait sur les paysages escarpés du Petit Parc et ne répondait que par des monosyllabes aux propos de l'intarissable Côté. La route, tout en gravier, était mauvaise et l'imposante limousine noire, escortée d'une voiture de la police provinciale, soulevait une immense nappe de poussière. Les visiteurs arrivèrent à Jonquière vers onze heures, comme prévu, après un arrêt à Arvida pour faire le plein d'essence et laver les deux véhicules. De nombreuses personnes s'étaient montrées sur leur parcours, agitant de petits drapeaux à l'effigie du parti. Côté était content ; ses gars avaient bien travaillé.

Le temps, toutefois, se gâtait ; de gros nuages montaient à l'horizon. Duplessis s'assombrissait lui aussi. Il expédia d'un air las les cérémonies d'accueil. Parcourant ensuite les villages environnants, il coupa les rubans d'usage, serra des centaines de mains, rencontra moult notables : la cohorte habituelle des maires, conseillers, marguilliers, préfets et sous-préfets, tous aussi flatteurs que quémandeurs. Il dut recevoir les hommages ampoulés du « parrain » de la région, un entrepreneur qui se faisait appeler le Sieur Gosselin. Le Chef l'avait déjà rencontré deux ou trois fois au Parlement. Il gérait la caisse du parti au Saguenay et ses diverses compagnies avaient effectué la moitié des travaux inaugurés ce jour-là. Entouré de ses adjoints, le Sieur fut de toutes les activités. Marchaient aussi sur ses talons les inévitables jumeaux Bradette, deux notables de Chicoutimi.

Sa grippe empirant, Duplessis se faisait de plus en plus maussade. Ce n'était pas la faute des orateurs qui, d'un village à l'autre, multipliaient les hyperboles à son endroit ; un curé le compara même à Dieu le Père et lui aurait baisé la main s'il ne s'était désisté. Une seule fois, on le vit esquisser un sourire. Au moment d'inaugurer un modeste pont à quelques milles de Kénogami, il chercha vainement le cours d'eau qu'il était censé enjamber. Il s'étonna aussi que la nouvelle route, généreusement asphaltée, se terminât à l'endroit même du pont :

— Il est pas un peu curieux, ton pont, Onésime ? Je vois pas d'eau…

— En fait, on a eu un petit problème, monsieur Duplessis. Les entrepreneurs locaux ont été pas mal gourmands cette année. En plus, ils m'ont expliqué que les chemins, c'est moins payant qu'avant ; c'est surtout avec les ponts qu'ils font leur argent. Ça fait qu'on a un peu forcé là-dessus. Peut-être un peu trop, en fait.

— Un peu trop ?

— C'est-à-dire que, à un moment donné, voyez-vous, on a manqué de… de…

— Vous avez manqué d'argent ?

— Non, on a manqué de rivières. Ici, il a fallu se rabattre sur un ruisseau…

— Je vois pas de ruisseau, moi.

— Bin, c'est-à-dire que… il coule juste au printemps. Mais il paraît qu'il coule fort, par exemple !

Le Chef eut l'air de s'en amuser, mais il reprit aussitôt son air sombre et, passant devant les lieutenants du parti dans le comté, il leur glissa sur un ton qui les glaça :

— Bande d'innocents !

Cette affaire devait du reste attirer de nouveau l'attention quelques années plus tard. Baptisée le Pont-Sec par les habitants du coin, cette construction inutilisée, qui avait été érigée à la hâte et sans conviction, ne fut jamais entretenue. Elle s'effondra un jour et, dans sa chute, écrasa une dizaine de vaches au pacage. Le cultivateur lésé intenta un procès au gouvernement, que l'avocat Louis-de-Gonzague Belley, le directeur-propriétaire du *Zadig*, plaida dans une atmosphère carnavalesque et gagna aisément.

Sur le coup d'une heure, Duplessis et son cortège revinrent à Jonquière. Ils avaient pris beaucoup de retard sur le programme ; le Chef tempêtait contre « les imbéciles » qui avaient conçu cet horaire beaucoup trop chargé. Le cortège s'arrêta à la place de l'Hôtel de ville où avait lieu le dîner en plein air. Les coqs de la place occupaient les tables d'honneur : des avocats, des notaires, des commerçants, des entrepreneurs, tous gens de bien déjà comblés de contrats, d'honneurs, de faveurs, et non moins assoiffés. S'y trouvaient aussi des commissaires d'école, des conseillers municipaux, quelques fonctionnaires et plusieurs petits torche-culs en mal d'ascension. La rue Châteauguay, la plus pauvre de la ville, n'y était représentée que par Godin-l'Alambic, très à l'aise cependant dans cette petite société frelatée.

On crut un instant devoir annuler l'événement à cause du mauvais temps, mais le ministre Côté, très peu en vue jusque-là, insista discrètement auprès des organisateurs pour maintenir le programme. Mal lui en prit. Une petite pluie se mit de la partie et peu de gens se présentèrent aux tables. Le Chef, déjà très contrarié, se retrouva devant une énorme platée de tourtière, tout comme son ministre qui, sous les flashs des photographes locaux, s'empiffrait. De bien mauvais gré, Duplessis dut, lui aussi, sacrifier au rituel régional. Les deux convives affrontèrent ensuite un colossal cipâte aux bleuets. Côté, qui était costaud, attaqua de nouveau avec enthousiasme, au grand plaisir des partisans qui l'entouraient, pendant que son voisin, résigné, s'exécutait de peine et de misère.

On se plut à lui faire remarquer que le cipâte était de circonstance : le bleu n'était-il pas la couleur du parti ? Le Premier ministre n'apprécia guère le trait ; congestionné, il tournait justement au rouge. Il trouvait cependant un peu de réconfort à la pensée que l'épreuve était enfin terminée. Il se trompait. Un fournisseur zélé voulut faire plaisir à Côté, qui était de Charlevoix, et lui servit, ainsi qu'à son compagnon franchement horrifié, une large assiette de sirop d'érable dans lequel baignaient quatre ou cinq tranches de pain de ménage. Le ministre parut ravi et fit honneur au nouveau plat. Le Chef, qui tournait maintenant au vert, l'imita mollement.

Quand vint le moment des discours, la pluie s'était intensifiée ; le maigre public avait déjà fondu de moitié. Très en verve cependant, le ministre de la Voirie s'empara du micro et s'étendit sur les bienfaits de la route, cet instrument de civilisation qui, depuis le temps des Romains, « répandait partout la circulation du progrès ». Il vanta aussi les vertus de l'asphalte, surtout sa durabilité qu'il compara à celle de l'Union nationale. Il commenta longuement « les deux grands principes moraux » qui commandaient toute sa vie politique : la ligne droite et la ligne droite. Les journalistes apprécièrent le trait et notèrent fébrilement. Enfin, il s'étendit sur son mode de gestion, ennemi de l'abstraction et de la théorie. Il connaissait, assurait-il, tous ses dossiers de première main, « face à face » — c'était son expression favorite. La politique, enchaînait-il, ne l'avait pas changé, lui, l'ancien agent des terres ; il était resté un homme de terrain, et de tous terrains. Il y eut quelques sourires dans l'assistance. Derrière lui, Duplessis restait de marbre, dont justement il avait maintenant la couleur.

Il dut patienter encore longtemps pendant que, devant lui, se faisaient aller les Démosthènes locaux. Le Sieur Gosselin, qui en était, vanta l'esprit d'entreprise dont il donnait lui-même l'exemple et souligna le progrès qui en résultait pour toute la région. Le président de la Commission scolaire locale célébra les vertus du clergé qui avait su éviter les excès démocratiques dans l'éducation. Il rappela aussi que ce jour-là était la fête de saint Éphrem, ce dont personne ne semblait s'être avisé — Éphrem était l'un des nombreux prénoms de Mgr Bezeau, l'évêque du diocèse. Quand vint le tour de Duplessis, il enleva le vieux chapeau dont il se coiffait toujours en public pour nourrir son image d'homme du peuple. Il se traîna jusqu'à la tribune et, surmontant de violents maux d'estomac aggravés de crampes intestinales, il parvint à articuler quelques tirades qui firent leur effet. En terminant, il se désola très sincèrement de l'esprit de controverse et de division « fratricide » que ses adversaires libéraux se plaisaient à introduire dans les luttes électorales alors que son parti, comme son nom l'indiquait, ne recherchait que la concorde et l'harmonie. Sur quoi il s'éclipsa sous les applaudissements.

La suite du programme prévoyait un arrêt à Chicoutimi où l'évêque avait réclamé un entretien avec le Chef. Mgr Charles-Antoine-Maurice-Éphrem Bezeau était entré en fonction en 1932, succédant à Mgr Labrecque, de sinistre mémoire dans la région. Ce prélat avait en effet laissé un ample héritage de querelles et de rancœurs. Fils de forgeron, formé à l'école du feu et du froid, de l'enclume et du marteau, le jeune Labrecque s'était fait une idée de la psychologie des gens à partir de celle des chevaux qu'il avait pu longuement observer à la forge et à la foire. De cet apprentissage vivant et varié, il avait su tirer quelques préceptes efficaces qu'il avait plus tard appliqués à l'administration de son diocèse. L'essentiel de sa pédagogie, et même le détail, tenait dans une formule aussi simple que robuste : tout ce qui plie finit par rompre. Le tout était de savoir doser le chaud et le froid — ou, pour en revenir à l'allégorie chevaline : le foin et le fouet.

Bezeau était l'homme tout désigné pour réparer les dégâts. Sa nature pusillanime lui faisait fuir non seulement l'affrontement mais tout ce qui se présentait de face. Il s'appliquait donc à naviguer entre les écueils, si bien qu'à la longue il donna l'impression de les conjurer. Là où il œuvrait, ceux qui avaient requis ses services se retrouvaient bientôt, et à leur grande surprise, pacifiés. Certes, après coup, ils n'entendaient pas de la même façon ce sur quoi ils s'étaient accordés, mais les motifs qui les avaient opposés leur paraissaient maintenant si embrouillés qu'ils ne retrouvaient plus leurs positions de combat. Telle était la magie des ambassades insolites exercées par Charles-Antoine-Maurice-Éphrem, au point que plusieurs n'hésitaient pas à lui reconnaître un don. L'ineffable et doux abbé faisait merveille en ce siècle tourmenté où tout semblait se défaire.

Il avait grandi au sein d'une famille nombreuse dans un village retiré de la verdoyante vallée de la Matapédia, ce qui expliquait peut-être le teint verdâtre qu'il affichait en permanence. Né tiède et béat, on le trouvait amène et réfléchi. Et pourtant, que de méprises sur ce petit homme singulier qu'un esprit attentif aurait pu mettre au jour. On percevait une inclination naturelle à la méditation dans ce qui était le fait de fréquentes somnolences dues à des lenteurs digestives et à d'autres dispositions lymphatiques. Sa parole lénifiante et ses gestes mous étaient confondus avec un état de bienheureuse sérénité acquis au terme d'un rude combat contre les démons. Au fil des ans, le vide et l'ennui de son existence avaient imprimé sur son visage squelettique une légère crispation, en quoi tous s'accordaient à voir un signe de compassion — certains disaient : un stigmate — devant les misères de ce monde. Même ses susurrements laborieux et sirupeux, dus à une vilaine dentition héritée en ligne maternelle (et bien connue dans son village), émouvaient ses interlocuteurs qui y voyaient une forme d'éloquence parcimonieuse et sublime. Bref, nul parmi ses contemporains ne soupçonnait l'étendue des arrangements glandulaires qui commandaient toutes ces apparences vertueuses. Cependant, sa candidature au siège épiscopal du Saguenay fut rapidement approuvée par le Vatican où l'on apprécia fort les traits du candidat. Dès son entrée en fonction, il ne manqua pas de s'affirmer. L'ambiguïté et la confusion remplacèrent l'hostilité et la raideur dans le diocèse où l'on constata avec émerveillement que l'indécision, la méprise et le louvoiement, à condition d'être généralisés et patiemment cultivés, font mieux que l'ordre et la clarté qui sont constamment l'objet de disputes.

La rencontre avec le Chef fut brève. Après les agapes de Jonquière, Duplessis était franchement indisposé. Le nez pointu, la lèvre mince, le teint blafard, il écouta l'évêque d'une oreille distraite. Après un moment, la manière obséquieuse du prélat, qui n'en finissait plus de le louanger, vint à bout de sa patience :

— Venons-en au fait, Monseigneur. Qu'avez-vous à me demander?

Ainsi apostrophé, le dignitaire perdit subitement ses moyens et confessa la cause de son tourment. Le curé de Jonquière, qui avait ourdi contre lui un complot pour accéder à l'épiscopat en scindant son diocèse. Rien de moins. Le Premier ministre ne voudrait-il pas faire quelque chose pour contrer cette infamie ? Par exemple, en construisant à Chicoutimi la nouvelle école technique déjà promise à Jonquière… Cette décision lui coûterait peu et lui vaudrait une profonde reconnaissance : l'Honorable n'était pas sans savoir l'autorité qu'un évêque détient sur ses prêtres, ni celle que les prêtres peuvent exercer sur leurs fidèles à certaines occasions ?

À la fin, le Chef concocta une réponse succincte, très civile, en apparence très ferme et en même temps des plus évasives, par quoi le prélat, en même temps plein d'espoir et de doute, fut à même de constater qu'il lui en restait à apprendre dans l'art de l'équivoque et du faux-fuyant.

Quelques minutes plus tard, le Premier ministre retrouvait enfin le confort de sa limousine. Radieux, toujours en verve, le ministre de la Voirie avait pris place à ses côtés. Son humeur se dégrada toutefois sur la route menant à l'Anse-Saint-Jean lorsqu'un violent orage éclata. Ils venaient de terminer l'ascension de quelques grosses côtes et s'engageaient maintenant dans les longues descentes très abruptes menant au village. Duplessis grognait, s'inquiétait de l'horaire :

— T'es sûr, Onésime, que c'est une bonne idée, ce détour ?

— Ne vous inquiétez pas, monsieur, nous sommes presque arrivés.

Il pleuvait des cordes. En quelques minutes, l'étroit chemin de gravier fut lacéré de profondes rigoles entre lesquelles la grosse voiture se mit à déraper dangereusement. Les nombreuses courbes compliquaient encore la manœuvre. À l'avant, le chauffeur multipliait les prouesses. Le véhicule des policiers suivait avec peine.

Ils arrivèrent à destination avec beaucoup de retard. L'orage, qui continuait de plus belle, avait chassé la fanfare locale, les Gardes du Sacré-Cœur, les Dames de Sainte-Anne et tous les partisans qui avaient longuement patienté. Les deux voyageurs allèrent s'abriter dans une auberge où le maire et le curé les rejoignirent. Le Chef, de très mauvais poil, les salua à peine, avala un jus d'orange et regagna aussitôt la limousine. Le soir était tombé et il fallait maintenant, pour rejoindre le petit Parc, gravir les redoutables côtes que dévalaient des torrents d'eau. À peine au pied des pentes, la lourde voiture s'enfonça dans la glaise et ne bougea plus. Les policiers et quelques habitants venus en renfort avec des pelles s'activèrent inutilement. Il fallut faire venir une remorqueuse qui fut impuissante elle aussi à dégager le lourd véhicule.

Presque tout le village était plongé dans l'obscurité. Le temps passait, l'orage persistait. Côté, plus piteux que jamais, en redoutait un autre qui éclata, comme de fait. Duplessis ne se contenait plus :

— 'Nésime, ta politique va peut-être en ligne droite, mais on peut pas en dire autant de tes chemins.

— C'est pas de ma faute, ç'a été fait du temps des Rouges.

— En général, c'est moi qui la dis, celle-là !

— De toute façon, le village a voté contre nous autres à la dernière élection.

— T'aurais pas pu mettre un peu d'asphalte quand même ?

— Bin, j'ai voulu les punir…

— T'as bien réussi ! Pour l'instant, c'est moi qui patauge dans la bouette pendant qu'ils sont au sec.

Le hasard leur vint en aide. Un gros camion, un Chevrolet, qui se dirigeait lui aussi vers la Baie vint s'immobiliser près de l'automobile des policiers. Léo se trouvait au volant. Ce soir-là, il revenait de Petit-Saguenay où il était allé faire une livraison de madriers et s'en retournait à Jonquière. Parvenu au bas des côtes de l'Anse-Saint-Jean, il avait aperçu dans le rayon de ses phares les deux voitures embourbées derrière la remorqueuse et s'était arrêté pour prendre des informations.

Il inspecta rapidement l'état du chemin et demanda aux

policiers de faire déplacer la remorqueuse ; il allait faire un essai. On attacha au camion la chaîne déjà reliée à la limousine. Léo en réclama une seconde qu'il fit nouer à l'autre extrémité du pare-chocs. Puis il reprit place dans sa cabine. Il mit le levier des vitesses en position, choisissant un rouage assez décommandé, puis il manœuvra avec beaucoup de délicatesse. Il fit glisser très lentement la pédale d'embrayage tout en appuyant progressivement sur l'accélérateur — il ménageait son différentiel. Le camion s'ébranla, gagna quelques pieds ; l'automobile se dégagea, la lente ascension commença. Le Métis s'appliquait à maintenir son allure pour éviter les à-coups et cherchait à naviguer entre les plus grosses ornières. À mi-pente, il appuya légèrement sur l'accélérateur ; la « bête » répondit. Ils parvinrent ainsi au sommet de la première côte et franchirent de la même façon les trois autres. Alors, Léo relâcha son effort et les deux véhicules s'immobilisèrent. On détacha l'automobile et le même manège fut exécuté pour remorquer l'autre voiture.

Au lieu de reprendre la route, Duplessis attendait dans sa limousine. Quand les policiers l'eurent rejoint, il demanda à parler au chauffeur du camion. Léo apparut sous la pluie battante, à la hauteur de la portière. Il tenait autour de son cou le col de sa veste pour empêcher l'eau d'y pénétrer. Le Chef baissa sa vitre :

— C'est du beau travail, ça ! Je pourrais faire quelque chose pour te remercier ?

— Rien. Je m'adonnais à passer de toute façon.

— Tu sais qui je suis ?

— Bien oui. On vous voit assez dans les journaux…

Léo remonta encore le col de sa tunique ; l'eau lui ruisselait dans le dos. Duplessis lui fit signe de monter puis, se tournant vers Côté :

— 'Nésime, donne ta place une seconde.

— Mais, monsieur, je suis en petits souliers…

— T'es ministre de la Voirie, non ? Ça va te donner l'occasion d'étudier un de tes dossiers. Face à face, comme tu dis.

Piteux, le ministre sortit en dérapant ; Léo prit sa place sur le siège, hésitant à poser sur le tapis moelleux ses bottes maculées de boue :

— Je vais tout salir, là…

— Laisse. Dans ce domaine-là, le gouvernement en a vu d'autres.

La température avait chuté. La pluie martelait le toit de la voiture dont l'intérieur baignait dans une chaleur feutrée. Une veilleuse enveloppait les deux personnages d'une lumière orangée.

— Comment t'appelles-tu ?

— Tremblay-Manigouche.

— Ton petit nom ?

— Léo. En fait, Léopaul.

— C'est à toi le camion ?

— Non, j'ai pas encore les moyens. Je l'ai emprunté à mon oncle.

— Qu'est-ce que tu transportes ?

— Des billots, du bois. Des produits de ma scierie.

— Tu te débrouilles ?

— Pas trop mal. Il faut travailler fort, la concurrence est forte.

— La concurrence ?

— Il y a un nommé Gosselin qui en mène pas mal large ici ; disons qu'il me fait pas la vie facile.

— Le « Sieur » Gosselin ?

— C'est ça, oui ; l'entrepreneur de Chicoutimi. Il joue dur.

Duplessis paraissait songeur. La nuit avançait, il était épuisé, mais il s'attardait.

— Ça t'arrive souvent de travailler aux petites heures comme ça ?

— Assez souvent, oui. Presque tous les soirs, en fait.

Il observait Léo, sa silhouette imposante et tranquille campée sur la banquette. La vivacité de son regard, la ligne pure de ses traits, ainsi que sa manière, ses gestes lents et sobres, sa voix de basse, tout cela dégageait un curieux mélange de calme et d'intensité, de froideur et de flamme qui le captivait. Célibataire (« depuis qu'il ne s'était pas marié », selon son expression) et maintenant au milieu de la cinquantaine, il pensait aux enfants qu'il n'avait pas eus. Il continuait à examiner son passager :

— T'as de l'Indien, non ?

— Montagnais, du côté de ma mère.

Il le considéra encore un moment à la dérobée.

— T'es sûr que t'as besoin de rien ?

— Non, merci. Je me débrouille.

— J'ai pas vu ça souvent un électeur comme toi. Ordinairement, c'est l'autre qui demande, c'est moi qui refuse…

Il rit un peu, lui tapa légèrement sur l'épaule :

— Si jamais tu changes d'idée, hésite pas à m'appeler. Salut, Léo.

— Bonsoir, monsieur.

— Ah, en sortant, tu veux me renvoyer mon ministre ? Il doit pas être loin.

Le Chef sentait une lourdeur l'envahir. C'est un sentiment qui le visitait de plus en plus souvent ; une fatigue qui se muait en tristesse, comme en nostalgie. Dans les feux de la limousine, il observa la longue silhouette du Métis qui regagnait son camion en courant sous la pluie. Il vit l'imposant véhicule démarrer puis s'éloigner en cahotant. Il le suivit longuement des yeux, jusqu'à ce qu'il ne soit plus qu'un point rouge fondant dans la nuit.

Chapitre 10

Au gré de ses déplacements, Léo s'arrêtait aussi souvent qu'il le pouvait à la vieille maison des Chicots pour rendre visite à sa grand-mère. Un après-midi d'octobre, il la trouva assise sur la galerie avant, dans sa grande robe noire. Le vent était tombé ; l'automne faisait relâche un moment. Elle avait le visage au soleil, face au Lac. Il la salua et vint s'asseoir près d'elle. Il engagea la conversation, mais Marie semblait absente, offrait de brèves réponses.

— À quoi pensez-vous, grand-mère ?

— Oh, à pas grand-chose. À mon âge, on pense pus telle-ment, on se souvient.

— Je trouve que vous avez l'air triste.

— Ça paraît tant que ça ?

— Vous êtes pas comme d'habitude, disons.

— Peut-être parce que c'est dimanche demain.

— Qu'est-ce que ça change ?

— Le dimanche, à l'époque, tous les enfants étaient là, on revenait de la messe, c'était plaisant. Souvent on dressait la table sur la galerie, là où t'es assis. Joseph aimait ça. Le Grand était toujours le dernier à arriver, en coup de vent, prêt à redécoller. À l'épouvante, comme de coutume. Mon Dieu que c't'enfant-là était agité! Y m'fatiquait donc.

— C'est... c'est des beaux souvenirs quand même.

— Si tu veux. Mais quand on est tout seul pour s'en rappeler... Il me semble qu'y avait plus de bonheur dans ce temps-là. Faut croire qu'il a ses places, comme les anciens quêteux.

— Il a peut-être ses âges aussi, vous pensez pas?

Elle se fit silencieuse, esquivant la question. Son regard errait en direction de l'Île Beemer et de son manoir abandonné dont la charpente en ruine se dessinait au large :

— C'est drôle, des fois j'ai l'impression d'être la dernière de ma lignée, de vivre la fin d'un règne.

— Vous avez peut-être pas tort, grand-mère.

Elle sourit, se rapprocha de lui :

— Toi, ça va?

— Mais oui; je me plains pas, j'ai de l'ouvrage en masse.

— Paraît que t'es rendu avec une scierie?

— Ah, pas une grosse...

— Quand même, une scierie, à ton âge! On est bien fiers de toi, tu sais. C'est donc de valeur que ton grand-père Joseph soit pas là pour voir ça!

— Vous venez marcher un peu?

Il l'aida à se lever puis à descendre de la galerie. Elle se faisait plus lourde à son bras. Ils se rendirent à l'enclos des chèvres; elle leur donna des carottes, des feuilles de chou. Elle se déplaçait avec peine. Léo la ramena à sa chaise :

— Je dois y aller maintenant. Je venais juste vous dire bonjour en passant.

— C'est bien aimable. Tu passeras encore?

— Bien oui!

Il l'embrassa et remonta dans son picope.

* * *

Le Métis achetait tous ses billots de l'International Manufacturing. Cette dépendance l'inquiétait mais il ne se trouvait guère
d'autres fournisseurs au Saguenay. La compagnie appartenait à
Elzéar Gosselin, le riche entrepreneur de Chicoutimi qui régnait
sur les notables et sur la caisse électorale. Avec l'évêque Bezeau, le
Sieur était le personnage le plus puissant de la ville et de la
région. Âgé de cinquante-cinq ans, il était le fils unique d'une
riche famille de Québec venue s'établir à Chicoutimi au début du
siècle. Il avait hérité de sa mère une foi intense et de son père un
commerce florissant. Il chérissait à égalité les deux legs qui, très
tôt, lui avaient fait apprécier les vertus de la foi et celles du capital. En tête à tête avec son épouse, il lui arrivait d'user à ce propos
d'une formule laconique :

— L'un porte l'autre, chère Eugénie.

Et il ajoutait, car il ne dédaignait pas l'humour :

— Et vice versa…

Son confesseur, le chanoine Édouard Butain, procureur-
économe de l'évêché, l'avait conforté dans son opinion :

— Cher Elzéar, il est bien connu que l'accumulation dans
l'ordre temporel va de pair avec l'élévation dans l'ordre spirituel.
Soyez tranquille, une même grâce commande la maîtrise de la
matière et celle de l'esprit.

Et en effet, sans regarder aux moyens, le Sieur n'avait cessé
d'accumuler dans plusieurs secteurs de l'économie et de s'élever
dans les grâces de l'Église dont il quémandait les contrats. Il avait
fait de la froideur son trait dominant, mais dissimulée sous
le masque le plus affable. Il était passé maître dans l'art de mêler
le fiel et le miel et, pour se garder des excès si funestes du cœur
lorsque livré à sa mollesse naturelle, il avait résolu de pratiquer
une saine méfiance envers son prochain. Il avait si bien manœuvré qu'après bien des années on ne lui connaissait guère d'ennemis. Il n'est pas moins vrai qu'en retour il ne se connaissait pas

d'amis. Mais il n'en souffrait pas. Faisant le compte de ses expériences, il en était venu à la conclusion que, à tout prendre, le pire des alliés vaut encore mieux que le meilleur des amis. Il avait aussi appris que, pour avancer vite en affaires, la ligne droite n'est pas le chemin le plus court.

Armé de ces principes, il avait fait prospérer toutes ses affaires, celles de la terre et celles du ciel — les unes portant les autres, comme le lui avait confirmé le si perspicace chanoine Butain. En plus des installations portuaires, il contrôlait la plus grande partie des services publics dans la municipalité où il possédait plusieurs édifices : ici des entrepôts, des magasins, là des ateliers, des manufactures. Il comptait parmi les principaux entrepreneurs de l'Est du Québec, ses compétences s'étendant de la coupe forestière et des matériaux de construction (regroupés dans l'International Manufacturing) aux travaux de voirie et aux pompes funèbres. Il était présent également dans le transport et dans l'immobilier ; c'est lui qui chaussait tout le clergé régional, lequel se trouvait ainsi à marcher non seulement dans ses visées mais aussi dans ses souliers. Enfin, il était propriétaire de la station de radio locale, récemment ouverte, ainsi que, par le truchement d'une obscure compagnie qui lui servait de paravent, de l'austère hebdomadaire *La Vérité*. Parallèlement, il s'était assuré des appuis à Québec au sein du Parlement, de l'Archevêché et de la Finance, qu'il appelait « la sainte Trinité ». Il s'y était ménagé, disait-il en clignant de l'œil, des entrées et… des sorties. Il se faisait fort d'avoir accès au bureau du Premier ministre. À Chicoutimi, il faisait et défaisait les élus municipaux et les députés, en plus de contrôler le patronage. Certains prétendaient qu'en privé, il tutoyait l'évêque.

L'homme était discret et, au Saguenay même, rares étaient ceux qui savaient la sujétion dans laquelle le tenaient des financiers torontois qui lui achetaient toute sa production forestière, lui fournissaient la plus grande partie de ses capitaux et, pour le reste, le traitaient en valet. Autre détail qui pour des raisons évidentes n'était connu que de quelques initiés : le Sieur étendait ses activités à la contrebande d'alcool, dont il détenait le monopole dans les régions du Saguenay, de Charlevoix et de la Côte-Nord.

* * *

Au début de janvier 1945, un fonctionnaire des Terres et Forêts qui brassait également dans la politique locale se présenta à la scierie du lac Long :

— Les billots rentrent bien ? T'as pas de problème avec l'International Manufacturing ?

— Pas de problème, non.

— C'est parfait. Ça devrait normalement continuer comme ça. Seulement, t'as pas l'air au courant des « usages ».

— Des usages ?

— Bin oui. Tu reçois du bois de coupe, faut que tu compenses.

— Que je compense ?

— Disons, plus exactement : que tu récompenses…

— Récompenser qui ?

— Écoute, j'ai pas les réponses à toutes les questions.

— Tu reviendras quand tu les auras.

— C'est comme tu veux mais je te préviens, tu vas apprendre les usages quand même. Ça va te faire un peu plus mal, c'est tout.

À partir de la semaine suivante, les livraisons de billots cessèrent. Léo essaya plusieurs fois de rejoindre Gosselin au téléphone, mais sans succès. Quelques jours plus tard, il dut mettre des hommes à pied. Puis il perdit des clients. Une autre semaine passa. Il s'apprêtait à fermer temporairement la scierie lorsque le fonctionnaire revint. Cette fois, ils s'entendirent rapidement. Comme le voulaient les « usages ».

Plamondon se faisait vieux et n'avait réussi à intéresser aucun de ses trois fils à ses affaires. Il s'était résigné à vendre son entreprise, mais à qui ? Léo, qui aurait été son choix pour lui succéder à Kénogami, n'avait que vingt-cinq ans et ne possédait pas les capitaux suffisants ; sa scierie du lac Long marchait bien, mais il n'avait même pas fini de la payer. Un heureux compromis se présenta. Le même Elzéar Gosselin se montra disposé à acquérir la manufacture de Plamondon. Il en vint à un accord avec son propriétaire qui, au cours des pourparlers, exigea toutefois que son jeune protégé devienne un actionnaire minoritaire, ce que l'acheteur accepta. L'avocat du Sieur, maître Warren, se chargea de la rédaction du contrat qui fut signé dans ses bureaux par les deux parties.

Une fois la transaction conclue, Léo resta sans nouvelles du nouveau propriétaire. Le temps passa. Il devint bientôt évident que Gosselin reniait son engagement. Le Métis se mit en quête d'un avocat. Il songea tout de suite à Louis-de-Gonzague Belley, le réputé directeur du *Zadig,* dont le talent et l'intégrité étaient bien connus dans la région. Il lui rendit visite à son bureau de la rue Racine à Chicoutimi. Après avoir étudié le contrat et ses nombreux appendices, l'homme de loi conclut que Léo n'avait aucun recours. Le document comportait bien une clause de partenariat, mais elle était assortie de nombreuses conditions et réserves qui, en pratique, la rendaient sans effet. Plamondon, qui avait présumé de la bonne foi de l'acheteur, avait manqué de vigilance et s'était fait flouer.

Les ennuis du Métis ne faisaient que commencer. Gosselin possédait plusieurs scieries aux environs de Chicoutimi et désirait conquérir le marché de Jonquière. Il acheta d'abord une couple de compétiteurs à Pibrac et à la Ratière, puis il fit une offre à Léo pour sa scierie du lac Long ; elle fut rejetée. Le Sieur révisa sa proposition à la hausse mais essuya un nouveau revers. À partir de ce moment, il résolut d'abattre Léo par une guerre de prix, offrant des escomptes allant de 20 à 30 et même 40 %. Le Métis dut emboîter le pas, mais ses profits fondirent et bientôt ses opérations devinrent déficitaires. Il eut beau réduire la production, la jeune entreprise continuait de décliner. Le combat était inégal. À court d'expédients, désespéré, il se résignait lentement à la terrible humiliation de la vente, ou pire encore, de la faillite.

Alors, une solution se présenta. Mais une solution dangereuse, et surtout illégale. Un jour de février, après le travail, un ouvrier de la scierie l'aborda et lui parla d'un groupe de ses amis qui avaient besoin d'un camion pour effectuer un transport un peu délicat.

— Quelle sorte de livraison ?

— De la bagosse*.

— C'est pas pour moi, ça.

— C'est payant ! Il suffirait peut-être d'une vingtaine de voyages pour sauver ta scierie.

— Quel intérêt as-tu là-dedans ?

— La scierie, c'est ma job à moué aussi. J'ai une famille à faire vivre.

— Tes « amis », je les connais ?

— Ça m'surprendrait. C'est des gars d'en dehors.

— Comment t'as fait pour les connaître ?

— Mon beau-frère est dans le groupe.

— Ouais… J'ai seulement un picope.

— C'est pas assez. Faudrait un gros camion.

— J'en ai pas.

— Ton oncle en a un ?

— Je peux pas faire ça.

— Penses-y comme il faut. Si la scierie ferme, c'est des familles qui vont se r'trouver dans la rue. Toué, t'as pas d'enfants, tu sais pas c'que c'est.

— C'est pas ce que tu penses. Si j'avais un troque à moi, ce serait pas pareil.

— Ton oncle en saura jamais rien. Sans compter qu'après sept ou huit voyages, tu pourras t'en acheter un, si tu veux. Un gros troque, flambant neuf. C'est de l'argent facile à faire. Pis, si tu veux tenir tête à Gosselin, faut que tu prennes les moyens.

Le Métis se laissait séduire. Et dans la situation où il se trouvait, avait-il vraiment le choix?

— Où se trouve la marchandise?

— Dans Charlevoix, près de Saint-Siméon. Mais faut faire les voyages de nuit, c'est plus sûr.

— Il me faut 500 $ du voyage.

— C'est beaucoup. Faut que j'en parle aux autres.

Léo se doutait bien que son tarif était trop élevé. Secrètement, il espérait mettre ainsi fin à l'affaire. Mais à sa grande surprise, les « autres » acceptèrent le prix demandé.

Un soir rue Châteauguay, il aborda l'oncle Antonin :

— Je pense que je vais avoir besoin de votre Chevrolet la semaine prochaine. Faut que j'aille dans Charlevoix prendre livraison d'une génératrice. Un camion de Québec va la laisser au quai de La Malbaie.

— Ça me dérange pas une miette, Léo. Même que je vais y aller avec toué, quian! Chus pas allé dans c'bout-là depuis au moins dix ans.

— Vous en faites trop, là. Je m'en voudrais de vous déranger en plus.

— Pantoute. Ça va être plaisant, ça va nous faire un petit voyage tous les deux. On pourrait même amener Blanche pis Julie?

Les choses en restèrent là. La semaine suivante, à l'heure du souper, Léo prit un air contrarié :

— Pour la génératrice, j'ai eu des nouvelles. Ils ont eu des problèmes à Québec. Le troque va passer à La Malbaie mais seulement au milieu de la nuit prochaine et il pourra pas rester plus qu'une heure ou deux. Je vais devoir partir vers minuit. J'ai peur que ce soit un voyage trop fatigant pour vous autres; on est en plein hiver en plus. C'est mieux que j'y aille tout seul.

— Ouais…

— C'est de valeur. On se reprendra.

— D'abord que tu le dis.

Il était deux heures de la nuit quand, au volant du Chevrolet d'Antonin, il parvint à Saint-Siméon. Mais au lieu de tourner à droite vers La Malbaie, il prit sur sa gauche un rang tout en côtes et roula jusqu'à Port-aux-Quilles. Là, tous feux éteints, il tourna à droite vers le fleuve, engagea le Chevrolet sur un étroit chemin et vint l'arrêter près d'une clairière où un autre camion attendait. Il faisait très froid. Le ciel était dégagé et Léo apercevait trois ou quatre hommes qui s'agitaient nerveusement autour du véhicule. Au loin, en direction de Tadoussac, la lune éclairait le fleuve désert, partiellement recouvert de glace. Le transbordement des caisses se fit en moins d'une heure, puis les hommes recouvrirent le chargement d'une bâche. Léo reprit aussitôt la route de Chicoutimi.

Une demi-heure plus tard, peu avant d'arriver à Sagard, il tomba sur un barrage routier. Des policiers munis de lampes de poche l'interceptèrent, saisirent la marchandise ainsi que le véhicule et conduisirent son conducteur à la prison de Chicoutimi. L'avocat Belley, appelé encore une fois à la rescousse, dut faire appel à toutes ses ressources pour lui éviter l'emprisonnement. Mais une forte amende lui fut imposée. Léo dut sacrifier tous ses avoirs, son honneur et l'estime des siens. Ainsi que ses illusions. Le Sieur Gosselin acheta peu après, pour une bouchée de pain, la scierie du lac Long.

Quant à l'oncle Antonin, il perdit son Chevrolet, confisqué pour transport illégal d'alcool. À partir de ce jour, le bonheur déserta l'une des rares maisons qu'il fréquentait encore dans la rue Châteauguay. Un huissier s'était présenté au 282 le lendemain de l'épisode de Port-aux-Quilles pour transmettre la mauvaise nouvelle. L'oncle était resté sidéré, incrédule. Blanche, en pleurs, s'était réfugiée dans sa chambre et n'en était plus ressortie de la journée, laissant à Antonin le soin de répondre aux questions des voisins. Julie, elle, n'y comprenait rien, mais le comportement des autres la jetait dans l'épouvante : elle crut qu'on venait d'apprendre le décès du Grand.

On était au début du mois de mars, soit quinze jours après le procès, et Léo n'était pas encore retourné à Jonquière. Belley, compatissant, lui payait une petite chambre dans une maison de pension de Chicoutimi. L'avocat était touché par la catastrophe qui s'abattait sur ce jeune homme apparemment de bonne foi, qu'il voyait sans défense, désemparé. Un matin, le Métis rassembla tout son courage, prit l'autobus et se rendit rue Châteauguay. Dans l'entrée du garage, il vit un vieux Fargo jaune, tout déglingué, qui occupait maintenant la place. Il ouvrit la porte de la maison et franchit le seuil, mais fut incapable d'aller plus loin lorsqu'il les vit tous les trois. Il n'osa même pas demander pardon tant sa honte était grande. Ses adieux furent aussi brefs que maladroits. Blanche s'exclamait :

— Comment t'as pu faire ça ? … mais comment… ?

Elle pleurait, essuyait ses larmes avec son tablier. Julie, interdite, promenait un regard angoissé autour de la cuisine. Il aurait voulu l'embrasser mais se sentait indigne. Antonin, assis devant le poêle, ne lui accorda même pas un regard. Au moment de partir, Léo murmura :

— S'il vous plaît, jugez-moi pas là-dessus. Je… je vais me racheter. Je vous jure, je vais me racheter. S'il vous plaît…

Personne ne lui répondit.

Chapitre 11

C'était le 15 mars 1945. Le Fjord était encore emprisonné dans ses amoncellements de glaces barattées par les marées. La frasie* taillait sur ses rives des reliefs fracturés, tourmentés, tout un festonnage déchiqueté de pics et d'arêtes, de pointes et de brèches menaçantes. Le printemps tardait. Il avait neigé et venté très fort depuis le matin, et les rares passants se hâtaient dans les rues de Chicoutimi. Ce soir-là, Léo montait à bord du train qui allait l'emmener à Montréal. Il avait résolu de s'exiler, comme son père avant lui. Étant sans le sou, il avait accepté l'offre de Belley qui avait payé son billet et lui avait avancé un peu d'argent. L'avocat l'avait aussi invité à souper au restaurant du Château Saguenay, tout près de la gare.

Ils y arrivèrent à pied, frissonnant, heureux de trouver refuge dans le vieil édifice qui n'avait plus du château que les tourelles de bois chancelantes. La grande salle à manger avait perdu sa fière allure. Ses plâtres fissurés, ses tapis râpés, ses teintures décolorées, tout accusait le déclin. Elle conservait toutefois une clientèle qui croyait retrouver là l'esprit des grandes années de Chicoutimi : celles de la Compagnie de pulpe et de l'empire Dubuc, de J.-D. Guay et des frères Gagnon, et combien d'autres qui avaient jadis rêvé d'édifier près du Fjord une grande capitale à l'image de Chicago ou de Philadelphie.

Avant d'entrer au restaurant, le Métis déposa au vestiaire sa longue veste à franges et sa valise puis, en compagnie de Belley, il prit place à une table près de l'imposant foyer découpé dans un bloc de granit noir, autre vestige d'une époque plus faste. Une fois servis, ils touchèrent à peine à leurs plats ; ils avaient beaucoup à se dire au moment de ce départ. Belley tendit à Léo le dernier numéro du *Zadig* :

— Tenez, pour passer le temps dans le train.

Il l'interrogea ensuite longuement sur son passé : son enfance au Lac-Saint-Jean puis à Jonquière, son passage au Séminaire, ses débuts dans les scieries. Sans trop insister, il l'amena à parler de Méo. L'autre s'ouvrit sur ce père légendaire dont l'absence l'avait torturé, et plus encore sa présence qu'entretenaient les nombreux récits, les constants rappels de sa mémoire.

— Il était très connu à Chicoutimi. Vous savez que j'étais là le printemps où il a escaladé le Mai sur le pont de glace du Saguenay ?

Léo ouvrit de grands yeux :

— C'est vrai ?

— Bien sûr. J'étais tout jeune mais je m'en souviens bien, c'était tout un exploit. Des gens étaient même venus de Saint-Fulgence et de la Descente-des-Femmes en carriole sur la rivière. Il y avait une énorme foule qui l'avait porté en triomphe. Il devait avoir une vingtaine d'années à cette époque ; c'était un homme très impressionnant, un vrai géant.

— Vous l'avez vraiment vu ?

— Comme je vous vois ; j'étais monté sur les épaules de mon père. Il faisait un gros soleil, la neige était tout illuminée entre les deux rives. C'était une grande fête. Les plus âgés de la ville se souviennent aussi de la fameuse partie de hockey où il avait fait un tour du chapeau. Les journaux en avaient beaucoup parlé.

Léo restait muet; son visage s'était contracté. Belley s'en aperçut et voulut détourner la conversation :

— J'allais souvent avec mon père dans ces fêtes-là. Je vous ai dit qu'il était avocat lui aussi?

— Non, je pense pas.

— On m'appelle Louis-de-Gonzague, mais au baptême j'ai reçu le prénom de Jules. Louis-de-Gonzague, c'était le nom de mon père. Il pratiquait ici. Avant de s'exiler.

— S'exiler?

— Un règlement de comptes de l'ancien évêque Labrecque. En politique, le clergé aidait les Bleus en intimidant les paroissiens du haut de la chaire et au confessionnal. À l'occasion d'une élection, mon père avait fait campagne pour les Rouges et il avait dénoncé les abus de l'évêché. Labrecque s'était fâché et avait manœuvré pour le discréditer dans le comté. Après l'élection, mon père l'avait poursuivi pour diffamation, mais l'évêque avait tout bonnement refusé de se présenter devant le tribunal qui avait passé l'éponge. Par contumace, si je puis dire...

— Par contumace?

— Le juge avait eu peur et avait refusé de sévir contre le prélat. Plus tard, Labrecque s'est vengé en excommuniant mon père. On a été obligés de quitter la région.

— C'est vrai? Ça s'est passé ici tout ça?

— Les gens ont oublié aujourd'hui. J'avais seulement une dizaine d'années, mais j'étais l'aîné et je suivais de près toutes ces affaires-là. J'étais très proche de mon père. Du jour au lendemain, il s'est retrouvé déshonoré, sans client. J'en ai été marqué pour la vie. Parvenu à l'adolescence, j'ai fait le serment de restaurer l'honneur de ma famille, de venger mon père. C'est à ce moment que j'ai abandonné mon prénom pour adopter le sien.

Louis-de-Gonzague s'agitait, enlevait et remettait ses petites lunettes d'écaille ou lissait de la main son crâne à demi dégarni. Subitement, il éprouva de la pudeur à se confier ainsi :

— Je… je ne vous ennuie pas, là ?

— Non, au contraire. Je…

L'autre était relancé :

— Vous voyez que mon histoire n'est pas plus drôle que la vôtre. Notre famille s'est exilée au Manitoba où nous avons vécu dans la pauvreté.

— Au Manitoba ?

— C'était fréquent à l'époque. Des terres s'ouvraient, on promettait la fortune… Ton père n'a pas voyagé par là ?

— Je pense pas. C'est bien la seule place où il n'est pas allé !

— J'avais résolu de devenir avocat ; c'était la profession qui me semblait la plus appropriée pour la mission que je m'étais donnée. J'ai travaillé fort, j'ai exercé toutes sortes de métiers, mais je suis arrivé à faire assez d'économies pour être admis au Collège de Saint-Boniface. Là aussi j'ai travaillé comme un forcené et j'ai fini avec une bourse qui m'a permis d'entrer en droit à l'Université Laval. J'ai continué à me démener, j'étais comme enragé. Par contre, mes efforts étaient récompensés ; j'étais premier partout.

Il s'interrompit à nouveau :

— Vous n'allez pas me trouver très modeste, n'est-ce pas ?

— Vous avez déjà tant de qualités…

Louis-de-Gonzague apprécia la réplique, sourit et but un peu de vin. Il se retrancha un moment dans le silence, se laissant submerger par son passé.

Léo en profitait pour l'observer attentivement. Il était frappé par ses yeux vifs, son regard d'acier, et par les traits fins, presque féminins, de son visage, dominé par un large front dégagé, très noble, qui se prolongeait dans une demi-calvitie. Ses longues mains élégantes, très pâles, tranchaient sur son costume noir, impeccable. Belley semblait troublé maintenant. Un peu mal à l'aise lui aussi, Léo intervint doucement :

— Vous ne vous sentez pas bien ?

L'autre émergea subitement de son silence :

— Mais non, mais non. Je vous prie de me pardonner, je deviens malpoli. Ce sont de vieux souvenirs que je n'arrive pas à chasser.

Les clients avaient presque tous quitté la salle à manger ; l'heure du train approchait. L'avocat sourit, se passa la main dans les cheveux, comme pour retrouver ses esprits, et revint à son récit :

— Revenu à Chicoutimi, je me suis installé dans un petit bureau sur la rue Racine, près de l'Hôtel de ville. Je me rappelle comme si c'était hier le jour où j'ai accroché ma plaque à la porte. Une belle plaque de bois verni, ovale, avec mon nom gravé — enfin, mon nom d'emprunt : Louis-de-Gonzague Belley, avocat. Les gens ne l'ont jamais su, mais c'était la plaque de mon père que j'avais conservée pendant tout ce temps-là.

Il s'arrêta encore une fois ; son cœur se serrait :

— Décidément, je… je ne vous épargne rien.

Son masque s'était durci tout à coup. Surpris, Léo devinait chez son protecteur une tension, un trouble qui ne s'étaient jamais donnés à voir.

Juste à ce moment-là, un serveur s'approcha et glissa discrètement l'addition sur la table. Louis-de-Gonzague s'en empara et se leva prestement :

— Venez vite. Votre train part dans quinze minutes.

La gare était à deux pas. Ils sortirent et descendirent la côte qui menait au quai, toujours fouetté par le vent du Fjord. Léo coltinait sa grosse valise au bout du bras, sans effort apparent. Louis-de-Gonzague marchait à ses côtés, silencieux, une main bizarrement posée sur la tête pour retenir son chapeau qui menaçait de s'envoler. C'était un homme de taille moyenne, très énergique, mais presque fluet et déjà légèrement voûté même s'il n'était qu'au seuil de la cinquantaine. Ils formaient une drôle de paire, mal assortie par l'âge et par la taille. Ils trouvèrent le quai désert ; le train était presque vide.

— Je vous remercie, monsieur Belley. Merci pour tout ce que vous avez fait pour moi. Un jour, j'espère vous rembourser, peut-être même vous aider à mon tour, qui sait?

L'avocat semblait las, attristé :

— Songez d'abord à vous. C'est ce que vous avez de mieux à faire à votre âge.

— Je ne sais pas quand je vous reverrai. J'ai mon plan, mais je ne suis sûr de rien.

— Vous êtes très jeune encore. Songez qu'il n'y a pas de fatalité, Léo ; tout peut se réparer. Faites confiance à la vie.

— Justement, c'est ce que j'ai fait ; vous voyez où ça m'a conduit.

Il baissa les yeux, fit une pause puis, déterminé, ajouta d'une voix sourde :

— Je pense que je vais mener les choses à ma façon maintenant.

— Soyez prudent. Je… je serai toujours là si vous avez un problème.

Ils se donnèrent l'accolade.

✳ ✳ ✳

Une heure plus tard, après la traversée de Jonquière, Léo s'abandonna au roulis du train engagé dans les nombreuses courbes du tracé. Il avait l'impression de refaire le parcours brisé de sa courte vie. Le wagon était plongé dans une obscurité feutrée que perçait çà et là une loupiote signalant la présence d'un passager. Calé sur sa banquette, incapable de trouver le sommeil, le Métis prêtait l'oreille aux sonneries et sifflements accompagnant le croisement des voies routières. Il devinait la forêt, les champs invisibles qui défilaient dans sa fenêtre. Au passage, une lumière falote, fuyante, s'échappait parfois d'une maison ou d'une étable. Le train s'arrêtait brièvement dans des villages assoupis. Léo apprenait à reconnaître les bruits : quelques cris échangés entre la locomotive et la voiture de queue, des portières qui coulissaient, puis les crachements de vapeur, les crissements d'essieux, les toussotements de l'engin qui reprenait sa course lente dans le noir.

Lorsque le convoi s'arrêta brièvement à Pointe-Bleue, la pensée de Léo erra du côté des Manigouche maintenant décimés, de Cibèle à nouveau abandonnée (et pour combien de temps?), de Mistouk, quelque part là-bas sur l'autre rive, et de Jonquière. Il se rappelait sa dernière visite rue Châteauguay. Il revoyait la mine effarée des deux femmes, la silhouette affaissée d'Antonin, toute la détresse qui régnait dans la cuisine plongée dans la pénombre. Il songeait aux derniers mots qu'il avait prononcés sur le perron de la porte, au serment qu'il avait fait et qui traçait maintenant dans ses deux mains et dans son cœur sa nouvelle ligne de vie. À coup sûr, il se rachèterait, quoi qu'il advienne. Et tout à coup, avec une brûlure à l'âme, il lui revint qu'au-dessus de la table de la cuisine, le gros perroquet de plastique avait disparu… L'argent des croûtes!

Il méditait sur sa chute, revenait sur les circonstances étranges de son arrestation. Et il revivait chaque épisode de son procès: le moment où il avait fait son entrée dans la salle d'audience, le harcèlement du procureur qui l'interrogeait, le masque redoutable du juge Létourneau, la honte qui le torturait et ne l'avait plus quitté depuis. Une seule fois, du box des accusés, il avait osé jeter un coup d'œil vers le public; il avait aperçu tout au fond de la salle Julie, Blanche et Antonin effarouchés, pressés contre le mur comme s'ils avaient voulu s'y fondre. Et il revoyait encore, dans les jours qui suivirent, les titres des journaux: le bâtard par-ci, le bâtard par-là.

Il s'interrogeait. Bâtard, vraiment? Eh bien soit! Mais désormais, il ne le serait pas qu'à moitié. Ce serait sa banderole, son programme.

Chapitre 12

Après le départ de Léo, Louis-de-Gonzague resta longtemps immobile, seul sur le quai. Il lui semblait que ce train ne reviendrait peut-être jamais. L'accolade spontanée, chaleureuse, du grand jeune homme l'avait touché. Il avait senti contre son corps ses fortes épaules, son torse musclé, ses bras puissants. Malgré le mauvais temps, il résolut de rentrer à pied et revint lentement vers la côte Salaberry. Il était de nouveau assailli par ses souvenirs du Quartier latin dans le Vieux-Québec. Et il songeait à cette étrange expérience, à cette pénible découverte qui, un jour, avait fait basculer toute sa vie encore une fois.

C'était arrivé durant les fêtes de Noël de 1920. Alors âgé de vingt-six ans, il en était seulement à sa deuxième année à Québec, ayant dû passer quatre ans dans l'armée à partir de 1914. Il était toutefois resté au pays, affecté à un travail de bureau à Winnipeg. En cette fin de décembre à Québec, faute d'argent, il n'avait pu retourner dans sa famille au Manitoba et il était resté enfermé dans sa chambre de la rue Saint-Jean. Attiré par Flaubert, il s'était plongé dans *Madame Bovary* qu'il avait lu d'une traite. D'abord, il avait communié pleinement avec l'héroïne dont il vivait intensément toutes les péripéties, partageait la passion, les tourments. Et voilà qu'au fil des pages, il s'aperçut qu'il permutait les rôles de la dame et de ses deux amants ; c'est lui-même, avec sa sensibilité et ses appétits d'homme, qui s'infiltrait dans le personnage d'Emma. Bref, il vivait bien la sulfureuse intrigue mais au masculin, en l'inversant pour ainsi dire. Il en fut très troublé et réalisa qu'il avait jusque-là entretenu un rapport plutôt distant avec les filles de son entourage.

Pendant les jours et les semaines qui suivirent, il se mit en alerte, prêtant attention à ses réactions et à celles des autres, surveillant ses dispositions à l'endroit de celui-ci ou de celle-là. Il dut se rendre à l'évidence un jour de Carnaval où, contrairement à son habitude, il s'était enivré. Après une nuit tumultueuse dont il n'avait gardé aucun souvenir, il s'était réveillé en compagnie d'un étudiant dans son lit. Et il avait pu constater que l'union avait été consommée. Deux ou trois incidents survenus peu après confirmèrent un sentiment et une inclination que ses amis, sans le dire, avaient commencé de soupçonner.

Il nota que le comportement de ses confrères à son endroit se modifiait. Subtilement d'abord, plus ouvertement ensuite. Il en conçut beaucoup de peine et une lancinante inquiétude : jusqu'où donc s'était étendue sa nouvelle réputation ? Il apprit à craindre les sanctions et la morsure de la rumeur, même là où elle ne se trouvait pas. Il vit des ennemis, des avanies là où subsistait l'ignorance de sa condition. Lui-même changea et se comporta si maladroitement qu'à la longue, il suscita chez des esprits non prévenus des questions et, par conséquent, des réponses. À la fin de ses études, il quitta Québec très perturbé, rempli de projets et, déjà, de regrets. Il éprouvait à s'éloigner autant de soulagement que de remords.

À son arrivée à Chicoutimi en 1923, il avait vivoté, affrontant les misères qui étaient le lot des débutants. Il y ajoutait les revers que lui valait son tempérament susceptible et belliqueux. Il fut la cible des humiliations habituelles de la part d'avocats plus aguerris et de quelques magistrats, dont Létourneau, celui-là même qui avait entendu le procès de Léo. À l'époque, il venait d'accéder au Banc par les voies tortueuses de la politique, même s'il n'était guère plus âgé que Louis-de-Gonzague. Mais très vite, la robe locale fit connaissance avec la griffe du jeune plaideur superbe, insolent, immodeste, qui ripostait avec brio, puisant dans sa réserve apparemment intarissable de formules et de bons mots, fruit de ses lectures nocturnes et de sa vivacité d'esprit. Son verbe était cinglant, comique, et il en usait jusqu'à l'excès. Il se prenait même à brocarder Létourneau, dont la pâleur cadavérique était légendaire (« il est des blancheurs qui évoquent la pureté et d'autres son contraire »).

Il connaissait tous les coins et recoins du code civil, avec les exceptions et les variantes, et il semblait en avoir assimilé tous les appendices. Là où d'autres ne voyaient qu'un ennuyeux alignement d'articles à potasser, lui décelait un mouvement, des symétries, une architecture fine. Sa connaissance de la jurisprudence était prodigieuse et ses confrères redoutaient sa façon de l'étaler au bon moment, toujours à leurs dépens. Il se complaisait à étirer ses plaidoiries, que même ses adversaires se prenaient à admirer, sachant pourtant ce qu'il leur en coûterait à la fin.

Ainsi, son cas peu à peu s'aggravait. Pire encore, durant ses trois premières années, il gagna toutes ses causes, en première ou en seconde instance. Il eut donc souvent à plaider en appel à Québec, ce qui lui permit d'exercer son talent devant des esprits plus relevés et plus à même d'apprécier le sien. Il put ainsi acquérir très rapidement une grande expérience des tribunaux d'appel, qui l'adoptèrent en quelque sorte, et sa réputation ne cessa de grandir. Il se fit vite un nom et même un renom. Mais ses retours à Chicoutimi étaient pénibles. Les juges locaux, dont il s'était amusé à défaire méchamment les jugements boiteux ou partiaux, le prirent en grippe et le harcelèrent de leur vindicte. Tout cela ne faisait qu'accroître leur courroux : Louis-de-

Gonzague se montrait encore plus agressif et les accablait des pires sarcasmes ; ou bien, au cœur d'un procès, il leur lisait à haute voix des extraits bien choisis de jugements rendus contre eux par ses « amis » de Québec. Ces procédés ne le faisaient pas aimer, mais ils inspiraient de la crainte ; c'était beaucoup mieux.

Pour le reste, il n'aidait pas sa cause en arborant dans les cafés et restaurants de la petite ville une mise excentrique, des allures fantasques. On l'y croisait souvent coiffé d'un grand chapeau noir, le cou enveloppé dans des foulards aux couleurs flamboyantes et vêtu d'une sorte de cape dénichée on ne savait où. C'est à cette époque, et pour tromper sa solitude, qu'il se prit de passion pour l'opéra. Il fit un jour à Québec l'acquisition d'un gramophone tout neuf : un Brunswick ! Il ne fut pas long à mémoriser les principaux airs du répertoire. Il s'abonna aussi à des publications spécialisées. Chez les interprètes, sa préférence allait aux Italiens, surtout à Gigli : le grand, le chaleureux, le tendre Gigli, le successeur de l'immortel Caruso ! Des années plus tard, l'étoile du maître déclinant, il allait découvrir Del Monaco, et aussi Raoul Jobin qu'il pouvait entendre à la radio quand il était en concert à New York.

Il s'adonnait à la marche, surtout à l'aube, et il n'était pas rare de l'entendre fredonner le long des trottoirs et des quais où il se réincarnait en Rodolphe, en Otello, en Roméo — mais tout autant, et cette fois plus discrètement, en Mimi, en Desdémone, en Juliette…

Il avait loué à proximité du Fjord un trois-pièces où il entassait ses livres et ses disques. Il y passait ses soirées et une partie de ses nuits à lire et relire fiévreusement ses chers auteurs. Il s'immergea dans l'œuvre de Voltaire et conçut pour le grand raisonneur un engouement déraisonnable. Il s'imprégnait de sa manière, épousait ses causes, imitait sa pensée et ses mots, prolongeait en esprit — et bientôt en actes, espérait-il — son combat contre l'Infâme. Il le vantait à tout-va, le citait à tout propos, tant et si bien qu'il fut bientôt connu de son entourage sous le nom de Voltaire Belley. Il devint aussi frondeur, aussi rebelle que son modèle. Mais il fréquentait aussi Victor Hugo, le maître de l'alexandrin, dont le lyrisme brûlant, nourri de l'amour des humbles, lui tirait les larmes.

Il aurait pu être heureux si son cœur n'avait pas été hanté par une mortelle inquiétude née de sa « condition particulière » (comme on disait dans les traités qu'il avait consultés). Il ignorait dans quelle mesure ses antécédents du Quartier latin l'avaient suivi jusqu'à Chicoutimi. Il était pénétré aussi du sentiment douloureux, dévorant, de sa mission réparatrice, à laquelle il lui pressait de s'attaquer. Ces deux tourments occupaient et bouleversaient toute son âme; il n'y restait guère de place pour le bonheur.

Sa mission. Il y songeait sans cesse et guettait l'occasion de s'y mettre, mais encore fallait-il décider du terrain et des moyens du combat. Comme il n'avait pas une mauvaise plume et que les idées lui venaient aisément, il s'avisa de soumettre quelques textes à *La Vérité*. C'était à l'hiver 1925, deux ans après son arrivée dans la ville. L'hebdomadaire de Chicoutimi était alors dirigé par Damase Boivin, un ancien instituteur qui présidait la Société des Bonnes Mœurs et publiait de petits romans édifiants et mielleux. Boivin s'était adjoint à la rédaction un vieux prêtre du Grand Séminaire, censeur de profession et par tempérament, qui se dissimulait sous le pseudonyme de Torquemada. La corruption municipale offrant un champ illimité à sa verve, Belley choisit de lui consacrer un premier article dans lequel il s'interrogeait sur la nature des ententes ayant permis à Elzéar Gosselin d'acquérir rapidement et de conserver depuis aussi longtemps le monopole des services publics. Il concluait en demandant au Conseil de ville de produire une copie des contrats et textes pertinents. Il remit son texte à Boivin qui en fut horrifié, déclarant que ce genre d'attaque, trop agressive, n'était pas dans la manière du journal. Du reste, la politique municipale relevait de la partie éditoriale et donc de la direction.

Belley ne se laissa pas abattre. Il revint à la charge avec un essai très fouillé mettant en valeur l'actualité de Balzac. Il fut également rejeté, cet auteur faisant partie de la liste des écrivains mis à l'index au Petit et au Grand Séminaire — Torquemada lui-même avait rédigé la note de condamnation. Louis-de-Gonzague laissa passer quelque temps puis fit une troisième tentative, cette fois avec un texte sur l'incendie de la bibliothèque d'Alexandrie. Il n'eut pas plus de chance. On lui représenta qu'il était finalement assez heureux que cette bibliothèque, à cause des livres païens qu'elle contenait, ait brûlé ; pourquoi encombrer l'esprit des honnêtes gens avec ce genre d'épisode ? Belley ne cacha pas son dépit. Il résolut néanmoins de faire un dernier essai avec une étude plus sociale décrivant les terribles conditions de travail dans les chantiers forestiers du Saguenay. Boivin repoussa encore le texte, qu'il déclara de peu d'intérêt pour un journal d'idées.

Cette fois, Belley soupçonna quelque chose et il finit par découvrir que le Syndicat des Imprimeurs, propriétaire de *La Vérité*, était une compagnie fantôme derrière laquelle Gosselin se retranchait. Sans le vouloir, l'avocat avait heurté les intérêts du Sieur dans la coupe du bois. Il s'en trouva ravi : son siège, enfin, était fait ; il allait lui-même fonder un journal et donner un adversaire coriace à *La Vérité*. Mais il avait besoin d'argent. À partir du printemps 1926, il redoubla d'ardeur au travail afin d'amasser un petit capital. L'adversaire ne perdait rien pour attendre !

Jusque-là, ses finances étaient demeurées précaires. À cause de ses opinions, de sa manière et de certains doutes qui s'étaient élevés à l'évêché autour de son « hygiène morale », les institutions et les entreprises le boudaient. Il était donc devenu l'avocat des petits criminels, des commerçants douteux, des marginaux de tout poil, mais aussi des ouvriers et, bientôt, de syndicats un peu moins catholiques que les autres. Il lui plaisait de défendre les infortunés et même des personnes scandaleuses, rejetées par la société. Il se représentait alors en Voltaire ferraillant dans l'affaire Callas, en Hugo montant aux barricades au nom du peuple. Peu à peu, attirées par sa réputation de plaideur, des compagnies anglophones de Montréal qui opéraient dans la région par le biais de succursales recoururent à ses services, pour leur plus grand bonheur. Elles firent aussi celui de l'avocat qui, pour la première fois, encaissait de gros honoraires.

Durant la pause de Noël en 1927, Louis-de-Gonzague s'était mis à réfléchir au nom que porterait sa « feuille ». Cinq mois plus tard, le premier numéro du *Zadig* paraissait.

Chapitre 13

Le *Zadig*. Louis-de-Gonzague en avait emprunté le nom au héros voltairien dont il s'appliquait à reproduire la manière frondeuse, libre et dévastatrice. Le premier numéro portait la date du 1er mai 1928, jour de la fête internationale des travailleurs. Durant ses premiers mois, l'hebdomadaire tenait dans une seule feuille découpée en quatre folios. Belley en était le seul rédacteur et il avait dû recourir à trois ou quatre pseudonymes, tous empruntés à son cher Voltaire (Candide, Le Huron, Micromégas…). Enfin, il livrait son combat, fidèle à sa bannière, celle du social : la pauvreté, l'exploitation des faibles, la corruption des hommes publics, les mauvais riches, leurs alliés, leurs manœuvres, tels étaient ses chevaux de bataille. Il soutenait aussi les luttes syndicales, encourageait les grévistes, interviewait leurs chefs. L'orientation correspondait à ses convictions profondes et le poussait vers le terrain sur lequel il voulait en découdre. En même temps, elle était adroite puisqu'elle lui assurait une clientèle négligée, peu fortunée il est vrai, mais nombreuse. Son lectorat s'était vite étendu parmi les ouvriers, dont plusieurs s'adonnaient pour la première fois à la lecture d'un journal. Enfin, elle lui garantissait l'appui des organisations syndicales, du moins celles qui n'œuvraient pas sous la coupe de l'évêché.

Au fil des ans, le *Zadig* avait pris du volume sans perdre son mordant. Son directeur s'efforçait d'être présent partout où les intérêts du peuple étaient malmenés ; le matériau abondait. Il prenait parti pour l'école gratuite et obligatoire au-delà de l'âge de quatorze ans, à laquelle s'opposait le clergé, dès lors accusé de répandre non la lumière mais l'ignorance ; il militait pour l'émancipation des femmes, pour la municipalisation de l'aide sociale, des services publics, des soins hospitaliers. Il s'intéressait aux sans-emploi, s'apitoyait sur le sort « des sans habit, des sans abri », enquêtait sur les conditions de travail, les salaires, les profits. Il n'en finissait pas de pourfendre les aigrefins qui, durant la Grande Crise, spéculaient honteusement sur la misère en saisissant les biens des chômeurs endettés, ou ceux qui, durant la guerre, faisaient le trafic des produits rationnés.

Il s'attaquait à la concussion dans la vie publique. Dans une courte chronique (la préférée des lecteurs) intitulée « L'Assiette au beurre », il résumait chaque semaine les données principales d'un scandale, grand ou petit. Versement de pots-de-vin, chantage, népotisme, fraude, tout y passait. Chaque semaine aussi, il rapportait scrupuleusement la quantité d'asphalte qui avait été posée gratuitement autour des églises, couvents et presbytères « en échange de loyaux services ». Le Sieur Gosselin et ses affidés étaient parmi ceux qui trempaient régulièrement dans « L'Assiette ». Almas Crevier (rebaptisé « Gravier »), propriétaire d'une grosse carrière de pierre et fournisseur de la Voirie, était un autre habitué de la chronique.

D'une année à l'autre, le *Zadig,* tout comme son fougueux directeur, avait gagné en popularité, le cercle des amis s'agrandissant presque aussi vite que celui des ennemis. Toutes ces polémiques l'avaient amené à affronter le haut clergé. Belley prenait soin cependant de bien distinguer la religion, à laquelle il vouait le plus grand respect, et ceux qui s'en étaient faits les «mercenaires et les prébendiers». Il ménageait aussi, parmi les gens d'Église, ceux qu'il appelait «les fantassins de la foi». Il n'en interpellait que plus durement les membres de la hiérarchie, ces mauvais serviteurs qui, «chargés d'épauler les faibles, font le jeu des puissants». Paraphrasant Voltaire, il s'indignait «de ce qu'il y ait en ce monde tant d'injustices et si peu de justiciers».

Il tirait tous azimuts, fustigeait «les bien-pensants et malfaisants», la «confrérie des fricoteurs», insultait presque tout le monde, distribuant allégrement les qualificatifs de fanfaron, de paltoquet, de coquin, de marron, de faquin. Un notable venait-il de donner une grande réception? «Un torchon a reçu ses guenilles.» Les caisses de la Ville étaient-elles à sec? «Les crapauds ont vidé l'étang.» Il frappait sur le maire Corriveau, qui savait faire plaisir tant aux pauvres qu'aux riches: «… aux premiers en faisant toutes sortes de promesses, aux seconds en prenant soin de ne pas les tenir.» À la mort d'un député retors qui s'était enrichi au cours de ses deux mandats, il offrit en guise d'épitaphe qu'il avait «laissé encore plus de mal que de biens». D'un patronneux qui avait construit un long débarcadère sur le Saguenay sans tenir compte de la marée, il disait qu'il n'avait pas vu «plus loin que le bout de son quai».

Il raillait Gosselin, le plus gros embaumeur de la région («en même temps que son principal fossoyeur»), que le Vatican avait élevé au rang de Camérier de Cape et d'Épée. Signalant qu'il l'aurait plutôt vu dans l'Ordre du Saint-Sépulcre, Belley estimait que toute l'Église s'abaissait à raison de ce que l'industriel s'y élevait. Il persiflait «le Sieur imposteur» qui se disait de la lignée du grand J.-E.-A. Dubuc, en son temps l'un des plus éminents industriels canadiens-français. Il ajoutait dans sa colonne des «Maximes»:

— Il ne suffit pas de grimper pour prendre de la hauteur.

Ayant appris que l'homme d'affaires songeait à vendre son hebdomadaire à l'évêché, il écrivit: «Non content de posséder

La Vérité, il songe maintenant à la vendre ; on se serait contenté qu'il la loue. » Il s'était fait une règle de harponner le Sieur dans chacun des numéros du *Zadig*. Il les expédiait ensuite à Léo à Montréal, avec un petit mot. Car il avait deux missions maintenant : la sienne et celle du Bâtard.

Des élèves du Séminaire publiaient des textes convenus dans *La Vérité*. Louis-de-Gonzague prenait plaisir à y relever des fautes d'orthographe qu'il imputait au fait que Torquemada, le censeur de la vertueuse institution, avait mis le dictionnaire Larousse à l'index. Il se défendait de nourrir des idées fixes (« j'ai cependant des opinions arrêtées »), ridiculisait les syndicats très catholiques et la « sainte trinité » qu'ils prétendaient instituer entre le patron, l'ouvrier et le prêtre. Il attaquait leur fondateur, le célèbre et vénéré Mgr Lapointe (« si noble par le talent, si commun par l'usage qu'il en fait ») et ironisait sur sa nouvelle « science sociale » dont il répétait ce que Voltaire disait de la métaphysique : « Elle est composée de deux choses : premièrement, ce que tout le monde en sait ; deuxièmement, ce que personne n'en saura jamais ». Un chroniqueur de *La Vérité* à la solde de Gosselin s'était avisé de prendre à partie le grand Olivar Asselin à l'occasion du dixième anniversaire de son décès ; Belley le terrassa en opposant « le journalisme de combat au journalisme de contrat ».

D'autres fois, sous la rubrique « Un pou dans ma crinière », il ferraillait contre sa tête de Turc, Torquemada, ce vieil homme aigri qui avait entrepris de corriger son siècle « à grand renfort de hauts cris et de coups bas ». Belley expliquait : « N'accablons pas le pauvre homme ; il frappe aussi haut qu'il peut. » Le disant de taille modeste, « bien que rempli de lui-même », il le décrivait toujours le doigt levé, en l'occurrence l'index. Il lui trouvait aussi beaucoup de prétention pour un valet, exécuteur content des volontés du Sieur, d'où cette nouvelle entrée dans le répertoire des « Maximes » :

— Qui a le doigt levé n'a pas forcément la main haute.

Il se moquait du caractère plat et prévisible de ses textes : « Si vous étiez un arbre, vos idées auraient des branches. » Boivin, las de toutes ces disputes, accusa un jour son adversaire d'y prendre plaisir, à quoi ce dernier rétorqua : « J'arrêterai mes médisances quand vous cesserez vos calomnies. »

Toutes ces attaques n'allaient pas sans prix. On l'accusait d'appartenir à la « juiverie », de pactiser avec les athées, les bolcheviques, les communistes, les socialistes, les agnostiques, les francs-maçons, les protestants, les libres penseurs, les ennemis de Dieu « et même les démocrates ». Boivin aimait à répéter : « Il n'y a pas de milieu entre *La Vérité* et l'erreur. » Victime de sabotage, le *Zadig* paraissait souvent en retard. Belley eut aussi à payer de sa personne. Un jour, Torquemada, commentant les rapports de l'âme et du corps, écrivit : « Notons que chez certains individus, et je soupçonne notre petit Voltaire d'en être, la perversion non seulement a courbé les tendances ordinaires de l'âme, mais elle a aussi inversé les inclinations naturelles du corps. » Dans la suite du texte, il s'en prenait aux manières de Belley, concluant sur cette petite phrase assassine : « L'homme était de toute évidence destiné à la confrérie des gens de robe. »

L'avocat fut blessé au point d'écarter toute idée de contre-attaque. Il téléphona plutôt à Boivin, le directeur de *La Vérité* :

— Damase ? C'est Belley.

— C'est au sujet du dernier texte ?

— Oui. Écoute, cette fois, vous êtes allés trop loin. Je n'ai pas l'intention de vous faire un procès ni même de vous répondre. La seule vraie réparation doit venir de vous, de votre plein gré. Il faut une rétractation.

Son interlocuteur laissa passer un moment :

— Tu me tends pas un piège, là ?

— Je ne te parle pas en adversaire. Tu vaux mieux que ce que tu fais. Je le sais parce que c'est parfois la même chose pour moi. Une fois engagé dans ces polémiques...

Un autre silence suivit. Puis :

— Bon, je vais arranger ça.

— Merci.

— Pour le reste, euh… toi puis nous autres, on continue comme avant, c'est toujours la guerre, oui ?

— Attends de voir le prochain *Zadig*…

— Tu reviens pas encore sur la décoration de Gosselin ?

— …

— Maudite marde !

En plus d'informer les ouvriers, Belley les incitait à l'action. Il faisait campagne contre les logis insalubres du Bassin, y tenait des assemblées, dénonçait les propriétaires spéculateurs, mobilisait les syndicats et, à l'occasion, menait lui-même des manifestations bruyantes devant l'Hôtel de ville ou la résidence du député dont il obtenait des engagements, des promesses. Il prenait aussi fait et cause pour les locataires, privés du droit de vote aux élections municipales. Il était devenu le défenseur de la classe populaire. Dans la rue, les passants l'interpellaient par son prénom ; certains lui donnaient du « Ti-Louis ». Ils l'arrêtaient pour causer de ceci et de cela, recherchaient ses conseils, son aide ; il avait toujours du temps pour chacun. Les plus âgés lui parlaient de son père qui, lui aussi, s'était battu pour les ouvriers en créant son propre journal. Belley se souvenait : *Le Travailleur*. Tout jeune, il faisait le camelot avec ses sœurs en rentrant de l'école.

En 1940, il avait entrepris de prolonger son action en fondant une bibliothèque publique. Après avoir étudié quelques institutions du genre en France et aux États-Unis, il avait dressé des plans, des devis, et soumis un projet au Conseil de ville qui l'avait rejeté, sous le prétexte que les institutions religieuses assuraient déjà très honorablement ce service. En plus, les conseillers — qui avaient eux-mêmes pris conseil à l'évêché — voyaient d'un mauvais œil la libre circulation de livres hors du contrôle clérical. Scandalisé, Belley en avait eu pour quelques mois à déverser sa colère et sa hargne dans les colonnes du *Zadig*.

Des citoyens, victimes de sa plume, intentaient des poursuites contre lui. Ils faisaient alors connaissance avec le redoutable plaideur sur son vrai terrain, le tribunal. Louis-de-Gonzague s'y déchaînait, déployait toutes les ressources de son savoir et de son imagination, terrassait avec ses formules abrasives, surprenait avec ses revirements soudains et les cartes qu'à tout moment il sortait de sa manche, sans parler de tous ces pièges et faux pièges qu'il ne cessait de tendre et qui plongeaient les autres plaideurs dans la confusion et l'anxiété, au point que les juges eux-mêmes se laissaient souvent gagner par ce festival de mots, de feintes, d'astuces et de science.

Le public, qui se prenait lui aussi d'intérêt pour ses prestations, se pressait dans les salles du Palais, les jours d'audience. Même les gens du peuple étaient éblouis par la qualité, l'élégance de sa langue :

— C'est pas mêlant, ce gars-là, y parle tout le temps diacre-sous-diacre !

Des confrères de l'extérieur, de passage dans la ville, assistaient à ses plaidoiries. Les autres bureaux d'avocats y envoyaient leurs stagiaires. Louis-de-Gonzague était devenu une attraction.

On se racontait ses passes d'armes, en particulier la première cause qu'il avait plaidée en 1923. Il défendait alors un vieux cultivateur de Saint-Honoré dont la réputation douteuse était fermement établie. C'était un coriace, habitué des tribunaux, et tous les juges siégeant à Chicoutimi avaient eu à affronter son impertinence. L'un d'entre eux, joufflu et ventripotent, s'était un jour emporté :

— Vous êtes encore plus effronté qu'un beu maigre !

Imperturbable, l'autre avait rétorqué :

— On voit que vous êtes pas cultivateur, Votre Seigneurie. Des beus, j'en connais des bin gras qui sont pas tellement plus d'adon…

Accusé cette fois-là d'avoir volé une vache à son voisin, le prévenu avait tout de suite annoncé la couleur lorsque le greffier l'avait invité à jurer de dire toute la vérité :

— Son Honneur, toute la vérité, c'est beaucoup me demander, là! J'peux pas vous en dire plus que c'que j'en sais…

Un peu plus tard, Gonzague, interrogeant la présumée victime, l'avait invitée à décrire sa vache qu'il disait avoir reconnue dans le troupeau de l'accusé :

— De quelle couleur était-elle?

— Blanche, avec des taches.

— Elle meuglait?

— Non, elle beuglait.

— Je suppose qu'elle avait des cornes, une queue, un pis, peut-être quelques trillons?

— Exactement, avec de grands yeux tristes. Vous la connaissiez donc?

— Votre Seigneurie, je ne suis pas fermier, mais existe-t-il des vaches qui ne répondent pas à ce signalement?

— Mais la mienne, elle s'appelait Paulette… C'est la seule dans la paroisse qui s'appelait comme ça. Vous pouvez vérifier.

Belley s'était alors tourné vers son client :

— Avez-vous une vache dans votre troupeau qui réponde au nom de Paulette?

— Non, Maître, je le jure.

L'Interrogatoire avait continué sur ce ton, après quoi l'avocat y était allé d'une plaidoirie aussi amusée que percutante. Le juge, maugréant, avait dû rejeter la plainte. Quelque temps après le procès, Louis-de-Gonzague avait rencontré son client par hasard :

— J'aimerais tout de même vous poser une question, si cela ne vous gêne pas.

— Mais pantoute, Maître.

— Entre nous, cette vache, l'avez-vous vous volée ou non?

— Savez-vous, après vous avoir entendu plaider, je l'sais pus trop…

Les rares plaignants qui s'en tiraient pour leurs frais s'estimaient heureux. Certains, pour limiter les dégâts, s'esquivaient avant même la fin de l'instruction avec ce qui restait de leur réputation, c'est-à-dire pas grand-chose. Tous les autres y prenaient une terrible leçon et veillaient à ne pas récidiver. Le mot se passait, la crainte faisait son travail préventif ; le recours au tribunal devint de plus en plus rare. Ceux qui voyaient Gonzague à l'œuvre en retenaient, plus encore que son talent, l'étonnante agressivité, l'acharnement qu'il mettait à dépecer son adversaire et le contentement qu'il semblait en retirer. Il n'y avait pas pour lui de petites victoires, et surtout pas de petites défaites. Des dames respectables, attirées par la rumeur, venaient le voir à l'œuvre. Elles étaient prises d'effroi :

— Mais ce n'est pas un homme, c'est un démon !

— On dirait qu'il a le fond mauvais…

Il terrorisait et, cependant, au fond de son cœur, ses plaies ne se refermaient toujours pas. Sa vieille brûlure continuait de l'enfiévrer. Seule, lorsqu'il était retranché dans sa demeure, la compagnie de ses livres et de ses disques lui apportait un peu de réconfort. Ainsi que les longues lettres que, de temps à autre, il expédiait à Léo et dans lesquelles il racontait d'une plume tour à tour amusée et désabusée les jours tièdes de la petite ville.

* * *

À l'évêché et chez les notables de la ville, on s'était très tôt inquiété des outrances du *Zadig* et de l'esprit de sédition qu'il répandait chez les ouvriers. L'arrogance croissante de Voltaire Belley ne laissait-elle pas présager le pire ? C'est dans cet esprit que Mgr Bezeau avait un jour décidé de mobiliser autour de lui les meilleurs esprits de Chicoutimi pour les engager dans la sauvegarde de l'ordre moral. Ainsi avait été créé en 1942 le Comité des Douze, dont il avait confié la responsabilité à Elzéar Gosselin, l'ami le plus fidèle du clergé saguenayen. Le Sieur, en effet, prêtait volontiers à l'Église qui, il est vrai, le lui rendait bien en pourcentage et autrement. L'un de ses frères, Alphonse, était curé de la cathédrale et il avait deux sœurs religieuses. Il faisait baptiser ses ateliers et manufactures et leur donnait des noms de saints — il avait dédié son plus gros entrepôt à saint Éphrem qui, on le sait, était l'un des prénoms de l'évêque. Il avait aussi fait don de l'emplacement où avait été érigée l'église de la basse-ville (consacrée à Saint-Elzéar, celle-là). Il détenait dans le quartier plusieurs terrains vagues sur lesquels il avait des idées précises. Il n'admettait dans ses établissements que des syndicats très catholiques placés sous la gouverne d'un aumônier. Pour exprimer sa reconnaissance, Monseigneur l'évêque avait entrepris des démarches auprès de Rome pour que Gosselin soit admis à l'Ordre de Saint-Grégoire-le-Grand, comme l'avait été avant lui le célèbre J.-E.-Alfred Dubuc.

Qui donc en aurait pris ombrage? Se trouvait-il à la ronde chrétien plus édifiant? Il était alors depuis quinze ans premier marguillier de la cathédrale où il occupait le grand banc près de la balustrade. Il était conseiller de Sa Grandeur, membre-président de quatre ou cinq confréries, déjà décoré de deux ou trois titres diocésains et désigné en permanence pour porter le drapeau de saint Joseph aux processions du Sacré-Cœur. Il était aussi, chaque année, l'orateur attitré au Congrès eucharistique régional et à la grande fête de la Saint-Jean-Baptiste. C'est à cette âme d'élite que le clergé confiait la construction et la restauration de ses temples et de leurs dépendances.

Depuis 1942, le premier vendredi de chaque mois, le Comité des Douze se réunissait donc très secrètement dans la vaste demeure (le « Manoir ») que Gosselin s'était fait construire dans la rue du Séminaire. Il en occupait la présidence — et pour ainsi dire tous les autres sièges. En plus du Sieur, on y retrouvait en effet Alphonse Gosselin, Premier vicaire de la cathédrale et frère de Gosselin, le juge Létourneau, beau-frère de Gosselin, Jean-Raynald Warren, avocat principal de Gosselin, Mgr Eugène Lapointe, directeur du Petit Séminaire, pionnier bien connu des « mutuelles » catholiques ouvrières et aumônier général des syndicats de Gosselin, le maire Osias Corriveau, associé de Gosselin dans diverses entreprises, Damase Boivin, directeur de *La Vérité* (propriété de Gosselin), Lorenzo Pelletier, gérant de la Banque Canadienne et grand argentier de Gosselin, Albert Lévesque, chef de la police, réputé pour son esprit très droit mais qui ne répugnait pas aux procédés sinueux, et enfin, les irremplaçables et inséparables jumeaux Bradette, toujours aussi courts et chauves, ronds et joufflus, contents et douillets. Assis l'un près de l'autre, ils hoquetaient à l'unisson — car, par une étrange fantaisie, la seule assurément qu'elle se soit permise sur leur compte, la nature les avait affectés de cette anomalie qui les singularisait tout en les unissant. Ils avaient tous deux accédé à la notabilité en vertu des hautes fonctions qu'ils occupaient dans la société (l'un était protonotaire, l'autre directeur de la Commission scolaire) et aussi du fait qu'ils présidaient ou coprésidaient pas moins de quatorze confréries pieuses et douze sociétés de bienfaisance. Ils partageaient tout : les préjugés et les manies, les inclinations et les répulsions, les vêtements et le domicile, ainsi que le nom, bien entendu, et même le prénom ou peu s'en faut, l'un s'appelant Dieudonné et l'autre Adéodat — sans prétention aucune, ils se donnaient couramment dans l'intimité du « Dieu » et du « Déo ».

À l'église, ils ne se séparaient jamais, ce qui allait de soi. Ils occupaient le même banc, lisaient dans le même missel et allaient communier main dans la main. C'étaient eux qui passaient le panier à la quête, ce qui les dispensait d'y donner. Ils ne se quittaient guère qu'au moment de la confession, encore qu'ils s'y rendaient en même temps et auprès du même prêtre, pour accuser les mêmes fautes peut-être. Leur austérité édifiait les gens d'Église et les âmes pieuses. Ils assuraient faire carême à l'année longue et quand ils traversaient la grande place devant la cathédrale, ils ne se contentaient pas de se signer ; ils enlevaient leur béret et s'agenouillaient, surtout quand il y avait des passants.

La composition du Comité présentait des avantages pratiques aussi bien que moraux, ses membres habitant presque tous la rue du Séminaire où ils possédaient de luxueuses résidences. Celle de Gosselin était cependant la plus remarquable. C'était une immense construction en pierres roses, tout en tourelles et en créneaux, avec, posés en surplomb au-dessus des fenêtres, des angelots joufflus qui se voulaient saisis dans leur envol mais qui, au regard du passant, semblaient plutôt ralentis dans leur chute — c'est justement le sort que connut un jour le plus gros d'entre eux, dont le malheureux parcours se termina sur la Cadillac du Sieur, rose elle aussi. Au demeurant, la rue du Séminaire était une large et belle artère en asphalte, bordée de fleurs et de merisiers, qui s'élevait en pente douce à partir de l'imposante cathédrale, tout près de l'évêché, jusqu'au Séminaire, splendide sur son promontoire. L'ordre de la richesse et du pouvoir temporel épousait, comme on s'en doute, la même inclinaison. Le Manoir du Sieur venait donc tout en haut, puis ceux du juge et du banquier, et ainsi du reste, les jumeaux fermant le rang. On aura peut-être compris qu'en apparence, la hiérarchie des avoirs et celle du vice allaient à rebours. Mais dans le bas de la ville, où on savait démêler la pente des choses et des gens, nul ne s'y trompait.

Sa Grandeur, quant à elle, avait jugé prudent de ne pas siéger au Comité où elle se faisait représenter par le très estimé chanoine Butain, l'économe-procureur de l'évêché. Le député aussi en était notoirement absent, mais pour de tout autres raisons. Le Sieur le tenait pour du menu fretin et le confinait dans des emplois de valet. Il suffisait de louer ses services, de les acheter au besoin.

Sans qu'ils se le disent, le chiffre douze leur souriait ; c'était un clin d'œil de la Providence, une sorte de sanction, d'incorporation spirituelle. Les plus avertis d'entre eux y voyaient également une référence aux Pairs de France et même aux Chevaliers de la Table ronde. À tous cependant, le Comité apparaissait comme l'organe le mieux inspiré et le plus utile qui soit, tant pour la protection de la moralité que pour la gestion des affaires de la cité. En fait, aucune décision importante ne se prenait plus à Chicoutimi sans qu'il en soit d'abord référé à ses lumières. Mgr Bezeau lui-même, de temps à autre, aimait à soumettre au Comité une affaire délicate. Grâce à cette heureuse initiative, Chicoutimi tenait tête aux autres villes du pays dans le combat toujours pressant contre l'immoralité et l'anarchie. Certes, les membres du Comité n'étaient pas élus par la population comme l'aurait voulu une mode qui tardait à s'éteindre, mais quoi de plus naturel et de plus conforme au bon sens que, dans un organisme qui veut vivre et prospérer, la fonction la plus élevée soit exercée par la partie la plus éminente ? Tous les esprits droits s'en réjouissaient et ne cessaient de louer la clairvoyance du prélat.

Le Sieur lui-même n'était pas à la traîne. Il avait pris goût aux décorations de l'Église et faisait à Bezeau une cour effrénée, le pressant d'activer ses démarches pour le faire accéder à l'Ordre de Saint-Grégoire. Ces pieuses ambitions ne le distrayaient toutefois pas de ses autres affaires dans lesquelles il démontrait la même application, mais suivant une morale plus personnelle qu'il ajustait à ses intérêts. C'est lui, par exemple, qui avait commandé le subterfuge ayant provoqué la chute de Léo en mars 1945. Le jeune métis était devenu un peu encombrant dans les scieries ; il méritait une leçon.

Chapitre 14

Après avoir quitté la gare de Chicoutimi le 15 mars 1945, Léo ne ferma pas l'œil de la nuit et débarqua au milieu de l'avant-midi dans l'imposante gare Windsor à Montréal. Son sac sur l'épaule, il s'immobilisa aussitôt sur le quai, submergé par la foule grouillante, les cris, le mouvement désordonné des porteurs. Des soldats, des officiers attendaient pour embarquer. Pris de panique, il eut le réflexe de remonter aussitôt dans le train. Puis il eut envie de fermer les yeux, se laisser choir sur le quai, effacer cette cohue, la gare et toutes les péripéties des dernières semaines. Il en éprouva aussitôt de la honte et se maîtrisa.

Il ignora un porteur qui lui offrait de le soulager de son sac. Il s'approcha plutôt d'un kiosque, avala un café, reprit son bagage et se mêla au courant des voyageurs vers la sortie. La ville se dressait devant lui ; de larges avenues grouillantes, bruyantes, que sillonnaient des tramways, des automobiles immobilisées qui klaxonnaient, de hauts édifices par dizaines, plantés au hasard, et plus loin, la Montagne sous le soleil. Il se souvint des indications de Belley et prit à droite, rue de La Gauchetière. Le temps était doux et la glace fondait sur les trottoirs ; des enfants y couraient, tombaient en riant.

La marche lui fit du bien. Il traversa quelques artères puis s'engagea vers le nord sur le boulevard Saint-Laurent, encore plus animé. Presque tout de suite, à l'angle d'une ruelle, il pénétra dans une auberge aux murs délavés, coincée entre une cordonnerie et un bâtiment désaffecté. Le propriétaire parlait à peine français, mais c'était sans importance. Léo lui glissa deux dollars et fut conduit à l'étage dans une chambre sombre donnant sur un hangar. La pièce sentait le carton mouillé. Le matelas, enfoncé en son milieu, reproduisait la courbure du plancher de bois. Il se laissa choir sur le lit, dormit deux ou trois heures. Réveillé par le claquement d'une porte, il se releva, sortit dans le corridor mal éclairé et se rinça le visage dans le seul lavabo de l'étage ; un grondement de tuyauterie le fit sursauter quand il ferma le robinet. La voix éraillée d'une radio lui parvenait d'une chambre voisine. L'instant d'après, il marchait de nouveau parmi les piétons et les étals de la Main. Il faisait chaud maintenant et il avait retiré sa veste de peau. Il se laissait distraire par le mélange des visages, des accents, des odeurs, s'abandonnait aux remous, aux rumeurs de la rue. À sa grande surprise, toutes ces présences composaient un anonymat qui lui plut.

Il entra dans un restaurant, mangea une soupe et un sandwich en suivant la conversation du tenancier avec trois habitués. Ils parlaient de hockey, commentaient le match de la veille, un match de demi-finale — car, cette année-là, les Canadiens faisaient le détail*. Les causeurs semblaient tout connaître des équipes, des joueurs, des performances de l'hiver qui finissait. Ils étaient partisans des Canadiens et du jeune Maurice Richard, qu'ils n'appelaient que par son prénom, comme jadis l'oncle Antonin avec Aurèle Joliat. Le Bâtard paya, sortit et reprit sa marche vers le nord. Son regard courait entre la rue, les vitrines, les façades des édifices. Captivé par tout ce qu'il découvrait, il heurta deux ou trois piétons, s'excusa maladroitement. Il passait lentement près des flâneurs, dont souvent il ne comprenait pas la langue, et s'étonnait de voir tant d'étrangers ; il se croyait dans un autre pays.

Au coin de la rue Ontario, il aperçut près d'une boucherie une affiche à une fenêtre. C'était un atelier de brosses et balais ; on demandait un livreur. Il y pénétra et offrit ses services. Un géant bedonnant au visage recouvert d'une immense barbe le toisa un moment en silence puis lui tendit la main. Ils se mirent tout de suite d'accord sur les gages. Léo, qui n'avait pas pris le temps de réfléchir, fit ensuite un calcul rapide ; c'était à peine plus que le prix de sa pension. Mais pour le moment, l'important était d'avoir un emploi.

Il travaillait de six heures du matin à six heures du soir, mais par intermittence. Il passait parfois de longs moments à la porte de l'atelier à surveiller la vie de la rue, enregistrant les physionomies, les démarches, les accoutrements. Il effectuait ses livraisons à pied ou à l'aide d'une espèce de tricycle tirant une petite remorque. Il visita de cette façon les quartiers environnants : le Quartier latin, la Petite Bourgogne, la Petite Patrie. Il y découvrait d'autres paysages, d'autres regards, d'autres odeurs. Il y voyait aussi des rues trouées, des maisons délabrées, toute une faune désœuvrée qui stationnait aux coins des rues ou dans des ruelles pourries. Il s'arrêtait souvent, fasciné par les viaducs, les monuments, les clochers d'église. Et tous ces ponts, surtout le pont Jacques-Cartier que trois ou quatre fois, le dimanche, il traversa à pied.

Un jour, il fit une livraison à Outremont, dans une grande maison de pierres recouvertes de lierre, face à un parc. Une vieille dame l'accueillit gentiment, lui donna un gros pourboire — sa paye de la journée quasiment. Il arpenta un moment les rues du quartier et crut y relever partout les traces du bonheur.

La semaine suivante, il prit un second emploi le soir, comme planteur dans une salle de quilles, rue Sanguinet. Il s'épuisa au début, n'arrivant pas à manier plus de deux quilles à la fois. Mais peu à peu, il apprit à en saisir deux puis trois de chaque main et rattrapa la cadence des autres planteurs. Il disposait d'une demi-heure seulement en fin d'après-midi pour manger et courir de l'atelier à son nouvel emploi. Il vivait dans l'agitation, parmi les bruits de la ville, sans avoir l'impression de l'habiter vraiment. Ce régime lui convenait pour le moment ; il avait besoin de s'étourdir. Et il avait commencé à faire des économies. À la fermeture de la salle de quilles, les planteurs allaient boire un coke et manger des frites. Mais le Bâtard trouvait toujours un prétexte pour rentrer chez lui.

Il quitta sans regret la vieille auberge et s'installa un peu plus confortablement rue Saint-Urbain, à la hauteur de la rue Sainte-Catherine, chez une veuve qui tenait une pension en compagnie d'un fils invalide. Il y occupait une chambre sous les toits, au troisième étage et, de temps à autre, donnait un coup de main à la tenancière, une dame Gauvin. Sa fenêtre donnait sur une caserne de pompiers jouxtant la maison. Pendant trois ou quatre semaines, il exerça ses deux emplois sans connaître aucun repos car, le dimanche, les quilleurs étaient nombreux et il plantait toute la journée. Puis l'atelier de balais changea de propriétaire et il fut mis à pied. Il trouva aussitôt à se replacer dans un entrepôt. Plus tard, ce fut la salle de quilles qui ferma ; l'immeuble allait être démoli. Léo trouva de l'embauche juste de l'autre côté de la rue, cette fois dans un restaurant.

Il navigua ainsi durant quelques mois d'un petit emploi à l'autre dans des garages, des quincailleries, des épiceries. Jusqu'à ce qu'un vieux commerçant juif qui l'avait pris à son service remarque son sérieux et le convainque de reprendre l'école. Léo y pensait déjà ; il avait même déjà fixé son choix : il étudierait la gestion, les affaires. Il s'inscrivit à un programme spécial dispensé par l'Institut philanthropique, un organisme mi-privé, mi-public qui aidait les immigrants, les chômeurs, les délinquants — c'était souvent le même lot.

Les cours se donnaient en soirée, du lundi au vendredi, dans un sous-sol d'église de l'avenue De Lorimier. Les frais d'admission étaient minimes. Un stade venait d'être construit tout près où, deux ou trois soirs par semaine, les parties de baseball alternaient avec les spectacles de lutte. Par les fenêtres du sous-sol, les clameurs de la foule venaient tourmenter les étudiants. Léo se précipitait dès la sortie des cours pour se hisser sur une barricade d'où, excité, il découvrait une partie des gradins et un coin de l'arène où l'action se déplaçait de temps à autre. C'est là qu'il vit pour la première fois Yvon Robert et Larry Moquin, deux jeunes lutteurs déjà favoris des Montréalais qui affrontaient toujours de méchants Anglais. Les soirs de baseball, il pouvait suivre l'action des joueurs autour du deuxième but et dans le champ ; il devinait le reste, le monticule et le marbre échappant à sa vue.

Il écrivit quelquefois à ceux qu'il avait abandonnés, rue Châteauguay. De petites lettres embarrassées dans lesquelles il exprimait ses remords et glissait un peu d'argent, surtout pour montrer qu'il était bien conscient de sa faute. Pour ce qui était de réparer, il faudrait attendre. Il envoya deux ou trois lettres à Cibèle. En retour, elle lui donnait des nouvelles de Méon et de la Réserve, elle lui prodiguait des mots d'encouragement, des serments d'amour. Plus tard, il reçut de Julie des lettres confuses, toujours interrompues, parfois au milieu d'un mot ; Blanche les terminait. Il écrivait aussi à Louis-de-Gonzague qu'il s'efforçait de rassurer sur ce qu'il devenait. L'autre lui expédiait des numéros du *Zadig* dans lesquels il traçait des portraits méchants et drôles de la vie locale et de ses principaux acteurs : le juge Létourneau, le Sieur Gosselin, l'évêque Bezeau. Mais il terminait toujours sur une note grave, des recommandations presque maternelles dans lesquelles Léo lisait beaucoup d'inquiétude et une grande affection.

Il écrivit aussi à Nazaire à Québec, lui expliqua pourquoi il ne lui envoyait plus d'argent pour ses pauvres. Puis à Marie, la grand-mère, dont il devinait la douleur et la honte. Il confessa tous ses torts et lui demanda pardon d'avoir souillé le nom de la famille. Et il la supplia de ne pas le condamner, de ne pas le rejeter. Venant d'elle, un tel geste lui enlèverait tout espoir. Son cœur n'était pas mauvais ; elle devait continuer de croire en lui, il en avait besoin pour se racheter. Cette fois, elle ne serait pas déçue, il le jurait. Mais il lui faudrait un peu de temps. Dans un postscriptum, il ajoutait : « Je n'ose pas vous demander des nouvelles de vos chèvres. » La réponse vint, quelques mots en fait, rédigés d'une main tremblotante. Elle ne voulait se rappeler de lui que ce qu'elle en avait elle-même vu et connu. Elle le pressait contre son cœur, qui ne s'était pas souvent trompé. Mais elle trouvait son absence bien longue ; et les chèvres s'ennuyaient, elles aussi…

En réalité, à force de travail, de privations, tout n'allait pas si mal pour le Bâtard. Il vivait les dents serrées, nourrissait secrètement des projets et mettait dans tout ce qu'il faisait une intensité, une rage muette qui surprenaient son entourage. S'accordant peu de distractions, il connaissait quelques filles mais refusait de s'engager. Le dimanche, souvent, il marchait jusqu'au parc Lafontaine où une fanfare jouait l'après-midi ; il s'assoyait à l'écart et ruminait. Ou bien il descendait jusqu'au fleuve pour voir manœuvrer les bateaux. Quand il faisait très chaud, il gagnait quelque endroit écarté sur les quais et plongeait dans le Saint-Laurent où il se baignait longuement, comme il le faisait jadis dans le Lac.

Et quand il avait un moment, il passait à la caserne pour jaser avec les pompiers. Ils lui expliquaient les pompes, les boyaux, les sirènes. Mais lui, il n'en avait que pour les trois magnifiques camions rouge vif, toujours astiqués jusqu'aux essieux, prêts à s'élancer au premier signal. Un jour, on lui permit de prendre place au volant du plus gros et de démarrer le moteur. Aussitôt, une voix puissante et chaude fit vibrer les murs de l'édifice. Léo sourit : un Chevrolet… Obligeants, ses nouveaux amis voulurent lui faire l'honneur de la grande échelle ; il déclina.

Certains soirs, poursuivi par ses cauchemars saguenayens, il n'arrivait pas à s'endormir. Il se rhabillait et sortait dans le quartier. Il gagnait le boulevard Saint-Laurent et le parcourait entre le port et la rue Sherbrooke, et même au-delà. Il s'arrêtait devant le cinéma Crystal, attiré par ses néons, ses affiches. Il flânait devant les vitrines du Shillers, gros fournisseur d'articles pour les théâtres : là s'étalaient des robes affriolantes, de faux bijoux de grand luxe, des moustaches et des perruques extravagantes, des mannequins de plâtre pensifs. Sur les larges trottoirs, il se mêlait distraitement à la faune nocturne des cabarets : le Saint-Michel, l'Algiers, le Gayety, toujours plein à craquer celui-là, avec ses murs recouverts d'immenses photos de Lili Saint-Cyr en petite tenue (« La Grande Reine de la Main — Ne la jugez pas à son modeste équipage », disait une affiche). Si la nuit était très chaude, il remontait vers le nord jusqu'au Moishe's Restaurant dans le quartier juif, désert à cette heure. Il lui arrivait de gagner la Petite Italie où il trouvait toujours une terrasse encore ouverte, quelques causeurs gesticulants. Il commandait un verre de lait froid. Derrière son comptoir, le tenancier observait du coin de l'œil ce client silencieux au regard sombre et au teint pâle.

L'été puis l'automne s'écoulèrent rapidement. Léo ne voyait guère le temps. Il s'intéressa de plus en plus aux journaux, surtout *La Presse*, qu'il se mit à lire quotidiennement avec beaucoup d'attention. Il s'appliquait à décoder et à mémoriser les données des pages financières. En décembre, il acheta une vieille paire de patins et, le samedi soir, il se mit à fréquenter une patinoire de quartier près de sa pension. Il y avait presque toujours foule. Le Bâtard s'y mêlait et glissait au rythme de la musique ; sept ou huit valses, toujours les mêmes, que crachaient des disques écorchés dans des haut-parleurs que le vent faisait valser eux aussi du haut de leur fil. Des bourrasques emportaient parfois le son pendant quelques secondes. Le disque s'interrompait de temps à autre et quelqu'un diffusait en anglais et en français le score de la joute de hockey en cours au Forum. Lorsque les Canadiens menaient, les patineurs lançaient des cris de joie et, s'ils avaient gagné, ils lançaient leurs tuques dans les airs.

Léo était séduit par les salles de cinéma, mais il fallait payer jusqu'à trente-cinq sous pour le billet d'entrée — il est vrai qu'il donnait droit à deux films, entrecoupés d'un cartoune. Il s'y rendit tout de même à quelques reprises et en sortit chaque fois survolté. Il y vit pour la première fois de vrais matches de boxe, des numéros de cirque, des courses de machines et même des Indiens à plumes! Un jour, il assista à une représentation de *Maria Chapdelaine* qui venait d'être porté à l'écran; cette fois, il était resté déprimé, remué par les scènes du Lac et du village de Péribonka où, enfant, en compagnie de Senelle, de Moïse et des autres, ils avaient l'habitude de s'arrêter brièvement en montant vers les Territoires. Les morts continuaient de le poursuivre.

Le programme de l'Institut était chargé et il fallait travailler dur. Ce n'était pas un problème pour le Bâtard qui, après quelque temps, s'inscrivit à un autre cours dispensé par un Business College. Il voulait surtout y apprendre l'anglais. Les leçons se donnant en fin de semaine, il n'eut bientôt plus aucun loisir. Tout le jour, il portait sur lui un petit livre de comptabilité et un dictionnaire de poche dans lesquels il se plongeait dès qu'il avait un instant de répit. Le soir, il prolongeait ses heures d'étude jusqu'à la nuit dans sa mansarde. Parfois, la dame Gauvin montait frapper à sa porte pour lui offrir un verre de lait. Elle s'assoyait une seconde pour reprendre son souffle, se relevait en souriant puis, d'un ton faussement menaçant:

— Travaillez pas trop tard, là!

Après quinze mois de ce régime, il passa des examens et reçut de l'Institut un «Diplôme commercial». Il pouvait aussi se débrouiller en anglais.

La direction de l'école l'aida à dénicher un poste de commis-comptable dans une maison d'import-export. C'était une compagnie américaine qui avait son siège social dans l'État de New York. Elle faisait le commerce de divers matériaux, principalement du bois, du minerai, du granit. Le secteur du bois était le plus actif; Léo y fut affecté. La compagnie avait des entrepôts dans le port, mais ses bureaux étaient situés au coin de Saint-Laurent et Ontario. Après quelques semaines, il fit la connaissance d'un stagiaire, Karl Turner, fils du propriétaire de la compagnie. C'était un grand jeune homme aux yeux vifs, souriant et généreux. Célibataire, il arrivait de Vancouver où il avait travaillé plus d'un an dans une autre entreprise de son père. Ils mangeaient leurs sandwichs ensemble le midi ; ils sortirent quelquefois le soir et en fin de semaine. Ils descendaient sur la Main, se glissaient dans la foule grouillante où des Canadiens français côtoyaient des Anglais, des Yougoslaves, des Ukrainiens, des Polonais. Ils assistaient aux courses cyclistes dans la Petite Italie, soupaient au Horn's Restaurant, à la taverne Belmont, parfois aussi dans le quartier chinois. Ils guettaient les filles à la sortie de la manufacture Vineberg. Ils s'amusaient de la vie de la rue : les loteries clandestines, les flâneurs devant les pool rooms et les salons de barbier, la musique qui s'échappait du Club Montmartre et du Rialto. Le Bâtard observait, enregistrait tout. Il était devenu ami avec Karl. L'Américain possédait une voiture et, souvent le dimanche, il allait se promener dans la vallée du Richelieu ou vers les Laurentides. Mais Léo refusait de le suivre ; il continuait ses études au Business College.

En décembre 1947, Karl annonça à Léo qu'il allait passer les vacances des Fêtes avec sa famille à Binghampton, dans l'État de New York. Il lui montra aussi une lettre de sa mère qui invitait Léo à l'accompagner. Ils y passèrent dix jours heureux, dans une maison presque aussi grande qu'une église. Le père, âgé de soixante-dix ans, étonna Léo en lui parlant du Lac Saint-Jean ; il était déjà allé pêcher à la Pointe-des-Américains près d'Alma, au temps du Château Roberval. Les Turner aimèrent leur invité et souhaitèrent le revoir aux vacances d'été. Il avait attiré l'attention du père par son mélange d'ardeur et de retenue, de maturité et de jeunesse. Les deux jeunes gens rentrèrent à Montréal au début de janvier mais retournèrent chez les Turner six mois plus tard. Cette fois, Karl ne devait plus revenir à Montréal. Après plusieurs stages dans les entreprises de son père aux États-Unis et au Canada, il était affecté au siège social à Binghampton.

La famille possédait l'une des plus grosses compagnies de construction dans cette partie du pays ; elle détenait également d'importants intérêts dans plusieurs scieries. Léo, qui s'était montré un très bon employé à Montréal, se vit offrir un poste lui aussi et entra au service de la production, ce qui le mit en contact avec de nombreux entrepreneurs forestiers des États du Nord-Est. Il eut ainsi l'occasion de visiter longuement plusieurs chantiers d'abattage et d'étudier de près leur mode d'opération. Il se familiarisa aussi avec les importantes difficultés d'approvisionnement dans le secteur de la construction domiciliaire aux États-Unis. Il occupait un logement dans la vaste propriété des Turner dont il était souvent invité à partager la table. Il en profitait pour interroger le père sur ses affaires, les marchés, la finance. L'autre appréciait le sérieux, les capacités de son interlocuteur et s'étonnait de la vitesse de son apprentissage.

Un dimanche de novembre 1948, il emprunta la voiture de Karl et roula jusqu'à Millbrook, un village situé près de la frontière du Massachusetts, à une centaine de milles à l'est de Binghampton. Il n'eut pas de mal à repérer le cloître où sa tante Mathilde était venue se réfugier une trentaine d'années plus tôt. L'édifice en pierres grises dressait ses trois étages au bout d'une allée en lacet qui se terminait au sommet d'une petite colline. La grille était ouverte et Léo pénétra dans une cour parsemée de pins, de cèdres et d'érables dégarnis. Il frappa à la porte centrale mais n'obtint pas de réponse. Il marcha vers la droite jusqu'à l'extrémité du bâtiment où il s'immobilisa devant une clôture. Un parc s'étendait en pente jusqu'à un escarpement donnant sur la vallée. Au centre du terrain, un îlot de croix blanches alignées en demi-cercle se détachait sur la verdure. Léo les considéra longuement. Il se disait que l'une d'elles signalait la dépouille de sœur Agnus Dei, le nom de sa tante en religion. Il eut une pensée pour l'oncle Moïse dont le corps reposait, lui, presque à l'autre bout du monde.

Il revint sur ses pas et parcourut du regard les rangées de fenêtres donnant sans doute sur les cellules des cloîtrées. Rien ne transpirait du destin tragique qui s'était dénoué là, si loin, dans le plus grand secret. Il aurait souhaité interroger les religieuses qui avaient côtoyé Mathilde, qui avaient peut-être recueilli des confidences et pourraient témoigner de sa fin prématurée. Mais les minuscules fenêtres restaient aussi muettes que les pierres.

Peu de temps après, il roula jusqu'au Connecticut et se rendit à Kent, là où, plusieurs années auparavant, le Grand avait rencontré des Indiens. Il trouva l'emplacement de la Réserve, à quelques milles à l'ouest du village, au bout d'un long chemin creux qui prenait naissance derrière un collège. Mais elle avait été fermée. Il marcha quelque temps dans le cimetière abandonné et reprit la route de Binghampton. Il avait aussi projeté de visiter Woonsocket, ainsi que Lowell et d'autres lieux où son père avait séjourné en Nouvelle-Angleterre. Il y renonça.

Au printemps 1949, il sollicita une entrevue avec les Turner, père et fils, et leur exposa le plan qu'il mûrissait depuis plusieurs mois. Il entendait retourner au Québec pour y faire chantier ; seraient-ils intéressés à acheter son bois ? Le cas échéant, il leur faudrait financer ses premières opérations au moyen d'un prêt assez substantiel. Par contre, il avait quelques idées nouvelles, qu'il leur exposa, sur la façon de produire le bois de sciage à des coûts très inférieurs à ceux du marché. Pour le reste, il n'avait à offrir comme garanties que la vigueur de son âge, les connaissances qu'il avait acquises au Québec et aux États-Unis et sa volonté de réussir.

Les Turner étudièrent la proposition, se montrèrent intéressés par les « idées nouvelles » et soumirent l'offre à leurs experts. Ceux-ci en reconnurent tout le mérite (et résolurent de s'en inspirer pour leur propre compte), mais en recommandèrent néanmoins le rejet, Léo ne possédant aucun capital. Il y eut peu après une réunion au cours de laquelle ils justifièrent leur recommandation. Le vieux Turner, de qui relevait la décision, parla le dernier. Il donna raison à ses collaborateurs, dont l'analyse lui paraissait correcte. Le risque, en effet, était grand. Mais il était disposé à le prendre ; il s'en remettait, disait-il, à son instinct, à l'impression que lui faisait ce jeune homme.

D'autres rencontres suivirent pour fixer les modalités de l'entente. Puis un contrat fut signé. Un prêt de 500 000 $ était accordé, mais à deux conditions. Il ne prendrait effet que si Léo obtenait rapidement un territoire de coupe. En plus, s'il ne remboursait pas l'argent en six ans, les Turner le remplaceraient à la direction des opérations, en reprenant tous les avoirs de la Société qu'il allait créer, y compris les droits d'exploitation sur le territoire concédé. Léo accepta les conditions et, le 30 avril 1949, signa le contrat qui le liait à la Turner & Son. Il remit ensuite sa démission et remercia ses anciens patrons qui étaient devenus ses associés.

Après quatre ans d'absence, il était temps de rentrer au Saguenay.

Chapitre 15

Le Bâtard arriva à Jonquière en mai 1949. N'osant se présenter tout de suite chez l'oncle Antonin, il descendit à l'hôtel Pierre, rue Saint-Dominique, tout près du Pont-des-Chars. Malgré les lettres échangées au cours des dernières années, il lui semblait qu'il fallait tout recommencer. C'est seulement le surlendemain, alors que sa présence commençait à être signalée dans la petite ville, qu'il se rendit rue Châteauguay.

Il l'arpenta un moment. Elle était maintenant recouverte d'asphalte. Il s'étonna des nombreuses maisons de couleur kaki qui jalonnaient son parcours. Il apprendrait plus tard que la Ville avait mis la main sur un fond de quincaillerie en faillite; elle fournissait gratuitement la peinture aux propriétaires, mais seulement du kaki. Il vit aussi que des familles qui avaient quitté les lieux durant la Grande Crise étaient revenues s'installer dans la rue. Mais les deux fils Godin, eux, n'étaient pas rentrés du front. Devenus parachutistes comme ils l'avaient souhaité, ils avaient trouvé la mort dans une mission derrière les lignes allemandes. Déprimé, vieilli, le père avait fermé son alambic. Et de l'autre côté de la rue, la maison des Maltais avait été vendue ; la veuve étant décédée, ses trois filles avaient déplacé leur fonds de commerce à Québec.

Le Bâtard se présenta au 282. À son grand soulagement, après un moment de malaise, tout se passa plutôt bien, personne ne faisant allusion aux tristes événements qui l'avaient poussé à l'exil. Mais Julie vivait toujours dans son nuage ; elle crut encore une fois que le Grand était de retour.

Elle avait beaucoup changé. Ses cheveux, qu'elle portait maintenant très courts, étaient poivre et sel. Son visage avait épaissi et ses traits, autrefois si fins, s'émoussaient. Quant à l'oncle, il continuait à faire quelques livraisons avec son vieux Fargo. Un prêt consenti par Godin-l'Alambic lui avait permis de sauver sa maison. Par économie, il avait cessé de fumer. Blanche faisait du ménage à l'école des Frères. Au moment de prendre congé, Léo s'immobilisa un instant sur le perron de la porte et interpella l'oncle et la tante :

— J'ai pas oublié la promesse que je vous ai faite avant de partir pour Montréal.

Blanche avait aussitôt répliqué :

— Laisse donc faire ça, mon pauvre enfant.

— Donnez-moi encore un peu de temps.

Sa seconde visite fut pour Louis-de-Gonzague. Il le retrouva à son bureau de la rue Racine à Chicoutimi, en face de l'Hôtel de ville. Les lunettes remontées sur un front de plus en plus dégarni, l'avocat portait une chemise blanche à manchettes sous son éternel complet noir assorti d'une cravate de velours dans le même ton. Il se tenait sur une chaise droite derrière une table surchargée de documents et de livres en désordre. Des rayonnages de vieux traités, de grimoires poussiéreux recouvraient les murs, débordant même le cadre des deux fenêtres ; des dossiers s'entassaient par terre. Une autre pièce s'ouvrait sur sa gauche où un jeune homme s'affairait. Belley se dressa d'un bond et se précipita dans les bras du revenant :

— Enfin, vous voilà de retour !

Il le regarda intensément, comme s'il craignait un mirage. Ils échangèrent quelques mots incohérents, parlant tous les deux en même temps. Belley présenta Maurice, un avocat tout frais diplômé qui s'était joint à lui et donnait un coup de main au *Zadig*. Enfin, il se calma :

— Qu'allez-vous faire maintenant ?

— J'ai mon plan.

— Je peux savoir ?

Le Bâtard exposa brièvement ce qu'il avait en tête. Belley s'exclama :

— C'est magnifique ! Comme c'est ingénieux.

— C'est aussi très risqué.

— Je… je pourrais vous aider, peut-être ?

— Je suis venu vous le demander.

Le jour même, Léo acheta un picope et se mit à l'ouvrage. Il disposait de relevés sur l'industrie du bois dans les régions du Québec. Ils provenaient de bilans détaillés dressés tous les six mois par un consortium américain, dont il obtenait copie par l'intermédiaire de la Turner & Son ; il n'existait rien de semblable au pays. Au Saguenay, la coupe forestière était toujours sous le contrôle d'Elzéar Gosselin qui jouait de ses contacts politiques pour monopoliser les permis d'exploitation. Léo fit le tour des principales scieries de la région. Il s'en trouvait une vingtaine, presque toutes possédées par le Sieur. Il en connaissait déjà plusieurs, qu'il avait fréquentées avec l'oncle Antonin au temps des croûtes et du bran de scie. C'étaient des établissements rudimentaires, assez vétustes et plutôt mal équipés. En fait, son ancienne scierie du lac Long était celle qui se présentait le mieux.

Il se rendit à Mistouk et rendit visite à Marie aux Chicots. Il la trouva sur la galerie arrière, en train d'égrener son chapelet. Ses cheveux avaient encore blanchi, mais elle avait conservé son beau visage empreint de cette sérénité qui ne vient qu'après bien des tempêtes. Ils s'embrassèrent ; elle passa doucement la main dans les cheveux de son petit-fils et aussitôt une émotion la gagna : elle avait eu le même geste autrefois avec le Grand.

— Je suis venu vous dire merci ; votre lettre m'a fait du bien. J'ai beaucoup travaillé ; ça va aller mieux maintenant.

— Je suis contente pour toi.

— J'ai pas vu vos chèvres ?

Son sourire se dissipa :

— J'ai préféré m'en défaire. Mon arthrite me fait de plus en plus souffrir, j'arrivais pus à les visiter.

— Ah…

— Tu vas repasser me voir, comme autrefois ?

— Si ça vous tanne pas…

— Grand bêta !

Il gagna ensuite Pointe-Bleue et rencontra Cibèle, qui s'y trouvait toujours. Le sentiment de l'Indienne à son endroit n'avait pas changé, comme si, loin de dépérir, l'amour qu'elle lui portait s'était nourri de la longue séparation. Ils eurent un entretien difficile qui ranima chez lui la flamme qui s'était assoupie. Il prononça des mots tendres qui entretinrent l'espoir de la jeune femme. Il portait la tunique de peau de chevreuil qu'elle lui avait offerte en cadeau :

— Tu vois, j'ai pas oublié.

Puis il revit l'oncle Méon, toujours aussi solide, plus taciturne aussi, un peu fuyant même. Il lui offrit de travailler avec lui et l'invita à recruter un chasseur expérimenté qui connaissait bien les forêts du Saguenay et des environs. Le lendemain, il faisait connaissance avec Jacob Kurtness et rentrait à Jonquière avec les deux hommes.

Dans les jours qui suivirent, en compagnie des Montagnais, il reconnut, cartes en main, plusieurs zones forestières non encore concédées par le gouvernement. En chaque endroit où il s'arrêtait, ses deux compagnons arpentaient longuement les lieux, chacun de son côté, puis en faisaient une évaluation sommaire. Le Bâtard fut étonné de constater que, à plus d'une occasion, les rapports qu'ils dressaient s'avéraient plus exacts et surtout plus complets que les relevés techniques dont il disposait : le lustre, l'odeur, la raideur d'un feuillage révélaient tel défaut ou maladie de l'arbre ; la texture d'un sous-sol, la couleur des champignons laissaient présager une croissance rapide ; la proximité de la perdrix, de la loutre ou du lynx confirmait la santé du bois ou telle autre propriété ; l'état du sol, en particulier de la mousse, annonçait les coups d'eau, les marais en formation. Parfois, ils tombaient sur de vieilles croix de bois dressées là où des bûcherons et surtout des draveurs étaient décédés. Elles ne figuraient pas sur les cartes.

Le Bâtard arrêta son choix sur une étendue de résineux dans le Parc des Laurentides ; il pourrait établir son quartier général près de la rivière Pikauba, à une cinquantaine de milles au sud de Chicoutimi, à peu de distance de la nouvelle route reliant la région du Saguenay à la ville de Québec. Encore là, le souvenir de son père le rejoignit ; on lui avait raconté que le Grand avait passé un hiver dans un petit chantier à proximité. Avec l'aide de Méon et de Kurtness, il put retrouver l'emplacement. Il n'y restait que deux camps abandonnés, à demi effondrés, et la trace d'un ancien chemin maintenant retourné à la broussaille. Par contre, des initiales maladroitement gravées sur quelques cyprès avaient grandi.

Léo rentra à son hôtel et téléphona au bureau du Premier ministre Duplessis, demandant un rendez-vous. Dix jours plus tard, il était assis devant le Chef, visiblement très heureux de cette visite. Il n'avait pas oublié l'épisode des côtes de l'Anse-Saint-Jean et avait quelquefois repensé au jeune Métis au cours des dernières années. Il l'interrogeait :

— On s'est vu en 44, je venais juste de reprendre le pouvoir. T'a mis cinq ans pour me relancer ? Moi, j'ai eu le temps de gagner une autre élection depuis ce temps-là. On peut pas dire que t'es achalant.

— J'attendais l'occasion.

— Tu travailles toujours dans les scieries?

— Oui, mais j'ai eu pas mal de problèmes. J'ai fait ma part de gaffes aussi. J'ai essayé de réparer.

— Conte-moi ça.

Ils se parlèrent longuement. Duplessis écouta, eut de bons mots, s'intéressa au séjour américain. Puis une secrétaire, une dame entre deux âges, vint les interrompre :

— Pardonnez-moi, monsieur, mais l'évêque de Rimouski attend depuis une demi-heure.

— Faites-le patienter encore un peu. Dites-lui que j'ai une urgence… avec un Américain. Je traite un gros dossier avec un industriel américain. Ça va le calmer. De toute façon, il a l'éternité devant lui, non… ?

La secrétaire feignit de le gronder; c'était un genre de blague dont il était coutumier. Il revint à Léo :

— Les filles? T'as pas de blonde? T'es pas marié? T'es pas vite, coudon!

— Disons que, pour le moment, je vais à peu près à la même vitesse que vous…

Le célibat du Chef, légendaire, alimentait depuis des années les ragots de la colline parlementaire. Il sourit, alluma un cigare :

— T'es venu de Chicoutimi, là? T'as vu ma route dans le Parc? tout en bel asphalte?

— Oui, j'ai vu ça. Les côtes sont pas trop raides…

— J'ai changé mon ministre de la Voirie!

Ils rirent. Puis Duplessis vint vers Léo, lui mit une main sur l'épaule :

— Bon, réglons nos affaires. T'as quoi, trente ans à peu près?

— C'est ça.

— T'es tout jeune. Commencer un peu de travers, c'est pas grave; ce qui compte, c'est de finir droit. En sortant d'ici, tu vas passer au bureau d'à côté, c'est mon ministre des Terres et Forêts. Tu vas lui tracer sur la carte le territoire dont tu m'as parlé. Il va faire le nécessaire.

— Vous voulez dire que je… je vais avoir la concession? On parle de 400 milles carrés, là, pour vingt-cinq ans!

— Avec le contrat que t'as signé chez les Américains, t'es solide. Puis tu mérites la concession autant qu'un autre. Je te fais confiance.

— Merci, monsieur.

Léo hésitait:

— C'est tout? Et… les… les « usages »?

— Oublie ça. Seulement, si un jour j'ai besoin de toi, fais pas comme si t'avais perdu la mémoire. Promis?

— J'oublierai pas; vous me rendez un grand service.

— Remercie pas. Quand on est au pouvoir, on choisit pas ses ennemis; mais au moins, on peut choisir ses amis.

Il sourit de son mot, retrouva aussitôt son sérieux:

— En fait, on n'en a pas beaucoup.

Ils se serrèrent la main. Duplessis était devenu grave maintenant:

— Bonne chance, Léo. Montre-leur aux Américains ce que ça peut faire un Canadien français. Puis montre-le aux Canadiens français aussi.

Il cligna de l'œil:

— Un Canadien français doublé d'un Sauvage…

Léo sourit à son tour. Puis:

— Vous savez, c'est pas vraiment les Américains qui me font le plus peur; je pense que je m'entends assez bien avec eux autres. C'est surtout ici que ça va être dur.

— Perds pas mon numéro de téléphone; on sait jamais.

Il sortit. L'évêque était là, attablé devant plusieurs tasses de café vides. Il examina longuement ce drôle d'Américain. Léo lui adressa un signe de la tête, passa quinze minutes chez le ministre dans le bureau adjacent, le temps de tracer un grand cercle sur la carte, au milieu du Parc des Laurentides. Puis il se rendit à la banque. Il avait des achats à faire.

* * *

À partir de ce moment, les choses se précipitèrent. Il créa d'abord une compagnie qu'il fit incorporer sous le nom de Société Mistapéo, en souvenir de son père que les Indiens appelaient ainsi. On était alors au milieu du mois de juin 1949, soit en cette période de l'année où les chantiers forestiers étaient fermés depuis plusieurs semaines. En fait, à partir d'avril, la fonte des neiges empêchait le va-et-vient des véhicules et le transport des billots. Or, contre toute attente, c'est précisément au milieu de l'été, alors qu'il ne se trouvait plus personne en forêt, que Léo choisit de passer à l'action. Profitant de la baisse des prix en cette saison, il acheta plusieurs tracteurs et camions — des Chevrolet tout neufs. Il fit ouvrir quelques milles de chemin en forêt et, près de la rivière Pikauba, lança la construction d'une trentaine de camps. Le chantier proprement dit débuta en juillet. On n'avait jamais rien vu de tel.

Le territoire concédé à la Mistapéo était situé dans une vaste forêt jamais exploitée, que les Indiens avaient cessé depuis longtemps de fréquenter. Les camps avaient été bâtis sur une élévation. Léo aimait s'y retrouver après sa journée de travail. Émerveillé, intimidé aussi, il promenait son regard sur l'ample paysage qui se déployait vers le sud. On y trouvait des dizaines et des dizaines de lacs et de rivières sans nom à travers des milles et des milles de collines, de falaises et d'étroites vallées avec, çà et là, de longs vallonnements en pente douce que le soleil, selon l'heure de jour, teintait de vert, de bleu, de mauve.

Le Bâtard confia la gestion de ses livres à un jeune commis recommandé par Belley. Il avait aussi engagé d'autres Indiens, dont plusieurs de Pointe-Bleue. Dans l'ensemble, l'embauche avait été facile : il avait recruté plus de cent cinquante bûcherons, les meilleurs, parmi tous ceux que Gosselin avait mis à pied au printemps, en attendant la reprise des chantiers à l'automne. Voulant s'assurer de leur intégrité et leur montrer à qui ils avaient affaire, il avait tenu à les rencontrer un à un. Il avait sa méthode pour démêler les toffes et les varnousseux* : avant toute chose, il examinait les chaussures de l'arrivant, convaincu qu'on reconnaît le vrai gars de bois à ses bottes. Les souliers et les belles bottines cirées étaient impitoyablement refoulés, tout comme les bottes flambant neuves, soigneusement lacées, qui sentaient encore le cuir frais. Mais les talons usés, les bouts de pied écrasés et les lacets à moitié noués autour des chevilles étaient aussitôt reçus. Il en était ainsi des makinas fatigués, râpés par les intempéries, des épaisses chemises à carreaux aux boutons arrachés, des mitaines trouées, des scies raboudinées* et autres signes attestant que le candidat avait connu le feu et le froid des tranchées d'abattage.

Dans le lot, le Bâtard choisit quelques hommes dont il fit ses contremaîtres. L'un d'entre eux, le plus singulier, s'appelait Fabrice. Un gars flamboyant, bien planté, plein de santé, au regard clair et droit qui laissait entrevoir un brin de folie dans le tempérament. Et de l'audace ; beaucoup d'audace. Presque aussi grand que Léo mais plus massif, il était aussi plus volubile et surtout plus rieur. Rieur et bagarreur. Il avait mille histoires à raconter dont il était le témoin, la victime ou le héros. S'il fallait les croire toutes, Fabrice en était au moins à sa troisième vie. Quand il se présenta à Léo, il raconta qu'il avait fréquenté à peu près tous les chantiers entre le Maine et l'Île d'Anticosti, navigué sur des caboteurs dans le Golfe comme mousse puis matelot, guidé les touristes américains jusqu'au Labrador, prospecté avec des Allemands au fin fond de l'Abitibi, travaillé à la construction d'un chemin de fer en Ontario, donné un peu dans la contrebande d'alcool...

— T'as brassé, pas ordinaire ! Tu devais faire tes ronnes* courtes...

— Y a un peu de ça.

— Si tu veux travailler avec moi, va falloir que tu les étires.

— C'était mon idée justement.

Léo s'attacha à lui et en fit son plus proche collaborateur. Il le fit participer à la sélection des candidats qui continuaient de se présenter tous les jours à Pikauba. Un matin, deux anciens employés des chantiers de Gosselin vinrent pour s'engager. L'un, une espèce de pachyderme, avait travaillé comme couke*, l'autre comme chôboïlle*. Fabrice mena l'entretien. Il s'adressa au second :

— Pourquoi avez-vous laissé Gosselin ?

— On a été congédiés… pour une maudite affaire simple.

— On pourrait en savoir un peu plus ?

— Bin, dans le chantier où on était, y avait rien que la table des contremaîtres qui avait droit au thé. C'était pas juste. Pour me venger, avant de les servir, je pissais dans la théière.

— Tu t'es fait prendre ?

— Oui.

— T'as pas été chanceux.

— Ben, oui pis non. Ce qui est arrivé, c'est que, je le savais pas moué, mais le couke — il désigna le mastodonte qui se tenait près de lui — il pissait dedans lui aussi de son côté. Ça fait que…

— La dose était un peu forte ?

— Ça a l'air.

— Ouais… vous faisiez une belle équipe ! Pis vous voulez qu'on vous engage ?

Fabrice, se contenant difficilement, échangea un regard avec Léo. Puis ils se mirent à rire comme des fous ; les deux autres aussi.

— Bon, c'est correct ; on va vous essayer. Vous devriez pas avoir de problème icitt ; tout le monde a droit au thé. Pour le reste, bin… on s'comprend, an ?

Mais pendant quelque temps, Fabrice délaissa le thé aux repas ; il découvrait les vertus de l'eau claire.

Une petite vie prit forme à Pikauba sur le large plateau que Léo avait choisi pour ériger ses camps. C'étaient des constructions sommaires en billots d'épinette et de sapin, calfeutrées d'étoupe et percées de deux ou trois petites fenêtres. Les toits arboraient une cheminée de tôle noircie qui laissait échapper la fumée des truies*. Certains camps accueillaient sept ou huit hommes, d'autres deux ou trois familles. On entendait de partout le courant de la rivière que gonflaient parfois un orage ou des averses. Une bâtisse plus large servait d'entrepôt. Léo habitait seul un camp aux confins du plateau qui était traversé d'un chemin de terre sommairement aménagé. Le reste était encore couvert de souches.

À la fin du jour, les tracteurs et la dizaine de Chevrolet flambant neufs étaient stationnés en double file le long de la rivière. Ils étaient tous peints en jaune-orange et chaque portière arborait en lettres gros bleu l'inscription : Société Mistapéo. À tout moment, le Bâtard se portait à sa fenêtre ; il avait peine à réaliser que tout cela lui appartenait. Le soir venu, il sortait discrètement et montait dans quelques camions au hasard. Assis derrière un volant, il restait là, dans l'obscurité, comme pour mieux se convaincre de leur présence.

Il avait à peine trente ans ; tout s'annonçait bien.

Chapitre 16

Le retour de Léo avait alimenté bien des rumeurs dans la région et les opérations qu'il avait mises en branle suscitaient la plus grande perplexité : un chantier en plein été, un chantier sans chevaux, personne n'avait jamais vu pareilles absurdités. Le Bâtard était-il donc revenu troublé ? Qu'avait-il fait au cours de ces quatre années ? D'où venait donc tout cet argent ? Et comment avait-il pu se faire octroyer un tel territoire de coupe ?… On n'en finissait plus de spéculer sur ceci et sur cela.

Des chantiers en juillet ! Chez Gosselin, tous riaient franchement d'une aussi folle entreprise et plusieurs se réjouissaient à l'avance d'un désastre assuré. Les vieux bûcherons, de vrais durs, étaient morts de rire. Ils se moquaient du Métis :

— Veux-tu me dire cé qu'y a passé par la tête ?

— Fouille-moué !

— Y paraît qu'y engage rien que des gibards*…

— Gibards ou pas, tu vas voir qu'à la fin de l'été, quand les maringouins, les mouches noires pis les brûlots auront passé, y en restera pus grand-chose !

— T'oublies les frappe-à-bord qui arrivent en août…

— Eille, sacrament! ceux-là, y s'occupent même pas de la peau, y piquent douette dans l'os, crisse!

— Les gibards, y va leu rester juste les culottes pis les bretelles…

— Y vont dépâmer* raide!

— Tu vas les voir flailler*…

— J'paierais cher en tabarnak pour voir ça…

Cependant, un qui ne riait pas du tout, c'était le Sieur Gosselin. Il se posait les mêmes questions tout en redoutant les réponses. À cause de cette Société Mistapéo, il avait déjà perdu plusieurs de ses meilleurs hommes de bois, son monopole sur la forêt était menacé et son concurrent s'était visiblement ménagé des appuis auprès du gouvernement et dans la finance. Le Sieur était en outre fortement intrigué par cette idée de chantier estival.

Il n'était pas au bout de ses surprises. Les bûcherons recrutés étaient arrivés à Pikauba avec leurs haches et leurs sciots. Ils furent invités à mettre ces vieilleries de côté. Le Bâtard les conduisit à l'entrepôt, où tout un stock de caisses étaient empilées. Il en ouvrit une et en sortit une machine bizarre :

— C'est une scie mécanique! Une Pionneer.

Les bûcherons se regardèrent, puis, tous en chœur :

— Une quoi?…

En quelques jours, ils passèrent de la surprise à l'éblouissement; chacun était tombé en adoration devant sa « pionneure ».

Le chantier commença lentement, à cause de tous les ajustements à faire. Fabrice s'énervait, sondait le Bâtard :

— Ça part pas vite, j'trouve. Ç'a a pas l'air de t'énerver?

— Justement, s'il faut qu'on s'énerve en plus! Attends, ça va se placer.

Et en effet, peu à peu, les choses s'arrangèrent. Des équipes d'hommes coupaient et ébranchaient les arbres à la scie mécanique, des tracteurs amenaient les billots de douze pieds jusqu'aux chemins principaux, mais au lieu de les mettre à la rivière, ils les chargeaient à bord de camions. De là, ils étaient rapidement transportés à Chicoutimi et mis à bord du train. La Turner & Son les recevait et faisait le reste. Du résidu des arbres abattus, on tirait aussi des quatre-pieds (« pitounes ») que la Compagnie Price achetait pour ses deux usines de pâte et papier à Jonquière et à Kénogami.

À la fin d'octobre, Léo dressa les comptes avec le commis. Ses opérations avaient produit 12 millions pmp* de billots, soit deux fois plus qu'un chantier d'hiver avec le même nombre d'engagés. À cela s'ajoutaient 2 000 cordes de quatre-pieds. Le Bâtard gagnait sur tout : le choix du terrain, le ramassage des billots, le transport, l'abandon du sciot et de la hache au profit de la scie mécanique qui faisait tripler le rendement des bûcherons. Il avait aussi supprimé le glaçage des chemins pour les chevaux et, en même temps que le flottage, toutes les pertes qu'il entraînait, sans parler de la glenne* et de la souippe*, de la construction et de l'entretien des écluses, et bien d'autres tracas. C'était rien de moins qu'une révolution que le Bâtard effectuait dans l'industrie de la coupe. Et il put constater bientôt qu'il en allait de même avec les profits, qui s'avérèrent faramineux. En moins de quatre mois d'opération, la Mistapéo avait réalisé un chiffre d'affaires de 600 000 $. C'était inespéré !

Quant aux bûcherons, ils n'en finissaient pas de louanger leurs pionneures : ils avaient découvert que l'épaisse fumée bleue qu'elles dégageaient chassait les moustiques ! Même les redoutables frappe-à-bord battaient en retraite, l'œil mauvais, l'aile basse. Le mot se répandit chez les hommes de Gosselin et parmi le reste de la corporation, à la fois incrédule et envieuse : chez Léo, pas de brûlots…

Un mécanicien que le Bâtard embaucha à ce moment se montra plein de ressources. Machine — il s'était présenté sous ce nom — était un gros homme bourru qui attirait néanmoins les enfants à cause de sa longue barbe rousse. Il portait à toute heure du jour et en toute saison une énorme casquette de laine d'où émergeaient trois ou quatre crayons. À cause d'une dentition fortement ébréchée, ses paroles étaient incompréhensibles; on aurait dit qu'elles roulaient à travers des cailloux. Aussitôt installé, il eut l'idée de remodeler les scies mécaniques en retouchant la forme des dents et les maillons de la chaîne, ce qui rendit l'engin plus mordant et plus malléable. L'idée fut vendue à prix d'or à la compagnie américaine Pioneer qui l'intégra plus tard à tous ses modèles.

L'hiver approchant, tout le monde se demanda bien ce que le Bâtard allait faire. Il continua, tout simplement. Il mit à profit le mois de novembre pour consolider les chemins et calvettes* et, lorsqu'ils furent recouverts de neige, il les sabla, de sorte que les camions purent y circuler. En décembre, il causa encore une très grosse surprise en introduisant dans le chantier de bien étranges véhicules fabriqués par un inventeur des Cantons-de-l'Est, un certain Bombardier, de Valcourt. Un homme de Pikauba, originaire de Granby, en avait informé Léo qui s'était rendu là-bas pour observer le prototype. Dix unités furent d'abord livrées au chantier, puis vingt autres. C'était une variante du snowmobile, mais beaucoup plus légère et surtout plus rapide, qui permettait de sortir les billots des lieux les plus accidentés en forêt. Ces « débusqueuses », comme on vint à les appeler à Pikauba, étaient actionnées par une seule chenille, au centre, dont Machine put accentuer encore la prise en accolant de petites lames d'acier aux patins de caoutchouc.

La production hivernale dépassa tout ce qu'on aurait pu imaginer. Après un bref arrêt au printemps dû au dégel, les travaux reprirent de plus belle. Le chantier opérait désormais presque toute l'année. En avril 1950, autre surprise : le Bâtard fit l'acquisition de cinq chargeuses à grappin, parmi les premières fabriquées aux États-Unis. Désormais, à partir du moment où les arbres étaient coupés, il ne subsistait aucune intervention manuelle dans les opérations.

En mai de cette année-là, le Bâtard reçut une lettre de Karl Turner lui annonçant sa visite. Dix jours plus tard, les deux amis se retrouvaient à la gare de Chicoutimi. Les effusions terminées, ils se rendirent au Château Saguenay et firent leur entrée dans le restaurant. Bien des têtes se tournèrent au passage des deux hommes. Très grands l'un et l'autre, les yeux vifs, le teint cuivré (l'Américain séjournait régulièrement en Floride), ils se frayèrent un chemin jusqu'à leur table et conversèrent longuement, chacun s'informant des affaires de l'autre. Ils se rendirent ensuite à Pikauba où Karl eut droit à une visite détaillée du chantier. Léo connaissait ses associés et savait bien que son ami n'était pas là que pour le plaisir ; la famille Turner surveillait discrètement son placement. Mais le visiteur fut enchanté de tout ce qu'il vit, et surtout de l'état des livres que Léo lui montra.

Dans les jours qui suivirent, ils firent le tour du Lac et visitèrent ce qui restait de la Pointe-des-Américains, près d'Alma, là où le vieux Turner avait séjourné jadis. Ils s'arrêtèrent aussi dans le rang des Chicots où Karl fit sensation avec son mauvais français appris à Montréal. Jessée, la bru, en fut tout étonnée :

— Je pensais que vous aviez pardu le français depuis longtemps, vous autres, les Américains ?

Marie, en retour, surprit le visiteur avec ses trois ou quatre mots d'anglais, vestige de son séjour en Nouvelle-Angleterre plus de soixante ans auparavant. Comme deux anciens, ils parlèrent de Woonsocket et des usines de là-bas. La grand-mère s'animait, il lui revenait des souvenirs et, bientôt, la conversation se mua en monologue que l'étranger se garda d'interrompre. Marie poursuivait ses évocations, entrecoupées de :

— Mon Dieu que ça me fait drôle de reparler de ça…

Ils se quittèrent après une heure. La grand-mère était déçue :

— Vous avez une belle conversation, monsieur. Vous reviendrez.

De retour à Pikauba, Karl s'enfonça dans la forêt avec Méon et Kurtness. Il en revint avec une vingtaine de truites. Il renouvela son exploit les jours suivants, en profitant pour explorer le territoire de coupe. Après une semaine, Léo le reconduisit au train :

— Merci, Karl. Merci à ton père aussi.

— Je vais tout lui raconter. Tu sais qu'il t'aime beaucoup ; il sera heureux pour toi.

* * *

Un soir de juillet, il refit ses comptes avec le commis : après une seule année d'activité, il avait déjà remboursé 100 000 $ sur l'emprunt consenti par les Turner et ses profits ne cessaient de croître. L'autre s'exclamait :

— C'est quasiment pas croyable, monsieur Léo ! Ça va trop vite, là…

— Attends, tu vas voir. On vient juste de commencer.

Louis-de-Gonzague, avocat de la Mistapéo, était maintenant surchargé de travail et il dut transférer une partie des affaires de la Société à un confrère de la ville, un certain Raoul Roy qu'on vit de plus en plus souvent dans l'entourage du Bâtard. Méon et Kurtness étaient toujours à ses côtés avec leur équipe d'Indiens. La Société étendait l'aire de ses opérations et embauchait sans cesse. Encore une fois, le Bâtard tenait à rencontrer lui-même chacun des candidats. Souvent, l'examen était bref ; sans qu'aucune parole ne fût prononcée, l'homme était admis ou renvoyé.

Plusieurs des engagés étaient peu recommandables : des bannis de leur famille, de leur communauté, ou bien des écorchés, des personnes fâchées contre la société ou contre la vie, pour un motif quelconque. Ils étaient accueillis et traités comme tous les autres : sans privilège et sans préjudice, dans l'équité et l'austérité. Très vite, ils découvraient que la règle, même la plus dure, semble douce du moment qu'on la sait appliquée à chacun. Une sorte d'amitié en résultait, qui s'étendait au Bâtard. Tous appréciaient son style direct, chaleureux et tranquille et, tout autant, la force, l'autorité qu'il dégageait naturellement ; car, à leur façon, ils comprenaient que la liberté se pervertit lorsqu'elle n'est pas limitée de quelque manière.

Léo lui-même vivait comme chacun de ses employés. Mais il engrangeait d'énormes profits. Les Américains le pressaient sans cesse d'augmenter sa production. Comme les entreprises de Gosselin avaient décliné, Léo put racheter, en décembre 1950, des droits de coupe que le Sieur n'utilisait plus au sud du Lac Kénogami, à peu de distance de Pikauba. Il fallut accroître encore la main-d'œuvre et la machinerie. Il fit donc aménager à l'est du Village un autre plateau où il éleva de vastes entrepôts, des garages, des ateliers.

* * *

Le Bâtard eut bientôt une première occasion de diversifier ses activités. En 1947, Jonquière avait célébré le centième anniversaire de sa fondation et un parc avait été aménagé aux abords de la ville où les festivités avaient eu lieu. Il avait ensuite été abandonné. Y passant un jour de janvier 1950, Léo s'était rappelé les démonstrations que, du temps de son enfance, des lutteurs venaient donner près du Pont-des-Chars. Il s'était aussi souvenu des immenses rassemblements que suscitaient ces empoignades. On y venait de la Ratière, de Pibrac, de Kénogami, d'Arvida. Tout cela lui avait donné à réfléchir. Le lendemain, il avait convoqué Raoul Roy, l'avocat qui partageait les dossiers de la Mistapéo avec Louis-de-Gonzague, et il lui avait exposé son projet : des spectacles hebdomadaires de lutte au Parc du Centenaire avec des athlètes professionnels de Québec et de Montréal.

Roy était un homme solidement charpenté, rondouillard et flegmatique, qui arborait une large cicatrice au menton, vestige d'un passé tumultueux. Il portait les cheveux en brosse, ce qui accentuait sa mine bourrue. Chasseur invétéré, il connaissait bien les forêts du Saguenay et surtout son gibier qu'il traquait sans trop d'égards aux périodes d'interdit. C'était un avocat très différent de Belley. Autant l'esprit du second était tourné vers la droiture, les symétries de la raison, autant celui de l'autre se portait vers l'action, les opérations, y compris celles qui semblaient assez éloignées du droit, ou même l'enfreignaient quelque peu. Il s'était mis au travail. Six mois plus tard, le Parc était prêt à accueillir son premier « gala ». La ville avait concédé un bail à long terme ; des gradins de fortune et une arène avaient été dressés. Le Montréalais Yvon Robert, champion de la fameuse clé de bras japonaise, ainsi que Larry Moquin, Bob « Legs » Langevin, Johnny Rougeau et le tout jeune Maurice Vachon furent les vedettes de l'événement, entourés des sept frères Baillargeon de Québec, grands virtuoses du Full-Nelson. S'ajoutaient à l'affiche quelques mécréants du ring qui avaient soin d'entretenir leur très mauvaise réputation auprès des foules.

Le jour dit, fin juillet, on se pressa de toutes les localités environnantes (et même de Chicoutimi) vers le Parc du Centenaire. L'affaire s'avéra un énorme succès ; le public en redemandait. Quant à la recette, elle fut si considérable que Léo résolut d'étendre la formule à toutes les villes de la région. Ainsi, chaque année à partir de cet été-là, de vingt à trente colosses sillonnèrent en tous sens le Saguenay, de la Baie jusqu'à Dolbeau. Les rencontres étaient mouvementées, l'action se propageant souvent parmi les spectateurs. Les policiers, débordés, renoncèrent vite à intervenir, tout comme les arbitres, dont la tolérance était proverbiale.

Souvent, des héros locaux montaient dans l'arène pour se mesurer à l'un ou l'autre des belligérants. Jos Landry dit la Mâchoire, d'Alma, qui crochissait des barres de fer avec ses dents, eut son heure de gloire le jour où il mordit à la fesse un mastodonte américain, ancien champion olympique, qui perdit ce jour-là quelques lauriers en même temps qu'une partie de son anatomie. Léo remarqua ce drôle de gladiateur et le fit recruter à Pikauba. Les hostilités s'étiraient jusque dans la soirée et se terminaient dans le plus grand désordre. Il y avait de la joie partout. C'était la fête du peuple et chacun rendait grâce au Bâtard pour ces beaux dimanches.

Chapitre 17

Un soir de novembre 1949, six mois après le retour du Bâtard au Saguenay, un autre personnage y avait débarqué. Depuis quelques jours, il pleuvait sans arrêt sur Chicoutimi. La côte Salaberry, qui reliait le port et la gare à la rue Racine, était devenue impraticable. Ce soir-là, le Richelieu avait accosté très en retard dans un épais brouillard. Une douzaine de touristes américains, les derniers de l'année, en étaient descendus à la hâte, chargés de leur attirail de chasse, et s'étaient précipités vers les taxis et calèches attendant sur le quai. Un passager cependant s'y attardait, abrité sous une bâche où s'entassaient des ballots de laine. Il n'y avait plus aucune vie sur le navire maintenant plongé dans l'obscurité. L'homme se risqua finalement sous la pluie et s'engagea lentement vers la côte.

Son avance était ralentie par une petite charrette lourdement chargée qu'il tirait péniblement. Une toile cernée de sangles en recouvrait le contenu qui tanguait dangereusement dans les ornières. C'était un petit homme âgé, au dos bizarrement arrondi. Il faisait dix pas puis s'immobilisait, essoufflé. Tout à coup, il perdit pied et s'affala dans la vase. Il se releva, vérifia son chargement et se remit en marche. Parvenu au pied de la montée, il glissa de nouveau, se redressa. Cinq fois, dix fois le manège se répéta. L'homme se relevait toujours. Il avait perdu sa casquette, il sentait la pluie qui ruisselait dans son dos, ses membres lui faisaient mal. Il continuait.

À mi-côte, les rigoles étaient plus profondes, il lui fallut redoubler d'efforts. Tout à coup, l'un des cordons qui le reliaient à la charrette céda. Elle amorça un mouvement arrière, s'enlisa dans une fondrière et se renversa. Sous le choc, la toile se fendit et le chargement se répandit dans la boue : une centaine de livres, des cahiers noirs manuscrits qui s'ouvraient sous la pluie, des cartes que le vent emportait. Le voyageur, pris de panique, s'activait à les récupérer et, dans son agitation, piétinait des fascicules, des registres, des albums. Un moment, il s'immobilisa sous la pluie, baissant les bras. Il promena un regard désespéré sur ses précieux imprimés, ses livres rares, ses seuls vrais compagnons depuis tant d'années. Puis il se remit en action, recueillit une brassée de vieux in-folio, parvint à les transporter sur la galerie de l'Hôtel Morin, jouxtant la voie. Il put répéter la manœuvre trois ou quatre fois mais dut se résigner : l'eau et la vase avaient déjà envahi les autres ouvrages qui dérivaient dans la chaussée. Épuisé, il se traîna vers la galerie, s'y laissa choir et médita longuement sur les infortunes qui ne cessaient de s'abattre sur son bien étrange destin.

C'est dans ces tristes circonstances qu'André Ouellet, philosophe, pédagogue et bossu (c'est ainsi qu'il se présentait), fit son entrée dans la région du Saguenay. Il arrivait de Montréal d'où il avait été chassé du collège où il enseignait. C'était un homme singulier que la recherche du savoir et de la vérité avait très tôt poussé sur les grands chemins. Né en 1882 à Port-au-Persil, dans la région de Charlevoix, il ne s'était jamais accordé avec l'esprit de son milieu. Dès la petite école, il avait détesté les notions qu'on lui donnait à assimiler, tant elles lui semblaient trahir la réalité. Un jour, il résolut de tout redécouvrir par lui-même.

Étant bossu, l'isolement lui pesait d'autant moins que sa compagnie n'était guère recherchée. À sa naissance, ses parents avaient observé une malformation de sa colonne qui ne cessa de s'accentuer avec les ans. Il y avait à Saint-Fidèle un guérisseur qui se faisait fort de supprimer verrues, cors et autres abcès. Mis en présence de la protubérance, il fut pris d'effroi et déclara que les enflures de ce calibre n'étaient pas de son ressort. Les parents éplorés consultèrent alors des ramancheurs, des charlatans de Malbaie et même des docteurs de Québec qui, tous, se déclarèrent impuissants devant cette perversion de la nature. Au gré des années, le courroux de l'enfant se doubla d'un strabisme qui ne fit rien pour amadouer ses contemporains. Il devint un objet de railleries à Port-au-Persil. Cependant, sa force de caractère était telle qu'il parvint à n'en plus souffrir, se réconciliant même avec ses infirmités.

Il était servi par un esprit remarquable. À treize ans, il avait de lui-même percé les mystères du mouvement pendulaire qu'il étudiait le soir sur son oreiller pour vaincre ses insomnies. Et il n'y a aucun doute que, se fût-il trouvé un arbre fruitier sur la petite ferme familiale, il aurait dès son jeune âge mis en équation la gravitation régionale, sinon davantage. On y trouvait par contre bien des cailloux et des pierres, dont la manipulation assidue le mit sur la piste des rapports les plus secrets entre la forme des rochers et l'âge de l'univers. Tout cela lui inspira des conceptions étonnamment justes sur la nature des petites choses et des grandes, conceptions qu'il allait plus tard transposer à la sphère des sociétés. Enfin, en jouant au ballon dans les deux longues côtes de Port-au-Persil, il résolut l'analogie que, bien avant lui, nombre d'esprits perspicaces avaient relevée entre la chute des corps et celle des empires dont il lisait l'histoire dans l'Encyclopédie Grolier au presbytère de Saint-Siméon.

Il avait conçu un grand projet : un jour, il visiterait les vieux pays d'Europe pour s'abreuver à même la source du savoir. Il reviendrait ensuite dans sa jeune patrie pour y diffuser science et sagesse. Il poursuivit donc sa quête solitaire pendant quelques décennies, occupant d'abord de petits emplois sur les côtes du Saint-Laurent puis dans l'Ouest du Québec. Partout, il fréquentait les bouquinistes et les bibliothèques. Plus tard encore, il voyagea en Europe où, comme au Québec, il vécut de menus travaux tout en s'instruisant dans les livres et en conversant avec les gens du lieu. Il en revint très érudit, polyglotte — et toujours aussi bossu. Jugeant sa préparation terminée, il enseigna à Montréal où, hélas, sa pédagogie ne lui valut que des déboires. C'est alors qu'il pensa aux régions neuves. Ces habitats, raisonnait-il, avaient bien dû rester purs, presque en l'état de leur enfance, du fait de leur création récente et de leur éloignement. Ils présentaient donc les conditions les plus propices à sa grande entreprise dont le but était de créer un homme nouveau. Il s'en voulait d'avoir gaspillé de précieuses années ; il lui fallait maintenant se hâter, d'autant plus qu'il vieillissait lui aussi, étant maintenant âgé de soixante-sept ans.

On était en octobre 1949. Il se retrempa longuement dans l'histoire du pays, en étudia soigneusement la géographie et en vint à identifier ce qui lui parut être la région idéale à tous égards : un territoire séparé de tout autre habitat par une distance de plus de cent milles ; une belle vallée entourée d'immenses forêts ; un majestueux cours d'eau qui naissait dans une mer intérieure et se prolongeait dans un Fjord impétueux avant de se jeter dans le Golfe Saint-Laurent ; et des habitants jeunes que côtoyait, encore en son état très sauvage et pour ainsi dire virginal, la plus ancienne population des Amériques…

Pouvait-il espérer mieux que ce Saguenay légendaire, intrépide et verdoyant ? Il se rappelait aussi ses leçons européennes : la plaine attiédit ; les idées, même les plus fantasques, s'y émoussent. Il convenait de gagner au plus vite les latitudes montagneuses où elles se forment afin de les capter dans leur jaillissement… Il rassembla à la hâte ses livres et, au milieu de novembre, il s'embarqua à bord d'un bateau à destination de Chicoutimi. Enfin, cette fois, la vraie vie allait recommencer.

* * *

Le lendemain de son arrivée, le brave homme se réveilla fourbu, tout crotté, dans une petite chambre mal chauffée, au milieu de quelques dizaines de livres avariés dispersés sur le plancher, les autres ayant été perdus. Un moment, l'endroit lui parut hostile et il fut envahi par une grande tristesse, mais il s'adonna tout de suite à une pensée positive : l'essentiel de son avoir ne résidait-il pas dans son savoir ? Son enthousiasme naturel était intact.

Il sortit de l'hôtel et marcha dans la petite ville dont l'air, malgré la saison, lui parut léger. Ayant pris vers l'est, il parvint en haut de la côte du Parasol et, se retournant, fut ébloui par le délicat équilibre que ces citadins avaient su préserver entre le dessin de l'habitat, ni présomptueux, ni frileux, et l'ordonnancement admirable du paysage nordique. Au surplus, les habitants qu'il croisa plus tard sur la rue Racine et avec qui il engagea la conversation se montrèrent on ne peut plus civils. Il crut même y discerner un type humain original, à la fois grave et primesautier, philosophe en même temps que rieur, mélancolique et facétieux, en quoi il reconnut l'empreinte du climat dont les saisons, en ces parages, sont particulièrement contrastées. Il lui sembla qu'elles avaient ici conspiré le plus aimablement du monde pour engendrer un tempérament d'une rare vigueur. Tout se présentait pour le mieux.

Dans les jours qui suivirent, il étendit le rayon de ses promenades et repéra près du Bassin, au milieu du quartier ouvrier, une maisonnette à louer. Une petite maison blanche juchée sur un rocher, au 441 rue Gédéon, à cent pas au nord de l'église. Il s'y installa et eut tôt fait d'inspirer une disposition favorable chez ses voisins qui, en dépit de son fâcheux handicap, apprécièrent sa politesse et sa distinction, doublées d'une grande simplicité. Fidèle à son habitude, il se présentait chez les uns et les autres comme savant, pédagogue et bossu, et racontait longuement ses voyages, ses rencontres, les choses remarquables dont il avait été témoin, tout en émaillant ses propos d'adages et de maximes de son cru qui causaient une forte impression chez ces esprits peu formés et donc peu déformés. Il sut aussi se mêler utilement à la vie locale. Il participait aux corvées de déneigement, fréquentait la patinoire, s'attardait à l'épicerie du coin et donnait sur les sujets débattus des avis qui parurent à tous empreints à la fois d'autorité, de modération et de bon sens.

En février 1950, il fut de toutes les activités du Carnaval et du Mardi gras, y manifestant autant de sobriété que d'allégresse, ce qui ne manqua pas encore une fois d'étonner. Peu à peu, les familles se prirent d'amitié pour ce singulier professeur qui semblait avoir acquis toute la science des savants mais aucun de leurs travers. Vivant pendant tout ce temps de ses économies, Ouellet ne se pressait pas de se mettre au travail, préférant établir d'abord sa bonne réputation et faire voir les services éminents qu'il était en mesure de dispenser auprès de cette population modeste, encore sous la gouverne d'une sagesse qui n'appartient qu'aux premiers âges.

Un jour de mars, l'unique religieuse du couvent du Bassin tomba malade et plusieurs élèves se retrouvèrent en congé forcé. Ouellet y vit le moment de passer à l'action. Le jour même, il apposa sur la façade de sa maison un écriteau sur lequel les voisins et passants purent lire, en grosses lettres : École Ouellet. Les parents se concertèrent et ne découvrirent aucune objection à confier leurs enfants à une personne aussi estimable. Une dizaine d'élèves se présentèrent à l'École dès le lendemain, et le double le surlendemain. Ouellet en fut ravi et les élèves encore davantage, qui découvraient les vertus de la véritable pédagogie, celle qui permet d'assimiler dans l'émerveillement les matières les plus ardues. En outre, la plupart n'avaient jamais imaginé qu'autant de science puisse tenir en aussi peu de mots.

Tel était l'art de Maître Ouellet, qui excellait à montrer la complexité sous les traits de la familiarité. Enfin, se disait-il, il avait trouvé dans ce havre lointain l'occasion de mettre à l'essai sur de tout jeunes esprits sa théorie principale qui voulait que chaque être humain, dès sa naissance, porte toutes les idées en germe, ce que résumait, fort maladroitement, la notion de sens commun. Il consacra en classe toute une journée à ce mot, l'illustrant de mille exemples des plus ingénieux, puisés dans la vie quotidienne du Bassin et dans le mouvement général de l'univers. Les jours suivants, il explorait d'autres notions, plus difficiles encore, avec le même bonheur. Les enfants rentraient chez eux le soir un peu perturbés mais heureux, pressés d'étaler leur savoir à la table familiale. Dans plusieurs chaumières, les échanges se prolongeaient fort tard entre parents et enfants. Ceux-ci retournaient le lendemain à l'école tout excités, chargés des questions que leurs proches adressaient au savant.

Maintenant, quelques adultes prenaient place discrètement au dernier rang de la classe, buvant les paroles du Maître. Une grande animation s'était emparée du quartier. Dans les ateliers et les buvettes, aux coins des rues ou ailleurs, et jusque sur le parvis de l'église, les habitants s'interrogeaient à voix basse, et bientôt à voix haute, sur les choses essentielles et accessoires, sur les causes premières et secondes, sur la réalité et ses apparences. Certains même se risquaient à opiner avec gravité sur les fins immédiates et lointaines. On échangeait des idées avec des mines entendues tant sur le cours de la vie que sur la charpente du monde. Des désaccords surgissaient, que les disputeurs venaient soumettre au Maître dont la porte était toujours ouverte. Bientôt, il y eut plus de parents que d'enfants à l'École. Des journaliers s'absentaient de leur travail; leurs employeurs s'en plaignaient, qui venaient eux-mêmes voir de quoi il s'agissait et se prenaient au jeu. Les affaires matérielles en pâtissaient un peu, mais celles de l'esprit ne s'étaient jamais si bien portées.

Au fil des discussions publiques et privées entre élèves ou parents, quelques individus plus avisés émergèrent. C'est parmi ceux-là que s'élevèrent pour la première fois des questions sur la nature des sociétés et sur l'ordre général des rapports entre les personnes. Le thème de l'inégalité apparut et fit l'objet de diverses réflexions très pertinentes, et même impertinentes. Tous les jours, un aréopage en salopette, casquette sous le bras, s'entassait dans l'École Ouellet pour débattre passionnément de ces graves sujets et de quelques autres.

Deux mois s'étaient écoulés lorsque l'évêque, qui s'inquiétait fort de l'affaire, crut devoir intervenir. Car les chauffeurs de taxi, les cochers, les balayeurs de rue, les agents de commerce, les colporteurs et autres gens ambulants s'étaient emparés des idées et propos du Bassin pour les répandre dans la ville, suscitant ici une vive curiosité, là une grande appréhension. Il y était beaucoup question de ce pédagogue, savant et philosophe, et aussi de sens commun, d'idées claires, de raison naturelle, et bien d'autres choses encore qu'en haut lieu on jugea très suspectes. Mgr Bezeau fit appel au très secret Comité des Douze, lequel mobilisa quelques amis dévoués. Dans les jours qui suivirent, des observateurs se mêlèrent discrètement à la vie du Bassin et firent rapport.

Un soir, au début de juin, les membres du Comité furent convoqués à l'évêché. Ouvrant la réunion, le prélat exhiba les rapports détaillés qui lui avaient été remis. Puis il fit lecture des directives de l'épiscopat en matière d'enseignement, soulignant les dangers de l'école neutre, ce foyer d'irréligion qui excitait les instincts démocratiques. Enfin, en termes éloquents, il rappela le grand combat dans lequel il était engagé depuis quelques années avec ses homologues contre « l'expansion anarchique » de l'école publique obligatoire. Le Sieur Gosselin, affichant une mine préoccupée, approuvait de la tête. À ce moment, Boivin, le directeur de *La Vérité*, déposa sur le bureau de l'évêque le dernier numéro de *L'Oiseau-Mouche*, le journal du Séminaire :

— Il y a là justement un texte lumineux de Torquemada sur le sujet. Tout y est : les mensonges, les faux arguments, leur réfutation.

Le Sieur se pencha :

— On y traite des artifices, des vices du laïcat ?

— C'est le titre même de la dernière partie. On y trouve aussi une petite conclusion bien tournée sur l'excès d'instruction qui menace tout particulièrement les illettrés.

Les jumeaux Bradette avancèrent leur petite main potelée, d'autres s'agitèrent. Boivin les rassura :

— Patientez un peu, mes amis ; nous allons reprendre tout cela dans *La Vérité,* mais en termes plus accessibles, pour que le peuple comprenne bien lui aussi où est son intérêt.

Là-dessus, Mgr Lapointe intervint :

— Ce Ouellet, qu'en sait-on au juste ?

L'évêque fit un signe en direction du curé de la cathédrale qui étala ses notes :

— Un aventurier, une sorte d'illuminé doublé d'un imposteur.

— On dit que ses cours sont très fréquentés, même par les adultes ?

— Ces gens du peuple sont si aisément manipulables ! Ne le savons-nous pas ?

Ils le savaient. Le juge Létourneau, silencieux jusque-là, enchaîna :

— Mais on dit aussi qu'il admet plusieurs élèves gratuitement ?

— Voilà bien ce qui devrait nous inquiéter. Ses motifs sont cachés, ce qui rend son dévouement encore plus louche. Ne soyons pas naïfs : croyez-vous qu'on puisse aimer les pauvres à ce point ?

Bien sûr que non ; ils étaient bien d'accord. Ainsi, les avis convergeaient vers la même conclusion, inévitable : il fallait mettre fin à ce désordre. Sur quoi, chacun se tut et se tourna vers le prélat, dont la mine était grave :

— Bien, je me vois donc contraint, messieurs, de donner suite à vos volontés éclairées.

Et Sa Grandeur décréta la fermeture de l'École Ouellet.

Dans les jours qui suivirent, de vives protestations s'élevèrent dans le quartier ouvrier et même ailleurs dans la ville, au nom du libre arbitre, du droit des gens et de quelques autres notions de ce genre. Un syndicat organisa une manifestation sous les fenêtres de l'évêché. Des familles montèrent la garde devant l'école. Mais tout cela ne trouva d'écho nulle part chez les notables. Sauf dans le *Zadig*. Car Louis-de-Gonzague, qui s'était passionné pour l'affaire, veillait.

Un soir, Ouellet se désolait dans sa classe désertée. Il ne se résignait pas à gagner la chambrette adjacente qui lui servait aussi de cuisine. Il promenait un regard désabusé sur les chaises et pupitres en désordre, les murs sur lesquels il avait épinglé une cinquantaine de pages arrachées de ses livres, des réflexions griffonnées par ses élèves sur les toiles des fenêtres. Il lui semblait entendre les échos des débats animés qui, trois jours plus tôt, agitaient encore la pièce surchauffée. Il y était question justement de la course souvent imprévisible et apparemment chaotique du destin, laquelle néanmoins, c'était en tout cas la leçon du jour, ne devait pas détourner l'attention de l'ordre en deçà du désordre, de la nécessité par-delà le hasard.

Le doute l'assaillait maintenant. Un mauvais sort continuait de s'acharner sur lui, empêchant ses entreprises pourtant si urgentes de produire leurs fruits. Il s'expliquait mal toutes ces manœuvres hostiles à la marche du savoir et à la quête du bonheur. Après toutes ces peines, au terme de cette longue et minutieuse préparation qui l'avait très tôt éloigné des siens et de sa patrie, qui l'avaient même contraint au célibat et à la solitude, il lui faudrait tout abandonner? Pendant tout ce temps, il avait donc poursuivi une chimère? Il était tout près de conclure que sa vie avait été vaine, ainsi que son grand projet, son cher projet auquel il avait tout sacrifié…

On frappa à sa porte. Il mit du temps à retrouver ses esprits; une grande lassitude l'accablait. On frappa à nouveau. Il alla ouvrir. Une silhouette drapée de noir se tenait sur le trottoir de bois.

— Maître Ouellet, je suppose ?

— Oui. Ou ce qu'il en reste.

— Pardonnez l'heure tardive. Mon nom est Louis-de-Gonzague Belley, avocat et directeur du *Zadig*.

— Votre visite m'honore, monsieur. Mais je crains de ne pouvoir vous être utile.

Le visiteur observa un moment le personnage qui lui faisait face : un petit homme ratatiné aux traits tirés, vêtu d'une redingote étrangement gonflée vers l'arrière. L'avocat pensa à Quasimodo et se crut tout à coup immergé dans l'univers de Victor Hugo. Ouellet esquissa un sourire :

— Eh oui, monsieur, je suis bossu, très bossu ; qu'y puis-je ?

Louis-de-Gonzague, gêné, se confondit en excuses. Il tenait à la main quelques feuillets dactylographiés qu'il tendit à son vis-à-vis :

— Auriez-vous l'obligeance de lire ce texte ? J'aimerais repasser demain pour que nous en parlions.

— Si tel est votre plaisir… J'ai maintenant tout mon temps !

Là-dessus, les deux hommes échangèrent une poignée de main et Belley prit congé.

Comme il l'avait dit, il revint le lendemain, au début de l'après-midi. Le savant l'accueillit, lui désigna une chaise devant un pupitre et ils engagèrent la conversation. Le soir était tombé lorsqu'ils s'interrompirent. Le texte de Gonzague relatait, dans les termes les plus favorables, l'aventure du pédagogue à Chicoutimi et dénonçait vigoureusement la démarche qui y avait mis fin. Ouellet en fut attendri. Il se surprit ensuite à relater quelques épisodes de sa vie à cet inconnu, à livrer des confidences, des états d'âme. Gonzague en fit autant. Le plaideur et le savant se découvrirent des idées communes, des humeurs convergentes et d'autres complicités. Ils se prodiguèrent l'un à l'autre des encouragements, échangèrent des réflexions très éclairées sur la marche fort désunie et néanmoins solidaire du genre humain. Ils commentèrent brièvement, encore à l'unisson, quelques grands épisodes de l'histoire récente du monde et d'autres plus anciens. Ils se quittèrent en bénissant l'improbable et bienheureux alignement de circonstances qui avait permis à leurs chemins de se croiser.

Louis-de-Gonzague remplit une édition de son journal avec « l'affaire Ouellet ». La pièce maîtresse était un long entretien avec le Maître lui-même. L'agitation fut à son comble dans la ville. Un matin, au cœur de ces événements, l'avocat téléphona à Léo :

— Dites-moi, cher ami, combien avez-vous de familles maintenant à Pikauba ?

— La majorité des gars sont célibataires, mais il y a pas loin d'une trentaine de familles.

— Et combien d'enfants ?

— Je dirais une quarantaine, à peu près.

— Que penseriez-vous d'y ouvrir une école ?

— Ce serait une bonne idée ; je voulais justement vous en parler. Mais comment trouver un enseignant qui acceptera de vivre ici en pleine forêt ?

— Je crois que j'ai votre homme…

Chapitre 18

Louis-de-Gonzague avait tenu à conduire lui-même son nouvel ami aux chantiers de Léo. En quittant la ville vers le sud, ils roulèrent une cinquantaine de milles sur la route de Québec puis, juste avant le pont de la rivière Pikauba, ils obliquèrent vers l'est et parcoururent encore une dizaine de milles sur un chemin de terre cahoteux.

Le Bâtard réprima une réaction quand il se trouva en présence du Bossu. Il se montra néanmoins accueillant et s'entretint de choses et d'autres avec le philosophe. Il ne ressemblait certes pas aux professeurs qu'il avait connus au Séminaire, mais son savoir paraissait considérable et sa sincérité hors de tout doute. Léo devina qu'il avait affaire à un honnête homme; la caution de Louis-de-Gonzague acheva de l'en convaincre. Ouellet lui-même eut une hésitation quand il découvrit, au milieu de cette forêt, l'essaim de camps dressés à la diable parmi les souches. Mais déjà quelques enfants, intrigués par la silhouette de l'arrivant, venaient à lui et cette présence le réchauffa. Là-dessus, Belley prit congé et les deux hommes marchèrent jusqu'à une butte d'où le regard embrassait une vaste étendue de collines vers le sud. Le Bâtard balaya l'horizon de la main :

— Vous voyez, tout ce territoire-là m'a été concédé.

Ouellet, ébahi maintenant, cherchait ses mots :

— Mais c'est incroyable ! C'est l'équivalent d'un grand morceau d'Europe, vous vous rendez compte ?

— Ouais, si vous voulez… Mais pour moi, ça représente surtout beaucoup de billots.

— Je vous comprends.

— Pas mal d'hommes aussi, dont plusieurs emmènent leur famille. Il me faut quelqu'un pour s'occuper des enfants.

— Vous pouvez compter sur moi.

— Vous allez devoir ouvrir une école. J'aimerais aussi que vous mettiez un peu d'ordre dans le village en train de s'édifier.

Ils réglèrent rapidement la question du salaire puis Léo voulut tout de même prendre quelques précautions :

— Vous pouvez me parler un peu du genre d'enseignement que vous allez donner ?

— Soyez sans crainte, je m'y prépare depuis des années. Je suis même allé jusqu'en Europe pour parfaire mes idées.

— En Europe ? Faites pas ça trop compliqué, là ; on va vous confier des enfants de huit, dix ans qui partent quasiment de rien.

— Justement, c'est la simplicité dont il faut partir et qu'il faut préserver ; c'est ce qui est le plus difficile. J'ai pour mon dire qu'il faut instruire sans dénaturer, discipliner l'intelligence sans l'enchaîner.

Le Bâtard pensait au régime qu'il avait connu au Séminaire :

— Vous allez donner un peu de liberté aux enfants ? leur faire prendre l'air de temps en temps ? C'est pas ça qui manque par ici.

— Comptez sur moi. J'en fais l'essence même de ma pédagogie : laisser le corps aérer l'esprit.

— Des élèves seront sûrement meilleurs que d'autres, vous allez quand même vous occuper de tout le monde, oui ?

— Je verrai à ce que chacun aille au bout de ses talents. C'est dans mes théories.

— Pour ce qui est des familles, de la vie commune, espérez pas trop. Vous allez voir que c'est pas tout du monde d'Église ici.

— Rassurez-vous, j'ai mes idées là-dessus aussi.

Le Bâtard considérait le petit homme difforme, sa silhouette affaissée, son regard vif, passionné. Il réfléchit un moment, parut hésiter, puis :

— Bon, vous pouvez vous mettre au travail.

— Pour revenir à mon école, ne vous inquiétez pas. Vous allez voir, ce sera original, tout à fait nouveau. Je ne sais pas encore comment je vais l'appeler ; il me faut un nom qui reflète bien sa vocation.

— Euh... l'École, ce serait pas mal, non ?

L'autre faisait la moue :

— C'est un peu convenu. Il faut quelque chose de plus éloquent, qui sorte de l'ordinaire, vous voyez ?

Et là-dessus, le savant s'éloigna en marmonnant, ployant sous sa bosse.

Il exultait ; c'était beaucoup plus qu'il n'attendait. Ce soir-là, retiré dans le camp qu'on lui avait assigné, il se prit à espérer à nouveau. On lui donnait une autre chance, la dernière sans doute, de mettre à l'essai ses idées, ses théories. Et quelle chance ! Dressé devant sa fenêtre, il promenait un œil rêveur sur les collines des Laurentides dont le profil s'embrasait dans la fin du jour. De vieilles ambitions qu'il croyait à jamais compromises reprenaient vie :

— L'heure de mon grand projet est enfin venue ! Je vais fonder dans ce lieu sauvage et superbe une communauté sans pareille. Elle sera le modèle du monde futur !

C'était le 18 juin 1950 ; il inscrivit la date au fond de son cœur.

Quelques jours plus tard, Belley revint à Pikauba pour voir où son ami en était. Il le retrouva à son camp, penché sur une table, en train de griffonner fébrilement :

— Alors, cher philosophe, où en êtes-vous dans vos projets?

— C'est merveilleux! Ce monsieur Léo entretient lui aussi de grandes visées; nos esprits communient admirablement.

— Je m'en réjouis.

— Je cherche un nom pour mon école. Ce sera une institution sans précédent, qui allie la discipline et la délinquance. Il faut tout reprendre, voyez-vous, faire redémarrer l'univers à zéro, comme j'avais commencé à le faire à Montréal et au Bassin.

— Comme c'est exaltant!

— Et aussi très difficile. Mon école doit être une source vive, qui reprenne la vie à son début; mais elle doit aussi incarner l'esprit de la souche, instaurer un nouvel ordre qui va se perpétuer. Comment donc l'appeler? Il me faut un nom qui annonce tout cela à la fois…

— Pas facile, en effet… La source, dites-vous? La source et la souche?

— En quelque sorte.

— Mais alors, pourquoi pas tout simplement: la Sourche?

— La Sourche… Mais oui! Mais oui! La Sourche! Nous y sommes: le mariage de l'eau et de la terre, de ce qui bouge et de ce qui dure…

— De ce qui jaillit et de ce qui s'enfonce…

— L'union de l'origine et de la racine…

— De ce qui commence et de ce qui s'ensuit…

— Oh, comme c'est bien pensé! Cher Gonzague, merci, merci.

— Allons, il suffisait d'un peu d'imagination. D'un peu de délinquance, comme vous dites…

Ils rirent et se congratulèrent joyeusement. Puis l'avocat prit congé, assez content de lui et tout à fait rassuré sur le compte de son ami.

Ouellet était retourné à ses travaux; il fignolait le programme de la Sourche. La nuit était fort avancée lorsque la lumière s'éteignit dans la fenêtre de son camp. Le lendemain, il y eut des mines stupéfaites et des regards embarrassés quand le Bâtard, allant d'une famille à l'autre, présenta le nouvel instituteur. Parmi la faune rude de Pikauba, son physique de mauviette détonnait violemment, pour ne pas parler du reste. Quoi, ce bossu? ce coque-l'œil? cet écouèpeau*? Sa mine défaite, peu engageante, et son regard oblique surprenaient, surtout chez un homme dont on vantait les idées droites. Des bûcherons, des troqueurs qui l'apercevaient pour la première fois sursautaient:

— Blasphème! Veux-tu me dire cé que l'Bâtard nous a emmené là?

— C'est pas un lutteur en tout cas…

— Un arbitre, peut-être?

Ils riaient.

— Pauvre diable! Lui as-tu vu l'emmanchure de bosse, toué?

— J'en ai jamais vu comme ça, même dans les chemins à Léo…

Mais dès que la conversation s'engageait, ses qualités de cœur s'imposaient. Les réticences fondaient, la confiance et l'estime s'installaient.

L'arrivée du Maître survenait à point. Les nouveaux venus avaient continué d'affluer au chantier, si bien qu'un gros hameau y avait pris forme dans l'anarchie. L'emplacement, cependant, présentait plus d'un attrait. Les habitations étaient concentrées près de la rivière Pikauba, bordée de noisetiers et de fougères, parmi lesquelles se déversait une source en lacets. Un peu en retrait s'élevait le majestueux Mont-des-Conscrits, ainsi nommé parce que de nombreux insoumis y avaient trouvé refuge en 1918, au moment de la crise de la Conscription. Le Mont présentait sur sa face sud une impressionnante falaise rocheuse (le « Cran ») au pied de laquelle s'étendait un lac parsemé d'îles. L'Îlet-des-Sauvages se dressait en son milieu; les plus vieux des bûcherons racontaient que sept Montagnais y étaient morts de faim jadis.

À partir de ce moment, Ouellet fut au four et au moulin, promenant tout le jour à travers les camps sa redingote étriquée et sa casquette trop large, s'arrêtant auprès de celui-ci ou de celle-là pour faire plus ample connaissance et décrire avec de grands gestes la magnifique communauté qui allait naître sur les rives de la Pikauba. Il s'empressa de tirer un plan qui encadrerait la croissance de cet habitat sauvage, qui s'appela désormais le Village. Il voulut qu'en s'étendant, il prenne la forme d'un cercle, figure de toutes les propriétés désirables en même temps que des meilleurs augures. Il dessina en son centre un grand quadrilatère qui allait devenir la Place et assurer un heureux contrepoids symbolique au motif circulaire. Il conçut ensuite une disposition en demi-cercles des futurs camps et maisons, de telle manière que les Habitants seraient amenés à la sociabilité tout en jouissant d'une vie privée.

Aux premiers rangs viendraient les services : forge, magasin, cordonnerie et autres échoppes. Vers le nord, en bordure du Village, Ouellet fit abattre et défricher d'autres espaces destinés au jardinage, mais il préserva un rideau d'arbres pour protéger du vent les Villageois. Puis il choisit d'élever aux abords de la Place deux édifices qui se feraient face. L'un, à l'est, serait son école (la Sourche…) et l'autre, le Temple. C'est le nom que le visionnaire donna à une grande bâtisse où les Habitants viendraient délibérer et statuer sur les affaires de leur communauté. Le savant résolut enfin de n'y pas mettre d'église sous le prétexte que la divinité, quoi qu'on entendît par là, saurait bien au besoin y faire sentir partout et en tout moment sa présence et son action bienfaisantes. Le Bâtard étudiait rapidement les plans et approuvait, en prêtant une oreille distraite et amusée aux théories du Maître. Parfois, quand il avait un moment, il l'interrogeait brièvement :

— Une société parfaite, dites-vous… ?

— Disons : presque !

Et l'autre, l'œil allumé, se lançait dans de longs développements sur le cours des siècles, l'épuisement naturel des civilisations qu'il fallait constamment relancer, le plus souvent à partir des marges, au milieu des êtres les plus simples…

— Ah ça, c'est sûr que pour les marges puis les simplicités, à Pikauba, vous allez être servi!

L'année d'après, soit à l'été 1951, le Village avait pris forme, ainsi que le Maître l'avait prévu. Autour du noyau initial, des rangées de camps en bois rond, à la toiture de bardeaux, s'étalaient le long de cinq ou six ruelles recouvertes de gravier. À chacune, il avait donné un nom de fleur afin d'adoucir les cœurs et les disposer à la poésie. Le Temple et l'école étaient faits de madriers embouvetés, lambrissés de croûtes posées à la verticale. Le premier était une ample et haute bâtisse, surmontée d'une girouette. La seconde, plus petite, était percée de larges fenêtres sur tous ses murs, Ouellet ayant voulu en faire un lieu de lumière. Le soir, les Pikaubains se regroupaient sur la Place où des bancs, des tables, des balançoires étaient disposés. Le Maître y fit aussi ériger un mat. Un pin de cinquante pieds, ébranché, écorcé, se dressa dès lors près du Temple, au sommet duquel flottait un drapeau blanc taillé dans un drap. Le savant expliqua que cette couleur, en ce qu'elle contenait toutes les autres, symbolisait le nouvel homme de Pikauba : pur, universel, nourri de tous les héritages, de toutes les patries et de toutes les inventions…

Avec l'accord de tous, la liberté devint souveraine et, à vrai dire, la seule contrainte. Tout le reste s'ordonnait en conséquence, donnant ainsi à la vie communautaire une grande spontanéité en même temps qu'une surprenante discipline. Les Habitants apprenaient à n'y reconnaître ni régences ni servitudes, seulement des devoirs qu'il leur plaisait d'honorer parce qu'ils en savaient et admettaient la cause et la fin. La nature, déjà, instituait discrètement non des privilèges mais des fidélités, des ordonnances voulues et respectées de tous. Le Maître s'en réjouissait; tout se mettait progressivement en place, en accord avec ses théories. Le Bâtard, finalement, voyait tout cela d'un bon œil : les villageois travaillaient dur, la bonne humeur régnait…

En dehors des heures d'ouvrage, les Pikaubains se plaisaient à converser à la coukerie*, autour des camps et sur la Place, où ils s'exprimaient dans leurs mots sur tous les sujets. Ils ignoraient les hiérarchies, sauf celles qu'établirent peu à peu et spontanément l'âge et les capacités démontrées au travail ou ailleurs. L'un se révélait un chauffeur hors pair et un autre le plus rapide des colleurs*. Celui-ci excellait comme raconteur et celle-là comme ramancheuse. Telle autre, qui avait une jolie voix, enchantait les soirées sur la Place. Tous ces talents étaient tenus en égale estime, selon la circonstance et l'heure du jour. À la suggestion du Maître, il n'y eut pas non plus de surveillance ni de châtiment. Selon ses théories, les Pikaubains ne manqueraient pas de manifester la retenue qui vient naturellement aux personnes lorsqu'elles ne sont pas opprimées.

Ses théories… Ouellet ne manquait pas d'en entretenir Léo quand il pouvait l'attraper au passage :

— La liberté, vous verrez, tout est là !

— Ouais… Pas trop quand même, là, an ? J'ai des billots à livrer, moi.

* * *

Parmi ceux qui côtoyaient le Bâtard de près et qui étaient les plus visibles au Village, il y avait Eudore et Gemma Fortin. Ils étaient arrivés un jour à Pikauba en provenance de Saint-Urbain, au nord de Baie-Saint-Paul, après avoir marché six jours à travers les savanes, les montagnes et les crevasses de Charlevoix, tout comme l'avaient fait, bien avant eux, les premières familles venues ouvrir des terres au Saguenay. On ne sut jamais ce qui les avait contraints à cette marche forcée ni ce qui les avait chassés de leur patrie tant aimée, dont ils gardaient un souvenir aussi doux que douloureux. Eudore était un homme rieur, bien qu'il ait été affligé de plusieurs maux. Il avait cependant pardonné au Bon Dieu qui, en retour, lui avait fait cadeau de Gemma. Il se plaisait à préciser :

— Gemma, comme dans gemme !

La dame, qui régnait sur une très nombreuse famille, corrigeait :

— J'dirais plutôt : comme dans germe !

Eudore connaissait tout de la forêt, en ce sens que ce qu'il en ignorait n'était connu de nul autre. Il était l'ami des arbres, des bêtes et des gens, jugeant les uns et les autres à leur mérite. Gemma n'avait jamais songé à aimer un autre homme. Non qu'elle l'adulât ou s'immolât de quelque façon, car elle savait lui tenir tête. Mais elle s'était fait une idée de la vie et de ce qu'on devait en attendre. Elle répétait en clignant de l'œil :

— Les maris ? C'est pas la peine de chercher de midi à quatorze heures, l'un vaut l'autre.

Avec Fabrice, c'était autre chose. Issu d'une famille acadienne de Kénogami, il avait fait trente-six métiers avant de prendre pays à Pikauba. Et ceux qui le connaissaient avaient trente-six histoires à raconter sur sa jeunesse et son enfance :

— Lui, c'est pas mêlant, y a appris à courir avant de marcher.

— En tout cas, j'peux vous dire qu'y a pas marché longtemps au catéchisme.

— Y a couru pas mal tout c'qu'y avait de filles à Kénosami, par exemple !

— Ça, c'était avant qu'y prenne le large.

— Y a conté à un gars que, tout ensemble, y se serait faitt dans les cinq cents blondes à peu près…

— Baptême, c'est pratiquement cinq cents de plus que moué !

Parvenu à l'âge adulte, l'homme ne s'était guère assagi. Au contraire, la nature, en son cas, semblait avoir additionné et même décuplé ce que les premiers âges contiennent d'impétuosité, d'impatience, de désordre.

Allant toujours à la hâte, il lui arrivait d'inverser le cours des choses. Ainsi, il avait épousé Clothilde avant de l'aimer et l'avait mise enceinte avant de l'épouser. Il se montrait un compagnon très attentif pour elle, mais pour bien d'autres aussi, hélas. Car il nourrissait une conception très personnelle de l'union conjugale : c'était une institution qu'il respectait, dans laquelle il s'efforçait de donner beaucoup et, si possible, de recevoir encore plus. S'il se reconnaissait bien des devoirs dans sa relation avec sa conjointe, l'exclusivité n'en faisait pas partie. Clothilde n'était pas dupe :

— Je l'sais bin que tu changes de clos, mon gibier.

— Voyons donc…

— C'qui m'choque le plus, c'est que tu t'imagines que j'm'en aperçois pas. J'veux bin faire la moutonne, mais pense pas que je vas donner de la laine en plus !

Il y avait aussi Valère, le frère de Nazaire, celui qui avait séjourné à l'école de réforme. Léo l'avait rencontré plusieurs fois à la vieille maison des Chicots au temps de son adolescence. Ils s'étaient ensuite perdus de vue. Le Bâtard l'avait retrouvé au printemps 1951, toujours chez la grand-mère :

— Qu'est-ce que tu deviens, mon cousin ?

— J'ai brassé un peu, j'ai pas eu de chance…

— On m'en a parlé, vaguement. Qu'est-ce qui t'est arrivé au juste ?

— Ben… ça m'gêne un peu.

— T'es pas à la confesse.

— J'ai trempé dans une petite affaire de vol à Alma, une niaiserie. J'avais seize ans, j'me suis ramassé dans une école de réforme en banlieue de Québec. C'est un Frère qui m'en a sorti. Y m'donnait des cours de comptabilité.

— Ça ressemble à mon histoire, ça. Tu t'es raplombé ?

— Ah oui, oui, j'me suis replacé. Là, j'travaille depuis un bout de temps dans un gros magasin à Québec. Chez Pollack. J'ai un bon poste. C'est sûr que la région me manque un peu, mais qu'est-ce tu veux…

— Ça te tenterait pas de te rapprocher ? J'ai besoin d'un comptable.

Au cours des semaines suivantes, Valère avait fait deux ou trois visites à Pikauba. Et l'affaire s'était arrangée. Maintenant, il ne jurait que par son cousin.

Évoluaient aussi à proximité du Bâtard des personnages comme l'oncle Méon, silencieux, renfermé même, Louis-de-Gonzague, le conseiller bienveillant, paternel, et Raoul Roy, l'exécuteur ingénieux et efficace des œuvres discrètes, qu'on voyait souvent à Pikauba où l'attiraient la chasse et la pêche, en plus de ses affaires.

Il y en avait bien d'autres dont Léo appréciait la compagnie. Padoue, par exemple, dit Padoue-l'Ours, un géant mal léché, un ours en vérité, qu'on aurait dit sorti de la forêt, chassé par ses congénères pour son manque de manières. Coureur de lacs et de rivières, il disait :

— Moué, le bois, c'est la seule adresse permanente que j'ai jamais eue.

Léo avait percé sa carapace et appris à lui parler, sinon à le guider. Il y avait encore Victor Delamarre (ou mieux nommé : De-la-Mort), qui pouvait soulever d'un coup de rein l'avant d'un picope et étrangler de ses mains un sapin de huit pouces jusqu'à en faire pisser la sève. Ti-co était un petit agrès de cent livres, malin comme un cric et gesteux* comme un suisse, qui était toujours disposé à livrer batailles et les perdait toutes, ce pourquoi on ne l'envoyait jamais en ville qu'en compagnie de Padoue-l'Ours ou de Victor, en sorte qu'il en revenait ordinairement complet ou presque. Fou-Braque était un homme austère, vaillant et talentueux, tout entier dévoué, dans ses pensées comme dans ses gestes, à l'empire de la raison — contrairement à ce que son nom suggérait — mais selon une logique et des règles connues de lui seul. Il était toujours avisé de l'encadrer de près.

Rond-Coin, autre cousin du Bâtard, devait son nom aux libertés qu'il prenait avec les mots, un trait qu'il avait hérité de son père, Adrien, qui le tenait lui-même d'un aïeul. Dans sa langue, les ronds-points récemment aménagés dans la région pour la circulation automobile étaient devenus des « ronds-coins ». Les faramineux projets d'aluminerie qui ne cessaient de resurgir au Saguenay étaient pour lui des « illumineries ». Il s'était marié en escamotant les « finançailles », trop coûteuses à son goût. Il exprimait ses idées à sa manière, ce qui, au premier abord, en étonnait plus d'un. Ainsi, quand il entra dans la cinquantaine, il se trouva tout à coup très vieux, ce qui lui inspira ce commentaire bien de sa façon :

— C'est sûr que la première fois, ça surprend...

Cet homme de tous les métiers (parce qu'il n'en avait aucun), après avoir bardassé un peu partout, avait enfin trouvé un havre à Pikauba où les gens s'entendaient « comme les six doigts de la main ». Vilebrequin, un ancien menuisier de chez Price, s'était fait connaître un jour en sévissant contre un boss qui rudoyait les employés : il avait crevé les quatre pneus de sa Cadillac en y enfonçant la mèche de son outil. La Floune était un escogriffe des plus maladroits, dénué de talent et néanmoins débordant de lui-même, dont les défauts accusaient une grosse avance sur les qualités. Faute de réfléchir, il renâclait sept fois avant de parler, ce qui était une importante source de tension à Pikauba car le personnage était bavard.

Jos-la-Mâchoire, parti de rien dans la vie, s'était hissé à une position enviable par la seule force de ses dents, qu'il avait courtes et dures et dont, en dehors des heures de repas, il se servait pour décrochir des clous, percer des plaques de fer, tirer à l'aide d'un câble un camion enlisé et, à l'occasion, comme il le disait lui-même, « replacer dans son siècle » un interlocuteur turbulent. Il abusait parfois de son don, ce qui lui avait valu quelques ennuis avec la justice, par exemple le jour où il avait menacé un automobiliste de mordre le pare-chocs de sa voiture. Sur un coup de tête en quelque sorte, il avait joint le geste à la parole — il n'y avait pas loin de l'un à l'autre. Déplié, lui, était né à la Crèche de Chicoutimi et y était longtemps resté, n'ayant pu trouver preneurs parmi les parents généreux qui circulaient tous les dimanches entre les rangées de berceaux et de lits pour se choisir un descendant. Son infirmité, qui le faisait marcher le dos courbé, y était sans doute pour quelque chose ; il ne manquait pourtant pas d'emplois dans la société pour ce genre de personne. C'est en arrivant à Pikauba qu'il s'était tout à coup redressé.

Barre-à-clou, un prêtre défroqué et repentant, était retourné au travail manuel et avait gagné Pikauba afin d'expier ses fautes. Il y avait trouvé le plus doux, le plus accueillant des purgatoires. C'était un grand sec, très droit, dont le nez et le menton, qu'il avait aussi étirés l'un que l'autre, formaient comme les deux pinces d'un arrache-clou. On le voyait souvent en compagnie d'Aller-Retour, un gaillard tout en rondeurs au visage rubicond, bavard comme une pie. Quand celui-là s'était présenté au Village, Léo s'était montré étonné de son nom. Dès qu'il avait pu placer un mot, il l'avait interrogé :

— Aller-Retour ?

— C'est un surnom.

— Je m'en doutais un peu… D'où ça vient ?

— C'est parce que j'parle aller-retour.

— …?

— Chus capable de parler dans les deux sens, sans arrêter. En soufflant pis en halant. Comme ça, j'perds pas de temps.

— T'es pressé ?

— Pas vraiment, mais on sait jamais.

— T'as jamais besoin de penser ?

— C'est déjà faitt.

Machine, l'ancien forgeron devenu mécanicien, grand chef-d'œuvreux* de naissance, ambitionnait de mettre au point rien de moins que le mouvement perpétuel et il y consacrait tout son temps libre. Au fil des mois, la chose avait pris du volume, mais l'œil le plus averti n'arrivait pas à y démêler le début et le commencement. Il y entrait force poulies, rouages et courroies de

dimensions très inégales et agencés selon des angles très audacieux, chaque élément remplissant une fonction présumée
essentielle. Seul l'inventeur paraissait s'y retrouver. On lui
demandait :

— Puis, ton mouvement perpétuel ?

— Y en a plus pour longtemps.

De temps à autre, l'ensemble émettait une petite explosion
qui faisait accourir les Pikaubains. Ils pouvaient ainsi constater
que l'œuvre générale bougeait, ce qui était en quelque sorte un
début.

Cage-à-l'Eau, dont ce fut le juron avant de devenir le surnom, venait des Îles-de-la-Madeleine où il avait été, disait-il,
pêcheur de père en fils. Il était assurément en âge d'être grand-
père, mais on ne lui connaissait aucun parent, ni en amont ni en
aval. Depuis son arrivée à Pikauba, il occupait divers emplois en
forêt, au hasard du travail et du jour. Il n'avait pas renoncé pour
autant à la navigation et à la mer, dont il remplissait sa conversation. Il connaissait et commentait les trente-deux vents qui souf-
flent sur les Îles, les quarante-huit courants qui agitent leurs
eaux, les six cents bateaux qui y avaient fait naufrage. Peu après
son installation à Pikauba, cet étrange marin des bois, toujours
coiffé de sa casquette de capitaine, avait dressé dans une coulée à
l'extrémité ouest du Village ce qu'il appelait un radoub et avait
entrepris d'y construire une goélette. Des esprits avisés lui firent
remarquer que ce type de bateau était bien trop long pour le Lac
et bien trop large pour la Rivière. Il avait souri :

— Ma goélette est pas pour le Lac ni pour la Rivière, mais
pour la mer.

— On voit pas de mer ici, Cage-à-l'Eau. Comment vas-tu le
transporter, ton bateau ?

— Qui vous parle de le transporter ?

— Mais t'es fou, tu bâtis pour rien ?

Il avait pris un air entendu, un peu dédaigneux :

— On voit que vous connaissez rien à la navigation. C'est

pas compliqué : là où y a un bateau, y a la mer. Même vous autres, vous devriez savoir ça. Ça fait que, construisez un bateau pis un jour où l'autre, immanquablement, y aura la mer. C'est tout vérifié, ça.

Aux sceptiques, il opposait encore :

— Quand tu bâtis un bateau, tu penses pas à la terre, tu penses à la mer. Moi, je pense tout le temps à la mer.

L'assurance de l'ancien marin et toute sa science ne convainquaient personne. Néanmoins, tout le monde surveillait avec curiosité l'étrange chantier qui se déployait au fond de la coulée. À la fin du jour, le Madelinot y travaillait patiemment du maillet et de l'herminette, de la tarière et de la varlope. Bientôt, le Radoub devint un lieu très fréquenté de Pikauba. Le maître d'œuvre n'y pouvant consacrer beaucoup de temps, l'ouvrage avançait bien lentement, tout comme le mouvement perpétuel de Machine. Les Villageois n'y voyaient aucun inconvénient et Cage-à-l'Eau, apparemment, non plus. Sa patience et sa passion ne diminuaient pas, non plus que sa conviction. Dès qu'il avait une minute, il passait au Radoub, retouchait ses plans et, avec une grande minutie, ajoutait un morceau ou deux à ce qui, pour l'heure, ressemblait plus à un échafaudage qu'à une goélette. Il la bâtissait comme les anciennes cathédrales, y faisant chaque jour ce qu'il pouvait et reportant le reste au lendemain, sans s'inquiéter du temps.

Tant de sagesse et de raison appliquées à une idée qui en semblait si dépourvue finirent par toucher les Pikaubains qui, un peu malgré eux, se prirent au jeu. Dès lors, chacun voulut contribuer, même modestement, à l'œuvre. L'un apportait une épinette toute croche pour la membrure ou pour les douves, un autre des cheveux d'ange pour le calfat, un bout de cordage pour la drisse. Les hommes organisèrent une corvée pour mettre en place la carène. Et un jour, Léo lui-même arriva au Village avec une vieille ancre rouillée dans la boîte de son Chevrolet. Les épouses aussi y mettaient du leur en cousant de vieux draps vaguement recyclés en aurique, en latine, en misaine. Gemma, quant à elle, ne croyait pas donner dans l'infidélité conjugale en accordant occasionnellement à Cage-à-l'Eau une « petite faveur » qui lui faisait à elle si peu de mal et à lui tant de bien. Tout comme d'autres femmes du Village, elle s'y adonnait non pour le plaisir mais par simple bonté. Eudore et les autres époux feignaient de n'en rien voir. Ainsi le Village offrait au faux marin tous les attraits d'un vrai port. Il n'y manquait que la mer.

Un jour pourtant, au cours d'un échange musclé dont ils avaient l'habitude, Fabrice interpella Clothilde :

— Tu peux bin m'reprocher de changer de clos, toué ! Tu penses que j'te vois pas faire avec Cage-à-l'Eau ?

— Depâme, depâme, ok là ? Tu sauras que moué, c'est pas du couraillage !

— Ah non ? Tu vas pas me dire que c'est de la navigation ?

— C'est de la charité chrétienne, tu sauras…

— Ah bin, vieille chasuble ! C'est bin vrai qu't'es plus catholique que moué !

Tels étaient les personnages qui formaient le noyau de Pikauba. La plupart d'entre eux y avaient échoué par les chemins les plus tortueux et avaient entrepris de s'y refaire une vie. Ils y étaient d'autant plus attachés et fidèles qu'ils savaient bien ne jamais pouvoir s'en faire une autre. Ils nourrissaient à l'endroit du Bâtard un mélange d'affection et de crainte, de dévouement et de soumission, et ils vouaient une égale admiration pour ce qu'ils savaient ou imaginaient de son passé et ce qu'il en avait fait. Les mérites qu'ils lui prêtaient faisaient pardonner sa sévérité jugée parfois excessive. Des anecdotes colorées, extravagantes, couraient sur son compte. On assurait que, dès l'âge de sept ans, il conduisait son premier troque. À Jonquière, à douze ou treize ans, il avait assommé l'un après l'autre tous les mauvais garçons de son quartier. Et les gens de l'Anse-Saint-Jean ne racontaient-ils pas que, par une terrible nuit de tempête, il avait sauvé la vie du Premier ministre « en personne » ? Il était connu aussi qu'en affaires, il avait mis les millionnaires américains dans sa petite poche… Il était du reste l'homme le plus riche de la région, après l'évêque naturellement. Et combien d'histoires, combien de légendes mettant en vedette son père Méo, le géant, dont l'ombre planait jusque dans ces parages.

Durant les pauses en forêt ou le soir sur les galeries des maisons, les hommes échangeaient le récit de leur entretien avec le Bâtard au moment de leur embauche. Chacun en gardait un souvenir précis qui, avec le temps, se chargeait d'incidents, d'émotions, de mystère. L'un racontait :

— Moué, aussitôt entré dans son campe, quand j'ai vu ce grand gars-là, j'ai su tu suite que j'avais pas affaire à du monde ordinaire. J'étais tellement gêné, j'sortais même pus un sacre, calvaire !

— C'est comme moué, chose, y m'a même pas parlé, y m'a juste regardé. Dans le blanc des yeux. C'est pas mêlant, j'pensais que j'allais fondre ; j'me sentais comme une motte de neige su'l poêle.

— Tu voué, quequ'un qui sait vraiment parler, c'est de même.

— C'est un gars qui connaît les hommes, ça se voué tu suite, ça. Dans ce temps-là, moué j'dis, tu r'gardes pas à l'ouvrage ; tu penses pas à tirer sur les cordeaux, tu sais que ça va être crissement bin mené.

— Moué, j'veux pas me vanter, mais j'connais un gars qui a entendu dire qu'y se serait fâché une fois. Mais fâché pour vrai, là, là. Contre des Anglais à part ça ! Y paraît que ça avait fait lette en hostie. C'est pas mêlant, ça s'est dit que les gars qui l'avaient fait fâcher, y sont même pus là aujourd'hui pour le conter, chose…

Rond-Coin veillait à ajouter son mot, toujours singulier :

— C'que tu veux, c'est ça quand on est bi-langues…

Et, le doigt en l'air, devant une galerie un peu déconcertée, il ajoutait :

— Terriblement d'afféte, le gars, à part de ça! Ce serait pas le genre à donner trois trente-sous pour une piasse, non mmmonsieur!

Léo parlait peu à ses hommes, il est vrai. Quand il le faisait, c'était sur le ton de la cordialité, mais il savait aussi, au besoin et sans élever le ton, s'imposer. En fait, ils ne le craignaient jamais tant que lorsqu'il baissait subitement la voix. Ils mettaient les nouveaux venus en garde:

— Attention, celui-là, il a les clous par en dedans.

Il savait les surprendre, comme ce jour où un homme s'était présenté au chantier avec un jeune cheval. Il l'avait attaché à un arbre, le temps d'aller régler une affaire. Mais les pétarades des scies mécaniques avaient mis la bête en panique. Elle tirait furieusement sur son licou et s'infligeait de profondes lacérations à la gorge. Alertés par les hennissements, des hommes s'étaient regroupés autour de l'animal, essayant de le calmer, mais il les repoussait avec de violentes ruades. Son charretier accourut et ne sut faire mieux. La bête était sur le point de s'asphyxier quand le Bâtard se présenta. Il éloigna les autres, s'approcha doucement du cheval, le caressa de la main et lui murmura des mots d'apaisement. Après un moment, l'animal se calma et Léo retourna vers son camp. Les hommes, incrédules, le regardèrent s'éloigner: il commandait donc aussi bien aux bêtes qu'aux hommes?

Chapitre 19

Au cours des années 1950-1951, Léo porta à 800 milles carrés son aire de coupe et doubla sa production. Il continuait de modifier ses procédés, d'innover. Ses Montagnais — il disait : ses Éclaireurs — faisaient toujours merveille dans la reconnaissance des nouvelles aires de coupe et dans le tracé des chemins. Il en recruta d'autres, compensant ainsi le privilège détenu par Gosselin qui utilisait des hydravions des Terres et Forêts grâce à la complicité de hauts fonctionnaires. Ce n'était pas le seul avantage dont le Sieur pouvait se targuer. Il y avait parmi sa main-d'œuvre un corps d'élite formé de quelques demoiselles peu farouches qui arpentaient ses chantiers et s'employaient à tromper la solitude des bûcherons. Pour combler cet autre handicap, Léo dut faire appel à l'esprit inventif de Raoul Roy, si bien qu'à partir de janvier 1951, tous les deux mois environ, un autobus de poupounes vint de Montréal pour œuvrer au chevet des célibataires de Pikauba.

Machine continuait à bricoler, à patenter. Pour les rendre moins vulnérables aux chemins très accidentés, il supprima les silencieux des camions et les remplaça par de robustes tuyaux d'acier :

— Un vrai troque a pas besoin de ces bébelles-là !

Plus tard, il équipa les tracteurs d'une sorte de bélier métallique disposé à l'avant du radiateur pour faciliter leur mouvement là où la végétation était épaisse. Les pannes et les bris diminuèrent substantiellement. À l'invitation du Bâtard, il se pencha aussi, avec beaucoup de succès, sur les différentiels des Chevrolet en renforçant la dentelure du driving-shaft*. De leur côté, les familles elles-mêmes voulurent adoucir la vie de Pikauba en cultivant des jardins, en s'exerçant à la propreté. Au moyen d'énormes génératrices, Léo fit installer l'électricité dans toutes les maisons. La majorité des hommes y séjournaient maintenant à longueur d'année en compagnie de leur femme et de leurs enfants, ce qui stabilisait la main-d'œuvre et tempérait les mœurs, toutes conditions favorables à la marche des opérations.

Un jour, quelques familles se présentèrent au bureau du Bâtard porteuses d'une requête ; elles demandaient à disposer d'un appareil radio dans leur camp afin de suivre les aventures de Séraphin Poudrier et Donalda. Elles réclamaient aussi l'installation du téléphone. Le Bâtard acquiesça à la première requête et fit dresser une antenne sur le toit du Temple, mais il rejeta la seconde ; le service téléphonique était réservé aux dirigeants de la Société. Il y eut quelques grognements. De même, il fit des mécontents lorsque, repoussant toutes les objections, il interdit la boisson au Village. Il refusa aussi de faire poser de la peinture sur les murs des camps. La Mistapéo avait d'autres priorités.

Fin avril 1951, Léo put remettre un autre montant de 100 000 $ à la Turner & Son, réduisant ainsi sa dette à 300 000 $. Il apprit, quelques semaines plus tard, le décès de Karl dans un accident d'avion survenu en Floride. Il prit aussitôt le train pour Binghampton où il assista aux funérailles. La parenté était consternée par cette mort si brutale et Léo lui-même fut très éprouvé par la perte de son ami. Le père, désespéré et désormais privé d'héritier, parlait de se défaire de son entreprise. Léo, tout à coup, s'inquiéta de ce qu'allaient devenir ses rapports avec la compagnie américaine. On l'informa quelques mois plus tard que Turner avait vendu toutes ses affaires à un Consortium formé d'une trentaine de sociétés de construction, avec siège social à New York. En vertu du contrat qu'il avait signé, le Bâtard était tenu de vendre tout son bois de sciage au nouveau partenaire. Toujours en quête de débouchés pour accroître sa production, il voulut se libérer au moins en partie de ce carcan.

Il se rendit à New York et, en échange d'une baisse de prix, il obtint la permission de traiter séparément avec chacun des membres du Consortium. Il se fit aussi autoriser à disposer à sa guise de la moitié de sa production. Tout cela lui donnait un gros avantage sur Gosselin. Toujours lié aux intérêts ontariens, le Sieur était contraint de livrer pratiquement tout son bois à une importante compagnie de Toronto, aux prix et conditions qui lui agréaient. En plus, une agence de Québec, les Martineau Brothers, servait d'intermédiaire et se réservait un gros profit.

Dès lors, le Bâtard attaqua durement le marché régional des scieries. Recommandé par le Consortium, il voyagea quelques semaines dans le Nord des États-Unis en compagnie de Fabrice, Eudore et Machine. Ils poussèrent jusqu'en Californie où, grâce à une technologie nouvelle, de très gros établissements venaient d'entrer en production. Ils étudièrent de près le fonctionnement de l'équipement et le montage des opérations. De retour au Québec, Léo fit une autre visite au bureau du Premier ministre qui prit plaisir à se faire relater l'ascension foudroyante de son protégé. Et comme il se réjouissait fort de ses succès, il lui concéda d'autres permis d'exploitation, toujours dans le vaste Parc des Laurentides. Son territoire de coupe recouvrait désormais 1 200 milles carrés.

Encore une fois et toujours à même ses profits, le Bâtard fit de gros achats de machinerie, ouvrit d'autres chantiers, installa des planeurs et doubla le nombre de ses employés. Comme d'habitude, Machine, maintenant à la tête d'une grosse équipe, avait fait son œuvre, ici retouchant rouages et engrenages, là modifiant quelques angles ou rectifiant tensions et contrepoids. Léo accrut aussi la qualité de son produit en construisant trois chaufferies dans lesquelles séjournait le bois de sciage avant livraison. Enfin, il fit ériger, tout autour du Village, des brûleurs pour disposer du bran de scie. Ouellet obtint cependant qu'ils n'opèrent que la nuit afin d'éviter que, le jour, leur fumée ne masque le ciel de Pikauba.

Le soir, par contre, les familles éblouies s'attardaient devant leurs fenêtres pour contempler cette étrange féerie. L'endroit ressemblait à une forteresse sur laquelle veillaient de gigantesques torches. À Léo, il inspirait d'autres sentiments. Se rappelant ses longues soirées de rippe et de bran de scie avec l'oncle Antonin, il confiait à ses adjoints :

— C'est de valeur de gaspiller du beau bran de scie comme ça…

Les croûtes, par contre, servaient au chauffage des camps. Au cours du sciage, elles étaient prélevées par les claireurs et déposées sur des échafauds en suspens. Lorsqu'ils étaient remplis, un camion se glissait dessous et s'emparait du chargement, ce qui évitait toute manutention. Le Bâtard lui-même avait imaginé le procédé.

Grâce à tous ces développements, il était parvenu à déployer en pleine forêt un important réseau de scieries. Il avait aussi envahi le marché saguenayen, bousculant Gosselin, et vendait maintenant son bois dans tout l'Est du Québec. La Société Mistapéo prenait de l'envergure, ayant porté son chiffre d'affaires annuel à plus d'un million de dollars. Le Bâtard n'en croyait pas ses yeux; Valère non plus. À la suggestion de Belley, en septembre 1951, il dota la Société d'un Conseil formé de ses plus proches collaborateurs qu'il fit actionnaires de l'entreprise. Le nouvel organisme établit ses bureaux dans une partie du Temple où il se réunit désormais une fois par mois.

Gosselin perdait des plumes, mais il tenait son bout.

Empruntant les idées du Bâtard, il fit un premier essai de chantier estival. Il créa aussi un village forestier sur la rive nord du Saguenay, entre l'Anse-aux-Foins et Sainte-Rose-du-Nord. Il faisait espionner les chantiers de Pikauba et, dès que Léo mettait une machine à l'essai, il l'imitait. Cette manie, grâce à l'esprit facétieux de Fabrice, lui valut d'acquérir à quelques occasions des mastodontes compliqués, aussi coûteux qu'encombrants, vite abandonnés à la rouille dans quelque coulée. Un jour, voulant se procurer une quantité de pionneures dans leur version modifiée, il fit approcher secrètement quelques hommes de la Mistapéo, qui rapportèrent aussitôt l'affaire à Léo. Machine et ses aides trafiquèrent une centaine d'engins et la transaction fut bâclée en catimini, à prix fort. Il n'y en eut pas d'autres.

Une autre fois, le Sieur voulut soudoyer des Éclaireurs montagnais de Léo, dont la réputation avait débordé Pikauba, et les affecter à diverses tâches de repérage vers le nord. Ils en informèrent aussitôt le Bâtard qui convoqua Kurtness, Méon et quelques autres Indiens. Ensemble, ils mirent au point une petite malice. Six Éclaireurs passèrent peu après au service de Gosselin et, pendant quelques semaines, ils colligèrent des tas d'informations sur les territoires qui leur étaient désignés. Des contremaîtres de l'International Manufacturing les étudièrent attentivement et organisèrent les chantiers en conséquence. Durant les trois années qui suivirent, jamais des opérations forestières n'avaient été frappées d'une telle déveine. En plusieurs endroits, la forêt était plus clairsemée qu'on avait cru et le relief du terrain plus brisé. Les chemins se défonçaient, les camions et tracteurs s'enlisaient, les cours d'eau se gonflaient et emportaient les calvettes. Gosselin était aux abois mais se trouvait chanceux malgré tout, répétant à tout-va :

— Encore une chance que j'aie eu mes Montagnais !

Un jour, l'agent gouvernemental de la Réserve de Pointe-Bleue contacta Léo et l'informa que les Indiens œuvrant à son service devaient verser le quart de leur salaire au nouveau Fonds de développement des Réserves. Le Bâtard fit appel à Raoul Roy.

Quinze jours plus tard, une entente intervint au terme de laquelle Léo lui-même versa une contribution de 7 000 $ au mystérieux fonds, dont personne n'entendit plus parler. Une autre fois, une lettre du Secrétariat canadien des Affaires indiennes annonçait que les Montagnais de Pikauba étaient contraints de quitter leur emploi parce qu'ils s'étaient livrés au commerce illégal du produit de leur chasse. En fait, ils rapportaient de temps à autre à la coukerie du Village quelques perdrix ou lièvres pris au collet. Cette fois, le dossier fut confié à Louis-de-Gonzague qui se rendit à Ottawa où il éteignit l'affaire en menaçant des fonctionnaires de poursuites pour abus de pouvoir. Il y eut quelques autres incidents de ce genre. Léo allait apprendre plus tard que, dans chaque cas, Gosselin avait tiré les ficelles. Il essayait par tous les moyens de perturber les opérations de la Mistapéo.

Un épisode d'une tout autre envergure survint peu après, qui menaça l'ensemble des activités de la Société. L'opération fut lancée par les Martineau Brothers de Québec et leurs patrons torontois. Ils firent pression auprès de deux ou trois ministres fédéraux pour faire alourdir démesurément les frais de douane sur le bois de sciage exporté aux États-Unis. Comme plusieurs autres exportateurs québécois, Léo se trouva gravement menacé. Alerté, le Consortium américain et ses alliés firent intervenir rien de moins que le Secrétariat du Commerce à Washington pour remettre les esprits et les choses en place. Par la suite, le Bâtard crut bon de resserrer encore ses liens avec ses partenaires américains et, chaque année, il s'absenta une semaine ou deux pour leur rendre visite et prendre part à la réunion annuelle du Consortium. Bien lui en prit car, à quelques reprises, il put ainsi déjouer, dans les années qui suivirent, d'autres manœuvres de ses concurrents.

Le Sieur, humilié, voyait ses affaires décliner. Alors, faisant des pieds et des mains, donnant de tous ses rubans et médailles, courant de mairie en évêché puis d'évêché en ministère, il parvint à monter une solide contre-attaque. Quelque temps auparavant, une société d'ingénierie de Montréal avait obtenu le contrat de construction d'un barrage au nord de Baie-Comeau et une grande étendue de forêt allait bientôt être baignée pour créer le réservoir. Avant que le territoire ne soit inondé, il fallait y couper les résineux, seul bois qui entrait dans la fabrication du papier (la Compagnie Price avait obtenu que tout le bois de Gosselin lui serait vendu en ballots de quatre pieds). La société montréalaise convoitait également des contrats en Ontario et se montra donc sensible aux pressions qu'elle subit de la part de financiers anglophones alertés par les Martineau. Bref, à l'été 1951, Gosselin hérita du juteux contrat de coupe. Tout le travail devait toutefois être achevé dans un délai de deux ans. Dans le cas contraire, le réservoir serait néanmoins rempli et même la machinerie encore en place serait perdue.

Léo, qui avait pourtant joué ses cartes dans l'affaire, parut se résigner à sa défaite. Mais il voulut consulter le contrat signé par Gosselin. S'étant adressé à ses deux avocats, il apprit que ce genre de document n'était guère accessible. Il existait toutefois à Montréal certaines agences qui pourraient peut-être l'aider. Raoul en connaissait une qu'il contacta. Trois semaines plus tard, il remettait au Bâtard, en même temps qu'une facture très salée, une copie du contrat.

Le territoire de coupe était vaste et le Sieur dut consentir de lourds investissements pour le couvrir de chemins, de ponts et de camps. Il plaça aussi des commandes d'équipement en quantité telle que les fournisseurs se déclarèrent incapables d'effectuer les livraisons sur-le-champ. Contre toute attente, Léo se fit beau joueur et loua à son rival de nombreuses machines à très bas prix. Il alla même jusqu'à mettre plusieurs de ses Éclaireurs à son service — sans malice, cette fois. Le Bâtard étonna encore en continuant d'obliger de diverses manières son compétiteur, qui s'en montrait aussi déconcerté que reconnaissant. Tant de bons procédés firent que l'ensemble du travail fut exécuté en dix-huit mois. Gosselin, soulagé, ferma alors le chantier.

C'est le moment que Léo attendait. À la stupéfaction de tous, ses machines envahirent le territoire de coupe à l'instant même où celles de Gosselin l'évacuaient. Que se passait-il encore ?

Le Bâtard avait son plan depuis le début. Par ses amis de New York, il avait appris que deux ou trois établissements de Géorgie utilisaient maintenant des essences de feuillus, comme le tremble et le peuplier, pour fabriquer un carton de peu de qualité mais très résistant auquel l'armée américaine, notamment, s'intéressait fort. Or, rien dans le contrat de coupe n'interdisait de relancer les opérations une fois que Gosselin lui-même en aurait terminé. L'idée était d'ailleurs si insolite qu'elle n'entrait dans aucune tradition ou convention, tout en n'étant exclue d'aucune. Furieux et floué, le Sieur se débattit comme un beau diable, embaucha douze avocats et autant de clercs, saisit la cour et l'arrière-cour, fit trente-six neuvaines, implora jusqu'à saint Grégoire le Grand, rien n'y fit. La position du Bâtard était inattaquable.

Il put donc utiliser l'infrastructure mise en place par son rival et eut tout le temps de procéder à la coupe des espèces dites vulgaires, étonnamment abondantes sur ce territoire nordique. Il en profita même pour raser de grandes aires de résineux que les gens de Gosselin, pressés par le temps, avaient sacrifiées. Là encore, il fut à même d'apprécier la compétence de ses Éclaireurs. Il s'épargna même le recrutement et le transport des hommes, ceux du chantier précédent étant trop heureux d'enchaîner avec le nouveau. Deux ans plus tard, à l'expiration du délai, le constructeur du barrage allait annoncer un petit retard dans l'exécution de ses travaux, permettant ainsi à Léo de récupérer diverses installations, notamment plusieurs camps qu'il se proposait de réutiliser dans ses chantiers. L'ensemble de l'opération lui rapportait un pactole.

* * *

À Chicoutimi, au cours du mois de mai 1951, les citoyens étaient survoltés par la campagne électorale opposant le maire sortant, Osias Corriveau, à l'échevin Albert Larouche, un mécanicien qui représentait le quartier ouvrier du Bassin. Corriveau venait de terminer un cinquième mandat qui, tout comme les précédents, avait été éclaboussé par une série de scandales. Louis-de-Gonzague les avait minutieusement répertoriés dans le *Zadig*, qui rappelait également les innombrables ramifications et accointances reliant la mairie à « la bande à Gosselin ». L'élection, disait-il, offrait une occasion de « nettoyer les écuries d'Osias ». Il rangeait Corriveau parmi « ces personnages équivoques dont chaque siècle paraît encombré et qui, faute de faire l'histoire, s'emploient à la défaire ». Il est vrai que le maire avait fait son chemin dans la vie en dépit de qualités très médiocres, qu'il compensait toutefois par un énorme avantage, la nature l'ayant totalement dépourvu de scrupules et d'amour-propre. Il lui importait peu de ne pas briller du moment qu'il se faisait voir, et de n'avoir rien à dire pourvu qu'on l'écoute.

Corriveau avait aussi fait grincer des dents un peu partout dans la ville en annonçant un projet de monument qu'il voulait faire dresser face à l'Hôtel de ville, en l'honneur du Sieur. De nombreux contribuables étaient donc heureux d'en découdre avec le maire. Mais il était un adversaire redoutable qui plaçait tous ses actes sous le sceau de la religion. En campagne électorale, ce précepte le poussait jusqu'à faire imprimer au revers de ses affiches une photo du Sacré-Cœur.

La campagne avait un autre enjeu, plus secret, dont Belley avait été informé. Abondamment financé par Gosselin, Corriveau se proposait, une fois réélu, d'instituer une taxe d'achalandage frappant les camions de la Mistapéo qui, plusieurs fois par jour, empruntaient les rues de la ville pour accéder à la gare ferroviaire. Il entendait aussi annexer le territoire de Pikauba à Chicoutimi afin de soumettre le Village et l'Assemblée des Habitants aux diktats du Conseil de ville. Du coup, Léo se rangea derrière

Larouche et ouvrit lui aussi ses coffres, tandis que Gonzague mettait le *Zadig* sur le sentier de la guerre.

À une semaine du vote, il devint évident que Larouche allait l'emporter. Ce jour-là, qui était le premier dimanche de juin, le parti ouvrier tint sur le port un ralliement pour sceller en quelque sorte la victoire. Louis-de-Gonzague prononça sous la pluie un discours enflammé dont les formules inspirées lui valurent de longues ovations. À un moment, il se défit de sa veste détrempée pour mieux gesticuler. L'eau ruisselait de son crâne dégarni. Il avait gardé son binocle qui lui glissait sur le nez et qu'il rattrapait in extremis au milieu de ses tirades. Dans la foule, des militants brandissaient des banderoles saluant « le défenseur des pauvres », « l'avocat du peuple » et même « l'ami de la veuve ». Lorsqu'il descendit de la tribune, on s'en saisit pour le porter en triomphe. Radieux, ballotté de gauche et de droite, il lui venait d'autres formules, d'autres slogans, mais trop tard. S'abandonnant à la sollicitude des humbles, il songeait à Michelet, à Hugo, à Zola, aux grandes heures de la liberté... Le peuple triomphait, son héros exultait.

Vint le jour du scrutin, puis le compte des voix. Le résultat était serré mais sans équivoque : à la stupéfaction du camp ouvrier, Osias l'emportait encore une fois ! Que s'était-il passé ? On apprit bientôt que, le jour du vote, plusieurs bureaux de scrutin avaient été envahis par des contribuables dont les noms figuraient bien sur les listes des électeurs mais que personne ne semblait connaître. Gonzague fit discrètement interroger des scrutateurs, des chauffeurs de taxi et d'autobus, des employés d'hôtel et de restaurant, des flâneurs de la gare. Et l'affaire éclata : plus de trois cents hommes de Québec étaient venus voter illégalement. Chacun des « parachutés » avait reçu quinze dollars pour ses services. L'argent avait été versé par un comptable à l'emploi de l'International Manufacturing. L'étau se resserrait autour de Gosselin.

Larouche intenta un procès à son opposant, demandant sa

destitution pour fraude électorale. Louis-de-Gonzague occupa pour la poursuite. Le début des procédures, à la fin du mois d'août, fut ponctué d'un coup de théâtre : Belley avait persuadé deux organisateurs de Corriveau, eux-mêmes compromis et passibles d'emprisonnement, de témoigner contre Gosselin en leur faisant miroiter un allègement de peine. Ils comparurent et affirmèrent sous serment que l'argent des « parachutes » provenait du Sieur. Les deux hommes disaient avoir servi d'intermédiaires entre ce dernier et le comptable de l'International. On festoya très tard ce jour-là dans le camp du Bâtard et Gonzague eut droit à tous les éloges. Dès le lendemain, toutefois, à la reprise des audiences, il fallut déchanter. Le juge Létourneau, arguant d'un vice de procédure, annonça le rejet du recours institué par Larouche : la plainte contre Gosselin avait été signifiée après l'expiration du délai prescrit. Belley eut beau agiter mer et monde, rien n'y fit, la loi étant très stricte sur ce point. Le Sieur put donc s'en tirer, tandis que ses affidés, dont Corriveau, écopaient.

Au terme du procès, début septembre, Larouche fut déclaré élu. C'était une mince consolation pour Louis-de-Gonzague. Courroucé, il s'en voulait de sa négligence et s'accusait de tous les maux. Mais pour le Bâtard et les Pikaubains, le danger était écarté.

* * *

Très à l'aise maintenant grâce à ses rapides succès, Léo pensa aux siens. À Pointe-Bleue, il fit ériger sur la sépulture de Senelle une stèle blanche surmontée d'une croix. Il reprit ses dons pour les œuvres de Nazaire et donna aux Frères du Collège Saint-Georges un montant généreux destiné à aider les élèves du quartier. Un soir après le souper, il se présenta rue Châteauguay au volant d'un superbe Chevrolet rouge et bleu, flambant neuf. Sans prévenir, il gara le véhicule devant la maison et donna un coup de klaxon. Antonin sortit et s'exclama en apercevant le camion :

— Ah ben torguieu! Là, tu t'en es acheté tout un, an?

— En fait, j'en ai acheté deux.

— Comment ça?

— Le mien, je l'ai laissé à Pikauba. Celui-là, c'est pour vous.

— Non… c'est pas vrai?

Antonin fit trois fois le tour de la « bête », n'osant y toucher. Puis il ouvrit le capot, renifla le moteur tout propre, souleva l'énorme capuchon du carburateur, caressa du doigt les bougies immaculées, effleura de la main la grosse batterie, le radiateur en aluminium. Léo attira aussi son attention sur les phares antibrouillard, les pare-chocs amortisseurs, la double chambre du silencieux, le râstel*, le gros différentiel. Antonin ouvrait de grands yeux :

— Baptême, c'est pus des bêtes; c'est quasiment du monde!

— Il a une belle voix, vous allez voir. Mais ce modèle-là, je pense pas qu'il parle encore…

— Sacré Léo, là, t'as vraiment pris la grande porte!

Finalement, il se hissa sur le siège du chauffeur. Le Bâtard prit place à ses côtés. Et là, en silence, la tête penchée sur le volant, l'oncle se mit à pleurer. Après un moment, il se ressaisit :

— J'suis content, Léo. J'suis tellement content. Pas juste pour le troque, là. À l'âge que j'ai pis avec les livraisons que j'fais, c'est sûr que je l'userai pas. C'est surtout pour toué que j'suis content.

Il s'arrêta, hésitant, puis, se tournant vers son neveu :

— Ç'a été dur, tu sais.

— Je m'en doute.

Ils restaient là, mal à l'aise.

— Vous pouvez le faire marcher, mon oncle.

Antonin, d'un geste nerveux de débutant, actionna le démarreur. Aussitôt, un ronronnement feutré envahit la cabine. L'oncle, radieux maintenant, s'exclama :

— C'est-y possible? Il a encore une plus belle voix qu'avant! On dirait quasiment une voix d'église, baptême…

— Allez chercher Julie et tante Blanche, j'ai encore quelque chose à vous montrer.

L'instant d'après, en compagnie des deux femmes, ils roulaient sur la rue Châteauguay en direction de la Rivière-Aux-Sables. Le Bâtard fit signe à Antonin de s'arrêter devant une maison presque neuve.

— Venez.

Il sortit un trousseau de clés, ouvrit la porte principale et entra, suivi des trois autres. Lorsqu'ils furent regroupés dans le salon, il remit les clés à Blanche :

— C'est votre nouvelle maison.

L'oncle et la tante faillirent s'évanouir.

— Je l'ai fait repeindre en blanc, ça va changer du kaki…

Ils en eurent pour une bonne heure à faire le tour des pièces, à visiter l'étage et le sous-sol, à ouvrir et refermer portes et armoires, à commenter toutes les « belles commodités ». Ils se retrouvèrent dans la cuisine. La tante n'en finissait pas de se récrier :

— Mon Dieu ! Mon Dieu !

Léo n'en avait pas terminé. Il exhiba un billet et le déposa sur la table :

— Tenez, c'est la quittance de l'emprunt que vous avez fait à Godin-l'Alambic.

Chapitre 20

Au milieu de septembre 1951, le Comité des Douze fut convoqué d'urgence au Manoir de Gosselin, rue du Séminaire. L'hôte avait revêtu son frac et ses guêtres, comme il le faisait quand il recevait. Soigneusement coiffé, manucuré de frais, il se présenta à chacun des arrivants avec son sourire et son visage avenant agrémenté d'une fine moustache — blondinette, comme le cheveu. Après avoir fait servir le café dans le salon richement décoré de boiseries d'Afrique, de Colombie et même de Chicoutimi, il fit passer ses invités dans ce qu'il appelait gravement son oratoire. C'était en réalité un grand boudoir ayant en son milieu une longue table ovale où Eugénie entassait ses catalogues et sa collection de romans-feuilletons. Sur un mur, quelques bibelots pieux représentant des colombes, des angelots, des madones reposaient dans des niches de satin. Sur le mur opposé, de lourds tableaux faisaient revivre des moments touchants de la vie de chantier. Grâce à la magie des couleurs, il s'en dégageait une vérité si criante qu'on aurait cru entendre les pétarades des scies mécaniques et même les jurons des bûcherons.

Alors que les Douze prenaient place autour de la table, chacun s'interrogeait sur les motifs de cette convocation inattendue. Le Sieur exhiba un étui doré, s'alluma une Sweet Caporal, distribua cigares et friandises (il respectait scrupuleusement, du moins à ces réunions, le règlement municipal prohibant les boissons alcoolisées), puis il prit place au bout de la table, rajusta sa cravate rose au milieu de laquelle scintillaient deux ou trois perles, et ouvrit la séance.

Il annonça d'abord très solennellement que les démarches de l'évêque avaient enfin abouti et qu'il venait d'être décoré par le Vatican de l'Ordre de Saint-Grégoire-le-Grand ! Le Comité s'en réjouit, applaudit et vota sur-le-champ une motion de félicitation que le Sieur accueillit avec autant de dignité que de modestie. Il s'empara alors d'un document et poursuivit :

— Messieurs, nous allons devoir nous occuper sérieusement de ce Bâtard de Pikauba, dont les affaires, comme vous savez, sont aussi troubles que la naissance. Je rappellerai seulement qu'il est le fils illégitime de Roméo Tremblay de Mistouk, un criminel de sinistre mémoire, et d'une quelconque Sauvagesse dont on a perdu la trace. Nous ne pouvons plus tolérer les procédés très cavaliers et surtout les mœurs dépravées de cet individu et de son entourage. Vous vous rappellerez qu'il y a quelques années, il s'est compromis dans une sale affaire de boisson de contrebande. J'aimerais d'ailleurs vous faire lecture d'un mot que m'a transmis notre évêque à ce sujet :

« Mes chers amis, par l'intermédiaire de notre très estimable et très dévoué Sieur Gosselin, je vous fais tenir cette mise en garde à l'endroit d'un groupe de personnes peu recommandables et cependant de plus en plus actives dans notre paisible ville ainsi que dans mon diocèse. Ayant à leur tête un jeune bâtard de moralité douteuse, ces individus ont réussi à prendre pied dans divers secteurs de notre économie qui étaient jusqu'ici sous la garde irréprochable de l'un des nôtres. Au nom des bonnes mœurs, je m'inquiète de cette dérive et ne doute pas que vous voudrez y appliquer votre vigilance habituelle, avec la promptitude et l'efficacité qui vous ont valu tant d'amitié à l'évêché et ailleurs. Je vous salue et vous bénis en appelant sur vous toutes les grâces de Notre-Seigneur. »

La voix de Gosselin se tut. Un silence recueilli suivit, troublé seulement par le hoquet synchronisé des jumeaux Bradette. Une odeur discrète d'eau de Cologne flottait autour de la table. Toutes les mines étaient graves. Le Sieur avait omis de rapporter quelques détails qu'il jugeait superflus. Très préoccupé par les diverses entreprises de Léo, il s'était rendu la semaine précédente chez l'évêque dont il avait obtenu cette lettre — en fait, à la demande du prélat surchargé, elle avait été écrite par le chanoine Butain sous la dictée de Gosselin lui-même.

Il reprit la parole :

— En un mot comme en cent, il faut écarter cet homme dangereux.

Le curé et Premier vicaire de la cathédrale, qui avait quitté en vitesse un copieux repas, étouffa un rot et lança :

— Je vais avertir mes confrères d'ouvrir l'œil.

Le chef de la police, un grand boutonneux aux cheveux crépus, dont la pomme d'Adam écrasait le nœud de cravate, enchaîna :

— Je vais mettre deux hommes là-dessus.

Puis le directeur de *La Vérité* :

— Je vais faire tonner Torquemada dès cette semaine.

Ensuite Maître Warren :

— Je verrais bien quelques nouveaux règlements.

Et le banquier :

— Je vais m'informer de ses finances.

Ainsi que le juge Létourneau :

— Si jamais il comparaît à nouveau devant moi…

Et enfin, les jumeaux :

— Que pourrions-nous donc faire ?

— Que pourrions-nous donc faire ?

Lapointe s'abstenait d'intervenir. Gosselin l'interpella :

— Qu'en dites-vous, Monseigneur ?

L'ecclésiastique mit du temps à répondre, s'y résolut enfin :

— J'ai œuvré dans cette ville pendant plus de quarante ans et me suis trouvé au cœur de bien des querelles sous le règne de l'évêque Labrecque. Ayant échangé trop de coups, j'aspire maintenant à un peu de repos. Je vous dirai seulement : n'allez pas trop vite en besogne, agissez prudemment ; une guerre, même juste, fait tant de dégâts des deux côtés !

Pelletier, le corpulent gérant de la Banque Canadienne, très à l'étroit dans son costume rayé, massait son double menton, ce qui était chez lui le signe d'une grande concentration. Il intervint :

— Vos paroles sont empreintes de sagesse, Monseigneur, mais est-ce qu'il ne faut pas agir avant que la situation n'échappe à tout contrôle ? Avec la Mistapéo, nous avons affaire à de jeunes loups aux dents longues et à la conscience courte. Je dirais même : à des gens sans foi ni loi ; en somme, à de petits malfaiteurs.

Les autres membres furent de son avis et chacun se prit à réfléchir aux moyens d'abattre ce bâtard et sa bande. Damase Boivin, avec sa petite barbiche de bouc et ses sourcils en queue de souris, fut le premier à monter au front :

— Vous avez sans doute vu dans le dernier *Zadig* que notre Voltaire s'en est encore pris durement à Sa Grandeur qu'il continue d'appeler insolemment le Béat-Fat. Je crois qu'il serait temps de sévir. Si nous abattions Belley et son journal, le bâtard se retrouverait orphelin… si vous me permettez l'expression.

Le Premier vicaire marqua son désaccord :

— Va pour abattre Belley, c'est une excellente idée ; mais je vous rappelle que la dernière fois que nous avons voulu interdire le *Zadig*, nous avons fait doubler son tirage. Trouvons autre chose.

Chacun y alla de sa suggestion :

— Pourquoi ne pas enrayer la distribution du journal ? Savons-nous qui en est chargé ?

— Des journaliers, des chômeurs bénévoles totalement dévoués à Belley, des irréductibles.

— Je vois…

— Où achète-t-il son papier ?

— À Québec, à Montréal, à Toronto, rarement chez le même fournisseur.

— Zut !

— Qui entretient ses presses ?

— Un mécanicien un peu illuminé, une espèce de croisé sur lequel nous n'avons aucune prise.

— Misère…

— Et son électricité ? Il doit bien l'acheter de la Cie électrique du Fjord ?

— Mais oui, comme tout le monde.

— Eh bien voilà, nous le tenons !

Les jumeaux étaient perplexes :

— … Comment donc ?

— Comment donc ?

— Mais les pannes, tout bonnement. Des pannes d'électricité qui, comme par miracle, surviendraient aux bons moments.

Le chef Lévesque se remua sur sa chaise, toussa un peu :

— Euh, j'ai peur qu'il n'y ait pas grand-chose à attendre de ce côté. J'ai déjà tenté l'affaire ; le bâtard a aussitôt installé une génératrice de ses chantiers dans les bureaux du *Zadig*.

Gosselin, songeur, lissait sa fine moustache. Il se leva et arpenta un moment la pièce. Soudain, il s'arrêta, apparemment illuminé :

— Alors, frappons l'adversaire là où nous savons lui faire vraiment mal. Monsieur le juge, faites donc part à nos amis de l'idée que vous m'avez exposée récemment.

— Eh bien, il se trouve que Belley, du temps de ses études à Québec, y a laissé un souvenir qu'il lui déplairait certainement de voir rappeler en public.

— Que voulez-vous dire ?

— Vous avez bien noté que l'homme est encore célibataire et qu'on ne lui connaît aucune fréquentation parmi les demoiselles de cette ville…

Boivin, le directeur de *La Vérité*, avait déjà compris et se faisait sceptique :

— Je vous ferai remarquer qu'on pourrait en dire autant de nos deux amis Bradette ici présents.

Les deux hommes, en effet, avaient atteint l'âge mûr sans quitter le célibat et, à en juger par l'impression qu'ils faisaient sur les dames de la ville, rien ne semblait devoir mettre leur statut en péril. Létourneau reprit :

— Je vous en prie, restons-en à notre affaire. Il se trouve que j'ai pu recueillir certaines confidences auprès de confrères de la Vieille Capitale. J'aimerais, si vous le permettez, poursuivre cette idée avec la collaboration du chef de la police.

Boivin se rallia et tous souscrirent au projet, sauf Mgr Lapointe qui, à nouveau, se montrait réticent :

— Votre fin est bonne, mes amis, mais votre moyen est peu charitable.

— Dommage, Monseigneur, mais nous n'avons pas le choix des armes. À la guerre comme à la guerre !

Là-dessus, ils firent une pause, avalèrent un café en commentant leur dernière trouvaille et reprirent place autour de la grande table recouverte de sous-main à l'effigie de saint Grégoire le Grand. Damase Boivin relança les délibérations :

— Il y a autre chose. Dans un récent numéro de son journal, Belley s'est moqué très méchamment de mon dernier roman.

— Celui où Aline, votre héroïne orpheline, sourde et muette, est adoptée par le pape ?

— Non, celui qui y fait suite et dans lequel elle devient amoureuse d'un zouave qu'elle convainc cependant d'entrer en religion pour préserver sa chasteté.

— Ah ! Et… le *Zadig* s'en est moqué, dites-vous ?

— Deux fois plutôt qu'une !

Quelques membres du Comité échangèrent des coups d'œil discrets. L'un d'entre eux griffonna un mot à l'intention de son voisin qui réprima un sourire. Le Sieur intervint :

— Il se fait tard. Cher Damase, nous reviendrons là-dessus une prochaine fois, si vous le voulez bien.

Il s'apprêtait à lever la séance quand le juge leva la main :

— Je m'en voudrais de prolonger indûment cette réunion, mais il est urgent de corriger une importante lacune qui, je crois, limite notre action. Voyez-vous, il me semble qu'il manque un rouage à notre Comité. Quelle que soit la pertinence de nos avis, je crains que leur effet ne soit diminué s'ils ne sont pas largement diffusés auprès des personnes visées et, surtout, si aucun suivi efficace n'est exercé. Je propose la création d'un cercle de bénévoles vertueux qui rassemblerait tous les amis des Douze.

— J'appuie cette idée avec enthousiasme, s'exclama le procureur-économe de l'évêché qui en avait conféré pas plus tard que la veille avec Létourneau, en présence de Bezeau. Pourquoi pas un vaste regroupement qui agirait très discrètement sous nos ordres et pourrait s'appeler justement les Amis des Douze ?

À tous, le projet parut des mieux inspirés et le juge fut chargé de sa réalisation avec la collaboration de Butain, qui pourrait ainsi mettre à profit la machine épiscopale. Chacun ne trouvait que du bien à dire de la future association :

— Ses membres seront auprès de la population la voix du Comité.

— La voix et l'oreille.

— L'oreille… et le bras !

— Ou même le poing, s'il le faut.

Le Premier vicaire leva la main :

— Dans la même veine, je vous rappelle que notre ville a le bonheur de compter au sein de son élite les dames les plus distinguées et les plus dévouées qui soient. Pourquoi ne pas les mettre également au service de notre Comité ?

Un grand élan de ferveur accueillit cette autre proposition. À cet instant, subitement, les jumeaux Bradette s'agitèrent à l'unisson :

— Saint-Éphrem ! Saint-Éphrem !

On crut à une apparition. Tous les regards se tournèrent en leur direction :

— Quoi, quoi, Saint-Éphrem ?

Et les deux hommes d'expliquer que le nom conviendrait parfaitement pour désigner la future association féminine : quelque chose comme les Dames de Saint-Éphrem. Mgr Bezeau, dont l'appellation reprenait l'un des prénoms, en serait sûrement honoré et pourrait lui servir de parrain.

La suggestion parut opportune. Le Premier vicaire obtint carte blanche et la séance fut levée. Les Douze échangèrent quelques rumeurs et en lancèrent quelques autres en reprenant possession de leurs cannes et chapeaux. Le directeur de *La Vérité* en profita pour divulguer l'intrigue de son prochain roman : après un pèlerinage à Sainte-Anne-de-Beaupré, Aline, sa petite héroïne orpheline, se trouvait miraculeusement guérie et sacrifiait à l'air du temps en rompant avec le modèle traditionnel de la femme canadienne-française :

— Même Voltaire Belley devra rentrer ses griffes, car cette fois, ce sera un roman résolument moderne !

— Et dans quel emploi aurons-nous le bonheur de retrouver cette chère Aline ?

— Justement : un emploi qui est resté jusqu'ici une chasse gardée des hommes.

— Mais encore ?

— Comme vous savez, nos diocèses n'ont jamais eu que des missionnaires-colonisateurs... Vous me voyez venir sans doute ?

— Dites toujours.

— Eh bien, mon Aline sera missionnaire-colonisatrice, rien de moins !

Mgr Lapointe, pince-sans-rire, félicita l'homme de lettres :

— Voilà ce qui s'appelle du neuf ! Vous avez bien raison ; pour une fois, Belley sera à court d'arguments, je peux voir cela d'ici. Votre audace nous étonnera toujours, Damase.

— On ne se refait pas, Monseigneur.

Chapitre 21

Le demi-échec essuyé devant le tribunal lors du procès intenté à l'ex-maire Corriveau continuait de hanter Belley. Il cherchait encore le moyen d'en appeler du jugement qui avait sauvé Gosselin.

De son côté et sans le dire, son confrère Raoul Roy se préoccupait lui aussi de relancer l'affaire, mais à sa façon, qui n'était pas celle de Louis-de-Gonzague. Au cours des années précédentes, il s'était lié avec le concierge du Palais de justice, Albert Flamand. Chaque fois que le tribunal suspendait ses travaux, toute une faune se repliait au sous-sol vers la « Buvette », qui était en fait la loge du concierge. Les employés du Palais y passaient aussi à toute heure du jour pour consommer du thé, des biscuits ou quelque friandise dont l'occupant faisait commerce « à l'insu » des autorités consentantes. Plusieurs s'attardaient pour faire honneur aux œufs au vinaigre dont le tenancier, cuisinier retraité des chantiers de Gosselin, se disait grand spécialiste.

Les conversations y étaient animées, mais l'hôte, d'un naturel dépressif, s'y mêlait peu. Chacun savait la terrible séquence de malheurs qui s'étaient abattus sur sa personne depuis son tout jeune âge : défiguré à douze ans par une picote galopante, plus tard — et pour cette raison — rejeté par sa famille, trop tôt marié ensuite à une cavêche* qui s'était enfuie avec son bien pour se mettre en concubinage (« avec un étranger, en plus »), à deux reprises mais de justesse rescapé de l'incendie de son camp à Falardeau, affligé en permanence d'une vilaine hémorroïde qui, étrangement, réagissait tout en les annonçant aux mouvements de la météo (ce qui faisait d'Albert un baromètre fidèle, apprécié de ses concitoyens), et bien d'autres maux grands et petits, sans mentionner toutes ces infortunes qui viennent, et restent, avec l'âge.

De toutes sortes de manières, le mauvais sort continuait de s'acharner sur le pauvre hère et tous éprouvaient de la compassion pour ce vieillard courroucé, flagellé, assez révolté contre la vie et néanmoins brave homme. Le rituel voulait que, en pénétrant dans la Buvette, chacun s'enquière des maux et des humeurs de Flamand. Il émettait de brefs bulletins de santé :

— Le pire, c'est mes hémorouites. C'est terrible comme j'ai les fondations fragiles !

Et il ajoutait, pour la postérité :

— Y en a qui sont nés pour vivre deboutt, on dirait.

On appréciait chez lui une forme de sagesse un peu rude qu'il exprimait dans des formules de son cru, souvent aux dépens de ses contemporains, même les plus distingués. Des juges et des procureurs, ceux-ci accompagnés de leurs clients, qui étaient parfois les mécènes ou les créanciers des premiers, daignaient fréquenter son antre, mais ils en payaient le prix. Le juge Létourneau, en particulier, dont la longue robe noire accentuait la pâleur sépulcrale, y venait à l'occasion prendre le crachoir ; il y allait de quelques formules ronflantes tout en faisant voler ses manches au nez des flâneurs apparemment subjugués. Un jumeau Bradette, celui qui exerçait les fonctions de protonotaire, y passait à l'occasion et, chaque fois, ne manquait pas de raconter la même histoire, celle d'un homme qui venait de confier à son médecin avoir perdu la mémoire :

— Depuis quand ?

— … Depuis quand quoi, docteur ?

Après quoi le jumeau s'esclaffait, toujours content de son succès.

Une fois que les notables étaient partis, la conversation tardait à reprendre ; chacun attendait les verdicts toujours incisifs du concierge.

Il ne décevait pas. Au sujet de tel magistrat qui faisait étalage de sa formidable mémoire, se targuant même de connaître par cœur le nom de toutes les paroisses du Saguenay et celui de leur curé, Flamand résumait :

— Tu parles d'un crisse de fou !

De celui-là, fils d'un gros cultivateur, qui s'était vanté de l'immensité de la ferme familiale, au point, assurait-il, qu'il fallait une bonne demi-journée pour la franchir à bicyclette :

— On en avait un, un vieux becycle comme ça dans la coulée chez nous.

D'un autre, très pincé, qui prétendait avoir hérité d'un ancêtre très lointain un sabre ayant servi à trancher la tête d'un seigneur :

— Tant qu'à moué, y a beau se le rentrer dans l'fion.

Et pour ce qui est de la fameuse histoire que le jumeau ne manquait jamais de répéter pour égayer son siècle :

— Y va-t-y nous câlisser la paix, celui-là, avec ses « depuis quand » pis ses « depuis quand quoi » ?

Il avait aussi son idée sur l'accès aux honneurs et aux grandes carrières, en quoi il ne voyait que l'effet de « manigances » et de « graissages ». Un jour que l'avocat Belley était de passage à la Buvette, le maître des lieux exposait :

— Prenez icitt au Séminaire, par exemple, j'me sus déjà fait expliquer que, dans le temps, si un cultivateur voulait avoir un prêtre dans sa famille, ça coûtait une vingtaine de cordes de bois.

Pour un curé, fallait ajouter vingt ou trente poches d'avoine…
Pis pour un évêque, ben, c'est simple, toute la terre y passait!
C'est ce qui fait que, dans un diocèse, y a pas mal moins
d'évêques que de prêtres, c'que tu veux!

Là-dessus, un malin avait demandé :

— Pis avocat, c'était combien?

— Ça, monsieur, c'était à peu près la seule affére gratis…

Toutes ces réflexions, on le devine, n'était pas faites pour
offusquer Raoul Roy, qui se faisait étrangement assidu auprès du
concierge. En homme pratique et prévoyant, il avait résolu de
gagner son amitié, avec l'idée d'en tirer un jour quelque parti (« il
n'y a pas de petits alliés »). Il le vouvoyait, le courtisait, le saluait
toujours respectueusement, le cajolait à sa façon en lui faisant
cadeau de force coussins pour accommoder ses « fondations »
toujours douloureuses, en le priant de réciter pour la centième
fois l'interminable litanie de ses revers. L'homme se faisant de plus
en plus dépressif, les occasions de le consoler ne manquaient pas.
De temps à autre, l'avocat lui apportait un petit flasse* de rhum
enroulé dans un journal qu'il glissait discrètement dans une
poche de son manteau, ou bien un lièvre, une perdrix et autres
produits de sa chasse. Raoul avait aussi appris que le dimanche,
jour de fermeture au Palais, était une source de tourment pour le
tenancier. Sa marchandise étant périssable, la crainte des surplus
le hantait. Le samedi après-midi, Roy achetait donc ce qui restait
sur les tablettes de la Buvette (pour ses « agapes » dominicales,
disait-il). Et tout au long de la semaine, par flagornerie toujours,
il faisait une grosse consommation d'œufs au vinaigre.

À ce propos justement, un incident survint un jour, dont
il sut tirer profit. C'était un lundi matin. Quelques clercs et sté-
nographes s'attardaient dans la loge. Les deux avocats de Léo
étaient là aussi. La conversation allait bon train. Renfrogné dans
son coin, tournant le dos à la compagnie, Albert inspectait les
œufs qu'un cultivateur des environs lui avait tout juste livrés. De
temps à autre, il émettait un grondement :

— Bonguieu de bonguieu...

Au début, personne ne prêta attention.

— Blasphème de blasphème...

Raoul, alerté, se rapprocha pendant que, dans la pièce, les échanges continuaient. Albert élevait maintenant le ton en hochant la tête :

— Quand la misère a décidé d'se mett su'l dos d'un pauvre homme, calvaire, c'est bin vrai qu'ça lâche pus.

Cette fois le silence se fit. Chacun s'était tourné vers le malheureux qui poursuivait, le dos toujours tourné à l'assemblée :

— Mais ça va-t-y m'lâcher à un moment donné, sacrament?

Il levait maintenant les bras au ciel, moins pour implorer que pour intimer :

— Mais, surplis de prêtre, ça va-t-y m'lâcher un peu pour se pogner su'un autre chrétien?

Cette fois, Raoul, tout miel, tout contrit, intervint :

— Voyons, monsieur Flamand, quel malheur vous a encore frappé?

— Ah, parle-moi-z-en pas, mon pauvre toué, parle-moi-z-en pas. Quian, r'garde toué-même : encore deux osties d'œufs de petés à matin ! Quasiment la moitié du profit d'ma journée...

Tous ne semblèrent pas compatir à la détresse du trafiquant. Sauf Raoul qui se dirigea vers la sortie et revint un peu plus tard portant deux douzaines d'œufs que, d'un geste grave et fraternel, il remit à Flamand. Étranglé par l'émotion, ce dernier s'approcha de son bienfaiteur et lui donna une accolade bien sentie :

— C'est bin vrai que c'est juste dans l'malheur qu'on découvre ses vrais amis.

Informé peu après du dénouement de l'affaire, Louis-de-Gonzague constata une fois de plus avec émerveillement que les grandes maximes naissent souvent de toutes petites choses.

À l'issue du procès Corriveau, Raoul intensifia son entreprise de séduction auprès de Flamand. Au cours des controverses qui ne manquaient pas de s'élever dans les conversations de la Buvette, il veillait à toujours prendre le parti du vieil homme, dût-il y laisser une partie de sa crédibilité. Il profita aussi d'un voyage à Québec pour en rapporter quelque onguent miracle contre les hémorroïdes. Flamand était touché :

— Raoul, t'es quasiment un frére pour moi !

Un jour que les deux amis se trouvaient seuls à la Buvette, l'avocat, mine de rien, interrogea Albert sur son emploi, sur les appuis qu'il avait au Palais et surtout sur les assurances qu'on lui avait données au moment de son entrée en fonction quelques années auparavant.

— Quelles assurances ?

— Mais les assurances contractuelles, monsieur Flamand !

— Ah non, Raoul, tu m'dis pas…

— Comment, vous avez pas d'assurances contractuelles ?

— Bin non, r'guien, pantoute ! J'ai même jamais entendu parler de ça !

— Vous êtes vraiment pas chanceux, vous. Bon, rassurez-vous, je vais m'occuper de votre affaire. Mais pas un mot à personne, là, an ? Si jamais ça se savait que vous avez pas de contractuelles…

— Tabarnak, encore une autre affére ! Jésomme de contractuelles… Comme si j'en avais pas assez d'mes hémorouites pis de tout c'qui m'tombe dessus !

Raoul profita d'un autre moment d'intimité quelques jours plus tard pour revenir sur le sujet :

— Faut que je vous reparle de vos contractuelles.

— Ah oui. Pis ?

L'avocat prit un air sombre, baissa la voix :

— Ça s'annonce mal. J'ai surpris hier une conversation entre le juge en chef et le greffier. Létourneau a un vieil oncle qui cherche du travail…

— Ah non, pas ça ! Pas ça, saint-chrême ! Faut m'sauver, Raoul, faut m'sauver…

— Vous inquiétez pas, monsieur Flamand, je pense que je peux régler votre problème.

Il laissa encore filer une semaine. Flamand l'interrogeait tous les jours, en vain. Finalement, l'avocat lui annonça qu'il avait pu régler son affaire :

— Mais ne me demandez pas de vous raconter. J'ai dû prendre des moyens pas très catholiques ; il faut que tout ça reste entre nous…

Enfin, Raoul estima que le fruit était mûr. Un samedi en fin d'après-midi, alors que le Palais de justice était pratiquement désert, il se rendit à la Buvette. Il retourna les salutations empressées du concierge et lui tendit un colis :

— Tenez, c'est pour vous.

— Cé'que tu me donnes encore, là ?

— Un nouvel onguent. C'est un docteur de Québec qui m'en a parlé ; j'ai dû le faire venir de Montréal, celui-là.

— Mais Raoul, mais Raoul ! Mais t'as pas de boutt… Comment je vas faire pour te r'marcier de tout ça ?

— Bah, du moment que ça vous fait plaisir.

Là-dessus, il prit un air profondément abattu et se laissa choir sur une chaise. Il resta là, silencieux, le regard rivé au plancher. Flamand s'approcha :

— Ben voyons, t'as le taquett bas, pas ordinaire ! Te v'là toutt deconcrissé tout d'un coup… Cé qui s'passe, mon pauvre toué ?

— Ah, pas grand-chose ; ça va s'arranger. Faites pas attention, vous en avez assez de vos misères.

— Non, non, pas d'afféré de même ! T'as l'air abattu comme un vieux barbeau, là. Vide-toi l'cœur, mon Raoul.

— Écoutez, j'ai une mauvaise passe, mais je vais régler ça moi-même, comme un homme.

— Voyez-moi ça : comme un homme ! Pis les amis, eux autres, y sont là pour rien, asteure ?

— Je veux pas vous achaler avec mes histoires, je vous dis. Vous en avez assez avec vos…

— Enwoueille, enwoueille, dis-moi ton problème, pis tu suite!

— En fait, c'est même pas mon problème, c'est dans la parenté; une cousine qui est mal prise.

— Comment ça?

— Une affaire d'adoption. Elle élève une petite fille depuis une douzaine d'années; les fonctionnaires de Québec veulent lui enlever, ils disent que les papiers sont pas bons.

— Les écœurants! Les tabarnouche d'écœurants! Ça, c'est bin les fonctionnaires!

— Fâchez-vous pas pour rien, monsieur Flamand. C'est une affaire trop folle; c'est impossible qu'ils lui prennent son enfant, voyons donc!

— Ben justement, avec eux autres, toutt peut arriver! Si j'étais à ta place, j'm'inquiéterais.

— C'est bien ce que je fais! Mais qu'est-ce que vous voulez, j'ai pas accès à tous les dossiers de la justice, moi.

— Ça tombe bin, ça s'adonne que moué, je l'ai! Ça s'est passé icitt à la Cour?

— Oui. Mais je vous interdis de vous en mêler, vous m'entendez? Je vous l'interdis au nom de notre amitié.

— Justement, tu t'fais une drôle d'idée de l'amitié, j'trouve. Tu penses que c'est à sens unique, c't'affére-là? C'est pas toujours au même à donner, chose. Moué, c'est pas comme ça que j'ai été élevé, pis toué non plus, chus çartain.

Raoul semblait se résigner, se faire plus raisonnable. Le concierge lui posa une main protectrice sur l'épaule:

— Dis-moué franchement ce qui t'faudrait pour régler ton problème.

— Il faudrait… il faudrait que je consulte un document dans les dossiers d'adoption.

— Ça m'dit pas grand-chose…

— Ils sont classés avec les archives criminelles.

— C'est juste au bout du corridor, ça. Mais y en a bin trois, quatre étagères au moins.

— Je pourrais me démêler, je pense.

— Regarde bin c'qu'on va faire. C'est pas compliqué. Moué, j'barre toutt à six heures pis j'm'en vas. Disons qu'j'oublie de farmer la porte du corridor. Aussitôt que chus parti, tu vas faire c'que t'as à faire pis tu sacres l'camp ; la porte va s'barrer tu seule quand tu vas la farmer.

— Non, je peux pas faire ça. Ce serait pas correct.

Flamand, offensé, prit un air très solennel :

— Raoul, si tu fais pas ça, t'es pus mon ami, t'entends ?

— … Vous me laissez pas vraiment le choix, à ce que je vois.

— Non, monsieur, c'est ça pis rien d'autre ! Les enfants adoptés, on rit pas avec ça !

— Bon, c'est correct d'abord…

Une heure plus tard, l'avocat se trouvait dans la section des Archives criminelles et circulait parmi les étagères. Il repéra assez rapidement, parmi les « Dossiers actifs », les pièces du procès Corriveau et les compulsa rapidement. Il cherchait la déposition des deux témoins qui avaient vendu le Sieur Gosselin. Il tomba sur un cartable noir intitulé « Interrogatoires préliminaires ». Il sourit, l'ouvrit, retint son souffle, puis s'exclama :

— Ça parle au tabarn…

Les pièces avaient disparu.

* * *

Le juge Létourneau habitait une grande maison en pierres dans la rue du Séminaire. Le salon s'étendait sur toute la moitié du rez-de-chaussée. Un côté de la pièce était occupé par un bahut d'acajou flanqué de deux vaisseliers d'encoignure achetés en Nouvelle-Angleterre. De fines tentures de soie brodée à l'indienne, parsemées de quelques tableaux de prix, donnaient au salon un mélange de sobriété et de distinction, d'élégance et de raffinement, toutes qualités dont les occupants étaient pourtant fort dépourvus. Dans certains quartiers de la ville, on ne manquait pas de s'interroger sur la source d'une telle aisance, étant donné que le maître des lieux avait accédé très jeune à la magistrature. Mais, dans la rue du Séminaire, nul ne se posait ce genre de question; on en savait bien la réponse.

C'est dans cette pièce qu'au début de novembre 1951 se tint la première réunion des Dames de Saint-Éphrem. Madame la juge, comme il se devait, présidait. Apolline Blanchette, de son nom de fille, était une femme sévère au visage aussi pâle que son mari, avec en plus quelques grains de beauté; mais c'était bien la seule concession que la providence ait daigné faire ici au chapitre de la grâce et de l'agrément, tout le reste de cette respectable personne logeant à l'enseigne de la désolation.

Elle s'adressait à cinq autres femmes finement poudrées et gantées, tirées à quatre épingles sinon davantage, la nature à elle seule n'arrivant plus à soutenir les attraits dont elle avait jadis gratifié ces bien-pensantes. À l'exception de la dame Blanchette, toutes ces bienfaitrices arboraient une poitrine généreuse qui ployait sous une prolifération de broches, de colliers, de pinces et d'épingles émergeant d'un foisonnement de jabots et de dentelles. Elles se connaissaient toutes, du fait qu'elles appartenaient déjà à bien d'autres cercles de bienfaisance. En plus, leurs époux étaient du Comité des Douze, ce qui expliquait leur recrutement. La dame Létourneau exposait:

— Si j'ai bien compris mon mari, il s'agit d'être l'œil et l'oreille de M\ugr{} Bezeau dans la ville en rapportant au Comité des Douze tous les excès, toutes les infractions à l'ordre moral ou tout ce qui peut le menacer.

Joséphine Pelletier, la femme du banquier, leva le doigt:

— À quoi pensez-vous au juste, chère Apolline?

— Bien, aux propos scandaleux, aux mises inconvenantes, aux livres dangereux qui auraient échappé à nos prêtres, à la consommation de boisson, aux films indécents qui passent des fois au théâtre Impérial. Des choses comme cela.

— Les jeunes polissons aussi?

— Les insultes qu'on nous lance dans la rue ?

— Les attentes qu'on nous impose dans les magasins, au confessionnal et même à la communion ?

— Les mauvaises manières des chauffeurs de taxi ?

— Le langage de nos domestiques ?

Elles parlaient toutes à la fois. Apolline était débordée :

— Oui, toutes ces choses, bien sûr. Et d'autres.

Marie-Cécile Warren réclama la parole :

— Moi, j'ai remarqué qu'il y a de plus en plus d'étrangers dans notre ville. Si on fait rien, les barsalous* vont bientôt nous envahir.

— On m'a assuré aussi qu'il y avait des protestants communistes qui se mêlaient aux voyageurs de commerce. Oui, chère !

— Sans parler de tous ces chômeurs puis tous ces valtreux qui traînent au coin des rues.

— Puis des espèces de petites grues qui excitent les hommes en descendant les marches des autobus.

— À la gare des trains, c'est pareil.

— Même à la cathédrale, en revenant de la communion, j'en ai remarqué qui se trémoussaient !

— Arrêtez un peu, là ; je pense qu'il faudrait faire une liste.

— C'est une bonne idée.

La gracieuse Eugénie Gosselin, silencieuse jusque-là, prit la parole :

— L'ouvrage nous manquera pas, an ? Mon mari m'a aussi parlé de l'espèce de bâtard qui a ouvert une colonie dans le Parc des Laurentides : Picola ou Pitauka, quelque chose comme cela. Un nom indien, en tout cas.

— Pitola, c'est bien cela. Une colonie sans prêtre, sans église. Mon Dieu !

Eugénie continuait :

— Le Sieur m'a dit que, si on laisse faire le bâtard et sa bande, ils vont contrôler tout le commerce du bois. Il va y avoir une grande crise économique puis les gens d'ici vont tous perdre leur emploi. La ville va être envahie par les Sauvages… C'est ce que mon mari m'a dit.

— C'est épeurant en bon-yenne !

— Avant-hier, je l'ai entendu aussi qui disait au chanoine Butain que si ça continuait, il allait prendre une moyenne débarque, chère !

— Seigneur, il faut faire quelque chose.

— Câline de binne !…

— C'est scandaleux. Je n'arrive pas à comprendre que Monseigneur laisse faire tout cela.

— Moi, je le trouve mou en mozusse, Mgr Bezeau.

— C'est pas tout. Vous savez, le bossu qui avait ouvert une école au Bassin ? Eh bien, il paraît qu'il est rendu à Pitaula. Il a ouvert une autre école, chose !

— Justement, savez-vous ce que j'ai appris là-dessus ? Le bossu, il est juif…

— Saints du ciel ! Un bossu juif ! L'affaire est pire !

Là-dessus, à la suggestion d'Eugénie, les Dames se recueillirent et récitèrent trois ave pour la santé de Mgr Bezeau et pour rendre grâce au Saint-Père d'avoir admis le Sieur Gosselin dans l'Ordre de Saint-Grégoire-le-Grand. Après quoi, Madame la juge crut le moment venu de faire servir le thé. Une domestique vint déposer sur une table basse en noyer un plateau de verre de Murano chargé de petites tasses de porcelaine et de pâtisseries fines. Apolline sursauta :

— J'ai une idée. Nos réunions pourraient s'appeler : le thé des Dames ?

— Le thé des Dames de Saint-Éphrem !

— Oh oui ! C'est cela.

— C'est très cela !

Chapitre 22

En classe, le matin, Maître Ouellet consacrait d'abord quelques minutes à sa chronique de l'univers, faisant rapidement le point sur l'état et la marche du monde, sur le cours des idées principales, sur l'essor et le déclin des civilisations et, enfin, sur l'humeur des peuples, en particulier ceux qui étaient enclins à la guerre, tout cela rapporté à ce qui s'était passé depuis la veille au Village et ailleurs. Il y ajoutait quelques opinions personnelles, toujours aussi sensées que sensibles, et sollicitait celles de ses Écoliers qui apprenaient ainsi à former leur jugement sur la grande et la petite histoire.

Il abordait ensuite les matières du programme : les causes premières et les secondes, si aisément confondues, les finalités lointaines et immédiates, trop souvent ignorées celles-là, les caractères permanents et les provisoires. Il passait alors aux illustrations et montrait à quel point ces notions si abstraites sont indispensables à qui entend gouverner sagement sa vie et accéder à l'état de bonheur. Il rappelait au passage l'importance des langues, lui qui en parlait sept en plus de quelques dialectes. Qui maîtrise les mots, aimait-il à dire, commande aussi les choses. Il montrait cependant la difficulté de désigner celles-ci correctement, même les plus simples, et rappelait les soixante expressions qui, dans la langue des Esquimaux, servent à désigner les divers états de la neige selon le lieu, l'heure, la saison. Lui-même n'avait-il pas dénombré dans la langue française plus de cent mots servant à caractériser les humeurs de l'âme — qui sont, il est vrai, encore plus changeants que la neige ?

Il se faisait attentif à enseigner l'univers tel qu'il était mais aussi tel qu'il pourrait être. Il assurait que le monde, à sa création, n'avait été qu'une ébauche assez grossière. Tel qu'il se montrait maintenant à voir, il n'en était qu'à un état particulier, provisoire, de son devenir. C'était précisément le rôle des humains que de poursuivre et d'achever cette création. À ce point, Ouellet faisait voir l'énorme responsabilité qui en découlait pour ses élèves car, selon son estimation, il restait pas mal de travail à faire pour mener la chose à son terme.

Ces réflexions laissaient les Écoliers songeurs ; par leur action à venir, ils participeraient donc eux aussi de quelque manière à la création du monde ? Ne s'élèveraient-ils pas ainsi à la divinité ? Il leur semblait que le Maître y allait un peu fort. Cassandre voulut en avoir le cœur net :

— Qui donc, Maître, a eu l'idée de l'univers ?

— Quelqu'un qui l'a forcément précédé ; ce ne peut être qu'un Dieu.

— Cet être parfait a donc engendré une imperfection ? Et elle serait réparée par des êtres eux-mêmes diminués, incomplets ? Mais comment tout cela est-il possible ?

Il y eut quelques murmures dans la classe ; chacun attendait la réponse du Maître, qui se rembrunit un peu :

— Je vous en prie, pas de moqueries !

Ulysse attaquait aussi de son côté :

— D'ailleurs, Maître, comment donc est venue l'idée de ce Dieu ?

— Ce ne peut être que par un humain.

— Mais n'est-ce pas là un de ces affreux raisonnements circulaires que vous nous enseignez à détester ?

Cette fois, quelques rires fusèrent. Ouellet parut ébranlé. Il s'énerva, fut sur le point de faire une réponse peu charitable, mais se reprit :

— Permettez-moi, chère Cassandre, cher Ulysse, de vous louanger pour ces fortes objections. Je conviens en effet qu'il me faut tout reprendre. Je vais m'y pencher dès ce soir.

Les jeunes appréciaient ce genre de réplique. Ils apprenaient que l'aveu d'une ignorance est plus utile que l'étalement d'un savoir mal assuré.

Le Maître lui-même se surprenait de la perspicacité, de la sagesse si précoce de ses Écoliers. Il y voyait la confirmation d'une autre de ses théories : l'enfant et l'adolescent sont en contact direct avec le mouvement, la vérité de la vie ; la vraie pédagogie les y maintient, le vrai savoir s'en nourrit.

La dernière partie des exposés du Maître était consacrée à de brefs commentaires inspirés de sa réflexion matinale. Sur la raison qui doit cultiver l'irrévérence devant les nouvelles et les anciennes vérités, et n'en tenir aucune pour acquise de manière à tout redécouvrir pour la première fois. Sur l'apprentissage de la sagesse qui consiste à épouser la manière, « l'allant de la nature », mais sans s'y contraindre jamais. Sur la vraie liberté qui consiste à s'autoriser parfois ce qui est défendu et à s'interdire souvent ce qui ne l'est pas. Il veillait aussi à appuyer chacune de ses réflexions sur la pensée d'un philosophe dont il résumait les idées principales et qu'il donnait en modèle aux jeunes.

Ainsi parlait Maître Ouellet. En terminant sa leçon, il invitait ses élèves à l'interroger sur les sujets de leur choix. Toutes les mains se levaient en même temps. Les plus âgés s'exécutaient les premiers. De tous les biens, lequel est le plus précieux ? Quelle est la différence entre la science, la poésie et la morale ? Comment l'espèce humaine peut-elle être homogène si chaque personne différe de toutes les autres ? Et s'il y a tant d'harmonie dans l'univers, pourquoi y souffre-t-on partout ?

Venait ensuite le tour des plus jeunes. S'il est vrai que la terre est ronde, il n'y a donc pas de bout du monde ? Est-ce qu'on pourrait arrêter le temps, et pourquoi ne le fait-on pas ? Comment se fait-il que les jours rallongent l'été, mais non les semaines ni les mois ? Que ferions-nous si, un matin, le soleil refusait de se lever ? Et pourquoi, au sein des animaux, les oiseaux sont-ils les seuls à chanter ?

Ouellet faisait sur-le-champ les réponses qui lui venaient aisément et remettait les autres au lendemain ou plus tard. Il mit ainsi deux ou trois jours à démêler la science, la poésie et la morale, ces trois façons de rendre compte des choses : dans le premier cas, comme elles sont ; dans le deuxième, comme on les sent ; dans le troisième, comme il faudrait qu'elles soient. À d'autres moments, c'était lui qui interrogeait les élèves : sur la manière d'orienter sa vie, sur la raison et la passion, sur la vraie grandeur… Des échanges animés s'ensuivaient qui se terminaient par de longs silences. Puis les élèves, méditant gravement la parole du Maître, s'engageaient lentement vers la sortie. Ils en auraient bien jusqu'au lendemain pour démêler toutes ces questions.

*　*　*

Les Écoliers étaient invités à consacrer beaucoup de temps à l'étude et à la réflexion. Ils empruntaient des livres à la bibliothèque de la Sourche que Louis-de-Gonzague, fidèlement, alimentait. Ils feuilletaient les journaux de Québec et de Montréal que le Bâtard faisait livrer. Mais le Maître les pressait également de cultiver leurs sens au contact de la nature. C'était, on le sait, l'une de ses idées les plus chères : l'esprit, le cœur et le corps étaient indissociables et leur mouvement ne devait pas être contraint, surtout en bas âge.

Chaque fois qu'ils le pouvaient, les jeunes Pikaubains s'égaraient donc dans les bois où ils s'adonnaient à leurs jeux. Ils grimpaient jusqu'à la cime des arbres où ils se recueillaient longuement, observant le paysage à des milles à la ronde. Ils couraient des « marathons » autour du Mont-des-Conscrits, exercice dans lequel Nova, l'Indienne, fille et petite-fille de chasseurs, tenait tête à plusieurs garçons. Ses parents s'étaient noyés lors d'une tempête sur le Lac Saint-Jean. Méon l'avait emmenée à Pikauba et confiée aux soins de Fabrice et Clothilde. C'était une belle fillette racée, aux yeux clairs, au teint sombre et aux cheveux d'encre. Le dimanche surtout, les Écoliers descendaient et remontaient la Rivière en canot ou à la nage, ou bien sautaient dans le Lac du haut du Mont, un exploit que Théo avait été le premier à réaliser ; Nova, encore elle, avait suivi et ensuite tous les autres. Plus tard, ils s'étaient amusés à y entraîner Léo et Fabrice. Le premier s'était exécuté de bon gré — plongeant même tête première — mais non le second qui, fort humilié, avait dû rebrousser chemin, prétextant son dégoût de l'eau.

Ils étaient friands de compétitions de sauts et de courses, de plongées et de plongeons. Là encore, le Bâtard les accompagnait souvent. Et ils exploraient longuement la forêt de Pikauba : ses collines, ses crevasses, ses savanes, ses sous-bois. Quand ils découvraient des crans, des lacs, des rivières, ils les baptisaient du nom d'un héros, d'un savant, d'un philosophe. Il y eut bientôt dans les environs du Village une Butte Socrate, un Pré Pasteur, une Caverne Platon, ainsi qu'un Rocher Sisyphe, des Roseaux Pascal et un Bosquet Don Quichotte — à cause de deux ou trois mélèzes dont les drôles de branches faisaient comme les ailes d'un moulin. Plus tard, on donna le nom de Méo au Cran du Mont-des-Conscrits et celui de Moïse au Lac qui le jouxtait. C'est au cours d'une exploration de ce genre que les Écoliers découvrirent sur l'Îlet-des-Sauvages les squelettes des sept Indiens qui y étaient morts de faim jadis. Ils avaient ensuite monté une expédition pour ensevelir pieusement leurs ossements.

Dans tous ces jeux, toutes ces excursions, la petite Nova se tenait aux premiers rangs. Elle y mettait même trop d'ardeur, au goût de Ouellet, qui déplorait ses distractions en classe. La course en forêt surtout la droguait. Elle aimait y faire de très longs trajets en solitaire, s'enivrant des parfums des jeunes pousses, s'abreuvant aux ruisseaux qu'elle croisait, se baignant dans des lacs ombragés pour se faire ensuite sécher sur les crans surchauffés de l'été. Parfois des lièvres, des renards, des louveteaux faisaient un bout de chemin avec elle. Elle rentrait à la fin du jour exténuée, baignée de sueur, les cheveux fous, le visage et les jambes lacérés par les branches, et souriant aux anges, ravie de ses interminables chevauchées, sourde aux remontrances de Clothilde :

— Si ça a du bon sens ! Tu veux-tu travarser le pays, comment ? C'est gros comme un pou, ça voudrait courir comme un cheval… Mais tu vas te morfondre, ma pauvre enfant ! En pure perte en plus ; si au moins c'était pour faire des commissions…

Cependant, les excursions de Nova, comme celles des autres Écoliers, n'empiétaient jamais sur un espace réservé qu'on appelait le Boisé. Derrière le Lac, un peu au-delà des Fougères, s'étendaient quelques acres de feuillus parsemés de talus et de clairières où, en mai, des volées de mésanges et de tourterelles venaient nicher. On y trouvait aussi des allées de trèfle bordées d'érables, et des gros bouquets d'épervières, comme des îlots rouillés. À Pikauba, le Boisé était réservé aux élèves qui venaient y folâtrer à la tombée du jour. C'est là que, à l'invitation du Maître, ils découvraient deux à deux des sensations dont la nature leur réservait la surprise. Les couples, toujours éphémères, s'y formaient un peu au hasard. Ils y faisaient discrètement, avec l'innocence et la gaieté de leur âge, l'apprentissage non pas de l'amour mais de ses apprêts. Les corps s'unissaient tendrement sur la mousse et, bientôt, on pouvait entendre, d'un buisson à l'autre, le murmure de la nature en fête.

Théo, le fils aîné d'Eudore et Gemma, ainsi que Nova s'y

retrouvaient à l'occasion. Ils avaient noté avec amusement que leurs étreintes s'achevaient toujours à l'unisson. Ils étaient amis. Déambulant dans les sentiers du Boisé, ils se tenaient par la main, répondaient aux mêmes appels et s'émerveillaient des mêmes découvertes ; ils faisaient tout de concert. Ils partageaient aussi leurs curiosités, leurs étonnements, et se confiaient leurs pensées, leurs émotions secrètes. Parfois, ils discutaient de la vie, du peu qu'ils en savaient et de tout ce qu'ils en devinaient. Ils parlaient aussi de l'avenir mais ce présent-là leur semblait trop lointain. Pourquoi s'en seraient-ils souciés ?

Le matin, en classe, les Écoliers qui en avaient le goût étaient invités à faire part aux autres de leurs expériences du Boisé. Un jour, Émilien, quatorze ans, fils de Déplié, leva la main. Il voulait raconter. Ouellet interrompit son exposé :

— Nous vous écoutons, Émilien.

— Hier, Maître, en sortant de la Sourche, il faisait très beau et je me suis dit : il faut que je vais au Boisé et…

— Attention, Émilien, c'est un subjonctif : il faut que j'aille…

— Oui, Maître. En quittant la Sourche, j'ai été au…

— Il vaut mieux dire : je suis allé, Émilien ; je suis allé.

— Oui, je recommence. Hier, je suis allé au Boisé et je me suis arrêté au Pré Pasteur. Yvonnette était déjà là. On s'est parlé… et…

— … Et alors ? Qu'est-ce que vous lui avez dit ?

Émilien se tourna vers une fillette de treize ans, assise près de lui. Elle avait les cheveux roux, comme son grand-père Machine, et baissait les yeux. Son visage aussi s'empourprait.

— Je peux, Yvonnette ?

— …

— Je lui ai dit que je voyais des fleurs qui poussaient dans ses yeux.

— Et qu'est-ce que vous avez répondu, Yvonnette ?

— Rien, parce que… parce qu'Émilien parlait et je voulais qu'il continue. Ça me faisait drôle.

— Il vaut mieux dire « cela », Yvonnette. Cela me faisait drôle..

— Oui, Maître.

— Quoi d'autre, Émilien ?

— Je lui ai dit qu'il y avait des petits papillons qui mangeaient dans ses fleurs et que…

— Attendez, attendez.

Ouellet s'adressa à l'ensemble de la classe :

— Émilien vient de dire : « mangeaient dans ses fleurs ». Pouvez-vous me dire quel autre verbe il aurait pu utiliser ?

Fadouce leva la main :

— Butiner, Maître. Les petits papillons butinaient.

— Bien ; très bien. Et vous, Yvonnette, qu'est-ce que vous avez compris de tout cela ?

— Bien… Il trouvait que… que j'avais des beaux yeux ?

Ouellet prit le reste de la classe à témoin :

— Vous êtes d'accord, vous autres ?

Ils étaient bien d'accord.

— Autre chose, Émilien ?

— J'ai dit aussi qu'elle ne devrait jamais fermer ses yeux parce que les fleurs, elles allaient se briser et que les papillons, ils allaient rester prisonniers.

— Plus lentement, Émilien, plus lentement ! Et vous, Yvonnette, vous avez dit quelque chose ?

— Non, Maître.

— Et pourquoi donc ?

— Parce que je… j'avais envie de pleurer.

Ouellet s'adressa encore à l'ensemble de la classe :

— Bon, nous savons tous qu'Yvonnette n'a pas de fleurs ni de papillons dans les yeux ; même s'ils sont bien jolis en effet, ces yeux. Et pourtant, ces mots ne lui ont pas semblé ridicules. Comment appelle-t-on ce genre de paroles qui ont la propriété de dire une vérité alors même qu'elles ne sont pas vraies ?

Les garçons répondirent en chœur :

— Des menteries! Des menteries!

Des rires fusèrent, le Maître lui-même sourit. Émilien devint aussi rouge qu'Yvonnette. Ouellet reprit :

— Allons, un peu de sérieux. Émilien ne désirait pas tromper. Et puis, je le rappelle, ses paroles exprimaient une vérité, vous en convenez vous-mêmes ; sinon, Yvonnette n'aurait pas pleuré. Alors, comment s'appelle ce genre de mots qui, en partant du réel, crée de la beauté et de l'émotion plutôt que du savoir ?

Cette fois, la classe se fit attentive. Puis des mains s'élevèrent :

— De la poésie, Maître! De la poésie!

— Bonne réponse, enfin. Quelqu'un pourrait-il me donner un autre exemple de poésie ?

La petite Océane leva aussitôt la main :

— Hier, Maître, j'étais couchée dans les Fougères, près de la Rivière, et je regardais le firmament. À un moment, j'ai eu l'impression que j'étais étendue au fond de la mer et que les nuages étaient comme des îles qui… qui passaient… qui…

— Qui dérivaient ?

— Oui, qui dérivaient à la surface. Je pense aussi qu'il y avait des bateaux à travers les îles, mais je n'en suis pas sûre. Est-ce que c'est de la poésie ?

— Mais assurément, Océane, assurément. Vous venez, tous les deux, chers enfants, et vous vous en souviendrez, vous venez de faire vos débuts en poésie. Vous, Émilien, avec les yeux d'Yvonnette, et vous, Océane, avec vos nuages. Et ce sont des débuts fort honorables, je vous en félicite. Bon, maintenant, nous allons…

— Maître, Maître…

— Oui, Émilien, autre chose ?

— Bien, je ne pense pas que c'est de…

— Émilien, mais soignez ces subjonctifs, voyons! Il faut dire : que ce soit, je ne pense pas que ce soit !

— Excusez-moi, Maître.

— Vous êtes impardonnable ; travaillez donc davantage vos lectures !

— Oui, Maître ; il faudrait que j'y mets… que j'y mette plus de temps. Je peux continuer ?

— Bien sûr.

— Je ne pense pas que… je ne sais pas si c'est aussi de la poésie, mais ensuite, avec Yvonnette, j'ai eu mon premier, heu…

— Votre premier ?

— Mon premier… frisson, mon premier frisson.

Yvonnette enchaînait :

— Moi aussi, Maître. Sauf que…

— Sauf que ?

— Bien, sauf que moi, ce… ce n'était pas mon premier.

— … Bien, euh… merci, merci les enfants. Je… je crois que vous devrez… que vous devriez aller en récréation maintenant.

* * *

Un soir, autour de la table familiale, Clothilde interpella Nova :

— Pis, comment ça va à l'école ?

— C'est plaisant, monsieur Ouellet a toutes sortes d'idées !

Elle prit alors plaisir à raconter ses jeux, ses frissons du Boisé avec Théo et quelques autres Écoliers. Fabrice, rêveur, l'écoutait en souriant. Mais Clothilde l'entendit autrement :

— Brice, franchement, le bas du corps te fait-y parde la boule ? Tâche donc de penser un peu plus haut que tes pendrioches* pour une fois ! Tu veux tejou pas qu'un bon jour la petite nous arrive grosse ?

Le lendemain avant-midi, elle se rendit à la Sourche et interrompit le Maître au milieu de sa leçon :

— Faites excuses, monsieur Ouellet, mais si j'en juge par ce que ma fille a conté chez nous hier, j'penserais que votre cours sur le Boisé est pas'ttefett complet.

257

— Ah vraiment ?

— Non, pas' ttefett. Y en manque un boutt important que je m'en vas compléter tu suite, avec votre permission.

— Mais faites donc, chère Clothilde. Faites donc

La dame se planta devant les élèves et, faisant peu de cas de leurs regards médusés, elle entreprit d'éclairer à sa façon les arcanes de la sexualité et de la procréation. Au moyen de fines allégories empruntées au règne des bovins et d'autres ruminants, elle commenta cet étrange caprice de la nature en vertu duquel la vie se présente partout sous deux formats, le mâle et la femelle. Elle les caractérisa l'un et l'autre en expliquant succinctement que le premier avait en plus ce que la seconde avait en moins :

— J'me fais-t-y bin comprendre par les demoiselles ? Quand j'dis « en moins » pis « en plus », j'pense pas aux bretelles de police pis aux bottines de beu, là !

Tous, mâles et femelles, étaient captivés maintenant. La plantureuse pédagogue, alliant efficacement le geste et le verbe, avait chassé toute réticence parmi son public. Le Maître lui-même, écarquillant les yeux, avait pris place parmi ses élèves. L'experte enchaînait.

En des termes qui ne laissaient rien dans l'ombre, elle exposa, dans ses tenants et surtout dans ses aboutissants, les mystères du germe, cette toute petite chose qui peut en engendrer une très grosse. En effet, la conjonction du plus et du moins, tout en provoquant la plus heureuse des plénitudes, pouvait aussi en entraîner une autre sous la forme de la grossesse, ce contre quoi la doctoresse mettait ses disciples en garde en les invitant à détourner le mouvement du germe au cours de leurs « frissons ». Il s'agissait simplement, pour les deux partenaires, de voir à se désunir avant que les sens n'explosent, évitant ainsi que le fluide ne suive sa pente naturelle qui le faisait transiter du plus vers le moins.

Fidèles à leur manière, les jeunes voulurent approfondir le sujet et martelèrent de questions la conférencière qui, dominant sa matière, fit aisément toutes les réponses. L'échange se termina avec une intervention de Noée qui s'inquiétait de savoir si la nature avait installé la même pente du plus et du moins dans tous les rapports entre l'homme et la femme. Clothilde la rassura en affirmant que, pour tout le reste sans exception, ladite pente était inversée…

Chapitre 23

Mis à part les attroupements quotidiens sur la Place, les dames de Pikauba participaient aux réunions de l'Assemblée des Habitants où elles se faisaient entendre à volonté. Plusieurs d'entre elles travaillaient à la cafétéria du chantier, au collage du bois, à l'entretien des chemins ou à la gestion des entrepôts. Les autres s'occupaient des enfants, ce qui les maintenait à leur camp. Mais elles n'en souffraient pas ; elles en avaient fait leur forteresse. Toujours sur la brèche, jalouses des avantages que la nature leur avaient donnés, elles portaient le couteau entre les dents aussi bien qu'à la main, s'étant fait de l'égalité une idée que n'auraient pas désavouée les guerriers d'Attila. Elles voyaient dans l'union matrimoniale un lieu très vivant d'affrontements perpétuels où chaque partenaire devait assurer quotidiennement sa survie, aucune position n'y étant jamais acquise. L'égalité résidait dans le degré d'agressivité et de persévérance que les deux combattants mettaient à vouloir se dominer mutuellement. Le résultat, toujours provisoire, favorisait tantôt l'un, tantôt l'autre, sans qu'il en résulte aucune aigreur, les victoires du jour pouvant être défaites le lendemain. La lutte reprenait chaque matin avec le même entrain.

Les épouses mettaient au service de cette cause toutes les ruses et subterfuges possibles, une absence totale de scrupule ainsi qu'une vigilance de tous les instants, à quoi s'ajoutaient les dons ordinaires de leur condition, à ceci près que les dames de Pikauba les possédaient au plus haut degré. Au physique, par exemple, on aurait dit que la beauté et l'art de s'en servir, tout comme la vigueur des traits et des formes, affectionnaient ce lieu marginal, plus près de la nature. Le reste était à l'avenant. C'était d'ailleurs un précepte que Maître Ouellet s'employait à répandre dans son enseignement : la vérité et la liberté de l'esprit s'adossent à celles du corps. Parmi les sujets d'élite sous tous ces rapports, Clothilde et Gemma étaient reines et maîtresses. Du physique et de ses prolongements, elles connaissaient chaque coin et recoin, chaque rouage et ressort, et savaient en jouer sur tous les fronts. Leurs congénères du Village, quoique moins douées, partageaient les mêmes inclinations et la même idée de l'égalité. En conséquence, la vie conjugale restait pleine de surprises et d'agréments.

Les enfants occupaient beaucoup de place. Admis eux aussi à l'Assemblée des Habitants et dans les conversations d'adultes, ils représentaient le bien le plus précieux du Village. Maître Ouellet en faisait rien de moins que l'assise du monde nouveau dont il rêvait, tandis que la Sourche en était le laboratoire. Le statut d'Écolier était pour lui le plus élevé, le plus noble de tous. Dans le rapport qu'il entretenait avec ses jeunes, il faisait en sorte qu'ils se pénètrent de cet esprit et de la mission qui en découlait. Tout s'annonçait bien de ce côté. Effet sans doute de la magie du Maître, la première génération d'élèves s'annonçait des plus brillantes et des mieux disposées. Il se trouvait un peu de tout parmi ces enfants : des légitimes jusqu'aux plus illégitimes, des héritiers et des orphelins, des consanguins, des métissés et des étrangers, des Indiens et des Blancs. Trois ou quatre avaient

261

été trouvés le matin sur la Place, emmitouflés dans un panier et respirant déjà avidement l'air du Village. Le Maître leur avait donné des prénoms de son invention et l'Assemblée leur avait assigné une famille.

Les Écoliers formaient une communauté grouillante et joyeuse. Il y avait la petite Fleur-Ange, jolie comme une abeille, que Ouellet disait née du croisement de l'aube et du crépuscule. Puis, dans le désordre : Fadouce et Divine, Babèle et Cassandre, Ulysse et Aurèle, Océane et Noée, et tous les autres. Mais pour le talent comme pour le mérite, Théo et Nova, de l'avis de tous, venaient en tête.

*   *   *

Durant l'hiver 1951, Pikauba avait été littéralement enfoui sous une épaisse couche de neige ; seules les cheminées de tôle noire émergeaient du Village, marquant l'emplacement des habitations. Le Radoub de Cage-à-l'Eau avait presque complètement disparu au fond de sa coulée ; le squelette de la goélette jouait à l'épave sous les glaces. Pour Noël et le Jour de l'An, des hommes avaient dégagé un cercle sur la Place pour y ériger des sapins géants ornés de grosses ampoules. La nuit, ils se dressaient comme des phares au milieu de la forêt enneigée. En janvier et février, les grands froids n'avaient guère ralenti le travail dans les chantiers. Lorsque le thermomètre descendait à moins trente-cinq, les bûcherons ajoutaient une paire de gants de laine dans leurs mitaines et une semelle de feutre dans leurs bottes. Certains continuaient d'œuvrer mains nues :

— Ça tue le mauvais sang.

Au printemps, les Villageois s'étaient amusés à prédire la date de la débâcle sur la Rivière. L'événement avait été souligné par la fête du Bouquet. On avait chargé de billots quelques camions aux pare-chocs décorés de tuques, de mitaines, de foulards. Des femmes, des enfants et des bûcherons avaient pris place sur le chargement, autour d'une épinette érigée en trophée. Puis les premières chaleurs de mai avaient libéré les âcres senteurs de la terre en dégel, les mêlant au parfum des jeunes pousses et à la fraîcheur des sous-bois. Les familles avaient refait leur jardin, les Écoliers étaient retournés à leurs jeux, à leurs sentiers, à leurs refuges. Ils en revenaient en cueillant sur leurs pas des boutons d'or, des quatre-temps, des chasse-pareil. L'air du soir était si doux que Ouellet dormait sur la galerie de son camp. Il s'éveillait tôt le matin, humait l'air de l'aube, s'attardait sur son lit de fortune ; il lui semblait que le temps était assoupi dans les parfums du jour.

* * *

Avec le retour de l'été, le Village avait retrouvé son effervescence. Une vie sociale des plus plaisantes s'y greffait grâce à l'ardeur et à l'ingéniosité de chacun. Le repas du soir se prenait dans chaque maison, mais les visites incessantes d'une famille à l'autre, jointes au hasard des jeux et des lieux, faisaient que les tablées accueillaient les réunions les plus hétéroclites. Ainsi, l'attache familiale se renforçait d'un lien communautaire. La Place en demeurait cependant le cœur. Le jour, les jeunes y jouaient à l'ours, au drapeau, au ballon-prisonnier. Les soirées y réunissaient tout le monde à la lumière des torches qu'allaient bientôt remplacer des lampes au gaz puis des ampoules électriques alimentées par une génératrice.

Il s'y passait toujours quelque chose. Après le travail, les Indiens du Village se livraient à leur musique et à leurs danses coutumières. Des Blancs se joignaient à leurs rituels. Les autres s'attardaient chez Jérémie le cordonnier, chez Machine le mécanicien, chez Joseph le menuisier. Ou bien ils causaient de la journée qui s'achevait, s'échangeaient les derniers numéros du *Zadig*, commentaient la vie de Chicoutimi et d'ailleurs. Plus tard, ils s'en allaient flâner le long de la rivière. À moins que durant la journée la Société Mistapéo n'ait pris livraison d'un autre camion neuf, auquel cas les Villageois tenaient tous à jeter un coup d'œil sur la nouvelle « bête ».

Ce fut une grande fête que ce dimanche de juin 1952, quand l'avocat Belley, rayonnant, fit irruption sur la Place au volant de sa nouvelle Studebaker jaune et blanche. C'était, assurait-il, un modèle révolutionnaire, « à l'avant-garde ». La voiture était en effet toute petite et, surtout, l'arrière était dessiné exactement comme l'avant, y compris le nez (ou la queue ?) et la forme des vitres qui imitait un cockpit d'avion. Les hommes n'avaient jamais vu pareille machine ; ils en rirent pendant tout un après-midi :

— Vous l'avez faitt peinturer spécialement pour le dimanche ?

— C'est plus gros qu'une pionneure… C'est pour les frappe-à-bord ?

— Watchâte ! Vous r'culez ou vous avancez, là ?

— T'as vu ? y a un p'tit moteur de réserve dans le coffre…

— Honnêtement, monsieur Belley, votre char, c'est pas aisé d'y démêler les deux boutt !

— Y m'fait penser au gros Savard qui restait pas loin de chez nous. On savait jamais si y arrivait ou bin si y s'en allait.

Beau joueur, Louis-de-Gonzague laissait dire :

— Attendez quelques années, vous allez voir ; même vos « troques » vont ressembler à ça !

Les sarcasmes repartaient de plus belle.

Raoul Roy passait aussi de temps à autre au Village. Il stationnait sa Buick verte près du Temple et s'enfonçait pour la journée dans la forêt. Il en ressortait le soir avec des perdrix, des lièvres sous les bras, un chevreuil sur l'épaule.

Sur la Place, les dames se mêlaient à tous les groupes et parlaient fort. Elles tenaient aussi des apartés au cours desquels elles passaient en revue les gens et les choses de Pikauba. Le Bâtard, si beau et si retranché, les intriguait ; quelques-unes se seraient bien dévouées pour mettre des parenthèses dans son célibat. Par contre, celui de Louis-de-Gonzague leur paraissait tout naturel :

— C't'un homme qui pense trop. Lui, y a juste le boutt d'en haut qui marche, c'est clair. À force, y doit avoir la pendrioche comme une mâchée d'gomme.

— C'est un peu comme Maître Ouellet…

— Celui-là, c'est pas mêlant, y doit lui manquer tout l'boutt d'en bas !

Elles s'esclaffaient, revenaient à des préoccupations plus immédiates. Celle-ci faisait de l'apsme* ou de l'enfle* ; celle-là était prise de la boursouffle* ou souffrait d'une vilaine gueteurse* ; cette autre, en vieillissant, avait les plémas* plissés ou la falle* toute dépeuplée :

— J'pourrais même pus allaiter un maringouin, chose.

— Franchement, t'as des moyennes comparaisons !

— Eille, denarve ! C'est juste pour dire, voyons donc ! Tu vois bin que chus rendue plate comme un moule à tarte !

Cette autre se plaignait de ce que son mari, pris des rognons*, n'arrivait même plus à faire ses devoirs conjugaux :

— C'est terrible comme y a pas de santé, c't'homme-là.

— Plains-toi pas, chère. Le mien, y en a que trop !

— Ben voyons, y est toujours grippé, le tien.

— Pas de partout !

Les Écoliers se glissaient dans les conversations et s'instruisaient tout en se divertissant. Ils recherchaient la compagnie de Cage-à-l'Eau, le questionnaient sur son bateau, les voyages qu'il ferait plus tard, s'ils pourraient en être les matelots. L'autre donnait toujours les bonnes réponses, quoique rarement les mêmes ; les jeunes revenaient le lendemain. Le marin s'en amusait, répétait ses vieilles histoires en y introduisant quelques variantes. Il parlait de la mer, qui était sa « terre natale ». Il racontait la vie d'un crabe qu'il prétendait avoir élevé et qui avait changé plus de trente fois de carapace en grandissant.

— Trente fois, Cage-à-l'Eau ? T'es sûr ?

— Ça se peut qu'il m'en ait échappé trois ou quatre…

Il reprenait l'histoire de ce ponchon extraordinaire porteur d'un message d'amour, que le vent avait miraculeusement poussé sur les côtes de Nouvelle-Écosse après qu'il eut été jeté à la mer comme une bouteille du haut d'une falaise à Havre-Aubert, et qui y était revenu tout aussi miraculeusement avec une réponse, si bien que le mariage avait pu être célébré l'année suivante. Évoquant son enfance, l'homme décrivait ensuite la pêche aux coques sur les dunes fouettées par le vent salin, la recherche des « trésors » que l'océan parfois déposait sur la rive, la cueillette des œufs de hareng dont il chargeait des tombereaux entiers.

— Des tombereaux entiers?

— Oui, monsieur! Faut dire que, dans ce temps-là, les œufs étaient aussi gros que les harengs; des fois plus…

Son personnage intriguait. Il conservait en permanence au coin de la bouche un mégot qu'il ranimait de temps à autre avec une allumette tirée de sa casquette, comme faisaient les anciens marins. Les Écoliers en revenaient à son bateau :

— C'est drôle, votre goélette, quand on la voit au fond de sa coulée, on dirait plutôt une épave…

— C'est vrai que ça peut ressembler à un naufrage. Mais en fait, c'est le contraire; quand l'eau va arriver, vous allez voir, elle va monter.

Plus tard dans la soirée, il raconterait la Grande Déportation et, la voix étranglée, fredonnerait *Évangéline*. Les Écoliers reprendraient en chœur.

Parfois aussi, on l'apercevait en tête à tête avec Machine. Très recueillis, les deux chef-d'œuvreux conversaient tout bas, avec des airs entendus et des demi-gestes. Chacun devinait la complexité des matières abordées. Ailleurs, sur la Place, Rond-Coin expliquait comme s'il l'avait faite la sale guerre des Boers (il disait : des « Éboueurs ») et toutes les monstruosités que les Anglais étaient allés faire là-bas dans les Afriques. Plus loin, les renâclages de la Floune se perdaient dans le brouhaha, pendant qu'Aller-Retour faisait le vide autour de lui, poursuivant son interminable monologue.

À l'inverse, l'attroupement grossissait autour de Fabrice qui relatait sa brève expérience de contrebandier et comment elle avait échoué par la faute de son complice, Armand, un propriétaire de goélette qui venait livrer la marchandise interdite dans une anse près de Chicoutimi. Le navigateur avait eu l'idée, très simple mais efficace, de dissimuler la bagosse et le miquelon* sous des boîtes de harengs. Au début, les affaires furent des plus florissantes, puis elles déclinèrent rapidement. Pour mieux abuser les policiers, le complice renouvelait le stock de boisson mais non la cargaison de poisson :

— Ça va bin, Fabrice ; ça va bin. T'as vu ? y a pas une police qui vient…

— Ouais, mais y a pus un client non plus ! Faudrait que tu rafraîchisses ton hareng, Armand. Y disent que même la bagosse a un goût, sacrament.

À la fin, ils s'étaient fait prendre tous les deux à cause, non pas du hareng, mais des bidons de lait dans lesquels ils dissimulaient une partie du produit. Quelques contenants, par erreur, s'étaient un jour retrouvés dans une fromagerie de Laterrière, provoquant un émoi qui fut fatal aux deux trafiquants. Le fromage du Saguenay étant alors exporté à Londres, l'affaire avait connu des rebondissements inattendus jusqu'au palais de Buckingham où le produit trafiqué de Fabrice, parfumé de hareng fatigué, avait causé chez les têtes couronnées des dérangements très fâcheux. Le coupable n'en éprouvait guère de remords :

— Ouais, monsieur. C'est comme ça que j'ai fait péter le roi pis la reine d'Angleterre !

Méon, dont le tempérament continuait de s'assombrir avec l'âge, fréquentait encore la Place, mais surtout pour s'y entretenir avec les enfants, dont la compagnie semblait l'apaiser. Ils l'interrogeaient sur l'ancienne vie des « Inmourables » et sur la sienne aussi. Le vieil Indien se rappelait. Et racontait, sans se lasser : son enfance à Pointe-Bleue, la petite école à côté de l'ancien cimetière, le commis du Poste et ses colères, la visite du missionnaire avec ses médailles, ses hosties, ses bonbons, et le poisson blanc qui, les nuits d'automne, roulait comme des étoiles à travers les galets. Il se souvenait des contes que lui récitait sa mère, surtout l'histoire de KaKuna, la petite fille qui avait appris de son oncle à faire danser et chanter les aurores boréales. Il y avait aussi l'histoire du garçon de Pointe-Bleue qui était monté jusque sur la lune en grimpant sur le rayon qu'elle déroulait la nuit sur le Lac endormi. Ou celle du chasseur intrépide qui avait pris le soleil au collet. Et celle du paon qui, ayant inventé l'arc-en-ciel, en avait fait cadeau aux enfants. Et toutes ces histoires qui mettaient en scène le vilain Carcajou, le rusé Tshakapesh…

Les Écoliers l'interrompaient, demandaient des précisions, se faisaient expliquer ceci ou cela. Il évoquait son grand-père qui, aux repas, avait toujours de bonnes paroles pour le saumon, la perdrix, le lièvre qu'il s'apprêtait à manger. En forêt, le vieil homme se guidait en interrogeant la pie qui savait tout et le disait. C'est elle aussi qui lui avait appris l'origine de la mousse dans les arbres, les six saisons de l'année ainsi que les humeurs du porc-épic.

Il racontait ses étés à Betsiamites. Après la fête de l'Assomption le 15 août, les chasseurs redevenaient fébriles sur la Réserve ; c'était le temps de retourner sur les Territoires. Le jour venu, les familles se regroupaient sur la rive du Golfe, les hommes attachaient des rubans de couleur à leur fusil et, juste avant de s'embarquer en face de l'église, ils tiraient des salves comme le faisaient leurs ancêtres. Les canots se mettaient en marche tous ensemble vers le nord et, quand ils doublaient le Calvaire, les hommes tiraient à nouveau. Les vieillards, les malades et les autres qui restaient derrière agitaient encore la main sur la berge. Les embarcations continuaient ensuite vers les rivières Papinachois ou Manicouagan. Les chasseurs étaient contents ; dans six ou huit semaines, ils retrouveraient leurs parages. Ils allaient très loin, deux cents, trois cents milles, jusqu'aux monts Otish parfois, où ils rencontraient d'autres chasseurs montagnais de Mingan, de la Romaine, de Natashquan, du Labrador. Des Cris de la baie James aussi, avec qui ils communiquaient par gestes.

Il décrivait les longs hivers sur les Territoires, la chasse au caribou, les tempêtes, les disettes, puis l'exaltation du printemps et le retour vers le littoral en juin avec les produits de la chasse et tout ce que les gens avaient à se raconter. Les familles étaient heureuses de se revoir et faisaient des fêtes, des makusham*. Mais il leur fallait d'abord enterrer leurs morts, ceux qu'elles avaient pu ramener de là-bas en les transportant pendant des semaines sur des traîneaux et des canots. Ils portaient ensuite au baptême les nouveau-nés de l'hiver. La vie continuait.

Méon s'arrêtait, les enfants en redemandaient, l'Indien reprenait. Il disait les plaisirs du printemps : le retour de l'eau vive dans les ruisseaux, l'apparition des premières feuilles aux branches des cormiers, le vent doux qui balayait les Territoires, les cris de joie des jeunes gens quand les Aînés donnaient le signal du retour. Plus tard encore : ses journées dans la Réserve, la pêche dans le Golfe, la petite chasse avec son père. Et surtout les matinées fraîches, quand la brume recouvrait le large et qu'il allait avec ses frères recueillir des palourdes sur les battures le long du chemin Lalitot.

À la fin, les jeunes lui posaient d'autres questions auxquelles il répondait en blaguant :

— Comment faisiez-vous pour traverser les rivières quand le courant était trop fort?

— C'est simple, on en faisait le tour.

— Eille, ça se peut pas!…

— C'est vrai, Méon, que, pour devenir adulte, un garçon indien devait tuer un ours?

— Oui. Le tuer, pis surtout le manger; au complet… Moi, j'ai pas été chanceux; le mien, il était bâti comme un Chevrolet!

— Tu ris pas de nous autres, là ?

— Pour être franc, disons que j'ai laissé un peu de fourrure…

— Ah, c'est encore une menterie ; t'es pas fin !

Il évoquait ses souvenirs du Grand, de Mistapéo. Il en parlait comme d'un géant infatigable, impatient ; il rappelait ses exploits, l'admiration qu'ils avaient pour lui et le chagrin que sa disparition avait causé parmi les Indiens. Il se faisait intarissable sur l'amitié, les aventures du Grand et de Moïse, leur traversée du Lac, leurs virées dans les Territoires, leur équipée jusqu'à la Source Blanche…

Les enfants en revenaient à Méon lui-même ; ils auraient voulu en savoir plus sur son adolescence, sa jeunesse. Mais l'Indien n'allait jamais plus loin. Sur ce point, il se renfermait et se retirait dans son camp.

Après le souper, dans son bureau du Temple, Léo dressait avec Valère les comptes de la journée : la production de billots, de madriers, les livraisons effectuées, les crédits, les paiements, les dépenses. Plus tard, il rencontrait ses adjoints pour vérifier le plan des opérations du lendemain. Quand il terminait assez tôt, il descendait lui aussi sur la Place et se joignait aux Pikaubains. Tous reconnaissaient de loin la grande silhouette drapée dans sa veste de peau de chevreuil. Les conversations se calmaient un peu à son approche, mais il les relançait aussitôt. Il ne parlait jamais du travail, s'informait plutôt des affaires, des ennuis de chacun : un homme estropié, une mère surchargée, un enfant malade, un deuil dans la parenté ; mais aussi un toit qui coule, un camp surpeuplé, une génératrice tombée en panne. Il prenait des nouvelles des engagés récents, s'inquiétait de leur confort. Sur son passage, il jetait aussi un regard sévère sur celui-ci qui avait négligé son travail ou cet autre qui avait déshonoré l'esprit de Pikauba. Le message passait, les coupables s'amendaient.

Une fois par mois, des toffes du Village descendaient prendre une bonne brosse à Chicoutimi, d'où ils revenaient deux ou trois jours plus tard, parfois quatre, dans un état des plus délabrés. Léo, c'est le cas de le dire, passait l'éponge, mais non sans faire sentir son mécontentement. Avant de partir pour leur équipée, les buveurs s'engageaient un « pilote de brosse », un gars solide qui demeurait sobre, gérait l'argent des fêtards, veillait à leurs besoins et réglait la logistique de la « virée ». Ils pouvaient donc s'adonner à leur vice en toute quiétude, menant un train d'enfer dans les tavernes de la rue Racine où ils faisaient la loi. La nuit venue, ils déplaçaient leur artillerie dans les bars clandestins du port où, en des combats épiques, ces valeureux fantassins affrontaient les bûcherons des chantiers de Gosselin. Sous des titres peu lyriques, leurs frasques trouvaient ensuite leur chemin dans les colonnes de *La Vérité*, ce qui n'aidait pas la cause des Pikaubains, déjà en manque de réputation auprès des bonnes gens.

Quelques jours plus tard sur la Place, les guerriers se regroupaient pour faire le point sur leur dernière sortie et planifier d'autres croisades. Entre ces éternels assoiffés soucieux de méthode, des discussions techniques s'élevaient, par exemple sur la façon de reconnaître le moment où, une fois parti sur la brosse, il était temps d'y mettre fin. Question difficile entre toutes, que chacun avait résolue pour lui-même dans le cours d'une longue pratique. Ils avaient leur recette, leurs « signes » :

— Moué, c'est quand j'perds l'appétit.

— Moué, c'est quand je le r'trouve.

— Moué, c'est simple, c'est quand j'ai pus soif.

Ils se tournaient vers l'interlocuteur :

— Ah oui ? T'es drôlement faitt, toué…

— Moué, c'est encore plus simple ; j'décide de m'en aller dès que j'peux pus m'lever.

— Ouais… Disons que c'est pas à la portée de tout l'monde, ça, monsieur !

L'échange se poursuivait, longuement. Mais les discoureurs se gardaient de conclure ; ils reprenaient le lendemain.

C'est parmi ceux-là et quelques autres que se retrouvaient les meilleurs sacreurs de Pikauba. Là encore, la maîtrise ne venait qu'après une longue expérience où entraient l'érudition et l'invention. Car il ne suffisait pas, comme le croyaient la plupart des novices, d'éructer deux ou trois jurons des plus convenus. Il fallait surprendre l'entourage en faisant montre d'originalité et en alignant de longues séquences sans verser dans la répétition ou la facilité. À Pikauba, les tirades de douze ou quinze jurons étaient monnaie courante chez les virtuoses de la chose. Le bon sacreur veillait aussi à maintenir un rythme tout en variant la cadence et la facture de sa prestation dont, à la longue, il se dégageait une harmonie, une musique très personnelle que l'on reconnaissait à l'aisance des enchaînements, à la phonétique des composantes. Chaque locuteur, pour ainsi dire, avait un son, une signature. Les plus belles créations étaient du reste réservées à leurs inventeurs qui se trouvaient ainsi à détenir une sorte de brevet. Dans les chantiers de la Mistapéo, par exemple, « saint-calvaire-de-la-swompe-aux-saints-apôtres-de-Jérusalem » était l'exclusivité de Ti-Co, tout comme « sacrament-de-la-double-clotche-à-l'huile-de-cibouère-de-Ponce-Pilate » appartenait à Padoue-l'Ours. Il y avait par ailleurs mésentente sur la paternité de « saint-jésomme-de-la-pionneure-du-grand-sanctuaire-du-pape-au-lard », de « l'hostie-de-charretée-d'ostensouères-de-binnes-à-Léo » et de quelques autres perles du lexique pikaubain.

Des colporteurs, juifs ou syriens le plus souvent, fréquentaient le Village. Arrivant au début de la soirée, ils stationnaient leur camionnette poussiéreuse près de la Place, juste au bout de la rue des Pâquerettes, et ils étalaient leurs marchandises tout en faisant le récit de leur vie itinérante. Un bric-à-brac s'accumulait : des outils, des tapis, des rideaux pour les camps, des catalogues de l'année, des surplus de l'armée, des cordes à danser pour les filles, des avions à réaction pour les garçons, des objets insolites, inutiles, toute une pacotille qui faisait rêver et qu'on pouvait acquérir pour deux sous. Des livres aussi, que Ouellet faisait acheter pour la bibliothèque de la Sourche, laquelle s'enrichit un jour de toute l'Encyclopédie Grolier — le Maître se rappelait avec nostalgie les belles heures qu'il y avait passées à l'époque lointaine de Port-au-Persil et de Saint-Siméon. Chacun s'approvisionnait pour le bon et le mauvais temps, pour les jours fastes et pour les autres. Ordinairement, le visiteur n'avait pas grand-chose à remballer au moment de repartir. Les enfants, comblés de récits et de bonbons, s'assemblaient derrière la camionnette et, le cœur serré, la regardaient s'éloigner, en route vers d'autres aventures.

Les dimanches avaient leur rituel. Tôt le matin, les chauffeurs venaient tour à tour stationner leurs troques autour de la Place où les Écoliers attendaient avec des torchons et des sceaux qu'ils remplissaient à la rivière. Les « bêtes » se laissaient astiquer jusqu'au dernier boulon, après quoi les jeunes, accompagnés d'un tuteur, avaient le droit de tenir le volant sur les chemins du chantier. Le Bâtard s'y faisait assidu ; ces heures lui faisaient revivre sa jeunesse rue Châteauguay. Il aimait surprendre l'émerveillement des Écoliers quand il soulevait les capots pour leur faire découvrir les moteurs ou quand il leur expliquait la mécanique des différentiels. Il leur donnait aussi des leçons de double-clotche.

Quand il pleuvait, l'eau détrempait la terre battue sur la Place. Les Villageois se réfugiaient dans leurs camps ou improvisaient des assemblées dans le Temple. La nuit venue, ils tardaient parfois à s'endormir ; c'était l'heure où, quand le ciel était bas, le mystérieux oiseau de pluie faisait entendre sa chanson triste qui touchait même les plus endurcis. Mais, à l'aube, le cri enjoué du bruant prenait le relais. La journée serait belle.

Chapitre 24

Ainsi s'écoulaient les heures et les jours de Pikauba : dans la fréquentation de la nature, dans l'amitié des gens et des bêtes, dans le mélange et l'égalité des conditions et des âges, dans la liberté des esprits et des corps. Certes, des embêtements, des accrochages survenaient. Ainsi, la cantine était une source de mécontentement à cause de l'unique dessert qu'on y servait. Le couke, que tout le Village avait pris en grippe, ne jurait que par ses galettes à la gomme de sapin dont il vantait les vertus laxatives. Personne ne les mettait en doute. Après chaque repas, c'était la course effrénée vers les sous-bois.

Le soir, c'était au tour des maringouins d'alimenter la grogne : des bêtes énormes, insatiables, d'une espèce qui ne s'était jamais vue nulle part ailleurs, qui semblaient prendre leur revanche à l'heure où les pionneures étaient au repos. On eût dit qu'eux aussi avaient établi à Pikauba une colonie de gibards. Certains soirs, les Habitants hésitaient même à s'assembler sur la Place. Machine avait concocté un mélange très efficace de feuillages de merisier, de mélèze et de champignons séchés ; si efficace en vérité que l'épaisse fumée qui s'en dégageait avait étouffé la moitié des enfants. C'est finalement le couke qui eut le dernier mot : il découvrit que les volatiles raffolaient de ses fameuses galettes ; dès lors, il en étendit chaque soir une généreuse provision autour de la Place. Après s'être bien empiffrées, les bêtes étaient prises d'un soudain malaise et se poussaient elles aussi vers les bois. Finalement, le couke retrouva l'estime de ses concitoyens et la paix revint au Village.

Dans une autre veine, un clivage s'était peu à peu installé entre les bûcherons et le reste des employés. Les premiers, à cause de leur robustesse, se croyaient supérieurs aux seconds, voués à des tâches de menette* exécutées souvent à l'abri des intempéries. Ils tenaient aussi que, au sein d'un chantier, la coupe était l'occupation la plus noble dont dépendaient toutes les autres. En réaction à ces prétentions, il s'était formé une coalition boudeuse et revancharde de chauffeurs, de commis, de colleurs et autres chôboïlles. La principale source d'humiliation tenait à l'ascendant physique que l'aristocratie de la scie s'arrogeait. La dissension s'était manifestée dès septembre 1950, à l'occasion du Jour des Comptes, alors que le Bâtard communiquait à l'Assemblée des Habitants les chiffres de la production et des rendements de l'année. Se croyant alors maîtres du Village, les bûcherons avaient pris un air satisfait et, le nez haut, avaient arpenté la Place en se pétant les bretelles.

Dans les jours suivants, la grogne fut telle qu'il y eut quelques empoignades dont, à leur grande surprise, les travailleurs de l'ombre se tirèrent assez bien. De là vint l'idée de tenir à la fin de chaque été un affrontement au cours duquel des représentants des deux clans rivaliseraient, mais pacifiquement. Au cours de l'automne 1950, les Habitants se réunirent quelquefois au Temple pour convenir de diverses épreuves. Après bien des palabres, on s'entendit sur le lancer du billot, le roulage du baril d'huile, le maniement de la roue de tracteur et le transport de la plantureuse Clothilde sur toute la longueur de la Place.

À la suggestion du Bâtard, il s'y ajouta un concours de double-clotche, hors compétition, réservée à la confrérie des troqueurs. Certains d'entre eux avaient fait de cet exercice rien de moins qu'un art. Il s'agissait, après avoir mis le véhicule en accélération, de passer de la deuxième à la troisième vitesse sans produire aucun grincement dans l'embrayage. L'opération exigeait une synchronisation parfaite de l'œil, du pied et de la main. Dans son trajet entre les deux vitesses, le levier devait stationner une fraction de seconde à la position neutre, le temps pour le chauffeur d'actionner une seconde fois la pédale de la clotche et, en même temps, de donner un coup d'accélérateur proportionné à la vitesse déjà prise, cela en tenant compte du poids du chargement et de la nature du terrain. Les troqueurs d'élite enregistraient instinctivement toutes ces données et passaient en troisième dans un mouvement coulé, feutré, presque caressant, de toute beauté. Le moteur lui-même en bruissait de plaisir.

En 1951, les protagonistes s'entraînèrent fébrilement dès la fin de l'hiver. Tout le Village se mobilisa, les esprits et les corps s'échauffèrent, on supputa de tous côtés, on tint des gageures, des conciliabules. Le jour venu, en septembre, les membres des deux clans restèrent dans l'incertitude jusqu'au dernier concours car l'affrontement était des plus serrés. C'est Padoue-l'Ours qui en fin de journée fit pencher la balance dans la dernière épreuve, soit le transport de Clothilde, mais seulement après avoir créé une grosse émotion en projetant d'abord la dame à une vingtaine de pieds sur la Place — sous la pression, le mastodonte avait confondu avec le lancer du billot. Enfin, le soir et toute la nuit furent consacrés à une grande fête au cours de laquelle les adversaires du jour fraternisèrent bruyamment.

*   *   *

À Chicoutimi, un tel arrangement collectif, et surtout le bonheur qui en résultait, continuaient d'alimenter les rumeurs les plus fantaisistes. Les Dames de Saint-Éphrem se réunissaient maintenant chaque semaine. À l'évêché, Pikauba emplissait toutes les conversations et l'irritation était à son comble. On y avait pris en grippe ce lieu éminemment suspect où l'harmonie, la charité et bien d'autres vertus fleurissaient sans police ni contrainte, à la seule enseigne de la vie et de la liberté, du plaisir et de l'égalité. Au milieu d'octobre, le Comité des Douze s'assembla à nouveau pour faire le point. L'opération qu'ils avaient planifiée contre Louis-de-Gonzague le mois précédent n'avait toujours pas donné de résultat. Il y avait maintenant urgence. Les Sages dépêchèrent des éclaireurs aux abords de Pikauba. Les rapports étoffés qu'ils transmirent au Comité puis à Monseigneur confirmèrent bientôt qu'on avait affaire à une forme d'habitat rien de moins que sacrilège qu'il pressait de supprimer. C'était Sodome et Gomorrhe confondues, aux portes de Chicoutimi !

Le recrutement de Ouellet et l'ouverture de cette espèce de collège, ajoutés à ce que l'on avait pu apprendre des jeux du Boisé, avaient fait déborder le vase sacré. L'évêque souhaita une opération corrective dont il confia l'exécution aux soins combinés de la balance et du glaive, en l'occurrence le juge Létourneau et le chef de la police. Le journal *La Vérité* s'était déjà mis en campagne et dénonçait le Village en long et en large, ce qui incita de nombreux curieux à le visiter. Séduits par l'ambiance et le caractère des lieux, la plupart voulurent y élire domicile, ce qui aggrava le cas de Pikauba.

Le 26 novembre 1951, au terme de préparatifs conduits dans le plus grand secret, des policiers de Chicoutimi, auxquels s'étaient joints des Gardes du Sacré-Cœur et des agents de la police provinciale, se regroupèrent aux abords de Pikauba. Voulant produire un effet de surprise, ils se présentèrent mine de rien, en tenue de ville. Sur un signal, ils firent irruption dans le Village et entreprirent de vider les maisons de leurs occupants avec l'intention de fermer carrément l'endroit. Les hommes se trouvant alors au travail dans les bois, les Écoliers s'en furent les alerter. Bientôt, accourant des chantiers environnants, jaillissant des coulées et collines, une faune grouillante et grondeuse se précipita pour libérer les Pikaubains assaillis. Lorsqu'elle parvint sur les lieux de l'assaut, des enfants et des femmes avaient déjà été rassemblés sur la Place.

Fabrice, Padoue-l'Ours, Victor De-la-Mort, Jos-la-Mâchoire, Fou-Braque et plusieurs autres pachydermes en furie sonnèrent la charge des Pikaubains qui eurent tôt fait de mettre l'adversaire d'abord en pièces, puis en déroute. Il est peu de dire que les envahisseurs passèrent un vilain quart d'heure. Certains, qui s'étaient enfuis dans la mauvaise direction, ne furent retrouvés que plusieurs jours plus tard, très loin dans les bois, jusqu'aux environs même de Charlevoix. Il est vrai que les amis du Bâtard s'étaient généreusement prodigués, y allant qui de la tête et du pied, qui de la paluche ou de la molaire, qui du rondin, du billot, du vilebrequin, et même de la pionneure.

Au Village ce soir-là, les héros et les exploits du jour furent bruyamment célébrés, en particulier la prestation glorieuse de Clothilde, douce épouse de Fabrice, qui était parvenue à neutraliser un jeune agent en le gratifiant soudainement d'une vue saisissante sur les monts et piémonts de sa généreuse poitrine, avant de l'assommer d'un vigoureux coup de tête — elle se vanterait plus tard d'avoir combattu l'adversaire « à seins nus ». Il fut question aussi d'un épisode insolite ayant mis en vedette Aller-Retour ainsi que la Floune. Faits tous deux prisonniers dans un camp au cours de l'échauffourée, ils avaient été confiés à la garde d'un policier qui avait ainsi fait connaissance avec l'incontinence verbale de l'un et les renâclages de l'autre. Après avoir résisté quelque temps à ce double supplice, il s'était résigné à laisser filer les deux captifs. Les Écoliers eux-mêmes s'étaient signalés en s'en prenant à trois gardes paroissiaux qui emmenaient Maître Ouellet.

En cette mémorable journée, à l'heure de l'attaque et de la contre-attaque, le Bâtard se trouvait à l'extérieur du Village. À son retour durant la soirée, il se réjouit de la tournure des événements, mais avec ses deux avocats, Louis-de-Gonzague et Raoul, il en eut ensuite plein les bras à replâtrer les pots (et les bras) cassés. Des agents de la police provinciale avaient été malmenés. L'un d'entre eux y avait même laissé toute une oreille, gracieuseté de Jos-la-Mâchoire qui avait mordu à sa façon au piège des assaillants. Léo attendit au lendemain puis dut se résigner à téléphoner au Premier ministre. Il lui relata d'abord les faits principaux qu'il résuma succinctement :

— Ils ont voulu nous tendre un piège, voyez-vous ; créer un effet de surprise. Et ils ont pleinement réussi ; disons que mes gens ont réagi un peu vivement.

Puis il aborda la partie la plus délicate de sa confession :

— En fait, monsieur le Premier ministre, je dois vous dire que vos hommes ne sont pas repartis exactement au complet.

— Quoi ? Comment ? Il manque…

— Non, non ; en fait, un de vos hommes n'est pas reparti tout à fait au complet.

— Qu'est-ce que ça veut dire ? Arrive au fait, Léo, je suis pressé, là.

— Un de mes gars, qui est un peu nerveux, lui a mordu une oreille…

— Non !

— Mais oui. Puis je pense que, vu l'état dans lequel on l'a retrouvée, elle servira plus à grand-chose.

Là-dessus, piteux, il s'interrompit pour laisser libre cours aux foudres du Chef. Mais il n'entendit qu'un long cillement à l'autre bout du fil. Il crut d'abord que la communication avait été coupée, puis il s'aperçut que son interlocuteur était étouffé de rire. Quelques secondes s'écoulèrent encore. Enfin, une voix secouée de spasmes se fit entendre :

— T'es pas sérieux ?… Déjà qu'ils comprennent pas vite, s'il faut qu'ils entendent plus…

Et c'était reparti. Il en eut encore pour un long moment. Puis :

— Coudon, tes bûcherons, on peut dire qu'ils ébranchent pour vrai?

Et quelques instants plus tard :

— Tu sais son nom, le gars?

— Un Tremblay. Marcel Tremblay, d'après ce que j'ai su.

— Ça viendrait pas de par chez vous, ça? ... de Saint-Amboise, il me semble?

— Je peux pas vous dire.

— Sacré Léo! Ça m'en fait une bonne à raconter.

— Est-ce que vous pensez que...

— T'inquiète pas, je vais m'occuper de... je vais te recoller ça!

L'affaire s'arrangea donc de cette façon du côté de Québec. Mais avec le Conseil de ville de Chicoutimi, ce fut une autre histoire. Des policiers avaient été frappés dans l'exercice de leurs fonctions, des Gardes du Sacré-Cœur avaient été bousculés; ce ne pouvait être toléré. Et une autre occasion se présentait d'abattre pour de bon à la fois un personnage scandaleux et un concurrent redoutable. Le chef de la police ainsi que l'évêque déposèrent une plainte. Le Bâtard fut la cible d'une double accusation au criminel : pour incitation à l'émeute et à la violence contre des agents de l'ordre. La date de son procès serait fixée plus tard. À Pikauba, plus personne ne riait.

* * *

L'absence de Léo le jour de l'assaut jouait en sa faveur. Quelques heures avant l'attaque, prétextant une affaire urgente, il avait sauté dans son camion et s'était rendu à Pointe-Bleue. Subitement ce matin-là, il avait éprouvé le besoin de revoir les lieux de son enfance, de retrouver des visages familiers. Toute cette partie de son univers, dont il s'était pourtant éloigné, revenait le hanter. Malgré ses journées surchargées et toute l'agitation de Pikauba, l'image de Senelle le poursuivait et le geste de

Moïse, le suicidé, tourmentait toujours sa mémoire. Il y avait aussi Méo, le géant superbe et mystérieux, dont l'ombre chevauchait tout cela. Et enfin Cibèle, Cibèle l'oubliée, à qui il n'avait donné aucun signe depuis deux ans. Il lui venait aussi des doutes, et même des remords : toutes ces entreprises dans lesquelles il s'était plongé si rageusement étaient-elles vraiment un rachat, une juste revanche, comme il le voulait croire ? ou bien une fuite, un alibi ?

Ce jour-là, le contact avec la Réserve l'avait bouleversé. Il l'avait trouvée changée et s'y était senti presque étranger. En ce mois de novembre, les chasseurs étaient partis. Plusieurs camps avaient été remplacés par des maisonnettes. De nouveaux métiers étaient apparus, pour satisfaire les goûts des touristes. Et les migrations constantes avaient fait leur œuvre. Ce sont surtout des Aînés qu'il put revoir ; mais c'étaient justement ceux-là qu'il voulait entendre ou réentendre. Encore une fois, il les interrogea sur leur passé, leur vie sur les Territoires et dans les Réserves qu'ils avaient connues. Ils répondaient brièvement, évoquaient leur rapport avec le Blanc, ce qu'il leur en avait coûté. Et ils en revenaient toujours à Moïse, dont ils parlaient comme d'une sorte de prophète. À Moïse et à Mistapéo, Méo le Grand, dont ils avaient tant à dire aussi :

— Ces deux-là, tu sais, c'était pas du monde ordinaire… Tous les Indiens en parlent encore.

— Fallait les voir dans le bois !

— Pis en canot…

— Quand ils arrivaient quelque part, tout le monde se taisait, même les Aînés.

— C'était quelque chose de les voir ensemble !

— C'est drôle, y se parlaient pas beaucoup. On aurait dit que, j'sais pas, juste à penser, y se comprenaient.

— Des gars comme ça, on en verra pus, c'est sûr.

Il retrouva Cibèle à la Pointe ; elle allait prendre son travail à l'épicerie. Ils se rencontrèrent au bord du chemin de terre, à vingt pas du Lac. Elle portait toujours ses longues tresses qui retombaient sur ses épaules fines. Le vent du large agitait sa petite robe brodée de rangs de perles. Elle se raidit quand il posa sa main sur son bras. Ce n'était plus comme avant.

Il l'informa un peu de ses affaires, lui parla vaguement de sa vie, l'interrogea sur la sienne. Elle répondait à mi-mots en baissant la tête, comme une enfant trompée, déçue. Ils restèrent un instant silencieux, feignirent de s'intéresser aux gestes de quelques hommes qui réparaient la chaussée. Il reprit :

— T'aurais pas eu le goût de partir aux Territoires avec les autres ?

— Partir, oui. Mais pour aller où ? Je sais pas.

— L'hiver ici, c'est un peu dégarni, non ?

— Les Territoires changeraient pas grand-chose. C'est par en dedans que je suis dégarnie.

Il voulut porter la main à son épaule ; elle se déroba. Ils se quittèrent le cœur serré, sans s'être embrassés.

Chapitre 25

La Société Mistapéo étendit encore son aire de coupe de trois cents milles carrés (ce qui la portait à 1 500) et, à l'été 1952, deux autres communautés prirent naissance dans le Parc des Laurentides, à une vingtaine de milles de distance du Village. Avec huit cents salariés à son service dans l'ensemble de ses activités, après seulement trois ans d'existence, la Société était devenue l'une des principales entreprises de la région. Fin juillet, Léo effectua un troisième versement (de 150 000 $ celui-là) sur sa dette envers la famille Turner. À Pikauba, le Village commençait à déborder de l'autre côté de la rivière, qu'enjambait maintenant une large passerelle. On y comptait déjà quinze cents habitants et le nombre des employés dépassait les quatre cents. Il fallut agrandir l'édifice de la Sourche et embaucher une institutrice pour aider Maître Ouellet. Il s'occupait des plus vieux Écoliers, elle enseignait aux plus petits.

Des journalistes venaient de Québec et même de Montréal pour enquêter sur « le miracle saguenayen », sur « l'empire industriel en train de naître en pleine forêt », sur ces « barbares heureux et avenants » qui tenaient tête aux autorités de Chicoutimi. Entre le Bâtard et Fabrice, de l'atelier de Machine au Radoub de Cage-à-l'Eau, ils allaient d'un étonnement à l'autre. Mais c'est surtout la Sourche qui les captivait, avec son Maître chicotu, coque-l'œil et bossu, dont la science insolite, la « mission » et l'aplomb déroutaient.

* * *

L'assistance se faisait de plus en plus nombreuse aussi à l'Assemblée des Habitants qui se réunissait une ou deux fois la semaine. Les Villageois aimaient s'y retrouver, qu'il y ait ou non matière à débattre. Dans un cas comme dans l'autre, ils avaient plaisir à se rencontrer et à échanger sur quelque sujet que ce soit, surtout s'ils en étaient ignorants. Car ils n'avaient pas manqué d'observer que la parole, pour être fille de la pensée, n'en est pas moins capable d'engendrer par elle-même des idées. Le Bâtard, toutefois, assistait rarement à ces assemblées et ne se mêlait jamais aux débats, estimant que la communauté était ici souveraine. Il ne prenait pas très au sérieux non plus les idées fantaisistes qu'y introduisaient Maître Ouellet et quelques esprits peu orthodoxes de Pikauba. Ouvertes à tous les Habitants, les réunions étaient ordinairement présidées par le premier venu, bien qu'une préférence fût reconnue aux personnes âgées et aux enfants, les unes pour ce qu'elles savaient, les autres pour ce qu'ils devinaient.

Dans les débuts du Village, les matières à régler avaient abondé car il fallait tout refaire. Les Habitants avaient dû légiférer sur la délicate question des points cardinaux, dont ils avaient porté le nombre de quatre à six, pour mieux s'y retrouver en forêt. Cette initiative avait eu l'heur d'indisposer quelques esprits plus rangés qui s'étaient fait répondre :

— Y a bin six saisons chez les Sauvages, on est pas pires qu'eux autres !

284

En une autre occasion, ils avaient décrété que la Place de Pikauba était le centre de l'univers ; Maître Ouellet avait confirmé que, la terre étant ronde, rien ne s'y opposait. Une autre proposition visant à allonger la saison de l'été aux dépens de l'hiver fut mise de côté, pour étude ; on ne voulait rien précipiter. Les Villageois délibérèrent longtemps toutefois sur l'opportunité de mesurer le temps. Les calendriers, les montres, les horloges avaient leurs détracteurs et leurs partisans :

— Chus contre. À contrôler le temps de trop près, y m'semble qu'on risque de le déranger ; je dirais même : de ralentir son écoulement, oui, monsieur !

— Eille, c'est pas du sirop, quand même.

— Ouais, pis un calendrier, c'est pas une écluse, chose !

— Bin, moi aussi, chus contre les montres pis les calendriers. J'ai pas besoin de ça pour régler ma journée ; c'est facile, je m'aligne sur les repas. Quand je déjeune, c'est le matin, quand je dîne, c'est le midi, quand je……

— J'pense qu'on a compris, là ; tu vas pas te rendre jusqu'au réveillon ?

— Voyons donc, vous autres, avec ou sans calendrier, le temps ira pas plus lentement ni plus vite. Moi, je dis que c'est le jour, c'est la lumière qui compte, bien plus que le temps.

Cet énoncé ne fit pas non plus l'unanimité. De longues discussions s'ensuivirent sur les mérites respectifs de la lumière et du temps, sur les rapports de l'une et de l'autre. Des clans se formèrent et même des sous-clans. Encore là, en dépit de propos fort éclairés et après bien du temps, on ne sut conclure, si bien que les moyens conventionnels servant à mesurer l'écoulement de la durée furent tolérés. Cependant, dans les semaines qui suivirent, le parti des calendriers profita d'un moment de relâche dans le camp adverse et fit installer une grosse horloge sur le mur extérieur du Temple donnant sur la Place.

Les Habitants statuèrent également sur le mode conventionnel de division de la durée en heures, jours et semaines, qu'ils décidèrent de conserver. Le vote, cependant, avait été serré, plusieurs s'opposant à ce découpage artificiel qui éloignait de la nature. Ceux-là raisonnaient ainsi : le jour et la nuit n'ont pas à être gouvernés, et il n'est besoin d'aucun artifice pour constater aussi bien le lever que le coucher du soleil. On se rallia finalement à un compromis qui abolissait les années bissextiles et uniformisait la longueur des mois.

À la faveur d'autres réunions, ils choisirent de ne pas consigner dans des annales les événements du Village. Il leur apparaissait en effet que la mémoire des choses avenues distrayait de celles à venir, en plus d'encombrer les esprits. Ils tenaient aussi qu'elle excitait inutilement les passions et divisait les personnes. Jérôme, le cordonnier, ne se laissait pas convaincre :

— Vous faites fausse route, là. Quand une chose est arrivée, même si on l'écrit pas, elle est arrivée pareil. D'après moi, ce qui s'écrit est pas différent de ce qui s'dit ; simplement, c'est comme si c'était dit une fois pour toutes. Moué, chus peut-être démodé, mais j'me prononce en faveur des écritures.

Aller-Retour, pour d'autres raisons, était du même avis :

— Bonguienne, si on écrit pas, on va se souvenir de rien ! Pis quand on se souvient de rien, c'est comme si y s'était rien passé. On aura rien à raconter, on va toujours répéter les mêmes affaires ?

Machine avait clos la discussion :

— De toute façon, c'est ce que tu fais, non ?

Ils eurent encore à légiférer sur les principaux vices et convenir de sanctions. Le mensonge fut le plus sévèrement puni, les contrevenants se voyant interdire l'accès à la Place pendant une semaine ou deux, selon la gravité de l'offense. Ils seraient ainsi cruellement privés de la fréquentation des autres Pikaubains. La peine parut excessive à quelques-uns, dont les objections furent repoussées. Des projets de règlement sur le vol, la paresse et la médisance restèrent lettre morte, faute de délit. Ils traitèrent aussi de la sexualité, surtout chez les jeunes : fallait-il la contraindre ? Là encore, des divergences apparurent. Mais à la fin, on se rallia à la position d'Eudore, qu'il formula en ces termes :

— Qui voudrait, dans l'arbre, contrarier le mouvement de la sève ?

À quoi Gemma, son épouse, eut l'esprit d'ajouter :

— Ou l'élan du bourgeon vers la fleur ?

Ouellet, Fabrice et plusieurs autres opinèrent dans le même sens. Fabrice surtout qui, sans avoir de théorie sur le sujet, revendiquait une longue pratique. Chez Ouellet, c'était en quelque sorte le contraire. Abstinent par vocation, par souci de ne pas se distraire de sa grande mission, il n'en croyait pas moins que la vigueur et la santé de l'âme trouvent leur source dans celles du corps, l'esprit se nourrissant de ses vibrations. Dans une longue intervention au Temple, il reprit la matière de son enseignement à la Sourche. Il voyait dans l'origine et l'histoire de l'espèce humaine (« cette ruée vers l'âme ») une démonstration éclatante de sa thèse. Ti-Co partagea son avis : il convenait de laisser les corps « marcher à leur pas ».

L'Assemblée ayant ainsi statué, la discussion avait dérivé sur la question générale du plaisir et de son contraire. Tous, même ceux qui n'en avaient jamais eu qu'une connaissance très sommaire avant leur arrivée à Pikauba, se prononcèrent en faveur du premier. De nombreux sujets de ce genre et bien d'autres encore furent abordés durant cette période de mise en place, de façon à harmoniser les habitudes, les goûts, les manières et les humeurs des Pikaubains. Dans chaque cas, ils retenaient les meilleurs avis et repoussaient les autres, recherchant partout l'intérêt général qu'ils plaçaient avant le particulier.

Un jour de juillet 1952, Maître Ouellet se présenta à une séance de l'Assemblée avec l'intention d'informer les Villageois de son grand projet d'un nouvel alphabet. Son tour venu, il monta à la tribune et prit la parole. Ses observations, expliqua-t-il, lui avaient enseigné la différence profonde entre les sociétés qu'il avait connues en Europe et celle qu'il voulait édifier au Saguenay, ce qui obligeait à une vigilance constante dans la vie de l'esprit. Ainsi, des mots identiques recouvraient des objets distincts d'un côté et de l'autre. Il en donna quelques exemples qui instruisirent l'assemblée autant qu'ils l'amusèrent. Il avait d'abord cru obvier à cette difficulté en créant simplement d'autres mots pour désigner correctement les réalités et les émotions nouvelles. Mais, à l'usage, il s'était récemment avisé que cette mesure ne suffisait pas : il fallait recourir à un moyen plus radical, à savoir une révolution de l'alphabet lui-même.

Celui qu'il avait mis en chantier — et qu'il appelait l'« Essaguéen » — compterait pas moins de trois cent douze lettres, assorties de quarante-huit accents, dont le tréma inversé qu'il venait tout juste de mettre au point et qui faisait merveille, assurait-il, s'adaptant aussi bien aux consonnes qu'aux voyelles. Hésitant, il ne put s'empêcher de glisser quelques mots également sur une autre de ses inventions, l'accent dit supertonique, qui possédait les vertus les plus étonnantes ; mais il fut impossible d'en apprendre davantage ce jour-là. Cet alphabet révolutionnaire, plus souple et plus complet que tous les précédents connus ou inconnus, donnerait toute latitude aux esprits des pays neufs pour exprimer très exactement chaque nuance de leur pensée. Il en ferait bientôt l'essai avec ses Écoliers.

Cette annonce fut saluée par de longs et chaleureux applaudissements. Le calme revenu, quelques questions en provenance de la salle trahirent tout de même une petite inquiétude au sujet de la longueur des mots qui en résulteraient et de l'allure des phrases. Est-ce que tout cela, par exemple, n'étirerait pas indûment les conversations au détriment de la réflexion ? Ou est-ce que des esprits perfides ne tireraient pas avantage de l'abondance de lettres et de mots pour dissimuler une absence d'idées ou, pire encore, travestir la vérité ? Le Maître souligna la pertinence de ces questions et y alla d'une grande confidence :

— Votre clairvoyance m'amène à vous dévoiler un grand

secret : pour contourner cet écueil, je me suis mis au travail récemment pour inventer rien de moins qu'une nouvelle langue. Une langue qui serait le reflet intégral et très fidèle de la pensée et de l'âme, si bien que nul ne pourrait s'en servir pour dire autre chose que la vérité.

Instantanément, les Villageois furent debout, des hourras fusèrent de partout et une motion fut proposée pour souligner cette magnifique initiative. Ouellet redemanda la parole :

— Et ce nouveau langage universel, je suis heureux de vous en faire l'annonce, chers amis, ce merveilleux langage se nommera : le Pikaubain !

L'allégresse fut à son comble. Il fallut suspendre la séance pendant quelques minutes, chacun donnant libre cours à son exaltation. À la reprise, Fabrice, maugréant, reprit sa place vers l'arrière ; il faisait depuis quelques instants grise mine, tandis que Clothilde, au contraire, rayonnait. Elle se leva :

— Voulez-vous dire, Maître, qu'avec la nouvelle langue, ce sera pus possible de faire des tricheries, des menteries ?

— On peut le dire ainsi, en effet.

Tout comme Fabrice, mais pour un tout autre motif, le vieux Bazzou, chauffeur de camion de son métier, ne partageait pas l'engouement général. Il réclama la parole et s'exprima en ces termes :

— Maître, avec tout le respect qui vous est dû, h'e dois vous dire que vous vous trompez complètement. H'e dirais même que votre affére, c'est pas varh'eux*. Vous pensez que l'alphabett a pas assez de lettres, moi h'e pense qu'il en a que trop. D'abord, ce sera plus long à apprendre. Deuxièmement, y a déh'à dans l'alphabett actuel des lettres qui servent pas h'amais. Par exemple, nous autres au Lac Saint-h'ean, en particulier à Saint-H'édéon, on trouve que le h'i puis le h'é, c'est tout un aria ; on pense que ça sert pas à grand h'hose, ces lettres-là.

De vives protestations s'élevèrent de la salle. Mais l'orateur ne se laissa pas démonter :

— Vous êtes pas d'accord ? H'e vous dirai même que c'est des lettres qui peuvent être danh'ereuses ! Oui, monsieur, danh'ereuses ! H'uste pour vous dire, h'prends le cas de mon oncle H'ean-H'harles qui restait à la hh'ute Ashhh'amouchhh'ouanne. C'est pas qu'un p'tit nom à prononcer ça, monsieur ; faut quasiment faire deux voyah'es, baptême ! Habiter une place comme ça, admettez que faut pas être hhhhhhh... scuzez, hh'hanceux. Mon oncle, c'était un gros homme qui était pris de l'apsme en plus. Ça fait que, vous me croirez ou pas, mais, une fois, y est mort étouffé, ce pauvre lui, rien qu'en parlant à un étranh'er qui, sans réflé'hir comme de raison, y pensait pas mal fére, le gars, y avait seulement demandé à mon oncle d'où'ce qu'y venait ! Ça fait que, prenez garde, là vous, avec votre extravagance d'alphabett. D'après moi, pour revenir à mon idée, on a pas besoin de h'é pis de h'i ; rien que le h, ce serait en masse ; il suffit d'en ahh'outer au besoin dans la conversation, h'ézomme ! Si ça continue, moi h'e dis, on va fenir comme les Français, avec des mots plus longs que c'qu'on a à dire ! On pourra pus penser, on va passer notre temps à prononcer !

L'assemblée ne partagea pas les réticences de l'objecteur, mais elle souligna la sagesse pratique de ses propos et tint à louer son courage pour avoir parlé à l'encontre du sentiment général.

Au cours d'une réunion, un jeune colleur qui se prétendait « diplômé des écoles » proposa de modifier la façon de mesurer le bois : il serait désormais compté non plus en pieds mais en mètres. L'orateur fit voir tous les avantages qui découleraient de cet étalon supérieur à tout autre. L'Assemblée montra de l'intérêt mais reporta sa décision à la réunion suivante. Curieux de la chose, Fabrice et Eudore en firent part au Bâtard :

— Paraîtrait que c'est révolutionnaire, Léo.

— Ah oui ? Révolutionnaire ? Bon, écoutez-moi bien, là. Les Habitants ont beau compter les saisons puis les points cardinaux comme ils veulent. Ils peuvent s'inventer des langues, se parler en chinois ou en esquimau si ça leur plaît, ça me dérange pas une miette. Mais vous allez retourner à la prochaine assemblée puis leur dire que mon bois, je le vends en piastres puis je le compte en pieds. En pieds de douze pouces. C'est-y correct ?

* * *

Arrivé en 1938 au noviciat de L'Ancienne-Lorette, Nazaire y avait découvert un autre monde, celui qu'il recherchait précisément, où régnaient le sacrifice discret, l'adoration sincère de Dieu, la charité envers les miséreux. Les miséreux, justement. Il lui sembla que c'était là sa grande vocation : venir en aide aux infortunés, à ceux que la vie avait brisés.

Dès le début de son séjour, il chercha à rencontrer des pauvres. On lui présenta d'abord des enfants hurons, dans une Réserve toute proche. Immédiatement, il les aima. Plus tard, il visita la basse-ville de Québec et put apprécier tout ce qu'il y avait à faire. Il découvrait que la société des hommes est bâtie assez droite vers le haut et tout de travers vers le bas ; et il se demandait ce qui pouvait bien la faire tenir. Là où il allait, il ne prêchait pas mais conversait avec les miséreux. Il leur parlait de Dieu dans ses mots à lui, comme d'un être très proche, familier, solidaire. Il leur donnait peu mais ils se sentaient comblés. Il recherchait la compagnie des malades, leur traçait le signe de la croix sur le front et savait les apaiser par sa présence tranquille. L'argent que Léo lui envoyait lui permettait de s'approvisionner en chapelets, images et médailles qu'il distribuait à ses amis.

Bientôt, on parla de lui dans les ruelles, les ateliers, les soussols d'église de Saint-Roch et de Saint-Sauveur, puis dans les taudis de la rivière Saint-Charles. Sa réputation déborda vers Limoilou et Montmorency. Plus tard, il eut des visiteurs au noviciat. En petit nombre d'abord, puis en foule. Il leur consacrait beaucoup de temps, au détriment de ses études. Après quelques années, l'affluence fut telle que la vie de la maison en fut perturbée. Nazaire convint un jour avec ses supérieurs qu'il lui valait mieux quitter l'institution pour exercer plus librement sa vocation. Ils se séparèrent avec tristesse. Le petit Frère regrettait cette communauté où il avait si peu appris et tant découvert. Mais il savait que son temps était venu : il voulait élire domicile sur les chemins, visiter toutes ces régions du Québec abusées par les éclats, les éclairs du monde, et y répandre la vraie lumière, celle qui éclaire alors même qu'on ne la voit pas.

Il s'arrêtait là où on le sollicitait, dormant souvent dans un champ, sur la rive d'un lac ou d'une rivière. Il se nourrissait de ce qu'on lui donnait et jamais ne s'inquiétait pour lui-même. Il réservait toutes ses attentions et ses soins à autrui, ce qui suscitait d'abord une grande méfiance. À ceux qui s'étonnaient de son dénuement, il se disait riche de tout ce qu'il avait appris à ne pas convoiter. À d'autres qui lui faisaient des raisonnements et des objections sur son apostolat, il se contentait de citer des extraits de l'Évangile. Et à ceux qui l'attaquaient durement ou se moquaient de lui, il ne répondait rien ; il les ignorait. Chez tous cependant, il faisait impression par la joie secrète qui semblait constamment l'habiter et par la force étrange qui émanait de sa personne.

Un jour, il voulut revoir sa région natale. C'était à la fin de mai 1952. Se trouvant à Malbaie, il s'engagea à pied sur le chemin poussiéreux qui montait vers Cap-à-l'Aigle. Après une demi-heure de marche, il accepta l'offre d'un cultivateur qui le fit monter à bord de son tracteur. Dès l'entrée du village, des habitants l'entourèrent. La nouvelle de son arrivée se répandit et il en eut pour la journée à toucher les malades et consoler les malheureux. Le lendemain à Saint-Fidèle, ce fut la même chose, ainsi qu'un peu plus tard à Saint-Siméon. Là, un commerçant le conduisit en automobile à Petit-Saguenay où les mêmes scènes se répétèrent, tout comme à l'Anse-Saint-Jean et à Rivière-Éternité. À la Baie des Ha ! Ha !, il dut s'arrêter pas moins de trois jours. On accourait de partout vers lui, même de Ferland et Boilleau. Il est vrai que, à Québec et ailleurs, plusieurs malades s'étaient dits guéris grâce à son intervention et le mot s'était répandu.

À Chicoutimi cependant, l'évêché s'était mis en état d'alerte. Les censeurs craignaient quelque supercherie ou, pire encore, de l'insubordination. À la demande de l'évêque, le Comité des Douze dépêcha des émissaires à la Baie et aux environs pour interroger les curés. À Port-Alfred et à Bagotville, ils se mêlèrent discrètement aux attroupements qui se formaient autour du Frère dans les quartiers populaires, à la porte des ateliers et aux abords de l'usine de la Consol. Ces manifestations éveillaient d'autant plus de suspicion qu'elles attiraient des populations réputées peu dévotes, parfois même ennemies de la religion.

Les choses s'envenimèrent un dimanche de juin alors que, dans toutes les paroisses du diocèse, on célébrait en grande pompe la Fête-Dieu. Par inadvertance, Nazaire était entré dans Chicoutimi au moment même où un gigantesque défilé, ouvert par Mgr Bezeau sous son dais, parcourait la rue Racine. Le Frère s'engagea tout bonnement dans la procession, dont il se trouvait à fermer la marche. Il fut aussitôt reconnu et entouré. En quelques minutes, un grand désordre s'installa dans la longue colonne de fidèles. À l'avant, le Sieur, le juge Létourneau, les jumeaux Bradette et les autres dignitaires mirent quelque temps à réaliser ce qui se passait et poursuivirent leur marche pieuse derrière leur pasteur. Lorsqu'ils se retournèrent à nouveau, ils constatèrent qu'ils étaient seuls avec quelques dévots. Ils apercevaient, loin derrière eux, une masse grouillante qui ne cessait de grossir. Cette fois, Mgr Bezeau, fort contrarié, décida de sévir. Le lendemain à l'aube, des Gardes du Sacré-Cœur conduisaient le petit Frère aux portes de la ville.

Louis-de-Gonzague, comme toujours, veillait lui aussi. Cette affaire, après bien d'autres, avait retenu son attention. Il fit dans le *Zadig* une relation détaillée de l'incident de la Fête-Dieu, profitant de l'occasion pour railler Mgr Bezeau, « le bedais sous son dais ». Il s'en fut aussi, accompagné de Léo, recueillir Nazaire qui s'était réfugié chez une famille généreuse aux abords de Chicoutimi. Le Bâtard fut très heureux et surtout très surpris de retrouver là son cher cousin. Sa maigreur, sa mine délabrée, son état d'abandon l'émurent. Il l'amena à Pikauba où on le reçut avec beaucoup d'empressement et de curiosité. Les Villageois connaissaient sa réputation et voulurent le voir de près.

Ouellet aussi tint à le rencontrer. Nazaire avait alors trente-trois ans, le Maître en avait plus du double. Mais n'eût été cette différence d'âge, on les aurait pris pour des jumeaux, bosse en moins. Ils conversèrent longuement et le Maître présenta le Frère en classe à ses Écoliers. Ils passèrent en revue les maux de l'heure et du siècle et s'entendirent sur les moyens d'y remédier. Chacun louait le missionnaire pour la vigueur de ses idées, dépouillées de toutes les notions inutiles, et pour la richesse de son cœur, apparemment comblé de toutes les vertus. Une autre amitié était née. Nazaire respectait les voies de Ouellet, qu'il tenait pour un apôtre à sa façon. Il voyait un signe dans la difformité qu'il affichait à l'extérieur et la droiture, la beauté qu'il possédait à l'intérieur.

Il séjourna quelques jours à Pikauba, partageant le camp du Maître, rue des Pissenlits. Le soir, il prenait plaisir à la vie de la Place. Le jour, il faisait de longues marches en forêt, s'éloignait des chemins, faisait fi des repères, s'égarait et n'en avait cure ; il méditait, priait devant les épinettes, s'émerveillait du paysage, s'absorbait dans le dessin des nuages, voyait partout la main de Dieu — y compris dans le mouvement des pionneures. Après le souper, les Pikaubains devaient faire de longues et dures battues pour le retrouver avant la nuit. Il revenait souriant aux anges, surpris, ému de tous ses égards :

— Quelle belle journée ! Comme toute cette vie est bien arrangée…

Au moment de son départ, la Place grouilla de monde. Chacun tenait à saluer ce curieux homme qui entretenait un rapport si inusité avec ses semblables. Son dénuement intriguait et son détachement encore plus. À compter de ce temps, le Frère visita chaque année le Village où l'on appréciait fort sa vérité et, davantage encore, sa sincérité. Il profitait de ses séjours pour enseigner à la Sourche. Ses leçons tenaient essentiellement dans la lecture et le commentaire des Évangiles. Ou bien il faisait le récit de ses voyages parmi les pauvres.

Plus que tout autre, le Bâtard se réjouissait de ces visites. Il se sentait proche de son cousin, malgré tout ce qui l'en séparait. Son abandon en même temps que sa détermination, et pour tout dire, sa sainteté lui faisaient du bien.

Chapitre 26

Cet été-là, en 1952, mai avait été froid et pluvieux et les lilas avaient tardé à fleurir. À Chicoutimi, l'humeur des citadins était maussade. Belley maugréait ; en juin, il n'avait pas encore repris ses longues promenades près du port. Il s'inquiétait aussi du procès intenté contre le Bâtard en novembre de l'année précédente et qui allait bientôt s'instruire.

Convaincu que le juge Létourneau avait trempé dans la préparation de l'assaut, il voulut le faire révoquer. Comme l'exigeait la procédure, il présenta au magistrat une demande en ce sens, invoquant « les proximités gênantes qui pourraient surprendre sa bonne foi ». Létourneau, qui tenait absolument à présider, rejeta la requête, alléguant que sa bonne foi en avait vu d'autres et saurait bien prévaloir, comme toujours. Début juillet, l'avocat en appela alors de cette décision auprès de la cour supérieure. Il n'avait rien à perdre ; dans le pire des cas, cette démarche lui ferait gagner du temps.

* * *

Le 17 du même mois, Léo expédia à Québec un télégramme dans lequel il félicitait le Premier ministre Duplessis dont le gouvernement venait d'être réélu. Il lui donnait aussi des bonnes nouvelles de la Mistapéo et le remerciait encore de son aide. Puis il se mit au travail. Cet été-là, il avait résolu d'expédier une affaire. Une vieille affaire. Il prit d'abord quelques dispositions. Raoul Roy fit deux ou trois voyages à Québec et à Montréal, puis Fabrice s'affaira quelques jours autour du Lac, allant d'Alma à Normandin et à Dolbeau. À la fin du mois, Valère fit le tour des menuiseries de Jonquière et de Chicoutimi. Enfin, le 20 août, Léo s'amena à Roberval avec une trentaine d'hommes, dont quelques lutteurs. Ils s'installèrent dans des hôtels du coin et attendirent.

Le lendemain, une locomotive entra en gare, tirant quelques wagons réfrigérés, affrétés par les acheteurs de bleuets de Montréal. Les commerçants descendirent du train avec leurs équipes et dressèrent une douzaine de kiosques le long de la voie ferrée. Au début de la nuit, alors que la ville était endormie, une autre locomotive entra en gare, celle-là affrétée par le Bâtard. Elle tirait elle aussi des wagons réfrigérés qui furent disposés à quelque distance des autres.

L'aube pointait à peine lorsque le cortège des camions et des charrettes, tirées par des tracteurs, envahit la place. De partout autour du Lac, les cultivateurs venaient livrer leur cueillette de l'été. Plusieurs venaient de loin et avaient voyagé depuis le milieu de la nuit pour profiter de la fraîcheur. Ils veillaient à gagner Roberval avant que le soleil ne se lève et n'endommage les bleuets. Cette situation avantageait évidemment les acheteurs (les « Bourreaux », comme on les appelait) qui en profitaient pour transiger au plus bas ; il leur suffisait d'étirer le temps le plus possible. Il en était ainsi depuis toujours. Les Bourreaux étaient toutefois attentifs à ne pas trop forcer le jeu, auquel cas le produit s'abîmait et tout le monde y perdait.

Les cultivateurs, comme tous les gens de la place, étaient révoltés par ce procédé, mais toutes les protestations et même quelques escarmouches n'y avaient rien changé. Le monopole était fermement établi et des interventions auprès du député n'avaient rien donné non plus. Dans la famille Tremblay, chacun gardait en mémoire l'année où les acheteurs avaient tant abusé que les habitants, enragés, avaient déversé tous leurs fruits au bout du quai de Roberval, sacrifiant ainsi de longues semaines de travail sous le soleil. Les insurgés avaient ensuite mis les Bourreaux en fuite et saccagé leurs installations. Joseph, le grand-père de Léo, se trouvait parmi eux ainsi que le Grand, alors âgé d'une douzaine d'années. Eux aussi avaient dû sacrifier leur cueillette. Depuis, dans toutes les veillées aux Chicots, on ne manquait pas de rappeler cet épisode.

Le Bâtard avait décidé de mettre ordre à tout cela. Au lendemain de leur arrivée, les acheteurs, un peu surpris, avaient bien aperçu les wagons arrivés durant la nuit, mais ils n'y avaient plus prêté attention. Léo et ses hommes se faisaient discrets, alors que les négociations commençaient. Lorsque le soleil fut levé, la petite ville était déjà envahie de véhicules lourdement chargés. L'année précédente avait été une mauvaise année pour les Bourreaux, des gelées tardives ayant détruit une grande partie des bourgeons. Le prix des boîtes avaient atteint dix dollars l'unité. Mais la saison qui se terminait leur était favorable. Ils offrirent six dollars la boîte ; les producteurs en demandèrent huit et cinquante. Le temps passa, on discuta, on s'anima des deux côtés. Les vendeurs firent alors savoir qu'ils règleraient à huit dollars ; les autres haussèrent leur offre à six et vingt-cinq. Le soleil montait à l'horizon, le temps se réchauffait, les esprits aussi.

Le Bâtard, à l'écart avec ses hommes, ne bougeait toujours pas. Les habitants se concertèrent encore, descendirent à sept et cinquante ; les Bourreaux s'en tinrent à six et vingt-cinq. C'était, assuraient-ils, leur offre finale. On était maintenant au milieu de l'avant-midi. La récolte était sur le point de se détériorer. La grogne s'installa pour de bon.

Léo passa à l'action. Il dépêcha Fabrice auprès des cueilleurs pour les informer qu'il était preneur à sept dollars, mais à la condition que tous les chargements lui soient livrés. Fabrice revint ; les habitants acceptaient la condition, mais demandaient sept et vingt-cinq. Le Bâtard donna son accord. Il se fit alors un grand mouvement d'hommes et de voitures dans sa direction. Les Bourreaux, subitement, furent aux abois ; ils voulurent hausser leur prix, s'interposer avec leurs acolytes. Mais ils se heurtèrent à une rangée de mastodontes à la mine peu engageante ; les lutteurs de Léo veillaient. Le transbordement des bleuets commença. Cependant, le produit était si abondant que les trois wagons du Bâtard furent bientôt remplis. Pendant ce temps, les acheteurs se désespéraient. Non seulement ils repartiraient les wagons vides, mais ils devaient supporter le coût de leur location. Léo, toujours bien entouré, se rendit auprès d'eux et offrit de les « soulager » en partie de ce dernier fardeau. Il obtint ainsi l'usage de trois autres wagons réfrigérés, à moitié prix.

Il faisait une bonne opération. Les bleuets furent livrés à Montréal à l'une des compagnies avec laquelle certains Bourreaux transigeaient eux-mêmes. Mais Léo, lui, s'était engagé à lui livrer toute la cueillette du Lac plutôt qu'une partie seulement. Finalement, l'affaire lui rapporta un joli profit. Mais ce n'était pas le but de l'opération. Il avait agi pour son père, pour restaurer la mémoire de la famille.

∗ ∗ ∗

Dans la foulée, il tint à régler une autre affaire. Lorsque, plusieurs années auparavant, les restes de Méo avaient été découverts sur la rive du Fjord, on se souviendra que le curé de Mistouk, sur ordre de Mgr Bezeau, avait interdit qu'ils soient déposés dans la partie consacrée du cimetière. Le Grand gisait donc avec quelques malfaiteurs. Comme il y avait eu un changement de curé, Léo s'adressa au nouveau pasteur pour obtenir que son père soit inhumé dans le lot familial des Tremblay. La requête fut transmise à l'évêché qui la rejeta. Le Bâtard confia l'affaire à Raoul.

Quelques mois plus tard, les journaux annonçaient que la Chambre de commerce régionale faisait un don généreux à l'Œuvre diocésaine des Trépassés. Dans sept ou huit cimetières paroissiaux, dont celui de Mistouk, des travaux de réaménagement purent être effectués, ce qui nécessita quelques « relocalisations ». À partir de ce moment, le Grand reposa parmi les siens.

*　*　*

Le Bâtard imposait le respect à Pikauba et tout semblait lui réussir. Mais son impatience était grande et même la croissance phénoménale de la Mistapéo le laissait sur sa faim. Un jour qu'il projetait d'autres achats de machines, Fabrice et Eudore le mirent en garde :

— Tu vas pas un peu vite, là ?

— Les affaires vont bien, l'argent rentre ; c'est le temps de foncer.

— Le financement t'énerve pas ?

— La compagnie n'emprunte même pas ; tous les achats sont réglés à même nos profits. Vous pouvez demander à Valère.

— Oui, mais comme ça va là, c'est comme si on avait le feu au derrière ! On est pas obligés d'aller aussi vite ?

— Vous autres, peut-être pas ; moi oui.

Il exigeait de plus en plus de ses employés, surtout des bûcherons qui étaient désormais payés uniquement au rendement. La scie mécanique faisait fureur, mais elle causait aussi de nombreuses blessures, difficiles à soigner. Contrairement au sciot qu'elle avait remplacé, elle déchiquetait les chairs. Des hommes avaient commencé à se plaindre. Le Bâtard le voyait bien et, pour ramener son monde à de meilleurs sentiments, il résolut, en septembre 1952, de récompenser les plus méritants en les emmenant en « retraite fermée » à Montréal.

Tel fut le motif officiel de ce voyage qui dura cinq jours et dont une bonne partie, en effet, se passa dans des maisons closes. Les pèlerins s'y prodiguèrent tant et si bien qu'ils en revinrent plus morts que vifs. Car c'était en réalité une gigantesque cavale, et plus exactement, une brosse monumentale que le Bâtard voulait offrir en cadeau à ses adjoints et à ses plus vaillants employés. Il affréta une locomotive avec deux wagons bien approvisionnés en vivres et en liqueurs. Il retint également les services de quelques musiciens auxquels se joignirent quelques passagères délurées. Pour ne pas attirer l'attention, l'embarquement se fit tard le soir à la petite gare d'Arvida, à quelques milles de Chicoutimi. Et la fête commença.

Les hommes étaient déjà pas mal éméchés lorsque le train entra dans Montréal à l'aube. Plusieurs chambres étaient réservées dans trois ou quatre hôtels de la rue Saint-Laurent. Certains « retraitants » ne prirent même pas le temps d'y passer en arrivant, trop pressés de filer à tel bar, taverne, salon de paris ou « maison de pension » très spéciale qu'ils eurent tôt fait de repérer. D'autres s'en allèrent faire le guet devant l'entrée de l'Aldo, le restaurant fréquenté par les vedettes du sport — ils prétendirent ensuite y avoir aperçu Buddy Rogers et Butch Bouchard en train de tirer au poignet, entourés d'une bande de lutteurs et de joueurs des Canadiens. Plusieurs stationnèrent longuement devant les téléviseurs disposés dans les vitrines des grands magasins, rue Sainte-Catherine. Les appareils étaient ouverts dès l'avant-midi, soit bien avant que ne commence la programmation du jour. Entre temps, on ne donnait à voir qu'une tête d'Indien sur un fond de carte du Canada ; mais les voyeurs se faisaient tout aussi assidus, prenant plaisir à « regarder le Sauvage ». Pour les autres, il y avait les gratte-ciel du boulevard Dorchester, les studios de Radio-Canada, les promenades en tramway, le Parc Belmont, les « petites vues » et quoi encore.

Vers la fin du jour cependant, chacun veilla à se trouver à pied d'œuvre sur la Main pour le début des festivités. Car là se trouvait le vrai sanctuaire de la « retraite ». Dès l'ouverture des bars, les hommes du Bâtard se précipitèrent pour aller frayer parmi les putes qui surgissaient de partout :

— Sais-tu, baptême, c'est comme les mouches noires ; ça sort avec la nuite !

— T'as h'amais si bin dit, h'ézomme.

— Attends, tu vas voir que ça vole pis ça pique aussi en tabarnouche…

Ils envahirent les salons de jeu, les tripots et les clubs environnants, coururent du Tivoli au Rialto, du Val d'Or au Montmartre — mais ils dédaignèrent le Faisan Doré où la tenue de soirée était de rigueur ; les fêtards ne pouvaient même pas sauter sur la scène pour offrir à boire aux chanteuses et leur faire un brin de cour. Ils perturbèrent les spectacles en donnant la réplique aux artistes. La Pétrie, la Poune et Ti-Zoune, qui ne s'en laissaient pas imposer, furent leurs cibles favorites. Ils offrirent à boire à tous les amis (qui se faisaient nombreux), fraternisèrent avec les étrangers dans toutes les langues, monopolisèrent les pistes de danse, y mêlant gigue et java, set et polka. Ils réquisitionnaient les partenaires de leur choix au grand mépris de l'étiquette, ce qui fit des jaloux, des remous qui, l'heure passant, suscitèrent inévitablement des engueulades puis des bagarres. Alors, la joie fut à son comble.

Dans le brouhaha, des couples éphémères persistaient néanmoins qui allaient s'ébattre à l'étage ou, s'ils étaient démunis, dans l'escalier des toilettes au sous-sol. De tous, Fabrice fut le plus actif, buvant comme un trou, sacrant à s'en fendre l'âme, veillant à être de toutes les escarmouches et de toutes les étreintes, courant après tout ce qui bougeait — et le rattrapant. Le premier soir, à la suite d'un pari perdu, il dut se dévêtir et arpenter la rue Saint-Laurent « les saints apôtres à l'air ». Plus tard, au Casa Loma, derrière un rideau de scène qui s'affaissa au bien mauvais moment, il « baptisa » au vu et au su de tout le monde la vedette principale du spectacle. Le fait était d'autant plus mémorable que l'effeuilleuse, une célèbre « Parisienne » de Saint-Georges de Beauce, avait pris époux pas plus tard que la veille.

À travers tout cela, à la demande du Bâtard, il gardait un œil sur Méon, toujours intimidé, vulnérable, et de plus en plus renfermé. On ne reconnaissait plus l'aimable compagnon de naguère, affable et généreux. Tout semblait lui sourire pourtant, sauf la vie. Fabrice essayait de l'entraîner dans ses virées, sans succès :

— Méon, grouille, prends-toué une fille ; on n'est pas à l'Oratoire.

— Chus un peu fatiqué, j'pense.

— Voyons donc, ça fait deux jours que t'es là comme une statue de plâtre. Degnaise, baptême !

Un après-midi, il regagna sa chambre avec une jeune Anglaise qu'il courtisait depuis le matin et une grande Russe pour Méon qu'il avait pour cette fois convaincu de le suivre. Il établit ses quartiers sur un divan avec sa partenaire, laissant le lit à l'autre couple. L'Indien s'était assis sur le bord du matelas et ne bougeait plus :

— Fabrice ?

— Oué…

— Chus vraiment fatiqué, j'pense.

— Bin laisse-z-y faire l'ouvrage ; est payée pour ça.

Et le contremaître retourna à son établi. Plus tard :

— Brice ?

— Ah !!! quoi encore ?

— À m'dit d'quoi mais j'comprends pas…

— Occupe-toué pas de c'qu'à dit. T'as juste à la laisser faire !

— … comprends pas ce qu'à m'fait non plus.

— Méon, baptême, vas-tu arrêter tes simplicités ? J'ai d'l'ouvrage, moué là !

Tout sembla rentrer dans l'ordre. Puis :

— J'pense que j'vas être malade. J'pourrais-tu m'en aller ?

— Là, t'es vraiment pas raisonnable. J'te paie une guedoune de luxe, t'as rien qu'à t'laisser chauffer, pis t'es là à memérer, les deux pieds su'l bréque…

Le silence se fit. Heureusement, la Russe était vaillante ; elle s'activait aux leviers, aux embrayages, poussait la machine. Bientôt, le lit s'agita légèrement, puis de plus en plus.

— Ça va mieux, Méon ? … Méon ?

— Ooouiiiii…

— … Bon, enfin ! Toué, l'Anglaise, enwoueille ; faut r'prendre tout'l'chantier encore une fois.

À ce moment même, à l'étage du dessus, Valère apportait au Bâtard de mauvaises nouvelles de Cage-à-l'eau ; le marin avait trempé dans une sombre affaire et avait mangé toute une volée. Léo réfléchit une seconde, puis :

— Descends en vitesse me chercher Fabrice…

Pendant que ses hommes se livraient à leurs « dévotions », le Bâtard se faisait discret, prenant quelques bières dans les restaurants des environs mais restant sobre. À deux ou trois reprises, il se rendit en taxi dans des maisons très hospitalières de l'ouest de la ville, des enceintes feutrées où il put lui aussi, en toute discrétion, faire un bout de retraite. Pour le reste, il se rendit rue Saint-Urbain pour saluer la dame Gauvin et son fils, visita ses vieux amis à la caserne des pompiers, effectua quelques promenades dans les rues qu'il avait fréquentées jadis en compagnie de Karl Turner. Il en profita aussi pour fréquenter les bureaux de la Bourse, acquérir divers ouvrages et prospectus, converser avec des courtiers, des conseillers en finance, des entrepreneurs.

À la fin de l'escapade, il fit la tournée des buvettes et autres mauvais lieux du quartier pour régler les réclamations, liquider les séquelles de la « retraite » : des consommations impayées, des dettes de jeu en souffrance, des « bouncers » tabassés, des vitres fracassées dans les clubs. Il dut se rendre aussi au poste de police de la rue Ontario pour faire libérer quelques Pikaubains arrêtés les nuits précédentes. Partout, il paya sans rechigner, se montrant généreux avec tout le personnel. Il s'attarda même pour causer avec les officiers, les agents, les gérants, prendre des nouvelles des enfants, des épouses.

La fin de la « retraite » ramena en ordre dispersé à la gare Windsor des pèlerins au corps lourd mais à l'âme légère. Le Bâtard, voulant s'assurer que personne ne manquait à l'appel, constata l'absence de Padoue-l'Ours. Tout le monde réalisa alors qu'il avait disparu depuis deux jours. Juste au moment où le signal du départ allait être donné, il accourut enfin, radieux. Alléché par une annonce du *Petit Journal*, il était allé se faire extraire toutes les dents et exhibait maintenant deux énormes prothèses. Il arpentait d'un pas triomphal l'allée du wagon, affichant un sourire éclatant. Il fut accueilli par d'énormes éclats de rire à travers lesquels fusaient des commentaires peu amènes :

— Tu serais pas chaussé un peu grand, l'Ours ?

— C'était une vente deux-pour-un ?

— Comme t'es là, tu r'sembles à ta grille de troque…

— T'aurais peut-être pas dû acheter par catalogue.

Le train approchait de Trois-Rivières lorsque les fous rires enfin se calmèrent. La victime, très digne, s'était retranchée dans un mutisme un peu hautain, mais sans jamais se défaire de son large sourire.

Le calme était revenu dans les deux wagons. D'une rangée à l'autre, les dévots, visiblement touchés par la grâce, n'en finissaient plus de se raconter les hauts faits de leur pèlerinage, qu'ils ne demandaient qu'à rééditer. Léo put observer lui aussi les fruits de l'opération et promis de la renouveler l'année suivante.

Passé le village de La Tuque, la suite du trajet jusqu'à Chicoutimi se fit dans un grand silence, propice à la méditation. Les rideaux du train étaient tirés sur les fenêtres. Des mines recueillies, sereines, s'alignaient dans la demi-obscurité. Le wagon ressemblait à un cloître. Les hommes rapportaient à leur famille des souvenirs de la « retraite » : pour les enfants, des chapelets, des médailles, des scapulaires ; pour les épouses, des madones, des croix du Mont-Royal, des cartes postales de l'Oratoire :

— T'as pas d'image du Frère André ?

— L'année prochaine, mon amour ; l'année prochaine.

Chapitre 27

En août 1952, Belley apprit que sa requête en révocation du juge Létourneau, dans le procès de Léo, était définitivement rejetée. La cour supérieure confirmait la décision du magistrat, seul maître en cette matière. Le procès allait donc commencer fin novembre.

Comme toujours, l'avocat déversa sa mauvaise humeur dans le *Zadig* où, pendant tout l'automne, il remua feux et cendres. Alors que son audience s'étendait, son audace, son insolence ne connaissaient plus de borne. Il ne se lassait pas de ridiculiser Mgr Bezeau, qu'il appelait le Grand Béat, le Grand Fat, le Béat-Fat. Il prenait à partie les têtes pensantes du Grand Séminaire, ces astres singuliers qui trouvaient le moyen « de ne faire que de l'ombre et point de lumière ». De l'un d'entre eux, on se plaisait à répéter dans les cénacles de la ville que sa pensée n'avait jamais été dépassée. Belley expliquait : « C'est donc que personne n'a jamais daigné la suivre. » À l'occasion d'un incendie, un notable s'était signalé par une action courageuse, ce qui avait inspiré à *La Vérité* des louanges larmoyantes. À quoi Gonzague avait répliqué : « À l'horizon du vice, la vertu prend aisément du relief. »

Gosselin n'y coupait pas. Croyant se faire une vertu à peu de frais, il avait l'habitude de dire du mal des politiciens qu'il soudoyait et qui le comblaient de faveurs. Belley l'avait un jour brocardé : « Le sac est peu crédible quand il médit du voleur. » Le Sieur, alors âgé de soixante-deux ans, se réclamait de la lignée des grands chefs d'industrie, dont le très respecté J.-E.-A. Dubuc. Belley le renvoyait à la fable du bœuf et de la grenouille. Il se portait aussi à la défense de Maître Ouellet que Torquemada attaquait méchamment dans une chronique intitulée « Roule-ta-Bosse ».

Il avait pris en grippe les jumeaux Bradette qu'il raillait à outrance : « Ils sont si ennuyeux que tout devient gris autour d'eux, même le temps. » Ou bien : « La nature, dont on prétend à tort qu'elle a horreur du vide, les a remarquablement privés de défauts aussi bien que de qualités, ce qui en fait les êtres les plus équilibrés du monde. » Il disait aussi : « À eux seuls, ils forment un début de foule anonyme. » Et encore : « On les dit fidèles alors qu'ils ne sont que serviles et, parce qu'ils ne trouvent pas plus petits qu'eux, on les croit incapables de mépris. » Il avait imaginé une scène les mettant en vedette chez le marchand qui les fournissait en bérets :

— Messieurs, en quoi puis-je vous aider ?

— On dirait que nos bérets penchent.

— Et si vous les retourniez ?

— Nous avons essayé, ils penchent de l'autre bord.

— Eh bien, que l'un de vous se retourne ?

— Ça ne va pas mieux, ils ne penchent plus du même bord…

— Mais c'est très bien, cela vous donnera à tous deux une petite touche personnelle ?

— Ça ne va pas trop surprendre ?

Ses propos n'étaient pas plus amènes en société. Assistant un soir à une conférence du Club des Zouaves, il avait entendu l'orateur se vanter de s'instruire chaque fois qu'il prenait la parole ; de sa chaise, Gonzague lui avait lancé : « On voit que vous n'êtes pas bavard. » Une autre fois, s'étant rendu au chevet du corps d'un confrère décédé, il y avait rencontré le juge Létourneau, plus cadavérique encore que d'habitude. L'avocat lui avait serré la main onctueusement en lançant à haute voix :

— Vous êtes le défunt sans doute ?

Ces saillies, qui semaient la terreur chez les victimes, mettaient les rieurs de son côté. Mais il n'en restait plus aucun lorsqu'il avait besoin d'alliés.

Plus aucun, sauf les ouvriers, les journaliers, les chômeurs, qu'il continuait de défendre avec le même zèle sur toutes les tribunes et qui, maintenant, le vénéraient. Sa dernière bataille sur ce front l'avait dressé contre les compagnies de prêts qui pratiquaient des taux usuraires et harcelaient ensuite leurs débiteurs, dont certains se retrouvaient sur le pavé. Gonzague invitait les emprunteurs à venir le consulter avant de signer quoi que ce soit ; son antichambre ne désemplissait pas. Il harassait aussi ses confrères mandatés par la direction de l'hôpital pour menacer de saisie les anciens patients dont le compte était encore en souffrance. Il avait pris goût à cette guérilla et multipliait ses cibles. Un jour, il s'en prit à l'évêché qui excluait les femmes de la procession annuelle de la Fête-Dieu. Il pressait aussi la ville de créer un programme de bourses pour les étudiants doués mais démunis. Tout cela en pure perte ; toutes ses idées tombaient à l'eau.

* * *

Le procès intenté contre Léo débuta le mardi 26 novembre 1952. Les deux premières journées furent consacrées à la sélection des jurés. Warren, qui occupait pour la poursuite, commença le jeudi à faire parader ses témoins qu'il interrogea d'une manière experte. À la fin de la journée, Létourneau annonça qu'on ajournait les audiences jusqu'au lundi, étant donné que, durant les trois jours suivants, Chicoutimi et tout le diocèse allaient célébrer en grande pompe le vingtième anniversaire de l'intronisation de Mgr Bezeau à l'épiscopat. Ainsi chacun pourrait participer à cette belle fête civique et religieuse. Tout le monde apprécia la pieuse initiative. Les jurés, à titre exceptionnel, furent même autorisés à retourner dans leurs familles pour l'occasion; ils pourraient ainsi, comme l'expliqua le juge, bénéficier des grâces du Très-Haut et mieux disposer leur esprit à la justice.

Jusqu'au dimanche soir, la ville n'en eut que pour l'évêque qui fut de toutes les tribunes, flanqué de sa cour, le Sieur en tête. Le lundi matin, alors que le personnel rentrait au travail au Palais de justice, un attroupement se forma dans le stationnement. Deux voitures venaient de s'y immobiliser, portant chacune sur une aile un chevreuil. Les chauffeurs — deux jurés — en descendirent péniblement, complètement saouls. Raoul arriva dans sa Buick, aperçut les bêtes et s'approcha également. Les jurés titubaient, bafouillaient, pendant qu'on s'exclamait devant les deux bêtes, superbes en effet. Raoul les examina en connaisseur, allant d'une voiture à l'autre, sans se presser. Bientôt le groupe se dispersa, les assises allaient commencer. Il ne resta que l'avocat sur le stationnement où il s'attardait. Quelque chose l'intriguait.

Pendant toute la journée du lundi, Warren, très en verve, continua son festival, captivant à peu près tout le monde, sauf deux membres du jury qui somnolaient au premier rang. Le lendemain, à la reprise de l'audience, coup de théâtre : Belley, invoquant une procédure d'exception, demanda l'avortement du procès ! Il fallut quelques minutes à Létourneau pour conjurer le brouhaha qui envahit la salle et plus de temps encore à Warren pour retrouver ses esprits. Louis-de-Gonzague accusa les jurés enivrés de s'être laissé suborner en acceptant une faveur indue. S'appuyant sur les preuves rassemblées par Raoul, il démontra que les deux hommes avaient passé la fin de semaine au Jardin d'Eugénie (c'était le nom du camp forestier d'Elzéar Gosselin sur la rivière Sainte-Marguerite, à quelques milles du lac Sigismond) où ils avaient chassé et festoyé abondamment. Sur quoi, Belley produisit ses pièces à conviction, en l'occurrence, le témoignage d'un garde-chasse et deux pattes de chevreuil portant une bague d'identification : les bêtes provenaient de la réserve sur laquelle Gosselin faisait l'élevage de cervidés.

L'avocat fit valoir que les deux hommes étaient les invités du Sieur qui avait ainsi voulu infléchir leur jugement. Il s'ensuivit un débat acrimonieux au cours duquel les injures volèrent de chaque côté du prétoire. Warren défendait la réputation de Gosselin qui avait passé la fin de semaine auprès de l'évêque ; il arguait que les chasseurs avaient certainement envahi son camp à son insu. Mais Létourneau dut céder et il annonça l'avortement du procès.

* * *

Tous ces événements avaient occupé les mois de décembre 1952 et de janvier 1953. Un soir de février, Louis-de-Gonzague venait de passer au salon de sa nouvelle maison, une modeste construction d'un étage et demi qu'il avait acquise à l'ouest de la rue Jacques-Cartier, pas très loin du Bassin. Plongé dans ses lectures, il écoutait distraitement la radio lorsqu'une nouvelle le fit sursauter : on annonçait que Gigli, oui, le célèbre Gigli, qui effectuait une grande tournée à travers le monde, viendrait donner quelques représentations au Québec à l'automne 1953. Il retournerait ensuite ouvrir à Milan la saison de la Scala qui débutait en décembre. Bien des détails du séjour nord-américain restaient cependant à régler et des négociations étaient en cours.

Dès le lendemain, l'avocat expédia des télégrammes aux agences d'opéra dont il avait pu se procurer l'adresse en Italie. Il entra aussi en contact avec le consulat italien à Montréal. Mis sur la piste de l'imprésario du chanteur, il lui écrivit, offrant d'organiser une escale saguenayenne à la date qui conviendrait au ténor. Il fit valoir la mystique du Nouveau Monde, des grands espaces, des Indigènes superbes, des géants fondateurs de pays. Il invoqua la pureté des mœurs chez ces âmes simples, naturellement portées vers la musique et la poésie. Bref, il fit tant qu'un accord fut conclu pour un spectacle à Chicoutimi, à la mi-octobre. Les conditions financières étaient éreintantes ; Belley les accepta sans réfléchir. Il ne lui restait plus maintenant qu'à trouver un théâtre, des techniciens, des bénévoles, un public… et de l'argent ! Mais il avait le cœur léger : l'idée de rencontrer son idole et de l'entendre en spectacle le galvanisait.

Il forma un comité de patronage et mit son journal sur le coup, diffusant des salves d'annonces en même temps qu'une série de textes enfiévrés sur « le plus grand artiste du siècle », « le successeur de l'immortel Caruso ». Il lança aussi une vaste souscription, fit appel à ses collègues, à ses amis et même à ses ennemis. Il parvint à négocier, mais à prix d'or, la location du cinéma-théâtre Impérial de la rue Racine.

Après quelques semaines cependant, il dut déchanter ; l'affaire s'enlisait. Une cinquantaine de places seulement avaient été retenues alors qu'il fallait remplir l'Impérial qui en contenait cinq cents. À l'évêché, on avait vérifié auprès d'amis canadiens en poste à Rome. On y chuchotait que l'artiste aurait eu quelque problème conjugal. En plus, diverses pièces de son répertoire étaient résolument « modernes ». Mgr Bezeau s'inquiétait aussi de ce qu'une jeune cantatrice allait accompagner le chanteur et partager la scène avec lui. La prudence et même la méfiance étaient de mise. Le mot se répandit dans les presbytères et dans les couvents ; des avertissements furent servis en chaire ; les associations pieuses, les Amis des Douze ainsi que les Dames de Saint-Éphrem se mobilisèrent ; *La Vérité* se mit aussi de la partie. Un mois passa, puis un autre. À peine plus de cent billets avaient été vendus et on était maintenant au cœur de l'été. Le beau rêve de Gonzague tournait au cauchemar.

Trois semaines avant le spectacle, la moitié des places étaient encore disponibles ; c'étaient en outre les plus chères. Un matin, l'avocat réunit son comité pour faire le point. Les mines étaient sombres. Le téléphone sonna. C'était Léo ; il avait eu vent de ce qui se passait. Se découvrant subitement un grand intérêt pour l'opéra, il annonça qu'il achetait tous les billets restants. Gonzague, soulagé, exulta ; le désastre était évité. Mais il fallait tout de même un public, remplir la salle ; qu'est-ce que Léo ferait de tous ces billets ? Il crut tenir la solution : il suffirait d'offrir des entrées gratuites aux étudiants du Séminaire. Le plan, cependant, avorta, Mgr Lapointe repoussant l'invitation sous prétexte que ce genre de spectacle menaçait de compromettre des vocations ; et puis il était hors de question d'encourager les œuvres du Voltaire local.

Piteux, Gonzague contacta de nouveau le Bâtard, lui expliquant qu'il n'était guère plus avancé ; il était impensable que le grand artiste se produise dans une salle à moitié vide…

— Comment ça, à moitié vide ?

— Mais il ne suffit pas d'assurer la recette, il faut un auditoire ! Qu'est-ce que vous allez faire de tous ces billets que vous avez achetés ?

— Ce que je vais en faire ? Mais je vais les donner à mes gars, à leurs femmes !

— C'est que…

— Quoi donc ?

— Eh bien, c'est de l'opéra, Léo ; ce ne sont pas vraiment des chansons.

— C'est simple ; arrangez-vous pour que votre chanteur chante des chansons.

Et là-dessus, il raccrocha.

Plus tard dans la journée, c'est le propriétaire de l'Impérial qui téléphona à l'avocat. L'évêché exerçait de fortes pressions sur lui pour qu'il annule la location de la salle et il craignait les conséquences d'un refus. En fait, il venait de s'engager à respecter la volonté de Bezeau ; il s'en excusait auprès de Louis-de-Gonzague. Voilà que, à peine remise à flot, la barque coulait à nouveau. Appelé encore une fois à la rescousse, le Bâtard n'y alla pas par quatre chemins : il acheta sur-le-champ le cinéma-théâtre, dont le propriétaire, constamment en butte aux tracasseries du clergé, fut trop heureux de se défaire à bon compte. Pour Léo, la transaction allait se révéler une excellente affaire. La popularité du cinéma montait alors en flèche au Saguenay et l'Impérial, rebaptisé le National, allait rapporter gros. Sur sa lancée, le Bâtard entreprit ensuite d'ouvrir des salles dans toute la région et connut partout le même succès. Ce monopole s'ajoutait à la couronne de la Mistapéo.

Le soir du concert, la salle était comble, y compris le balcon. De son siège au premier rang, Gonzague se retournait et découvrait des visages rougeauds à la peau rude, des chemises à carreaux cintrées de larges bretelles, et d'élégantes Pikaubaines qui, les jours précédents, avaient écumé les boutiques de la rue Racine. Quelques salopettes ici et là, toutefois ; deux ou trois dames en tablier aussi. Et un fort parfum d'épinette et de sapin qui s'élevait doucement vers la scène.

Belley était radieux. L'après-midi, il avait accueilli à la gare le célèbre ténor et la jeune soprano. Trois ou quatre personnes seulement les accompagnaient. L'engagement saguenayen était une manière d'escapade ; l'imprésario, l'attaché de presse et quelques musiciens étaient restés à Montréal. La simplicité même, Gigli avait tout de suite dit à Louis-de-Gonzague :

— Cher Luigi, appelez-moi Beniamino, je vous prie.

Il parlait un français impeccable avec un accent chantant, ce qui était dans l'ordre. Par contre, la cantatrice, une demoiselle Mazzini, ne parlait qu'italien. C'était sans conséquence, « Luigi » n'avait d'yeux et d'oreilles que pour Beniamino.

Enfin, les lumières s'éteignirent dans le National. Le rideau délavé, dépoussiéré, s'ouvrit sur un vague décor de lacs et de forêt laurentienne, rescapé d'un spectacle précédent. Le ténor, très à l'aise dans son complet marine, fit son entrée. Il arborait un œillet jaune à la boutonnière, assorti à une cravate fleurie.

Son maintien, joint à l'élégance de son costume, faisait oublier sa silhouette un peu replète, sa taille modeste. Son sourire éclatant et ses cheveux blancs tranchaient sur sa peau bistre. Un léger maquillage effaçait la fatigue de son visage. Gonzague se leva, pressant ses voisins d'en faire autant et, bientôt, une bruyante ovation remplit la salle. Gigli en fut un peu surpris. Il parcourut du regard les premières rangées et conclut que le type saguenayen était bien costaud. Il ne se rappelait pas avoir vu mélomanes aussi solidement charpentés ; c'était sans doute un trait de ce Nouveau Monde.

Puis Renata Mazzini, la Sicilienne, apparut. Drapée dans une longue robe blanche qui faisait saillir sa poitrine et ses hanches, elle dégageait une surprenante légèreté, comme si elle glissait sur les planches. Ses longs cheveux noirs ondulaient sur ses épaules et sur son dos généreusement dénudé. Elle affichait aussi un décolleté qui confirma les pires appréhensions de Mgr Bezeau tout en faisant le bonheur des Pikaubains. Radieuse, elle se campa à l'avant-scène, promena sur la salle un œil allumé et y alla d'une ample révérence qui révéla au public une partie de son intimité. Elle eut droit elle aussi à son ovation, en particulier de la part des troqueurs qui s'étaient fait une autre idée de l'opéra.

Cette prestation était la dernière de la longue tournée nord-américaine et Gigli ne se sentait pas très en voix. Il avait donc décidé de s'alléger la tâche en laissant de côté le programme exigeant des spectacles précédents, au profit de pièces plus faciles. Pour tout dire, il n'avait pas vraiment le cœur à l'ouvrage et l'humeur bon enfant qu'il sentait dans la salle l'incitait à la détente. Il attaqua avec quelques morceaux de bravoure de Verdi, Puccini, Mascagni, faisant un malheur avec des extraits de la *Cavalleria Rusticana*. Il chanta tantôt en solo, tantôt en compagnie de l'irrésistible Renata, avec un succès croissant. Il fit pleurer la salle avec *Una Furtiva Lagrima*. Et ce fut déjà l'entracte. Émus, les Pikaubains décrétèrent que c'étaient là de bien belles chansons, bien qu'ils n'en connaissaient aucune.

La seconde partie du programme fut un pot-pourri des plus enlevés de mélodies populaires napolitaines, assaisonnées de rengaines siciliennes. Le pianiste du début avait cédé la place à un joueur de mandoline. La salle rêva, s'ébroua, pleura à nouveau. Louis-de-Gonzague imaginait que le golfe de Naples étalait ses douceurs, ses lumières et ses mystères aux pieds de Chicoutimi et jusque là-bas dans le Fjord. Maître Ouellet, entouré de ses chers Écoliers, se disait : oui, c'est bien cela, les harmonies naturelles, la grande fraternité de l'univers, la communion des sons, des sens, des essences… Ah, comme le monde est en ordre ce soir ! Pendant ce temps au balcon, Déplié s'émerveillait d'un aussi gros rassemblement. Il se confiait à Petite-Face, un colleur qui avait appris trois mots d'anglais dans le catalogue de Simpson's Sears :

— Cinq cent personnes, chose, ça fait du monde àà messe !

— Eille, tchommé, même le jubé est full-pinne…

Renata était tantôt une paysanne miséreuse, tantôt une fiancée irrésistible, tantôt une reine superbe, mais toujours aussi vraie, aussi touchante et infiniment aimable. Gigli prenait plaisir à la soirée et la prolongea, offrant quelques rappels. Il interpréta d'abord *L'Heure exquise,* puis *Santa Lucia,* que le public chanta avec lui. Il enchaîna avec deux ou trois barcarolles et un petit air d'opérette qui fit rire aux larmes, même si on ne comprit rien aux paroles. Il conclut en apothéose avec *O Sole Mio* qu'il répéta aussitôt, car la joie était grande tant sur la scène que dans la salle. Là-dessus, un spectateur s'enhardit à demander la *Veuve joyeuse.* L'artiste fut heureux de s'exécuter. Une dame réclama *Plaisir d'amour.* Ce fut au tour de Renata de s'obliger, avec un charme infini. Cage-à-l'Eau aurait bien demandé *Évangéline,* mais on le retint. À la fin, les deux interprètes descendirent de scène pour fraterniser avec leur public, surpris et ravi de toutes ces attentions.

Gonzague offrait ensuite une réception à sa maison. Il servit du vin et des liqueurs — qu'il avait pu faire venir de Québec grâce aux bons soins de Raoul. Le Bâtard était là et fut présenté aux deux invités. Il y avait aussi quelques contremaîtres, ainsi que Fabrice qui, pour l'occasion, s'était enduit les cheveux de gomme de merisier. Il fit une très forte impression sur Renata. Sa carrure, sa santé, sa bonne humeur, son sourire, son regard dévastateur eurent tôt fait de conquérir la belle Italienne qui, du reste, n'avait pas le cœur à la résistance. Elle se plaisait à voir dans le Pikaubain l'habitant typique du nouveau continent, le voyageur intrépide du Grand Nord, l'homme libre des grands espaces. Ce qu'il était en effet, sans parler du reste qui ne demandait qu'à être découvert, ce à quoi la sémillante Renata voulut sur-le-champ s'employer.

La nuit fut très gaie. Beniamino prenait intérêt aux conversations, échangeait des blagues avec Fabrice, qui lui donnait du « Ben ». En duo avec « Luigi », il interpréta *a capella* quelques extraits du répertoire. Entre deux arias, le chanteur, captivé par le personnage de Léo, l'interrogeait sur ses entreprises. Ils en vinrent à parler longuement de Pikauba, de Maître Ouellet et des Écoliers, des chantiers, des Indiens — des « Inmourables ». Gigli voulut en savoir plus et décida d'étirer son séjour dans le Nouveau Monde. Rendez-vous fut pris pour le lendemain. Les heures s'envolant, vint le moment de prendre congé. Gonzague raccompagna son ami au Château Saguenay. On avait perdu la trace de Fabrice et Renata.

Le lendemain, Gigli et Gonzague se rendirent à Pikauba. Fabrice et Renata avaient refait surface (le premier sous le nom de « Fabrizio »). Guidés par Léo et Méon, les visiteurs passèrent l'avant-midi à visiter les installations, les familles et aussi la Sourche où les deux artistes furent présentés à Ouellet qui les accueillit dans leur langue. Le chanteur s'adressa à ses élèves, leur expliqua que lui aussi était issu d'une famille de forestiers. Il leur parla de son enfance, de ses jeux en forêt et s'intéressa à ceux des Écoliers. Il afficha une curiosité amusée pour le Boisé. Plus tard, il marcha dans le Village et sourit des panneaux indicateurs portant des noms de fleurs. Léo fit arrêter les travaux et tout le monde se regroupa sur la Place. Encore là, le chanteur prit plaisir à fraterniser. Il recevait les hommages, les tapes sur l'épaule, les baisers, allait de l'un, de l'une à l'autre, reconnaissait les grosses mains gercées, brisées, à la poigne ferme, et les regards clairs au milieu des visages durcis par les saisons.

Louis-de-Gonzague demanda le silence et présenta brièvement Renata puis Gigli qui prononça quelques mots. Cette rencontre, disait-il, lui rappelait des souvenirs très chers. Lui aussi, étant jeune, avait travaillé en forêt. Ce décor, immense et pur, lui était familier; il ressentait une grande fraternité envers les Villageois et le souvenir de sa visite parmi eux lui serait à jamais précieux. Ses derniers mots furent inaudibles, l'émotion le gagnait.

Tout à coup, inspiré par la chaleur, la magie de l'instant, il fit un signe à quelques hommes qui le hissèrent sur la plate-forme d'un Chevrolet. Et là, devant les Pikaubains médusés, il entonna *O Sole Mio*. Sa voix emplit la Place, courut le long de la Rivière et dans les allées désertes du Boisé d'où son écho déborda vers la vallée, se répercutant de colline en colline. Gigli chantait les yeux fermés, lentement, étirant les finales, appuyant sur les reprises. Il laissait chanter son cœur. Quand le silence revint, nul ne voulut bouger, par crainte de briser la beauté du moment. Maître Ouellet avait bien raison : ce lieu était le centre du monde. En ce temps-là du moins.

L'après-midi, le groupe parcourut en camion les chemins du chantier. Gigli voulait tout savoir et on s'aperçut qu'il en connaissait déjà un bon bout. Il mettait pied à terre pour cueillir du doigt sur une souche un peu de sève qu'il portait à sa bouche et en faisait les plus surprenantes déductions que Méon et Kurtness confirmaient. Il s'intéressait à la construction des calvettes, au maniement de la pionneure, aux moteurs des camions — et aux différentiels, à propos desquels il avait lui-même quelques anecdotes. À un moment donné, il prit même le volant du gros Chevrolet de Léo. Le lendemain, sur l'insistance du chanteur, ils se rendirent au Lac Saint-Jean où ils s'arrêtèrent à la Réserve Pointe-

Bleue. Là, dans la grande salle de l'École Blanche, c'est Renata qui se joignit à un groupe de jeunes filles pour interpréter des mélodies montagnaises qu'elle assimilait et adaptait à sa façon.

Cibèle était apparue. Léo put lui dire quelques mots ; elle avait quitté son emploi à l'épicerie, travaillait maintenant au bureau de poste. Mais l'entretien s'arrêta là ; Gigli et les autres avaient déjà repris place dans les camions, prêts à partir.

Plus tard dans la journée, le groupe traversa Mistouk et s'arrêta aux Chicots où le Bâtard servit de guide. Ils trouvèrent Marie en train d'écosser des gourganes sur la galerie. Ils se regroupèrent dans le salon, bavardèrent un peu, puis invitèrent la grand-mère à se mettre au piano. Elle protestait :

— Mon Dieu, qu'est-ce que vous me faites faire là, à mon âge ! J'ai pas joué depuis une éternité, mon pauvre monsieur. Remarquez pas trop.

Gigli se pencha sur elle :

— Vous connaissez un air italien ?

Sans réfléchir, elle donna les premiers accords de la *Sérénade* de Toselli. La dernière fois qu'elle l'avait jouée, c'était au moment du départ de sa fille Mathilde pour le cloître. Elle voulut s'arrêter, mais il était trop tard, Gigli était lancé. Quand il eut terminé, il vit bien que la grand-mère était toute remuée. Il l'embrassa et lui tint un moment la tête contre sa poitrine. Puis il prit congé.

Le lendemain, les adieux sur le quai de la gare à Chicoutimi furent des plus tristes. Gonzague, oppressé par le chagrin, prit un air boudeur. Beniamino dut s'embarquer sans parvenir à le consoler.

Au Village, le passage de Gigli allait laisser des traces. À la suggestion de Louis-de-Gonzague, le Bâtard fit l'achat d'un énorme tourne-disque qu'il installa dans la grande salle du Temple. Tous les soirs désormais, les Habitants purent réentendre *O Sole Mio*.

Chapitre 28

Le Bâtard passait de plus en plus de temps à son bureau dans l'édifice du Temple et de moins en moins avec les hommes, dans les ateliers ou en forêt. Le vendredi, il restait toute la journée en réunion avec ses contremaîtres. Il siégeait au bout de la table, crayon à l'oreille, griffonnant une note de temps à autre, mais toujours chaussé de ses bottes et vêtu de sa chemise de flanellette, sous sa veste de peau. Il parlait peu, écoutait attentivement et, à la fin, prenait les décisions. À son insu, il reproduisait le modèle du père Turner qu'il avait pu observer à Binghampton. Mais ces longues séances lui étaient pénibles et, parfois, il n'était pas loin de partager l'avis de Fabrice :

— Baptême, Léo, c'est quasiment rendu qu'on fait plus de parlage que de faisage...

Dès qu'il avait une minute, il était heureux de parcourir les chemins de bois, de se retremper dans les chantiers.

Un dimanche de mai 1953, au volant de son Chevrolet, il quitta Pikauba par le petit chemin qui serpentait entre les coulées et les arbres. Il allait faire une livraison de planches et de madriers dans le rang du Portage au village de Laterrière, l'affaire de deux heures environ, aller et retour. Il n'avait pas perdu l'habitude d'effectuer, quand il le pouvait, une course ou une livraison. C'était pour lui, comme toujours, la distraction la plus douce. Ce matin-là, il s'amusa à faire rugir le monstre dès que la route prenait du relief. Il aimait la senteur d'huile, de caoutchouc et de métal surchauffé qui envahissait alors la cabine, se mêlant au parfum du cuir et aux effluves qui s'échappaient de la forêt maintenant libérée de ses neiges.

Il faisait beau. Le chauffeur sifflait, insouciant, tandis que la « bête », lourdement chargée, se balançait mollement au gré des aspérités du terrain, passant d'un accent à l'autre dans les petites côtes, dans les montées très raides, dans les descentes en compression, puis sur les plats, les faux plats. Le trajet, jusqu'à destination, suivait des chemins de gravier, sauf la section qui empruntait la route du Parc. Arrivé chez l'acheteur, un charpentier, Léo actionna le levier de la dompeuse, se défit de son chargement, empocha le paiement et se remit en marche. Il n'avait pas fait cent pieds qu'il s'arrêta net, étouffant son moteur.

Sur sa droite, près d'une maison coiffant une petite butte, il venait d'apercevoir une jeune fille. Elle lui tournait le dos à demi et ne semblait pas le voir. Les bras levés, elle suspendait du linge à une corde. Son mouvement soulevait légèrement sa robe, dégageant ses jambes jusqu'au-dessus des genoux. Elle se tenait dans la lumière du jour qui mettait en relief sa taille élancée, ses lignes fermes, son cou finement dessiné. Ses longs cheveux bruns, en broussaille, flottaient au vent. Un instant, elle tourna la tête dans sa direction et son visage lui apparut : empreint de gravité, légèrement voilé même, mais soutenu par de grands yeux foncés, très intenses, presque défiants. Il restait là, au milieu du chemin, figé. Comme elle était belle ! Il crut qu'elle le regarda une seconde du coin de l'œil. Indécis, ébloui, il la quitta finalement des yeux, redémarra le Chevrolet et le mit en vitesse. Mais aussitôt, il voulut la revoir. Il s'arrêta, risqua encore un coup d'œil ;

elle avait disparu. Il reprit lentement son chemin, conduisant presque à l'aveuglette. Pendant tout le trajet du retour, ses pensées ne quittèrent pas la fille de la butte.

Il arriva à Pikauba dans un état de grande excitation. Le sentiment qu'il éprouvait lui était inconnu; c'était différent d'avec Cibèle: à la fois très doux et violent, foudroyant même. Il ne tenait pas en place, il aurait voulu retourner immédiatement à Laterrière. Il chercha à s'informer; nul ne semblait connaître cette maison ni la famille qui l'habitait. Il eut l'idée de retourner au village le dimanche suivant, à l'heure de la messe. Il resta plus d'une heure dans l'église et fut aussi surpris que déçu de ne pas y voir la jeune fille. Il revint encore le dimanche suivant, avec le même résultat. Il apprit alors que, pour accommoder tous ses paroissiens, le curé célébrait deux messes; une grande, à laquelle le Bâtard venait d'assister, et une basse le matin, à six heures. C'était donc cela.

Sept jours plus tard, il partit du Village à cinq heures, assista à la première messe sans apercevoir la fille, ainsi qu'à la seconde sans la voir davantage. Pendant trois ou quatre semaines, il répéta son manège, toujours sans succès. Chaque fois, il repassait devant la maison où il l'avait vue la première fois, mais elle ne semblait plus s'y trouver. Son exaltation tombait et faisait place à l'amertume. À Laterrière, son visage était devenu familier; les fidèles, et plus encore le curé, admiraient la ferveur du jeune Sauvage. Plus tard seulement, alors qu'il commençait à désespérer, le Bâtard découvrit qu'une chapelle, située en bordure de la paroisse, desservait les habitants de quelques rangs éloignés. Un prêtre à la retraite venait y réciter l'office le dimanche. C'est évidemment là que la jeune personne se rendait avec sa famille.

Mais entre temps, le hasard était venu au secours de Léo. Passant un jour à Chicoutimi, il s'était arrêté à un garage de la rue Riverin pour faire vérifier un pneu du Chevrolet. Il avait stationné son véhicule près d'un autre camion chargé de planches, un Ford Mercury très âgé, encore en assez bon état.

Du fond du garage, tout à coup, une voix s'éleva :

— Mercurie ! Mercurie !... Où est-elle passée ?

Léo se demanda de quoi il s'agissait. Il aperçut alors une jeune fille accourant vers le mécanicien. C'était celle de la butte. Elle marchait d'un pas énergique. Elle avait revêtu une salopette et réuni ses longs cheveux sous une large casquette qu'elle portait bizarrement inclinée sur l'oreille. Deux ou trois mèches rebelles s'en échappaient. Le mécanicien reprit :

— Tu peux y aller, Mercurie. Ta pression est normale.

Elle sortit, grimpa lestement au volant du vieux camion et démarra.

Le Bâtard n'en crut pas ses yeux. Quand il eut retrouvé ses sens, il voulut la suivre ; il était trop tard. Il régla rapidement son problème de pneu, se dirigea vers le fond du garage et aborda le mécanicien, occupé à nettoyer un cylindre :

— C'est toi qui a réparé le troque qui vient de partir ?

— Ouais. C'était pas grand-chose ; pression d'huile. Il est pas jeune, comme t'as vu.

— Il a pourtant belle apparence.

L'autre cligna de l'œil :

— Ça doit aller avec le chauffeur...

— Tu la connais ?

— Mercurie ?

Ils bavardèrent ainsi un bout de temps ; le mécanicien continuait de s'affairer. Parmi les gars de garage, « Mercurie » n'était connue que sous « son nom de camion ». Elle n'était pas mariée. Léo hésita, puis risqua une dernière question :

— Tu sais pas si elle a un... s'il y a un autre troque dans sa cour ?

L'autre sourit, releva la tête :

— Ah ça, j'peux pas dire. Moué, j'soigne les troques, j'me mêle pas de leur vie privée...

Huit jours plus tard, le Bâtard se rendit à un moulin à scie qu'il songeait à acheter sur la rive sud du Portage-des-Roches.

Pendant qu'il examinait l'installation, il vit arriver le vieux Ford Mercury qui stationna un peu plus loin. Bondissant sur l'occasion, sans même réfléchir à la façon dont il allait l'aborder, il se pressa vers la conductrice :

— Vous… vous avez un beau troque.

C'est tout ce qu'il avait trouvé comme entrée en matière. Elle se retourna et il put enfin l'observer de près. Il fut à nouveau bouleversé par sa beauté discrète, très pure. Un léger pli s'était formé à la commissure de ses lèvres, qui faisait comme une trace, ou plutôt une ancienne trace de sourire. Mais il retint surtout les yeux de braise qui mettaient le feu à son visage. Vêtue comme il l'avait vue au garage la semaine précédente, elle se tenait debout près du marche-pied, une main posée machinalement sur le bouchon du réservoir d'essence, la casquette toujours inclinée sur l'oreille, avec le vent qui agitait légèrement ses mèches rebelles. Elle répliqua, comme en s'excusant :

— Il est pas jeune.

— Vous exagérez, il a même pas votre âge…

Il crut lire une détente dans ses traits, mais pas plus. Elle eut un petit geste de la main :

— Faut que j'aille charger…

Léo retourna à ses affaires, tout en la surveillant. Elle prit d'abord de la planche, puis du deux par cinq et enfin, sans trop forcer apparemment, quelques deux par huit… Il écarquillait les yeux. La boîte du Mercury était quasiment à moitié pleine lorsqu'elle s'arrêta. Elle reprit place à son volant et partit sans le regarder.

Il ne se trouvait guère plus avancé. Il revit quelquefois la jeune fille au cours de l'été et put lui arracher des bouts de conversation. Mais elle résistait. Il repassa devant son domicile le dimanche et put l'apercevoir encore ; elle se détournait de lui. Il fréquenta la chapelle, parvint deux fois à lui parler, puis elle n'y reparut plus. En octobre, il aurait voulu l'inviter à l'accompagner au spectacle de Gigli, mais elle se faisait invisible.

Ce n'est qu'à la fin de ce mois, peu après la deuxième « retraite » de Montréal, que le sort enfin lui sourit. Durant les jours précédents, plusieurs orages avaient défoncé les chemins, certains devenant impraticables par endroits. Un après-midi, alors qu'il circulait allège* dans le rang Saint-Martin à l'est de Chicoutimi, il aperçut à la sortie d'une courbe le Ford Mercury lourdement chargé, enlisé au milieu d'une montée. Une neige mouillée, pesante, tombait depuis le matin et fondait aussitôt. Léo s'arrêta et offrit ses services ; Mercurie n'eut guère le choix. Ils transbordèrent la moitié du chargement dans la boîte du Chevrolet et l'autre camion put se dégager. Ils replacèrent ensuite le bois dans la boîte du Ford. Son chauffeur n'avait pas dit plus de trois mots lorsque les deux véhicules reprirent la route. Mais l'eau avait creusé de telles ornières que, vingt arpents plus loin, le Ford s'enfonça à nouveau. Léo lui-même, sans chargement, éprouvait quelques difficultés. Il fallut tout recommencer. Le Bâtard ne songeait pas à s'en plaindre, bien au contraire. Cette fois, ils échangèrent quelques remarques en travaillant ; des banalités.

Léo se disait pourtant qu'il ne devait pas rater cette occasion. À la fin, il se risqua :

— Pourquoi est-ce que vous me fuyez, Mercurie ?

Elle fut prise au dépourvu, balbutia quelque chose.

— C'est parce que je vous ennuie ?

— Oui… non… c'est compliqué.

— Vous seriez gentille de m'expliquer. Je commence à être tanné de courir les messes… En plus, si ça continue, je vais passer à travers mon Chevrolet à force de bardasser dans ces chemins-là.

Elle sourit. Il enchaîna :

— Les paroissiens de Laterrière sont à la veille de me nommer marguillier ; ils pensent que je suis tombé en amour avec le Bon Dieu.

Elle détourna les yeux, ne dit rien. Il reprit en baissant la voix :

— En fait, ils ont pas tout à fait tort.

— Vous exagérez pas un peu, là ?

— Un peu. Pas beaucoup.

Elle remonta dans le Ford :

— Merci pour le dépannage.

— Si vous vouliez vraiment me remercier, je passerais vous prendre après souper samedi prochain. Je vous ferais essayer mon camion. Mais allège, si ça vous fait rien, parce que d'après ce que je viens de voir aujourd'hui, quand c'est chargé, on dirait que vous avez une petite manie…

Cette fois, elle rit franchement, rougit :

— Bon, correct pour samedi ; mais juste pour une fois.

Durant les quelques journées qui suivirent, le Bâtard exulta. Il sifflotait tout le jour et, le soir, il pensait si fort à Mercurie qu'il avait peine à trouver le sommeil. Le samedi, il fut chez elle, comme convenu, au début de la soirée ; il avait à peine mangé. Elle l'attendait sur la galerie et descendit prestement le rejoindre au camion. Les Dallaire — c'était son nom de famille — étaient pauvres et l'idée qu'il puisse entrer dans la maison la gênait. Il fut un peu déçu ; il aurait aimé se présenter à la mère, à la famille. La jeune fille portait la même robe que le jour où il l'avait vue pour la première fois. Une petite robe légère, bleu pâle, tachetée de pois rouges.

Au moment de monter, elle jeta un coup d'œil sur la portière :

— Société Mistapéo, c'est un drôle de nom ?

— C'est un mot indien ; ça veut dire le grand, le géant. Les Montagnais avaient donné ce nom-là à mon père.

— Votre père était indien ?

— Non, ma mère. C'est un peu compliqué.

Mercurie sentit qu'il ne souhaitait pas en dire plus et elle se hissa dans la cabine. Il tardait à démarrer ; elle s'en étonna :

— Qu'est-ce que vous attendez ?

— … Je regardais vos mains.

— Qu'est-ce qu'elles ont?

Il était captivé par les longs doigts fins, la peau satinée; il aurait voulu les caresser.

— Je vous ai toujours vue avec vos gros gants ou vos mitaines. Sont belles vos mains…

Elle se hâta de les dissimuler en croisant les bras. Il mit le Chevrolet en marche.

Ils roulèrent au hasard à travers les rangs, s'arrêtèrent pour cueillir quelques noisettes, visiter une scierie, faire le plein du véhicule. Il lui passa le volant. Elle conduisait bien, passait les vitesses en douceur, ménageait les freins, évitait les bosses. Elle avait bien un peu de difficulté avec les doubles-clotches, mais c'était fréquent avec les Chevrolet; Léo ne fit pas attention. Il ne grimaça même pas quand, au sommet d'une côte, elle fit crier tout l'embrayage.

Ils parlèrent. Elle était l'aînée d'une famille de sept. Son père, camionneur, l'avait élevée comme un garçon, lui avait montré à conduire. Elle avait dix-huit ans quand il était décédé en 1947 — le Bâtard nota : elle avait donc vingt-quatre ans. Elle avait repris le camion du père et transportait surtout du bois pour les moulins à scie. C'est elle qui gagnait l'argent à la maison :

— J'ai pas le temps de faire ma jeunesse; ma famille a besoin de moi.

Il lui sembla qu'elle avait appuyé sur ces derniers mots.

En traversant le barrage du Portage-des-Roches, elle immobilisa le Chevrolet :

— Ça vaut pas mon Ford…

Il feignit de s'offusquer.

Ils descendirent et marchèrent un moment sur la digue qui enjambait la chute, encore très vive malgré la saison. Ils s'arrêtèrent à mi-chemin. Deux pêcheurs, emmitouflés dans des parkas, avaient jeté l'ancre au pied du courant. Il se mit à neiger subitement; Léo s'approcha de la jeune fille. De gros flocons se posaient légèrement sur son visage et, en fondant, laissaient comme deux rangs de perles sur ses longs cils. Léo s'approcha encore :

— Mercurie, c'est un nom de troque, ça. Vous avez pas un nom de fille aussi pour le dimanche ?

— Oui mais, comme vous dites, c'est pour le dimanche.

— Ça fait longtemps que les gars vous appellent Mercurie ?

— Depuis que je chauffe le troque.

— Mais avant ça ?

— Pareil. Mon père m'appelait Mercurie lui aussi. Y disait que… y disait qu'on avait la même face, le Ford pis moi. Ça le faisait rire.

— Ça m'avance pas beaucoup.

— Vous… vous êtes assez avancé comme ça.

Le soir tombait, le froid s'installait ; l'hiver n'était pas loin. Ils remontèrent dans le Chevrolet. Il avait repris le volant, mis la chaufferette en marche. Parvenu devant la maison des Dallaire, il coupa le contact et ils se saluèrent. Juste au moment où elle s'apprêtait à descendre de la banquette, il la retint par le bras et l'embrassa. Chastement, sur la joue. C'était doux et chaud, comme une coulée de bran de scie frais. Elle ne résista pas, mais s'éloigna aussitôt.

Par la suite, dans ses moments libres, il la chercha, faisant la tournée non plus des églises mais des scieries. Il la surprenait parfois, elle se faisait distante. Il avait perdu tout le terrain qu'il croyait avoir gagné. Les semaines passèrent. Il n'en pouvait plus de ces regards dérobés, de ces quelques mots à la sauvette, de ces espoirs toujours déçus. Vers le milieu de janvier 1954, il la surprit à un croisement près de la route du Parc et sauta rapidement de son camion pour aller lui parler. Il insista, elle lui permit de monter. Il faisait très froid dans le vieux Ford dont la chaufferette était en panne. Elle était emmitouflée dans une canadienne trop grande pour elle ; celle de son père peut-être. Il eut un serrement de cœur en découvrant le siège rapiécé, le plafonnier éventré d'où pendait un bout de fil, le plancher rouillé, percé par endroit. Elle s'en aperçut, rougit :

— C'est pas du neuf… mais le moteur est bon.

— J'ai bien vu ça depuis quelque semaines ; j'arrive pas à vous attraper !

Elle sourit, exhalant un léger nuage de givre entre ses dents très fines. Une petite poupée de laine était suspendue dans la vitre arrière de la cabine. Léo la toucha du doigt :

— C'est à vous ? ou ça vient avec les Ford… ?

Elle sourit à nouveau, baissa les yeux :

— Ma mère me l'a tricotée ; c'est mon cadeau de Noël.

— Vous êtes bien le seul troqueur de la région qui…

— Je suis pas un troqueur ; je fais ça en attendant. Quand mes frères et mes sœurs seront plus grands, je vais faire autre chose, je… je veux retourner à l'école. Mais j'ai pas beaucoup…

Elle s'était arrêtée subitement. Léo la pressa :

— Vous avez pas beaucoup de… ?

— Vous en savez assez, là. Je vous trouve pas mal parleux pour un Sauvage.

— Moi, je vous trouve pas mal rétive pour une Blanche.

Ils se turent. C'est Léo qui était embarrassé maintenant. Il reprit :

— Sauvage, vous savez, c'est pas un métier de tout repos. Puis c'est encore moins drôle quand on l'est pas complètement.

Elle parut surprise, le regarda attentivement. Alors, il lui raconta Méo, Moïse, Senelle, lui parla de Mistouk et de Jonquière. Voyant que son intérêt grandissait, il poursuivit avec l'arnaque de Port-aux-Quilles, son exil à Montréal, son séjour aux États, son retour. Pendant tout ce temps, elle restait immobile, le regard figé sur son volant, grelottant. Mais en elle, tout bouillonnait. Elle absorbait en tremblant toutes les émotions que lui inspirait ce récit tourmenté, plein de vie et de mort. C'était la première fois qu'elle pénétrait ainsi l'intimité, le secret d'un homme. Et elle découvrait chez celui-là une étrange robustesse, des élans mêlés de fragilité, de tendresse. Comme elle aurait voulu l'étreindre, se presser contre sa poitrine, lui déverser à son tour son trop-plein à elle !

Avait-il deviné ses pensées ? S'était-elle trahie ? Il interrompit tout à coup son récit, se tourna vers elle :

— Mercurie, je suis très malheureux, tu peux pas… ça peut pas continuer comme ça.

Il lui mit la main sur l'épaule et, tout doucement :

— J'aimerais ça t'appeler par ton nom de fille.

Elle se raidit subitement, comme pour chasser un moment d'abandon, de faiblesse :

— Moi aussi, je suis malheureuse, mais j'ai pas le droit. Il faut que t'arrêtes de me voir.

Sans s'en rendre compte, ils étaient passés au tutoiement.

— Tu peux pas me demander ça. Pourquoi nous faire souffrir comme ça ?

— C'est des caprices. Ma famille a besoin de moi. J'ai promis.

— C'est pas des caprices. J't'aime. Tu m'entends : je t'aime.

Elle s'emporta :

— Dis pas ça ! T'as pas le droit de me dire des affaires de même. On se connaît presque pas.

— Tu peux pas dire que c'est de ma faute.

— C'est des mots qui sont trop importants, trop…

Elle avait des sanglots dans la voix maintenant.

— C'est pourtant la vérité, Mercurie.

— Justement. Léo, je… Faut pus qu'on se voie. Je veux pas que tu reviennes me voir. On aurait jamais dû se rencontrer, je suis pas prête… Pis ça me fait mal, j'me comprends pus !

Les derniers mots avaient jailli comme un cri, comme une plainte. Et là-dessus, elle avait fondu en pleurs, la tête abandonnée contre la glace givrée de sa portière. Il attendit un long moment, vit qu'elle se calmait. Mais elle ne bougeait toujours pas. Il attendit encore, espérant un mot, un geste. Elle restait silencieuse, immobile, les yeux fermés. Il ouvrit doucement et se laissa glisser en bas du Ford.

* * *

Pendant tout l'hiver, il n'essaya même pas d'oublier ; cette seule pensée le jetait dans l'effroi. L'absence de la jeune fille la rendait encore plus proche, plus désirable, obsédante. Elle était partout maintenant. Il retournait là où ils s'étaient déjà arrêtés, traversant plusieurs fois le barrage du Portage. À chaque endroit, il recherchait ses empreintes sur la neige, l'écho de sa voix dans le vent, l'éclat de ses cheveux dans la lumière. Mais il ne trouvait que le vide, le silence. Ces instants si doux, si purs, qui l'avaient enfiévré, il les revivait maintenant comme une succession de deuils. Cent fois, le dimanche, même les jours de tempête, il alla stationner son camion à distance de sa maison, dans l'espoir de l'entrevoir, même quelques secondes. Le printemps arriva, ce fut pire encore. L'odeur des croûtes et du bran de scie, le sifflement des scies à travers les billots, le mouvement des camions dans les cours à bois, tout lui rappelait leurs brèves rencontres près des moulins. Puis ce fut l'été.

Un dimanche, au début de juillet, il n'y tint plus. Il voulut lui parler. Il sauta dans le Chevrolet et roula jusque dans le rang du Portage. Il s'avança lentement et s'arrêta juste devant la maison, espérant qu'elle en sortirait. Rien ne se passa. Du haut de sa cabine, il regarda à travers les fenêtres mais ne la vit pas. Il se résigna à rebrousser chemin. Comme pour accompagner son humeur, le temps se couvrait. Il rentra au Village, qu'il trouva étrangement lugubre malgré l'agitation habituelle qui y régnait. Il n'y resta pas longtemps. Il se dit que c'était trop bête, qu'il l'avait peut-être ratée de quelques minutes, de quelques secondes. Il remonta dans son camion et fonça de nouveau vers Laterrière. Là, il répéta son manège, s'attardant cette fois plus longuement. Il n'eut pas plus de succès. Il revint lentement à Pikauba, misérable, honteux ; depuis le midi, il avait roulé quatre heures pour rien, sur de mauvais chemins. Il erra sur la Place, marcha le long de la Rivière, oublia de souper.

L'obscurité s'installait, une petite pluie froide tombait; il rentra dans son camp. Subitement, il crut devenir fou et, presque malgré lui, se retrouva à nouveau derrière le volant. Il lui fallait faire un autre essai; le dernier. Il s'engagea pour la troisième fois dans les côtes et lacets de Pikauba. Il approchait de la route de Québec quand un violent orage éclata, réduisant la visibilité. Il ralentit à peine. Bientôt, le chemin de terre fut creusé de profondes rigoles. L'heure avançait, il faisait très noir, il avait allumé ses gros phares. Alors, à l'approche d'un mauvais détour où l'on pouvait difficilement rencontrer, il aperçut deux jets de lumière devant; un autre véhicule s'en venait. C'était un camion. Il freina, roula encore un peu et reconnut le vieux Ford de Mercurie!

De sa fenêtre à Laterrière où elle faisait elle aussi le guet tous les dimanches, elle avait tout vu. À chacun des passages de Léo ce jour-là, elle avait souhaité qu'il force sa porte. Après sa deuxième tentative, elle avait craint qu'il ne revienne pas. N'y tenant plus, elle était partie à sa recherche.

Les deux véhicules s'arrêtèrent brusquement face à face, à quelques pieds de distance, tous feux allumés sous la pluie battante. Les chauffeurs en descendirent à la course, se précipitèrent l'un vers l'autre et s'enlacèrent. Dans leur hâte, ils n'avaient même pas pensé à arrêter les moteurs. Ils s'embrassèrent passionnément à travers leurs cheveux mouillés puis, sans desserrer leur étreinte, ils se laissèrent choir dans la boue, se dévêtirent tant bien que mal et, enfin, sur le lit de glaise, ils s'aimèrent. Il la pénétra rageusement, elle se cabra en hurlant. La suite fut une longue empoignade parsemée de baisers, de grognements, de ruades. Un violent corps à corps, un doux cœur à cœur. Il faisait froid, mais les camions les réchauffaient. Les moteurs s'emballaient, les bielles s'emmêlaient. À la fin, les deux corps s'affaissèrent dans la vase, insensibles aux jets de l'orage qui redoublait. La nuit s'embaumait des parfums d'huile et d'essence brûlées qui s'élevaient des capots.

C'est ainsi qu'en ce jour de juillet, sous une pluie de clous et dans un concert de pistons surchauffés, en présence d'un Ford et d'un Chevrolet souriant de toutes leurs grilles, fut célébrée et consommée l'union de Mercurie Dallaire et de Léo le Bâtard.

Après la cérémonie, il se redressa :

— Mercurie…

— Tu peux m'appeler Marie, asteure. Même en semaine si tu veux.

Il sourit, la serra à nouveau dans ses bras :

— Marie? C'est pas une marque de bougie, ça? ou de mofleur?…

Elle l'attira à lui et ils se marièrent à nouveau.

Chapitre 29

La première visite de Mercurie au Village suscita bien des émotions. Les femmes, très curieuses de voir la blonde du Bâtard, se dirent rassurées, jugeant le couple parfaitement assorti. Quant aux hommes, ils sursautèrent d'abord en apercevant la jeune fille au volant de son camion et restèrent ensuite figés quand ils la virent en descendre. Léo la présenta à ses adjoints et aux autres. Elle gratifiait chacun d'une solide poignée de main et d'un regard franc de petite fille résolue. Fabrice, ébloui, ne se priva pas de l'examiner sous tous ses angles. Le soir, quand il rentra à son camp, Clothilde l'apostropha :

— Franchement, Brice, t'aurais pas pu te retenir un peu ? Tu devrais avoir honte ; la blonde à monsieur Léo !…

— Quoi, la blonde à monsieur Léo ?

— Tu t'es pas vu ? Les yeux voulaient te sortir des orbites.

— Extravagance ! Je l'ai regardée un peu, pis ?

— T'avais pas l'œil franc pantoute. Tu lui jetais des… des…

— Bin, des quoi ?

— Tu lui jetais des regards d'homme !

Louis-de-Gonzague était toujours embourbé dans le procès de Léo. Sans grand espoir, il fit une autre tentative auprès de la cour supérieure pour faire révoquer Létourneau. L'affaire traîna et, en février 1954, il apprit qu'il était encore une fois débouté. La règle était incontournable : le nouveau procès devait être instruit devant le même juge qui l'avait présidé avant l'avortement. Les assises allaient s'ouvrir au mois de mai devant un nouveau jury, près de trois ans après l'assaut contre le Village.

Dégoûté, l'avocat filait un mauvais coton. En plus, l'hiver frappait durement et il contracta une violente bronchite qui le laissa toussotant. Il se consola, comme toujours, avec sa musique et ses chères lectures. Depuis quelque temps, il s'était remis à l'étude de l'antique Coutume de Paris, dont il s'était procuré à grands frais les énormes tomes. Il ne se lassait pas de les parcourir en tous sens, admirant la qualité de la langue, élégante et précise, la géométrie de l'ordonnancement général et des aperçus particuliers, le raffinement des articles régissant l'infinie variété des situations. Même l'examen des cas d'exception, dans leur rapport avec la règle qu'ils spécifiaient, lui était un délice. Il avait le sentiment que les rédacteurs s'étaient fait plaisir dans ces recoins peu fréquentés de l'œuvre. Il y relevait parfois une discrète fantaisie, un clin d'œil au lecteur averti et aussi, quoique très rarement mais avec quel frémissement, une coquille ou même un tout petit contresens !

Au printemps, son bureau bourdonnait à nouveau ; le plaideur avait retrouvé toute son agressivité et brûlait de monter aux barricades. De son côté, Léo se montrait impatient d'être fixé sur son sort ; il risquait une peine très lourde si le tribunal le trouvait coupable. *La Vérité,* à nouveau, avait fait grimper les enchères : cette fois, le Bâtard ne survivrait pas, il était bon pour les galères. L'avocat de Gosselin, Jean-Raynald Warren, agirait encore une fois comme procureur de la Couronne. Toute la publicité faite autour de l'événement avait mobilisé la ville et, le jour venu, une grosse foule se pressa aux portes du Palais de justice. Les ouvriers du Bassin y étaient nombreux : Belley était l'un des leurs, ils voulaient le voir manœuvrer contre le Sieur et ses affidés.

Une fois le jury constitué, les nombreux témoins de la poursuite, pour la plupart des membres de la police municipale, furent entendus. Il n'y eut rien de neuf. Chacun vint raconter les coups qu'il avait reçus lors de l'assaut fatidique. Quelques-uns exhibèrent d'impressionnantes cicatrices aux mains et aux bras, vestiges de « morsures sauvages » administrées par un être bien singulier « qui tenait plus de l'animal que de l'homme » ; un cannibale peut-être ? Certains durent même se dévêtir pour faire voir au jury la preuve du délit.

Il y eut un moment délicat quand un gros homme se présenta et annonça avoir été mordu à la fesse. Finalement, l'épisode se déroula assez gaiement, Gonzague exigeant même une seconde expertise pour mieux certifier le « fondement » de la plainte. Warren interrogeait longuement les témoins, faisait minutieusement consigner tous les détails et circonstances, puis, d'un ton assuré, très expert, déclarait en s'adressant à Belley :

— Le témoin est à vous, cher confrère.

Chaque fois, à la surprise générale, le confrère déclinait et on passait au témoin suivant. Du banc des accusés, Léo, inquiet, essayait de décoder les péripéties de l'instruction. Il s'était attendu à être appelé à la barre ; il ne le fut pas. Dans la salle, les regards se tournaient vers sa longue silhouette, scrutant ses moindres gestes. Mais il restait impénétrable.

Après trois ou quatre jours de ce manège, vint le temps des plaidoiries. Parlant le premier, Warren s'adressa tantôt au juge, tantôt aux jurés, et se montra très habile à faire la synthèse des bosses, contusions, luxations, fractures et morsures infligées par les hommes de Léo. Il fit aussi état, en termes elliptiques, de tactiques tout à fait « déloyales » employées par quelques épouses de Pikauba. Il prouva enfin d'une manière péremptoire que ces individus ne pouvaient malheureusement être tenus responsables de leurs actes, étant donné leur état congénital qui en faisait ni plus ni moins que des écervelés, de pauvres abrutis, sinon des bêtes sauvages. Léopaul Tremblay-Manigouche, dit le Bâtard, ce personnage sinistre et malfaisant, les manipulait à volonté ; c'était lui le vrai coupable.

Létourneau notait et, ostensiblement, approuvait. Il reconnaissait l'argumentation dont il avait lui-même établi le canevas le mois précédent à l'occasion d'un souper chez Warren. Une partie de la salle apprécia également la plaidoirie, dûment parsemée d'effets de manche et de toge, d'arrêts et de poses, le tout arrosé de moult références à la jurisprudence. Tout le monde se tourna ensuite vers Louis-de-Gonzague, étrangement inactif jusque-là. Dans l'assistance, on chuchotait. Plusieurs soupçonnaient un malaise, certains le disaient même très malade et, de fait, il toussait de temps à autre.

Il prit enfin la parole. On attendait une fougueuse envolée oratoire, une charge éblouissante, mais il n'en fut rien. Prenant tout le monde au dépourvu, il invoqua une obscure disposition du code et fut autorisé à inviter à la barre des témoins « Monsieur le chef de la police municipale ». Surpris, Lévesque se présenta et l'avocat l'interrogea en la manière qui suit :

— Vous-même ou l'un de vos hommes avez-vous aperçu le dit Bâtard à Pikauba ou dans les environs de Pikauba durant l'assaut, dans les heures qui l'ont précédé ou celles qui l'ont suivi ?

— Euh… non.

— Comment pouvez-vous affirmer que, ce jour-là, il a lui-même dirigé les opérations ?

— C'est une déduction.

— Vous voulez dire : une supposition, une conjecture ?

— C'est la même chose, non ?

— Au moment de faire irruption dans le Village, vous-même ou l'un de vos hommes avez-vous produit le mandat de la Cour autorisant l'assaut ?

— J'ai pu le montrer à quelqu'un qui a prétendu ne pas savoir lire, puis à quelques autres qui m'ont fait la même réponse.

— Avez-vous relevé l'identité de ces hommes ?

— J'allais le faire avec le dernier quand… euh… j'en ai été empêché.

— Mais encore ?

L'officier, hésitant, jeta un regard implorant vers le juge qui esquissa un geste d'impuissance.

— J'en ai été empêché par… par un coup de poêlon que j'ai reçu sur la tête.

Là-dessus, le magistrat dut intervenir énergiquement pour rappeler au public que les rires, de même que les fous rires, étaient interdits dans l'enceinte. Louis-de-Gonzague reprit :

— Au moment de procéder à l'assaut, est-ce que vous-même ou l'un de vos hommes vous êtes annoncés d'une manière quelconque ?

— C'était impossible à cause de notre stratégie d'infiltration ; nous voulions profiter d'un effet de surprise.

— Est-ce que vous portiez un signe qui aurait permis aux gens de Pikauba de vous identifier comme agents de la paix ?

— Bien sûr que non ; pour la même raison. Nous avions choisi de procéder par la ruse, comme les Indiens. D'ailleurs, le nom de code de l'opération était « Têtes-de-Boules ».

Le juge dut intervenir à nouveau, menaçant cette fois de sévir contre les rieurs.

— En somme, ce matin-là, les honnêtes gens de Pikauba, occupés à leur fonctions ordinaires, ont vu une bande d'inconnus surgir de la forêt, assaillir leur Village sans fournir ni autorisation ni explication, s'emparer des femmes et des enfants et prendre possession des lieux. C'est exact ?

— …

— Et, si j'ai bien compris, votre Seigneurie, il faudrait condamner ces hommes qui se sont vaillamment portés à la défense de leurs enfants et de leurs épouses, du moins celles qui en avaient besoin ?

Létourneau répondit par une question :

— Mais parlez-nous donc, Maître, du rôle de Léopaul Tremblay-Manigouche pendant ces événements…

— J'allais justement transmettre au tribunal cette liasse de documents attestant sa présence au Lac Saint-Jean le jour de l'attaque. Ce sont des témoignages établissant son alibi.

Sur ces mots, Belley exigea le retrait de l'accusation contre le Bâtard et annonça qu'il intentait une poursuite contre les policiers municipaux et leur chef pour abus de pouvoir, violation de domiciles, assaut contre des personnes, complot contre un citoyen, etc. Après avoir délibéré quelques heures, les jurés en vinrent à un accord : ils rejetaient l'accusation. Mais avant même qu'ils n'aient pu revenir devant le tribunal pour en faire l'annonce, Létourneau, qui en avait été informé par un huissier, ajourna la reprise de l'audience. Comme il ne pouvait renverser la décision du jury, il avait dû s'en remettre à cet expédient, prenant tout le monde au dépourvu. Dans les jours qui suivirent, Louis-de-Gonzague obtint confirmation que Létourneau lui-même avait participé à la préparation de l'assaut en plus de signer le mandat autorisant les policiers à procéder. Le nom du juge vint donc s'ajouter à la liste des prévenus. De courtes négociations, très confidentielles, s'ensuivirent au terme desquelles le magistrat innocenta le Bâtard et Belley renonça à ses poursuites.

* * *

Les journaux régionaux rapportèrent longuement toutes les péripéties du procès et son dénouement très spectaculaire, sur lequel *La Vérité*, cependant, ne s'étendit guère. On fit grand cas du coup de théâtre établissant l'absence du Bâtard le jour des événements. Enfin, et comme il se devait, la performance magistrale de Louis-de-Gonzague fut abondamment louée.

Léo, rayonnant, revint à Pikauba le lendemain du procès et c'est porté en triomphe par ses hommes qu'il fit son entrée sur la Place. Mercurie, qui vivait toujours avec sa famille, était venue de Laterrière. Il y eut de bruyantes célébrations jusque tard dans la nuit, puis le héros du jour se retira dans son camp avec sa fiancée, dont l'humeur tout à coup changea. Léo s'en étonna :

— Qu'est-ce qu'il y a?

— C'est une chance que tu sois allé au Lac Saint-Jean, ce jour-là.

— Oui…

— Pourquoi tu m'as pas dit que tu voyais une Indienne à Pointe-Bleue?

Là-dessus, elle brandit un exemplaire du *Zadig*, sorti le matin même, dans lequel on commentait l'alibi de Léo et les témoignages de quelques habitants de la Réserve, dont une certaine Cibèle Courtois qui relatait sa rencontre avec le Bâtard.

— Mais… c'était bien avant qu'on se connaisse!

Elle se rapprocha pour mieux lui faire face :

— Qui est-ce, cette Cibèle? Pourquoi tu m'en as jamais parlé de celle-là?

Puis, furieuse :

— Et il a fallu que je l'apprenne par les gazettes!

Léo mit bien du temps à faire comprendre à Mercurie le motif de sa visite à Pointe-Bleue ainsi que les circonstances de sa rencontre avec Cibèle, son amie d'enfance. Le nuage, enfin, se dissipa mais pendant quelques semaines, leur bonheur, si pur, si entier jusque-là, fut troublé. Le Bâtard en retint que Mercurie, lorsque contrariée, n'avait pas la pédale douce.

* * *

L'évêché digéra mal l'échec du procès contre le Bâtard. En juin 1954, le Comité des Douze se réunit longuement. Le plan conçu trois ans auparavant pour prendre Belley en défaut n'avait toujours pas donné de résultat. Les Sages convinrent de lancer une autre opération. Ils choisirent cette fois de prendre pour cible les cinémas de la Mistapéo. L'association des Amis, les Dames de Saint-Éphrem et le tout nouveau réseau de dévouées collaboratrices qu'elles s'étaient associées furent mis à contribution. L'idée était de placer des personnes fiables dans toutes les salles de cinéma de la région et de les charger de faire rapport sur l'immoralité des films qu'on y présentait. Selon des informations préliminaires, la plupart des séances offraient à voir des parties de l'anatomie féminine ordinairement réservées au secret des alcôves saguenayennes : des jambes, des cous, des bras et, à l'occasion, un bout de cuisse. On parlait aussi d'enlacements et de baisers hors mariage.

Hélas, une indiscrétion permit d'alerter Léo, si bien que le personnel des salles eut tôt fait de repérer ces étranges cinéphiles qui assistaient tous les jours à deux, trois et même quatre projections du même film. Car les espions et espionnes, motivés d'abord par le zèle, se prirent en quelque sorte à leurs jeux et, succombant eux-mêmes à l'attrait du vice, s'abandonnèrent bientôt aux plaisirs pervers des salles obscures, au point de ne plus vouloir s'extraire de leur fauteuil. Ainsi plongés dans le péché, ils avaient du mal à rédiger les rapports accusateurs qu'on attendait d'eux.

Mais ils furent bien vite tirés de leur tourment. Le Bâtard lui-même fit échouer l'opération en changeant provisoirement la programmation de ses cinémas. Pendant quelques semaines, ils n'affichèrent plus qu'*Aurore l'enfant martyre* en alternance avec de vieilles copies de *Maria Goretti*, *La Petite Bernadette Soubirous* et *Je ne danserai plus avec le diable*. S'ajoutèrent également quelques documentaires propres à fortifier la morale des foyers… et à miner la vigilance du plus zélé des dévots : *J'ai vaincu la damnée boisson*, *La Chasteté racontée aux grands-mamans*, *Les Trois Vies de saint Théophile*.

Après quelque temps de ce régime, les agents très spéciaux, à bout de nerfs, déclarèrent forfait. Dans le réseau des associées des Dames, on compta plusieurs défections et même quelques dépressions. Le parti de la vertu, encore une fois, dut s'avouer vaincu. Mais c'était partie remise.

* * *

Dépité lui aussi par la déconfiture du procès et les revers des cinq dernières années, Elzéar Gosselin fit des pieds et des mains et obtint un rendez-vous avec le Premier ministre. Un jour du mois d'août 1954, il se présenta au Parlement, souriant, ganté et parfumé. Revenant d'une croisière dans les mers du Sud, il affichait un teint basané qui mettait en valeur ses cheveux blonds tournant maintenant au platine. Aussitôt qu'il eut pénétré dans le bureau du Chef, l'homme d'affaires serra rapidement la main de son hôte, déposa son chapeau, ses gants, son parapluie, s'empara d'un siège avant d'y être invité et prit la parole. L'officier qui l'avait introduit eut un léger sursaut et se plaça en retrait, attendant avec curiosité la suite de l'entretien. Sans sourciller, Duplessis continuait à siroter son éternel jus d'orange. Il avançait en âge. Son dos se voûtait, ses tempes grisonnaient, ses joues s'affaissaient. Mais l'œil demeurait vif. Le coude appuyé sur un bras de son fauteuil, il affectait un air attentif. Gosselin était déjà dans le cœur du sujet.

Il présenta un plaidoyer énergique en faveur d'un « redressement des affaires » dans la région du Saguenay. Il décrivit l'évolution récente de la coupe forestière dans le Nord et la situation d'autres industries « vitales pour le parti ». Il commenta ensuite l'insolence grandissante des compagnies américaines et la menace que faisait planer leur alliance récente avec des Sauvages du Lac Saint-Jean, en particulier ce jeune Manigouche, une sorte de bâtard, personnage scandaleux et subversif qui ne montrait aucune considération pour les institutions ni aucun respect pour les dignitaires, y compris ceux de l'Église. Sans parler du mépris qu'il affichait pour les « usages » :

— Je me fais bien comprendre, monsieur le Premier ministre?

Monsieur, assurément, comprenait, et même très bien. L'autre enchaîna. Il avait tenu à venir « personnellement » informer de tout cela le Premier ministre afin qu'il puisse réprimer sévèrement ces débordements, comme lui seul savait le faire. Il y allait, assurait-il, de l'ordre public, rien de moins, dans cette partie de la province. Il termina par une mise en garde à mots couverts:

— Monsieur, aujourd'hui, c'est moi qui suis mis en cause par cette coalition. Mais qui sait jusqu'où cette fronde ira demain?

Le Chef n'avait toujours pas bougé. Soudain, il se leva, contourna son bureau et s'approcha de l'entrepreneur:

— Monsieur Gosselin, c'est vraiment très aimable de vous être dérangé personnellement, comme vous dites. Je vous sais gré de cet exposé qui m'a beaucoup éclairé; grâce à vous, je sais maintenant à quoi m'en tenir. Vous pouvez compter sur moi, je vais agir vite et bien.

Le notable fut rempli d'aise. Il serra la main qui lui était tendue et s'excusa de devoir prendre congé sur-le-champ, d'autres affaires pressantes l'appelant dans la Capitale. L'autre reçut ses excuses et le salua. En sortant de l'antichambre, le Sieur échangea avec le personnel du cabinet d'autres poignées de mains qu'il accompagna d'œillades complices. Le travail était fait. Maintenant que la locomotive était lancée, il ne restait plus qu'à y accrocher adroitement quelques wagons: la Société Mistapéo et tout le clan Manigouche n'avaient plus qu'à bien se tenir. Gosselin avait encore deux ou trois jours devant lui pour faire le tour des banques et prendre contact avec quelques associés. La vie, de nouveau, lui souriait.

Il fit une pause sur l'esplanade du Parlement où son chauffeur l'attendait. La fin du jour était splendide; un petit vent frais montait du fleuve. Le Sieur jeta un coup d'œil sur sa montre; il était temps de regagner sa suite du Château Frontenac où il avait organisé une petite soirée canaille pour un groupe de ses amis de

Chicoutimi. Il y aurait là quatre ou cinq membres du Comité des Douze, en délégation très spéciale et très secrète. Ils avaient l'habitude de ces retrouvailles agrémentées par des « petites jeunesses » de la ville ; les « Filles de Saint-Éphrem », comme ils les appelaient. Il était bon que la vertu, elle aussi, prenne congé de temps à autre.

C'est le genre d'hygiène que le Sieur avait entrepris de pratiquer depuis son mariage. Quarante ans plus tard, il souriait encore en se rappelant le jour de ses noces. Son frère Alphonse, le curé de la cathédrale, avait pris la parole au banquet. Dans une envolée très littéraire adressée au nouveau couple, il avait dit envier ces deux tourtereaux qui allaient consacrer toute leur vie à décliner le verbe aimer. C'est bien ce qui était arrivé. Gosselin, pour sa part, l'avait décliné d'abord au singulier puis, à l'insu de sa bien-aimée, il était passé au pluriel. Il s'était plu ainsi à explorer tous les accords du verbe, dans toutes leurs variantes.

Les grands projets du Sieur, cependant, furent contrecarrés. En fait, Duplessis l'avait pris en grippe. Et le ton qu'il affectait, depuis que le Vatican l'avait élevé à l'Ordre de Saint-Grégoire-le-Grand, indisposait son entourage. On avait en effet informé le Chef des visites qu'il rendait régulièrement aux députés et ministres. Chacun détestait ses manières de petit caporal. À la réflexion, il lui apparaissait, à lui aussi, qu'un « redressement des affaires » s'imposait. Dans les jours qui suivirent, il demanda des informations plus détaillées sur les récents agissements du « bâtard » qui troublait tant les « dignitaires » là-bas. Ce qu'il en apprit confirma l'opinion plus que favorable qu'il en avait déjà. Ce mélange d'audace et d'ingéniosité mêlée d'insolence lui rappelait de précieux souvenirs de sa jeunesse trifluvienne. Il sourit aussi de quelques juteuses anecdotes qu'on lui rapporta.

Il convoqua Roméo Lorrain, son ministre des Travaux publics, et passa en revue les dossiers en cours du côté du Saguenay. Son visiteur récita rapidement : quelques travaux d'asphalte, une école, deux ponts, trois calvettes… Duplessis, de la main, déclinait. Puis, l'autre commenta un projet de réseau routier à travers les forêts du Nord destiné à appuyer tout à la fois l'expansion de la coupe forestière, l'exploitation de gisements miniers et la construction de barrages.

— Ce contrat n'a pas été attribué, n'est-ce pas?

— Non, monsieur le Premier ministre, pas encore, mais c'est tout comme.

— C'est-à-dire?

— Gosselin nous a déjà fait parvenir sa contribution à la caisse.

— Tu lui as accordé le contrat?

— Disons, pas officiellement, mais vous savez comment les choses se passent…

— Pour cette fois-ci, Roméo, voici comment elles vont se passer. Tu vas garder l'argent de Gosselin pour « nos œuvres » puis tu vas donner le contrat à Tremblay-Manigouche.

— Mais, monsieur, on peut pas lui prendre son argent!

— Ah non? Bien, s'il est pas content, il pourra toujours nous faire un procès…

— En plus, Gosselin a déjà des hommes sur place.

— C'est parfait. Qu'il les laisse là, Manigouche en aura sûrement besoin.

* * *

Au cours des deux années précédentes, Léo avait imaginé d'autres emplois pour ses lutteurs. Il avait constaté que, en temps d'élection par exemple, les candidats députés, officiers municipaux ou même commissaires d'école ne répugnaient pas à louer des services très spéciaux pour « encadrer » les électeurs, en particulier le jour du vote, soustrayant celui-ci aux hasards parfois fâcheux du scrutin. Dans ces offices plus discrets et non moins musclés, tout comme dans l'arène, les pachydermes de Léo excellaient.

Le Bâtard découvrit aussi que ses propres entreprises pouvaient avoir besoin de ce genre de bras. Leur gestion, hélas, n'était pas de tout repos. En septembre 1954, il voulut servir une leçon à des hommes de Gosselin qui avaient commencé une coupe de bois tout près de l'un de ses chantiers et ne se gênaient pas pour déborder leurs limites. Des avertissements n'ayant rien donné, Léo dépêcha ses malabars. Ils se rendirent sur place mais, à cause d'indications trop sommaires, ils se trompèrent de chantier et firent irruption dans un camp de la Mistapéo. Ils chargèrent et se heurtèrent à une résistance féroce.

Fabrice, qui se trouvait là, se jeta bien malgré lui dans la mêlée, qui fut longue et serrée. Son issue, cependant, ne fut jamais tranchée, les gladiateurs ayant pu finalement être convaincus de leur méprise. Ils reprirent leur souffle, s'excusèrent, pansèrent quelques plaies et bosses, puis s'en furent hardiment rééditer leur prestation un mille plus loin — cette fois contre les bons protagonistes.

*　*　*

Un matin, au début d'octobre de cette année-là, une locomotive et deux wagons quittèrent discrètement la petite gare d'Arvida à destination de Montréal. Ils amenaient en « retraite » annuelle la fleur des travailleurs de Pikauba. Comme les deux précédentes, l'équipée donna lieu à mille facéties. L'une d'elle, mettant en vedette l'incorrigible Fabrice, alimenta pendant des mois les conversations de la Place. Une nuit dans une salle de danse, l'enjôleur avait gagé de ne « lever » que des filles accompagnées de leur courtisan. La chance lui avait souri et il avait gagné son pari. Mais il ignorait que la plupart de ses conquêtes étaient liées à des membres d'une petite mafia de la Main. En quittant l'établissement au petit matin, il avait dû affronter dans une ruelle adjacente la fronde des humiliés et des offensés qui lui avait fait payer cher ses exploits. Il avait pu regagner son hôtel, mais dans un piètre état. Les hommes de Léo l'avaient recueilli :

— Mon pauvre Brice, tu t'es faitt câlisser pas qu'une p'tite volée ! On dirait que t'es passé en dessous d'un tramway…

Ils avaient appelé un médecin qui avait soigné l'estropié pendant qu'il continuait de crâner :

— J'pense que j'ai pus un os dans sa paroisse, docteur. Faites-moué surtout pas rire, viarge.

Chapitre 30

Les ouvriers maintenaient leur application au travail malgré le régime austère qui leur était imposé. Plusieurs songeaient à des hausses de salaire, quelques-uns se plaignaient, mais personne n'était disposé à affronter le Bâtard. Et puis l'humeur bon enfant qui régnait dans le chantier ne les disposait pas au conflit ; la « retraite » automnale faisait son œuvre auprès des âmes les plus endurcies.

Le matin, plusieurs hommes se levaient tôt, mangeaient en vitesse puis se hâtaient vers le brûleur principal où ils se regroupaient au bâleur*. Ils y retrouvaient le bonhomme Dufour, le gardien rhumatisant qui entretenait le feu et accueillait chaleureusement les arrivants après sa longue nuit de veille. Ils étaient là, toujours les mêmes, toute une bande d'endurcis au visage grêlé, à profiter de l'heure qui précédait la mise en marche des machines. C'était pour eux un moment précieux, un instant de pure allégresse.

Grisés par la fraîcheur de l'aube, ils affichaient leur bonne humeur. Chacun prenait place à gauche et à droite, sur un banc, une bûche, une corde de bois ou à même le sol. La fumée des pipes et des cigarettes, se mêlant à celle qui s'échappait du bâleur, remplissait la pièce. Tous les matins, ils étaient impatients de s'assembler, bien qu'ayant peu à se dire, en vérité. Mais il y avait tant à redire ! Des amorces de conversation s'élevaient, qui retombaient aussitôt. La séance se nourrissait surtout de gestes familiers, de silences entendus entrecoupés des formules rituelles, pleines de sagesse et, surtout, à la portée de tous les esprits :

— Ouais, ouais !... Ça fait que ce s'rait lundi à matin ?

— Ouais, monsieur ; pis toute la journée à part ça. En tout cas, comme c'est parti là.

— On vit pas qu'un p'tit règne, moué j'dis.

— N'empêche que, pour le temps de l'année, c'est pas chaud.

— Non monsieur, çartain ; non mmmonsieur !

— Paraîtrait qu'on serait en r'tard d'une lune.

— Tu m'dis pas ?

— Oui, chose. Si c'est pas deux ! Ce serait à cause des nouveaux avions, des fusées pis des bombes atomiques ; les astres sont tout mêlés. C'était gazetté, à ce qu'y ont dit.

— On vit pas qu'un p'tit règne, pareil !

— M'as dire comme le gars, c'est ça qui est ça.

— J'dirais même : à bin penser, c'est ça qu'c'eté.

— Remarque que ça pourrait aller mieux, mais ça coûterait plus cher.

— Si tu veux.

— C'est comme le gars qui disait : j'boué pas d'eau, juste de la neige fondue !

— On vit pas qu'un p'tit règne...

— Eille, j'pense que tu l'as déjà dit celle-là.

À mesure qu'ils arrivaient, les chauffeurs de camions se saluaient suivant la formule rituelle :

— Comment va ton troque ?

On se tournait vers Damase, l'expert en météo :

— Ça a l'air pas mal humide dans le bois à matin, qu'est-ce que ça veut dire, ça?

— Ça veut dire qu'y a peut-être mouillé hier.

Les hommes s'esclaffaient bruyamment, découvrant toute une galerie de bouches à demi édentées, puis s'interrompaient aussitôt pour laisser venir la chute:

— Si c'est pas hier, j'dirais avant-hier, au plus tard!

Petite-Face s'exclamait en se tapant sur la cuisse:

— Oh boy! Oh boy!

Un autre reprenait:

— La femme était excitée c'te nuitte, j'en r'venais pas. Une vraie truite. Ça doit être la pleine lune! J'peux te dire que c'telle-là, elle était pas en r'tard pantoute.

— Ma femme, c'était pareil, mais moué, j'étais à marée basse, cibole.

— C'que tu veux, un ruisseau, c'est pas souvent à marée haute…!

— Parlant de truite, chus allé à la pêche hier; y en avait tellement que ça sautait sur le quai. C'était pus de la pêche, chose, c'était de la chasse!

Vilebrequin s'était rendu à Chicoutimi la veille et y avait rencontré un touriste français:

— Ce monde-là, c'est pas creillable comme ça parle.

— Autant qu'Aller-Retour?

— Ah quasiment. C'est pas mêlant, j'pense que celui d'hier, il connaissait toutt les mots; pis y les disait toutt d'une traite! Sauf que lui, c'était de toute beauté.

— Pis, qu'est-ce qu'y disait?

— Bin, des afféres…

— Quelles afféres?

— Sais-tu, j'ai pas trop r'marqué.

Un gars expliquait la fois où il était resté trois ans dans le bois, sans descendre en ville. Les femmes lui manquaient:

— J'm'ennuyais des grebiches, baptême; j'étais comme un

fou dans une poche! C'est pas drôle, j'étais rendu que j'commençais à r'garder les épinettes de travers!

— En tout cas, tu r'luquais pas les sapins ; t'étais du bord des femelles…

Toutes ces répliques étaient saluées par de grands éclats de rire. Puis quelqu'un racontait l'histoire d'un bûcheron qu'Eudore avait surpris assis au travail :

— Qu'est-ce que tu fais là, toué ? T'as peur de l'ouvrage, comment ?

— Moué, peur de l'ouvrage ? Tu vois bin que non : je m'assis dessus, viarge!

L'assemblée se tordait encore, s'égayant un moment. Une pause suivait, accompagnée du crépitement feutré du brasier à l'intérieur de la grosse fournaise. Dufour se levait en grimaçant, s'approchait du monstre, en faisait jouer les lourdes portes sur leurs gonds. Des flammes en jaillissaient, aussitôt refoulées par une dizaine de pelletées de rippe ou de bran de scie. Une bonne chaleur remplissait la pièce. Le vieux gardien regagnait péniblement son siège :

— Maudits rhumatismes! C'est comme si j'avais des clous partout.

— Lamentez-vous pas, c'est ça qui vous tient à peu près douette à votre âge.

— Moué aussi, j'cré que j'm'en viens comme vous, pepére ; des clous jusque dans les os, on dirait. Mais une fois qu'y sont plantés, c'est pas pire, j'trouve. Le pire, c'est l'quelouage…

Le propos glissait sur « la Mistapéo », sur les chantiers, sur Léo :

— La job est dure, pour ça y a pas de soins.

— Le boss est pas mal dur aussi, j'trouve.

— Ça fait rien, on a un bon boss!

— C'est vrai, on a un bon boss. Y est pas payeux, mais c'est un bon boss.

— Ah c'est vrai qu'y est pas payeux, par exemple. Y a pas de gaspille à coukerie, çartain! Mais y est pas choquant.

— Non, on peut pas dire, mais y est pas payeux !

— C'que tu veux, c't'un boss, an ? Y en faut un ; on peut pas toutt être employés, là.

— M'a dire comme on dit : un boss, c'est tannant ; pas de boss, c'est pas mieux.

— T'es sûr de ça, là, toué ?

— N'empêche que c'qu'y a de plus dur à Pikauba, moué j'dis, c'est les binnes.

Fou-Braque venait de faire son entrée :

— Paraît qu't'as arrêté d'boire, Fou ?

— Ouais monsieur ! Bin, en fait, pas d'un coup sec. Pour me donner une chance, ces temps-citt, j'boué juste les jours de la semaine qui finissent en i.

— Ouais… ça t'laisse encore six bonnes journées, non ? Lundi, mardi, mercredi…

— Comment ça six ? T'oublies les dimanches après-midi…

— Full pinne ! commentait Petite-Face. Full pinne !

* * *

Le Bâtard et Mercurie se rendaient visite régulièrement maintenant, mais par fidélité à sa famille, elle avait voulu retarder le moment d'emménager avec lui au Village. Elle continuait à conduire son camion et à soutenir les siens. Léo lui donnait du travail ; il disait :

— Je suis devenu ton client, Marie-Mercurie…

— Justement, j'ai décidé d'augmenter mes prix !

Il avait appris à composer avec sa fiancée, qui protégeait jalousement sa liberté, ne souffrait pas qu'on joue dans ses « pédales », ne tolérait pas d'autre main sur son volant. À ses regards incendiaires, il savait les leviers auxquels on ne touchait pas. Il aimait sa manière contenue, rebelle :

— Des fois, je pense que t'as plus de Sauvage que moi.

— Ça prouve que tu connais mal les Blanches…

Ou bien :

— Je pense que t'as l'embrayage encore plus nerveux qu'un Chevrolet !

Elle souriait :

— T'es pas obligé de jouer dedans.

Elle était belle, Mercurie ; belle et souveraine, éclatante. Mais à la façon des épervières dans les prés du Boisé ; il ne fallait pas songer à la cueillir pour en faire un bouquet.

Souvent, le soir, quand il faisait beau, elle passait une petite robe noire que Léo lui avait offerte en cadeau et elle lui rendait visite à Pikauba. Ils descendaient en se tenant par la taille sur la Place où ils se mêlaient à la vie du Village, bercée par la voix de Gigli sortie du Temple. Ils prenaient du plaisir à ces moments de relâche, et les Habitants encore davantage. Le spectacle des deux jeunes gens jetait partout une grande émotion ; on faisait cercle autour d'eux. D'autres, à distance, échangeaient :

— Mais c'est-y assez beau de les voir ?

— Qu'y ont donc l'air fin !

— On dirait quasiment qu'y viennent pas d'icitt !

— Coudon, c'est délicat pour nous autres, ça ?

Clothilde surveillait Fabrice :

— Toué, mon bélier, tu reste icitt !

Ils étaient élégants, aimables, pleins d'énergie ; leur pureté illuminait la Place. Ils communiquaient sans cesse tout en se parlant peu, comme s'ils n'avaient retenu de la vie que les choses et les mots qui comptent vraiment. Mercurie séduisait avec ses yeux de flamme dont la couleur changeait avec l'heure du jour. Quant au Bâtard, il subjuguait tout le monde avec son visage racé et sa démarche de fauve. Chacun des deux, à sa façon, mystifiait par son mélange d'ombre et de lumière.

Ils allaient gaiement des uns aux autres, s'attardaient parmi les Écoliers, les interrogeaient, leur faisaient aussi quelques réponses : ils s'intéressaient tous au bonheur. Ils passaient près de Ti-Co occupé à sculpter dans une bûche le Ford de Mercurie. Ils saluaient Maître Ouellet, toujours étranglé dans sa vieille redingote, absorbé par quelque théorème, comme retranché derrière son strabisme. Plus tard, Mercurie rejoignait Clothilde, Gemma et les autres dames de Pikauba, tandis que le Bâtard allait flâner du côté du Radoub où Cage-à-l'Eau s'activait toujours à son bateau au milieu d'un fatras de cordages, de poulies et de toiles étalés dans les broussailles :

— Ça va, Cageau ?

— Ça va, ça va ; on a toujours pas de mer mais y a un bon vent aujourd'hui, monsieur Léo.

— C'est déjà ça !

Il passait ensuite à l'atelier de Machine, toujours aux prises avec son mouvement perpétuel :

— Puis, où en êtes-vous ?

— Ça avance, ça avance. Pas vite, mais tout le temps.

Revenant vers la Place, il longeait un jardin où Déplié, pour cette fois replié, s'adonnait à de minutieux sarclages en fredonnant *O Sole Mio*. Il l'observait un instant :

— Il me semble que tu sèmes plus que tu récoltes, Dépli ?

— Vous vous trompez pas, monsieur Léo. En fait, je fais ça surtout pour les oiseaux. Les oiseaux pis les lièvres. C'est fin des lièvres !

À la fin de la soirée, les deux fiancés, impatients, se retrouvaient dans le lit chaud du Bâtard où ils mariaient leurs élans, leurs ardeurs, leur passion. Mercurie consentait à mêler un peu ses pédales, et même à les perdre un moment. Le matin, ils découvraient leurs corps enlacés, leurs visages emmêlés dans leurs cheveux, leurs souffles confondus. Ils songeaient un instant l'un à l'autre avant d'ouvrir les yeux ; ils en retardaient le plaisir.

Durant la journée, il leur arrivait encore de se rencontrer par hasard sur des chemins écartés, dans des territoires de coupe ou ailleurs. Alors, ils descendaient en vitesse de leurs camions et se rejouaient, avec autant de fougue, la scène de leurs fiançailles. Mais seulement si le temps n'était pas à l'orage… Elle se moquait :

— On peut dire que tu m'as fait faire une belle nuit de noces. Un mois après, j'avais encore des bleus dans le dos.

— Une chance que t'es pas tombée enceinte, je sais pas de quoi t'aurais accouché…

— Pas d'un Chevrolet en tout cas !

D'autres fois, à la fin du jour, ils s'évadaient vers Laterrière et s'arrêtaient près des ruines du Vieux-Moulin, au bord de la rivière qui traversait le village. Les cascades s'y bousculaient doucement à l'ombre des bouleaux et des trembles. L'air se chargeait de parfums de glaise et de jonc. C'était l'heure où les oiseaux se mettaient au repos. Léo allait cueillir quelques fleurs de bardane et les rapportait à Mercurie. Elle lui disait :

— Prends-moi dans tes bras. J'ai peur que ça dure pas.

— T'en fais pas. Machine va nous arranger ça…

Les affaires de la Société l'obligeaient parfois à s'absenter quelques jours ; ce leur semblait une éternité. Un soir qu'il revenait des États-Unis, elle était allée l'attendre à la gare de Chicoutimi, sous la pluie. Aussitôt qu'il eut débarqué, ils s'embrassèrent. Il la serra très fort :

— Je te fais mal ?

— Non.

— Je peux te serrer encore plus fort ?

— Tant que tu peux.

Il la regarda, vit des larmes sur ses joues :

— Tu pleures ?

— Il mouille, niaiseux !

Ils étaient revenus directement au Village, avaient stationné le camion près du camp et s'étaient précipités dans le lit où ils s'étaient emmêlés de nouveau. Après quoi :

— Au sec, c'est pas mal non plus.

Léo avait fait la connaissance de sa belle-famille, dont le personnage le plus remarquable était la mère elle-même. Il avait vite compris comment les Dallaire avaient pu surmonter la disparition précoce du père. Dans ses actes comme dans ses pensées,

Marie-Marthe ne connaissait que la ligne droite. Mais elle veillait à la tracer elle-même. Ses enfants le savaient et agissaient en conséquence. Depuis qu'ils étaient tout jeunes, ils ne l'avaient jamais vue couchée : elle était déjà au travail quand ils se levaient, s'y trouvait encore quand ils allaient au lit. Cet ascendant moral se doublait d'un avantage physique indéniable. Malgré une taille modeste, elle démontrait une force étonnante. En plus de Mercurie, six enfants restaient encore avec elle, dont trois avaient maintenant dépassé l'adolescence. Léo les employait à l'occasion dans ses chantiers.

* * *

En juillet 1954, comme il le faisait maintenant tous les ans, Nazaire vint passer quelques jours à Pikauba, pour le plus grand plaisir des Villageois et surtout des Écoliers. Le Maître l'accueillit dans sa maisonnette de la rue des Pissenlits, où ils passèrent la soirée à deviser. Dans les jours suivants, le Frère donna ses leçons à la Sourche, devant les élèves les plus âgés. Évangiles en main, ainsi qu'il le faisait toujours, il parla de ses pauvres, de ce que Jésus en avait dit. Il s'étonnait de l'intérêt qu'il suscitait. Ouellet, dans ces occasions, s'assoyait dans la classe parmi les élèves. Les deux hommes s'étaient en quelque sorte partagés la tâche : le Maître traitait principalement de ce qui tombait sous l'empire de la raison, et Nazaire de ce qui la débordait.

Les Écoliers le mêlaient ensuite à leurs chants, à leurs jeux. Ils le promenaient sur la Rivière, l'entraînaient dans leurs sentiers, flânaient du côté de la Butte Socrate, du Pré Pasteur, des Roseaux Pascal. Ils lui faisaient aussi visiter le Boisé, lui en commentaient l'usage. Nazaire s'émerveillait de tout. Un jour, ils le conduisirent au Mont-des-Conscrits, l'escaladèrent avec lui et s'attardèrent longuement au sommet d'où la vue s'étendait sur tout un pays de lacs, de collines, de vallées. Le Frère jugea que l'endroit était propice au recueillement et, avec l'aide de ses jeunes amis, y érigea une croix faite de branches de pin. Par la suite, l'endroit devint une sorte de sanctuaire, un refuge pour ceux et celles qui voulaient s'isoler un instant de l'agitation de Pikauba.

Ce jour-là, ils étaient restés longtemps sur le sommet des Conscrits. Nazaire se plaisait en compagnie des élèves. Car s'il appréciait celle des malades et des miséreux, il n'était pas ennemi de la beauté, de la santé, de la jeunesse. Après un moment, enivrés sans doute par le faste des lieux et poussés par les élans de leur âge, les adolescents cédèrent à l'envie de sauter dans le Lac Moïse, comme ils le faisaient souvent. Le manège amusa follement le petit Frère qui, obéissant à un sentiment qui ne lui était pas familier, s'approcha jusqu'au bord du Cran Méo. Alors, s'abandonnant lui aussi à l'ivresse du jour, il se projeta gaiement dans le vide. Sa soutane qui volait au vent lui fut toutefois un piètre parachute, puis un gilet de flottaison encore plus médiocre. Après sa chute vertigineuse, il s'enfonça très profondément dans l'onde, d'où il fallut pas moins de six Écoliers et Écolières pour le sortir. Le plongeur avait oublié qu'il ne savait pas nager. À demi étouffé, il s'ébrouait, riait, s'ébattait comme un enfant pendant qu'on le portait jusqu'à la rive. Il se releva tout ébaroui* mais guilleret, voulut réitérer son exploit ; on le ramena plutôt au Village.

Le soir venu, avec une grande simplicité, il se mêla à la vie de la Place, prenant plaisir au spectacle de la danse et de la musique. Clothilde et Ti-Co, endiablés, l'empoignèrent tout à coup par la taille :

— Enwoueille, le p'tit frére, viens souigner un peu avec nous autres !

— Bien voyons donc, si ça a du bon sens ! Avec ma soutane pis mes bottines…

— Mais enlevez-nous tout ça, c't'affére !

Nazaire s'esclaffa, se tourna vers Ouellet :

— Qu'ils sont fous ! Mais y sont bin fous !

Il battit en retraite et se réfugia auprès de Méon avec qui il s'entretint un moment des animaux, des plantes, de la forêt. Puis Violette s'approcha pour lui présenter ses sept filles :

— Regardez, Frère, y portent toutes un nom de fleur !

— Comme c'est une bonne idée !

Elle entreprit de les décliner : Rose, Pâquerette, Jacynthe, Marguerite... En terminant, elle désigna une petite fille boudeuse :

— La p'tite là, c'est Narcisse.

— Mais c'est un nom de garçon ?

— Je le sais bin, mais elle était pas prévue celle-là. Ça fait que j'ai comme manqué d'fleurs. Faut dire que sept filles, ça fait pas mal de stock su'l calendrier, an ?

— Ça fait rien, Madame Violette, vous avez vraiment de beaux enfants. En fait, c'est quasiment pas une famille que vous avez, c'est un jardin !

— Ouais, si vous voulez. Mais charchez pas le jardinier, par exemple ; y a sacré l'camp...

Plus tard, Nazaire s'intéressa à la goélette de Cage-à-l'Eau qui lui rappelait l'Arche de Noé, tout comme au mouvement perpétuel, sur lequel l'itinérant qu'il était entretenait quelques idées. Il en fit part à Machine et un échange assez technique s'ensuivit.

Le lendemain, le Bâtard conduisit son cousin à la grande route du Parc où il arrêta la première voiture filant vers Québec. Les dames de Pikauba l'avaient surchargé de victuailles qu'il donnerait plus tard à des nécessiteux ou, à défaut, à des animaux de la forêt car la misère, disait-il, sévissait partout. Léo lui avait aussi remis de l'argent qu'il s'empresserait également de distribuer aux premiers venus.

* * *

Vers ce temps-là, un épisode vint mettre de l'ombre sur les heures de Pikauba. Depuis qu'ils étaient payés au rendement, une vive compétition s'était installée entre les bûcherons. Un jour, dans une fausse manœuvre, l'un deux se trancha la moitié du pied avec sa pionneure. Il hurlait de douleur et perdait beaucoup de sang. Un infirmier, en poste depuis deux ans au Village, posa un garrot puis le blessé fut transporté en toute hâte à l'Hôpital de Chicoutimi. Les médecins lui sauvèrent la vie de justesse grâce à des transfusions mais durent lui amputer le pied. Cette fois les hommes se fâchèrent et réclamèrent l'établissement d'une clinique à Pikauba. Le Bâtard repoussa la requête, mettant l'accident sur le compte de la maladresse. En guise de protestation, plusieurs bûcherons observèrent un arrêt de travail d'une journée. Le Bâtard resta inflexible. Les hommes rentrèrent à l'ouvrage mais en maugréant.

La semaine suivante, au cours d'une réunion du Conseil au Temple, Fabrice intervint :

— T'es pas un peu dur, Léo ?

— C'est triste, je sais, mais c'est un accident, qu'est-ce que tu veux. Ça arrive dans tous les chantiers.

— N'empêche, depuis que les gars sont payés au rendement, on en a de plus en plus.

— C'est normal, il se coupe plus de bois.

— Y a plus de chiâlage aussi.

— Ça, c'est ton ouvrage. Moi, je m'occupe du bois.

Chapitre 31

Chaque fois qu'il le pouvait, Léo faisait de brefs arrêts chez Blanche et Antonin à Jonquière pour revoir Julie. Elle habitait toujours la maison qu'il leur avait achetée à tous les trois. Elle y occupait à l'étage une grande chambre bien éclairée qui donnait sur la voie ferrée et la route régionale. Elle surveillait tout le jour le mouvement des trains et des voitures : encore des souvenirs de Méo, du temps de leur jeunesse ; tout un passé de séparations douloureuses, de retrouvailles aussi intenses que brèves. Lorsqu'elle évoquait ce temps, ses propos se faisaient remarquablement ordonnés ; c'est la suite qui s'embrouillait.

Avec les années, l'oncle et la tante s'étaient habitués à sa déraison ; ils se surprenaient eux-mêmes parfois à ressentir la présence du Grand parmi eux. Mais la paisible folie de Julie était depuis quelques mois perturbée par de brusques dépressions qui la terrassaient pendant cinq ou six jours. Elle semblait alors vivre des instants de cruelle lucidité, puis elle retournait à son univers ouaté, éthéré. Plus tard, elle souffrit d'insomnies, d'incontinence, ne voulut plus s'alimenter. Son état exigeait de plus en plus de soins, que Blanche et Antonin lui prodiguaient généreusement. Elle se mit ensuite à fuir la maison ; elle voulait retrouver Méo. Un jour, on la rattrapa errant sur le Pont-des-Chars. Elle tenta de s'enfuir encore, se dressa contre les siens. Il fallut la surveiller jour et nuit. Elle devenait agressive, faisait des scènes, ameutait les voisins. Maintenant, dans cette partie de la ville, tout le monde connaissait « la folle de Châteauguay ».

La dernière fois que Léo l'avait vue en août, il avait été frappé par sa maigreur, ses longs cheveux blancs en désordre, son regard halluciné. À soixante et un ans, elle en paraissait quatre-vingts. Il fallait faire quelque chose. Il en avait parlé avec son oncle et sa tante. Ils s'étaient mis d'accord sur l'inéluctable. Ils s'y attendaient tous les trois depuis quelque temps ; mais ils étaient pris de panique devant le fait. Un matin, au début de septembre 1954, il monta dans son camion et prit le chemin de Jonquière. Très perturbé, il conduisait lentement, distraitement, s'arrêtant même deux ou trois fois sur l'accotement pour mettre de l'ordre dans ses pensées, dans ses émotions. Julie à l'asile ? On en était donc là…

Quand il se présenta rue Châteauguay ce jour-là, elle se précipita vers lui et se jeta à son cou, comme elle le faisait toujours :

— Le Grand ! Le Grand ! Où étais-tu allé encore ?

Elle geignait, pleurait, se plaignait du traitement qu'on lui infligeait. Elle lui fit jurer qu'il ne la laisserait plus :

— Emmène-moi ! S'il te plaît, pour une fois, je veux aller avec toi.

Il promit :

— On peut partir tout de suite, si tu veux. Avec Blanche et Antonin, on pourrait aller à Québec ?

— À Québec ? Si tu veux.

Ils grimpèrent avec elle dans la cabine du Chevrolet et partirent, emportant sa grosse malle noire avec une partie de ses affaires. Elle s'en étonna :

— Mais pourquoi apporter tout ça?

— On sait jamais ; regarde comme il fait beau, peut-être que tu voudras étirer ton voyage?

— Voyons donc!

Le Bâtard prit le volant, Julie se blottit contre lui, radieuse maintenant. Elle parlait sans cesse, croyant reconnaître partout des lieux de son enfance. Elle rappelait sa vie dans le rang des Chicots à Mistouk, les belles années qu'elle y avait vécues. Passé Chicoutimi, ils s'engagèrent sur la route du Parc. Plus tard dans l'avant-midi, ils parvinrent à la hauteur de la rivière Pikauba et s'arrêtèrent un instant. Elle se rappelait que Méo avait travaillé un hiver en ces lieux dont le nom l'enchantait. Elle descendit vers la rive et se mit les pieds à l'eau. Léo vint la rejoindre ; elle posa la tête sur son épaule :

— Les beaux souvenirs…

Elle prêtait l'oreille au clapotis des rapides, très amortis en cette saison :

— T'entends le bruit qu'ils font? C'est doux.

Elle s'amusait des feuilles mortes qui glissaient dans le courant, des petites vagues qui lui caressaient les jambes. Ils restèrent ainsi un instant, puis il l'aida à se relever. Ils reprirent place dans le camion. Léo démarra. Elle fermait les yeux, souriait.

Ils arrivèrent au début de l'après-midi à Saint-Michel-Archange, près de Québec. Elle s'exclama devant le « bel hôtel », les petits sentiers, le jardin, les passerelles de bois enjambant le ruisseau :

— Merci, Grand. Comme c'est beau! C'est notre voyage de noces…

Ils pénétrèrent dans l'immense édifice, furent accueillis par une religieuse qui les fit passer dans un salon donnant sur un corridor. Blanche expliquait :

— Tu aimes l'hôtel, Julie? On va réserver, si tu veux.

Léo s'occupa des formalités et revint au salon. Après un moment, deux hommes vêtus de blanc se présentèrent.

— Vas avec eux, m'man, ils vont te conduire à ta chambre. Je… je te rejoins plus tard.

Elle l'embrassa et suivit les deux employés. Une fois engagée dans le long corridor, elle se retourna gaiement et lui envoya la main.

Ils restèrent longtemps dans le salon, silencieux, sans se regarder. Puis ils retournèrent vers le Chevrolet et reprirent la route. De retour à Jonquière en soirée, Léo déposa ses deux passagers et les salua. Ils n'avaient pas échangé un mot de tout le trajet. Ils avaient si honte, si mal ; à quoi bon se le dire ?

*　*　*

Donnant suite au mandat que le Comité des Douze leur avait confié, le juge Létourneau et le chef de la police, Albert Lévesque, cherchaient toujours le guet-apens qui ferait tomber Louis-de-Gonzague et, du même coup, espérait-on, le Bâtard. L'échec du procès en sédition avait ajouté à leur vindicte, tout comme l'opération ratée dans les cinémas. Mais ils n'arrivaient pas à mettre au point le piège rêvé, à la fois fatal pour la victime et sans risque pour eux.

L'avocat, il est vrai, n'offrait guère de prise. Il ne buvait ni ne sortait, sauf pour le travail, et ne semblait affligé d'aucun vice hormis celui dont on le soupçonnait. Les Amis des Douze avaient été sollicités pour effectuer des surveillances, des filatures et d'autres démarches délicates, le tout sans résultat. L'avocat recevait bien quelques visiteurs à sa maison au bout de la rue Jacques-Cartier, mais c'étaient le plus souvent des pauvres venus demander quelques sous, des ouvriers cherchant conseil ou des représentants syndicaux sollicitant l'appui du *Zadig*. Rien n'avançait.

Un jour, le chef Lévesque eut l'idée de surprendre les conversations de Belley dans son bureau. Il loua un appartement situé juste au-dessus, dans le même immeuble, et par une ouverture pratiquée dans le plancher, il fit glisser un tuyau. Le procédé, assurait-il, avait jadis été utilisé avec succès à Montréal pour espionner des militants communistes — et même des journalistes catholiques comme Olivar Asselin. Les Amis des Douze, toujours prêts à monter au front, firent le guet à l'étage. Malheureusement, dès le deuxième jour, un feu de cheminée déclencha une alerte. Pris de panique, les guetteurs décampèrent, laissant tomber le tuyau qui vint atterrir sur le bureau de Gonzague.

Cependant, la Providence, qui veillait elle aussi, vint en aide aux intrigants. La résidence de Belley faisait face à une cour d'école. Il aimait, quand il en avait l'occasion, y observer les enfants dans leurs jeux. Il était même arrivé deux ou trois fois qu'une balle égarée vienne fracasser une de ses fenêtres ; il n'en faisait pas un plat, se contentant de rendre la balle à ses propriétaires. Un midi, au début d'octobre, il s'était étendu un moment après son repas. Soudainement, par une lucarne qu'il avait laissée ouverte, un ballon pénétra dans sa chambre et atterrit sous son lit. L'instant d'après, un garçon de sept ou huit ans sonnait à sa porte. Gonzague le conduisit à sa chambre, l'enfant rampa sous le lit et récupéra son bien. Au moment où il quittait la pièce, deux ou trois élèves l'attendaient sur le perron de la maison. Il se trouva aussi que ce jour-là, deux sentinelles dépêchées par les Amis des Douze faisaient le guet un peu plus loin. Deux semaines plus tard, Louis-de-Gonzague était accusé de pédophilie.

La Vérité s'empara de l'affaire et, comme d'habitude, en fit grand bruit. Bientôt, il ne fut question que de cela dans la ville et dans la région. L'inculpé en fut honteux, dévasté, et ne voulut plus se montrer. Ses amis accoururent. Il leur jura qu'il était victime d'une machination ; ils le crurent. Il fallait cependant préparer le procès. Le Bâtard annonça qu'il réglerait les frais. Raoul intervint à son tour :

— Louis, laissez-moi vous défendre.

— Non, je vais le faire moi-même, c'est une grossière vengeance. Ce sera le procès de ma vie, je vais confondre les coupables, je vais…

— Ce n'est pas raisonnable ; vous n'allez pas vous défendre vous-même ! Vous connaissez le dicton : une partie qui plaide sa propre cause…

— … a un fou comme avocat. Je sais, je sais. Épargnez-moi ces maximes de buvette !

— Mais calmez-vous donc ! Faites-moi cet honneur, Louis. Je ne suis pas un grand juriste, encore moins un grand plaideur, mais ici, c'est autre chose. On vous a tendu un piège, ce sont des canailles. Ce genre d'affaires me connaît.

Léo, Valère, Eudore le pressèrent. Gonzague fut aux abois, tiraillé. Finalement, il se laissa convaincre. Raoul tira Léo à part :

— Il pourrait y avoir des frais un peu spéciaux…

— C'est pas un problème. Mais sois prudent.

L'avocat manœuvra adroitement, fit circuler des billets verts auprès de ses informateurs au Palais et dans la ville. En moins de quinze jours, il avait rassemblé les preuves du subterfuge. Les maladresses et invraisemblances qui entouraient l'affaire montraient bien que le battage publicitaire était le principal effet recherché. Raoul eut un bref entretien avec Létourneau :

— C'est simple. Votre témoin n'a aucune crédibilité et vous le savez. Vous allez retirer l'accusation contre mon client et faire paraître dans les journaux de la région le texte que voici.

Ce disant, il produisit un communiqué destiné à être signé par le juge et faisant état d'une machination honteusement montée contre Belley. Le texte comportait aussi force excuses et se terminait par un vibrant hommage au citoyen exemplaire et méritoire, si injustement frappé, etc. Le magistrat, pour une fois, devint rouge comme une fraise. Son regard allait et venait entre le communiqué et la page du registre. Il parut enfin retrouver ses esprits :

— Et si je refuse ?

— Ce n'est pas à moi de vous répondre ; mon travail s'arrête ici. Vous devrez poser la question à mon client…

Létourneau, rageur, signa et rendit le papier à Raoul.

Mais Belley n'en resta pas là. Blessé, furieux, il voulut répliquer. Pendant un mois, il distilla son venin dans une série de textes vitrioliques contre ses adversaires. Il attaqua ses cibles habituelles, reprit de vieux griefs, fit voler les épithètes les plus malveillantes. Il mitrailla Mgr Bezeau, le Grand Béat-Fat devenu le plus peureux et le plus filandreux des hommes. Il entreprit aussi de porter les foudres de la guerre au sein du camp adverse, utilisant des informations qui lui étaient parvenues sous le sceau du secret et qu'il s'était interdit jusque-là de rendre publiques. Elles mettaient en cause la façon dont l'évêché exploitait les communautés de religieuses dans la région, ses conflits avec les prêtres du Séminaire, ses rapports avec quelques curés délinquants qui déshonoraient leur condition et d'autres sujets du même genre.

Ces textes suscitèrent une grande indignation, même parmi les amis du journal. Louis-de-Gonzague regretta d'avoir blessé des honnêtes gens, mais il ne présenta pas d'excuses. Il persista au contraire jusqu'au point où, en novembre 1954, l'évêché annonça qu'une procédure en excommunication avait été ouverte contre lui. L'avocat vit dans cet événement une sorte de fatalité : engagé dans une croisade pour venger son père, voici qu'il en reproduisait le parcours… Lui aussi faisait maintenant face à la vindicte de l'Église.

Plus tard, il tint à manifester sa reconnaissance à Raoul qui l'avait si efficacement défendu. Il avait apprécié ses services, et aussi sa fidélité, sa présence. Il se rendit un jour à son bureau de la rue Bégin, accompagné d'un messager porteur d'un énorme colis. Très solennel, il mit la main sur l'épaule de son confrère :

— Tenez Raoul, c'est pour vous. Et, je vous en prie, ne protestez surtout pas. J'ai contracté une grosse dette à votre endroit ; j'ai tenu à l'honorer comme il se doit.

L'autre, alléché par ce propos, entreprit fébrilement de déballer le présent solidement ficelé, protégé par plusieurs épaisseurs d'un papier très résistant. Parvenu au bout de ses efforts, il se trouva, effrayé, en face des douze tomes de la Coutume de Paris, dans le français d'époque !

— … Je… je suis sans voix. Je…

Gonzague lui tapa fraternellement dans le dos :

— Allons, ça suffit ; pas de démonstration, je ne prise pas ces épanchements.

* * *

Cinq ans après sa création, la Société Mistapéo restait vigoureuse et toujours en croissance. En ce même automne 1954, le Bâtard épongea sa dette envers la succession Turner, soit près d'un an avant l'échéance fixée par le contrat de 1949. Il embaucha aussi deux cents hommes qui ne travaillèrent que de nuit, si bien que la machinerie opéra désormais plus de vingt heures par jour sur l'ensemble du chantier. Deux nouvelles communautés furent érigées à une quinzaine de milles du Village, s'ajoutant aux deux autres déjà érigées vers Charlevoix. Le territoire de coupe continuait de s'étendre, atteignant maintenant deux mille cinq cents milles carrés, une affaire sans précédent dans l'Est du Québec. Le chiffre d'affaires de la Société Mistapéo s'approchait de trois millions de dollars ; il avait plus que doublé en trois ans.

Léo, cependant, maintenait une poigne de fer sur les opérations. Il surveillait les horaires, resserrait le budget de la coukerie, refusait d'asphalter les rues du Village :

— L'asphalte, c'est l'affaire de la Voirie. Nous autres, on n'a pas les moyens.

Quelques tiraillements apparurent dans l'entourage même du Bâtard. Pour ajuster la gestion de l'entreprise à son rythme de croissance, il avait embauché six ou sept jeunes comptables, ingénieurs et gestionnaires qui bousculaient un peu la hiérarchie. Ils se présentaient au travail en veston, chemise et cravate. Fabrice, Eudore, Valère, et même Machine, avaient fait la tête, se

dressant contre cette invasion arrogante de « petites cravates » —
c'est ainsi qu'ils les désignaient entre eux :

— Ça démêle même pas la gomme de sapin pis d'épinette,
viarge !

— Leu-z-a-tu vu les p'tits souliers, toué ?

— Même Ouellet serait à l'étrouette là-dedans.

Puis ils s'étaient ralliés, mais de mauvais gré.

Il faut dire que les nouveaux venus avaient raté leur entrée.
Un jour, à la table du Conseil, ils déroulèrent un long parchemin
sur lequel ils avaient fait dessiner l'organigramme de la Mistapéo. Un jeune diplômé expliqua la signification des carrés,
cercles et triangles reliés par un enchevêtrement de flèches :

— Vous pouvez voir aussi que tous les postes de responsabilité sont représentés, avec les titres et les positions dans la
chaîne d'autorité.

Machine fut le premier à réagir :

— Tabarnouche, y a du stock là-dedans ! Sais-tu que mon
mouvement perpétuel, c'est de la p'tite bière à côté d'ça ?

Fabrice, penché au-dessus du document, suivit :

— Moué, j'serais où au juste ?

— Ici, en bas ; préposé aux relations avec les ouvriers.

— Ah ouais… Pis toué ?

— Là, en haut, juste en dessous de monsieur Léo.

— On peut faire des p'tits changements, oui ?

— Bien sûr ; c'est une esquisse préliminaire.

— Bon, r'garde bin c'qu'on va faire.

Sur ce, il s'empara du parchemin, le déchira en sept ou huit
morceaux et lança le tout à la poubelle :

— Tu peux passer à l'esquisse suivante.

Il y eut un froid. Le Bâtard s'était retourné pour réprimer une
envie de rire. Puis on passa à un autre point de l'ordre du jour. Il
y était question de grossir la flotte de camions. Une Petite Cravate, préposée aux achats, sortit quelques soumissions d'un cartable :

— Il y en a une que j'ai pu négocier directement avec le bureau chef à Montréal, monsieur Léo. Vous allez être content.

— Ah oui? Qu'est-ce que c'est?

— Des Fargo…

Pendant que les anciens s'esclaffaient, le jeune capta le regard noir du Bâtard et comprit qu'il valait mieux ranger ses dossiers. Tout le monde se mit ensuite d'accord sur l'acquisition de huit Chevrolet. Plus tard au cours de la même réunion, Eudore se fit porteur d'une demande des ouvriers; ils désiraient l'installation de fournaises à huile dans les camps, en remplacement des poêles à bois. Un silence suivit. Tous se tournèrent vers le Bâtard. Il rassemblait lentement ses documents, signifiant que la séance était levée. Eudore revint à la charge:

— Écoute, c'est quand même pas une affaire extravagante. Les hivers sont pas chauds par icitt.

— À Pikauba, l'huile, c'est pour les moteurs.

— Léo…

— Déjà qu'on gaspille le bran de scie, on va pas jeter les croûtes en plus!

— Justement, on pourrait les écorcer, acheter une déchiqueteuse, en faire des copeaux qu'on vendrait aux Price…

— Insiste pas, Eudore; mon idée est faite sur les croûtes. Concentre-toi plutôt sur le bois.

La vie changeait au Village où la sévérité du Bâtard et les conditions de travail créaient du mécontentement. Mais les affaires allaient bien et les familles étaient soudées; elles s'étaient attachées à Pikauba, ce retranchement inespéré dans lequel elles avaient pu refaire leur vie. Et qui aurait voulu émigrer à Chicoutimi? Ou passer au service du Sieur?

Chapitre 32

Méon était devenu une source de chagrin pour Léo. L'oncle continuait sa drôle de vie. Aucun parent ne lui rendait plus visite à Pikauba et lui-même semblait éviter les rencontres avec les Indiens. On ne se rappelait plus sa dernière visite à une Réserve. Avec le temps, son humeur s'était assombrie ; Léo ne reconnaissait plus le compagnon bienveillant de son enfance.

À l'automne de cette année-là, en 1954, les choses se gâtèrent pour de bon. D'abord, personne ne sembla s'en inquiéter. Mais bientôt, on vit moins souvent le vieil Indien sur la Place du Village où sa voix ne se fit plus entendre. Même avec Léo, il se montrait renfrogné. À ceux qui l'interrogeaient, il faisait des réponses évasives :

— Je vieillis mal.

Il est vrai qu'il ne se faisait plus jeune. Dès sa journée de travail finie, il s'enfermait dans son camp d'où il ne sortait plus avant le lendemain. Et, même durant le jour, il passait de longs moments dans son gros troque à jongler. Il commença à s'absenter du chantier, parfois toute une journée et même plus. Le

Bâtard et ses proches se faisaient du souci, mais l'autre les fuyait. Il s'était mis à boire.

À la mi-octobre, les Pikaubains fêtèrent bruyamment le cinquième anniversaire de la fondation du Village. La Mistapéo comptait maintenant plus de huit cents employés répartis entre les diverses communautés forestières du Parc, auxquels s'ajoutaient deux cents personnes œuvrant dans les compagnies affiliées. Mais Pikauba continuait d'incarner l'esprit, le cœur de l'entreprise. Largement étendu sur les deux bords de la Rivière, le Village regroupait, sur son site initial, plus de deux mille habitants. Trois institutrices assistaient maintenant Ouellet à la Sourche. D'autres rues et ruelles s'étaient ajoutées aux anciennes, qui portaient toutes, celles-là, des noms de villes que le Maître avait choisies parmi celles qui avaient le plus contribué à la vie de l'esprit. Des poteaux et des fils électriques, reliés à d'énormes génératrices, couraient le long des trottoirs de bois qui quadrillaient le Village. Des bancs et des cabanes d'oiseaux étaient disposés çà et là et des plates-bandes ensemencées de fleurs sauvages encerclaient la plupart des camps. Les rues, cependant, demeuraient en gravier et la poussière soulevée par le mouvement continuel des camions se mêlait à la vie quotidienne. Les murs des camps, bâtis en billots de résineux, avaient commencé à grisonner, tout comme quelques-uns de leurs occupants.

Ce jour-là donc, sous les acclamations des uns et des autres, les Écoliers s'affrontèrent dans des jeux divers, mais aussi les bûcherons et les dames, celles-ci menées par Gemma, toujours alerte, et Mercurie qui y mettait tout l'entrain d'une enfance qu'elle n'avait pas eue. Sommé de s'y prêter lui aussi, le Bâtard y alla de quelques prouesses, aussi bien dans la rivière que sur la terre ferme. Le soir venu, tout le monde se retrouva à nouveau sur la Place qu'enjambait une arche décorée de torches, de fanions, de banderoles. Louis-de-Gonzague, qui avait tenu à être de la fête, prononça quelques mots. Juché sur des tréteaux dressés pour l'occasion, il fit, avec autant d'émotion que d'emphase, un bref éloge du petit « phalanstère » qui réinventait en pleine forêt la vie en société, tout comme l'avaient fait les Grecs aux temps antiques. Le sujet leur étant apparemment familier, les Pikaubains gratifièrent l'avocat d'une longue ovation, par quoi il put mesurer l'estime qu'il s'était acquise là aussi parmi les humbles.

L'assemblée s'anima quand un camion chargé de bière et d'autres boissons apparut à l'entrée du Village. En ces occasions, le Bâtard autorisait maintenant les libations. Il y eut de la musique et de la danse, des saynètes composées et jouées par les élèves qui mettaient en valeur le mérite des principaux pionniers tout en ne se privant pas de railler leurs travers, au grand plaisir de tous. Les intéressés étant présents et bien vivants, l'exercice donna lieu à plusieurs échanges animés, si bien qu'à la fin, on ne savait plus départager les acteurs et le public.

Ouellet fit lui aussi les frais de diverses moqueries. L'une d'elles, fort appréciée, mit en scène Aller-Retour et Barre-à-Clou dans un dialogue illustrant la pédagogie et la philosophie du Maître, ou du moins ce qu'ils en avaient pu apprendre par la rumeur des foyers et de la Place. Le tout, rendu très librement et d'une manière accessible à tous les assistants, se voulait néanmoins exécuté dans le nouveau langage de Ouellet. Les théories entortillées du savant sur les finalités cachées, sur les plis et replis de l'univers ainsi que sur les causes immédiates et lointaines y étaient opposées à la rude et saine pratique de la pionneure et du caterpileur*. Les Écoliers eux-mêmes, ces grands raisonneurs, tant ferrés sur le général et si peu sur le particulier, y étaient persiflés du fait qu'ils pouvaient démêler les arguments les plus compliqués tout en confondant Dodge et Fargo, Ford et Chevrolet. Les deux farceurs, cependant, convenaient que tous ces sujets se réconciliaient dans un fort dénominateur commun, à savoir la boucane qui s'en dégageait… Les Écoliers rirent beaucoup, Maître Ouellet un peu moins.

Dans un registre différent, un autre moment d'allégresse survint lorsque, sous les vibrations d'*O Sole Mio,* Mercurie fut invitée à recevoir des mains de Ti-Co la miniature de son Ford, enfin achevée. Puis il y eut encore de la musique et de la danse, la soirée s'étira et, la fatigue aidant, la fête finit par s'effilocher. Une quinzaine d'irréductibles, cependant, sous la gouverne de Fabrice, Padoue-l'Ours, Fou-Braque et Ti-Co, la continuèrent dans une chaufferie adjacente. Le Bâtard, toujours sobre mais gagné par l'ambiance, les accompagnait.

Méon aussi y était, revenant d'une longue absence qui avait tourmenté les siens. Il avait beaucoup bu et montrait une gaieté exaltée, suspecte. Il lui prenait des fous rires inopinés qui se prolongeaient dans de longues quintes de toux. Son visage tanné, tout ridé, devenait alors si plissé qu'il ressemblait à une vieille feuille de tabac. Des larmes s'y égaraient, comme dans un labyrinthe. À un moment, Fabrice en fit la cible de ses blagues, avec beaucoup de succès. Les rires s'intensifièrent. Méon lui-même en perdit la voix; il n'émettait plus que des sifflements de bronchitique. Le jeu continua longtemps; trop longtemps?

Léo fut le premier à s'aviser que l'oncle, subitement, n'en était plus à la plaisanterie. Les autres le croyaient encore en proie à sa jubilation, mais l'Indien était parvenu au bout de son rire. Ils s'aperçurent qu'il pleurait. Replié sur lui-même, il s'était immobilisé, les mains crispées sur son visage bouffi. Léo s'en approcha, le releva, essaya de le réconforter. Finalement, il le raccompagna chez lui et l'aida à se mettre au lit. Ils restèrent un long moment silencieux. Puis:

— Qu'est-ce qui t'arrive, Méon? T'as trop bu?

— Je sais pas trop. J'pense que je veux pus rester à Pikauba.

— Voyons donc!

— Avant, j'étais heureux avec toi. Pus asteure. Maintenant t'en as d'autres tout autour, des plus jeunes, plus vigoureux. T'as tes Petites Cravates aussi, qui nous regardent de haut pis de loin. Je te sers pus à grand-chose; tout ce que je sais faire, c'est de conduire un troque. Je transporte plus grand-chose non plus; les gars me font faire des commissions.

Le Métis voulut rire un peu :

— Mais t'es saoul, Méon ! Tu me fais une crise de jalousie ? Arrête donc tes simplicités !

— Ris pas. Tout le monde me donne des ordres, personne me demande mon idée. Les gens se disent : Méon, c'est rien qu'un vieux Sauvage. Il est comme un enfant, il raisonne pas beaucoup ; ça fait que, il vaut mieux le faire à sa place. Toi le premier, Léo, des fois, tu me fais pas plus de cas qu'un vieux pichou. Tout le monde me traite comme un moins que rien, un pauvre-en-cul.

— Méon…

— Dis pas le contraire.

— Tu dis n'importe quoi. Qu'est-ce qui te prend, là, tout d'un coup ?

— Je vas m'en aller ; je veux m'en aller de partout, viarge.

Subitement, il descendit de son lit, se mit à hurler, à ruer, à tout casser : le mobilier, les lampes, la vaisselle. Léo, peiné mais résigné, laissait faire. Quand l'orage fut passé :

— J'ai de la peine pour toi, Méon, mais je comprends pas ce qui t'arrive, là.

— Y est trop tard.

— Mais raisonne-toi, tu te conduis comme un enfant ! Tu devrais dégriser un peu aussi…

— En plus de ça, j'ai pas grand-chose à moi dans la vie, c'est pas normal à mon âge.

— Pas grand-chose ? Nos affaires ont jamais si bien été.

— Tu veux dire : tes affaires, pas les miennes.

— Qu'est-ce que tu me sors là ? Si tu veux plus d'argent, je vais t'en donner plus ; autant que t'en veux.

— Chus tanné d'être tout seul.

— Mais on est presque toujours ensemble.

— C'est pas ça. J'aurais aimé avoir une femme, moi, pis des enfants. Je parle d'une vraie femme là, pas des maudites guedounes de Montréal.

— Ça, tu sais…

— J'aurais aimé ça aussi être un vrai Sauvage, comme mon père, comme mon grand-père. Y étaient heureux eux autres sur les Territoires.

— Va falloir que tu fasses comme beaucoup d'autres, Méon; que t'apprennes à rester un Sauvage mais par en dedans. Ça, personne peut t'en empêcher.

— Un vrai Sauvage, ça vit pas en dedans, ça vit dehors. Tu devrais savoir ça.

— T'exagères pas un peu, là? Tu peux vivre comme tu veux à Pikauba.

— Justement, y a rien de vrai à Pikauba! C'est pas ça la vie d'un vrai Sauvage. Chus rendu que j'mange quasiment quatre repas par jour; j'fais rien que de la p'tite chasse, juste pour amuser les jeunes; j'me promène un peu avec mon troque, chus tout le temps assis, même quand j'travaille; c'en est gênant…

Il sembla se calmer, retrouver ses sens. Léo l'examinait à la dérobée : son ventre gonflé, ses traits ravagés, ses yeux exorbités, ses vêtements négligés, épars sur le plancher.

— Méon, t'as l'air tout mêlé; pourquoi tu me parles comme ça? Je comprends pas la crise que tu me fais là. Qu'est-ce que t'essaies de me dire? An?

L'autre demeurait silencieux. Le Bâtard resta encore un moment auprès de lui, mais la nuit avançait et il dut se résigner à le laisser. Il n'était pas tranquille :

— Essaie de dormir un peu. Je reviendrai te voir demain matin; on mangera ensemble.

Lorsqu'il revint très tôt le lendemain, le camion n'était plus là et Méon était introuvable. On retrouva plus tard le véhicule devant un hôtel à Chicoutimi, et ensuite son chauffeur, mais seulement la semaine suivante et dans une espèce de trou aux abords de Sacré-Cœur, près de Tadoussac. Léo s'y rendit en vitesse avec Eudore. L'Indien avait pris une chambre dans une auberge et s'y était enfermé avec une arme dont il menaçait ceux qui voulaient pénétrer. Tout cela durait depuis la veille. Un attroupement s'était formé à distance de l'établissement. Le tenancier avait plusieurs fois essayé de mettre fin au siège sans faire appel aux policiers ; les plus proches étaient à Chicoutimi et, de toute façon, l'idée ne lui souriait guère, étant donné la nature un peu spéciale de son commerce.

Léo entra dans l'auberge et se dirigea vers la chambre au bout d'un corridor, suivi d'Eudore :

— Méon, qu'est-ce que tu fais là ?

— Laisse-moi, Léo. Laissez-moi… J'ai décidé d'en finir, c'est toutt.

— T'es pas raisonnable. T'es même pas en état de réfléchir.

— C'est tout réfléchi depuis longtemps.

— Laisse-moi te parler.

— Je sais ce que tu vas me dire.

L'oncle était saoul. Ils tournaient en rond. L'affaire se présentait mal.

— Tu pourrais quand même m'écouter ; je te demande seulement de m'écouter. Attends encore un peu, tu mourras pas pour une heure ou deux…

Le mot lui avait échappé, il s'en voulut.

— T'es pas drôle.

— Je l'ai pas fait exprès. Excuse-moi.

Léo et Eudore s'interrogèrent du regard. Ils se faisaient attentifs aux bruits de la chambre. Méon s'y déplaça un moment en marmonnant, puis il projeta une bouteille contre un mur. Un moment s'écoula.

— Passe-moi de quoi boire si tu veux qu'on parle.

— D'accord, je reviens. Mais en attendant, tu restes tranquille, an ?

Léo rejoignit l'aubergiste et lui chuchota à l'oreille :

— Vous devez bien avoir du poison à rats ici ?

— Euh… oui, mais… ?

— Ouvrez aussi un quarante onces de gin.

— Vous êtes pas fou ?

— Vous inquiétez pas ; je suis pas venu pour le rachever !

L'autre revint avec la bouteille et le poison. Léo en vida quelques gouttes dans le gin et agita le quarante onces :

— J'ai la boisson, Méon, faut que tu ouvres asteure.

La porte s'entrouvrit, le canon d'un fusil y apparut :

— Passe-moi la boisson, mais joue-moi pas de tour.

Léo s'exécuta, la porte se referma aussitôt et un long dialogue s'ensuivit, de plus en plus chaotique, jusqu'au moment où l'Indien commença à divaguer. Plus tard, on l'entendit échapper la bouteille puis vomir. Lorsque le fusil tomba enfin sur le plancher, Eudore se rua contre la porte de la chambre et la fit éclater.

La pièce avait été occupée depuis quelques jours. Le plancher était jonché de dix onces ; tout était en désordre. Le tenancier en profita pour nettoyer un peu. Méon reposait sur le lit, plongé dans un profond sommeil. Ses vêtements étaient souillés, son visage tuméfié ; il délirait. Léo le laissa dormir et attendit. Sa respiration se faisait de plus en plus régulière, ses membres se détendaient.

C'est seulement dans la nuit que l'oncle se réveilla. Il sentit une présence près de lui, se tourna vers Léo :

— … C'est toi ?

Égaré, il balayait la pièce du regard et se frottait les yeux, comme quelqu'un qui revient de loin :

— Chus… chus content que tu sois là.

Il articulait faiblement ; chaque mot le faisait souffrir. Il ne montrait plus d'agressivité.

— Moi aussi, je suis content de te revoir ; tu nous as donné une moyenne frousse !

Léo l'aida à se redresser sur son lit, puis lui enleva sa chemise maculée. Il passa un oreiller derrière son dos, lui donna une serviette d'eau froide, lui fit servir du thé :

— Écoute-moi bien, Méon, j'ai pas fait tout ce voyage-là pour rien, puis toi non plus. Maintenant tu vas tout me dire.

— J'ai pas grand-chose à raconter.

— Tu vas me le conter quand même. Sans ça, je pars pas d'ici.

— …

— Allez, Méon, c'est fini, les simagrées ; dis-moi ce qui va pas.

L'Indien se retourna vers le mur, comme s'il lui était plus facile de parler avec le visage dissimulé :

— Je vieillis, Léo. J'arrive pus à me contrôler ; je veux dire, j'arrive plus à contrôler…

— À contrôler quoi ?

— C'est une vieille affaire qui a gâché toute ma vie. J'ai jamais été capable d'oublier, jamais été capable d'en parler non plus. C'est terrible, j'ai jamais arrêté d'y penser. J'ai honte de moi, je m'haïs, c'est terrible comme je m'haïs. Pis avec l'âge, ça empire.

— Dis-le moi, ça te fera pas de mal !

— J'ai trop honte, j'ai tellement honte.

— Méon… On se connaît depuis trop longtemps, tous les deux.

— … C'est arrivé quand j'étais jeune. Tu le savais peut-être pas, parce que personne en parlait dans la Réserve, c'était comme défendu, mais j'avais un frère, plus jeune que moi… Tu vois, même aujourd'hui, je suis pas encore capable de prononcer son nom.

Il s'arrêta, ferma les yeux, longuement. Puis il reprit :

— J'avais quatorze ans, on était sur les Territoires avec la famille, vers la fin de l'hiver ; on faisait la pêche blanche tous les deux, sur une rivière. Puis la glace a lâché là où il était.

Il s'interrompit encore. Léo l'encouragea d'un geste.

— Il a glissé dans l'eau mais a pu se retenir sur le bord de la glace. Il avait de la misère parce que le courant était fort. Moi, j'étais devant lui, à une dizaine de pieds. Il me regardait, il attendait que je m'avance pour l'aider. Mais la peur m'a pris, j'ai pas bougé. Il disait rien, il criait pas, il faisait pas un geste ; il continuait juste à me regarder, avec de grands yeux surpris, effrayés…

L'oncle s'était arrêté, figé dans son cauchemar.

— Allez, Méon. Faut que tu continues. Raconte-moi tout.

— Je… je voyais qu'il faiblissait, il s'enfonçait lentement dans l'eau. Il me regardait toujours, sans parler ; pis moi, je restais là, à rien faire… Il continuait à caler, il se tenait plus rien que par les mains. Je savais qu'il était en train de mourir, mais j'avais peur de mourir moi aussi, j'étais paralysé. J'avais peur, Léo… Pis là, d'un coup sec… il a disparu dans le trou. Chus resté là, tout seul, à crier comme un fou.

Il s'était tu à nouveau, de plus en plus oppressé. Puis, dans un murmure entrecoupé de violents spasmes :

— J'ai l'impression d'être toujours resté là tout seul, depuis ce temps-là. Tout seul au bord du trou, avec mon frère qui a jamais cessé de me regarder avec ses grands yeux doux, certain que j'allais le sortir de là. J'ai passé ma vie à essayer de me détourner, de me sauver. Chus pas un homme courageux, Léo ; tu le savais peut-être pas, mais chus pas un homme courageux…

Il s'était arrêté, les yeux fermés, la tête toujours tournée vers le mur. Le Bâtard s'était accroupi près du lit :

— C'est pour ça qu'à Pointe-Bleue, tu restais tout le temps dans ton camp en dehors de la Réserve, que tu te mêlais pas aux autres ?

— Oui.

— C'est pour ça que t'as pas fait de jeunesse, que t'as pas eu de famille ?

— Oui.

— C'est pour ça que tu vieillis tout croche ?

— …

— Bon, ça suffit, là. Tu t'es fait assez mal depuis toutes ces années. T'es pardonné, Méon ; c'est sûr que t'es pardonné. T'es un homme brave, généreux, je le sais, moi. Tout le monde te respecte à Pikauba ; si tu savais ce que les jeunes disent de toi ! T'as toujours été bon pour moi, pour les autres. Senelle t'aimait beaucoup aussi, elle me parlait souvent de toi. T'as fait une bonne vie, voyons! T'étais rien qu'un enfant quand tout ça est arrivé. Tout le monde a vécu quelque chose comme ça; c'est ce qu'on fait après qui compte.

Perturbé lui aussi par cette étrange confession, il saisit l'oncle par les épaules, le secoua vigoureusement:

— T'as fait une bonne vie, Méon! T'as fait une bonne vie! T'as pas le droit de te détruire comme ça.

— … Tu penses?

— Voyons donc, bien sûr que je le pense! Puis en plus, j'ai besoin de toi, moi. C'est toi qui as remplacé mon père quand j'étais jeune. Après la mort de Senelle, tu t'es bien occupé de moi aussi. Puis depuis ce temps-là, tu m'as jamais laissé. On va pas se quitter aujourd'hui?

Léo prit la serviette d'eau froide, lui épongea doucement le visage:

— Ton frère, je suis sûr qu'il a fermé les yeux; c'est le temps d'ouvrir les tiens maintenant. Il faut que tu commences une nouvelle vie.

— Oui, peut-être; je pourrais essayer. Je veux pas mourir comme ça, en me sauvant. C'est ça qui me fait peur avec l'âge. J'ai l'impression d'avoir passé toute ma vie avec le vent dans la face, baptême. Avant de mourir, j'aimerais ça l'avoir un peu dans le dos.

— T'es pas si vieux. T'as encore du temps.

L'oncle semblait reprendre vie:

— Tu sais, je t'ai dit que j'étais pas courageux, mais je l'ai déjà été, par exemple. Avant que cette affaire-là arrive…

— Arrête, Méon, voyons…

— Avant que ça arrive, y avait la disette sur les Territoires, pis mon père était tombé malade à force de chasser pour rien. On mangeait presque pus rien, pis c'est moi qui étais allé chercher du secours…

— Méon! T'as pas besoin de…

— Toute une journée pis toute une nuit, Léo, sans rien

manger, j'ai marché tout seul en raquettes dans le bois ; j'étais pas vieux, là…

— Méon, arrête, j'te dis ! Je te connais, t'as pas besoin de me conter tout ça ; je le sais ce que tu peux faire.

Il laissa passer un moment, reprit :

— La seule chose, c'est que tu vas devoir faire plus attention à toi à l'avenir ; tu peux plus te mener comme tu fais.

L'oncle comprenait le message.

— Je vas essayer, mais va falloir que tu m'aides. Écoute, Léo, voudrais-tu… veux-tu…

— Quoi donc ? Quoi ?

— Maudit, bourrasse-moi pas, donne-moi une chance, baptême ; c'est gênant pour moi de demander ça de même !

— Ben oui, mais t'es toujours arrêté ; on va pas passer une autre journée ici ! Bon, excuse-moi, excuse-moi. Je t'écoute, là, vas-y.

— Je… j'aimerais ça me racheter, c'est sûr. Je me demandais si… accepterais-tu d'être mon frère, Léo ? D'être comme mon nouveau frère…

— Ça ressemble quasiment à une demande en mariage.

— Arrête, chus sérieux, là.

Le Bâtard lui passa affectueusement le bras autour du cou, le secoua un peu :

— Gros simple ! Je l'ai toujours été, ton frère, j'ai jamais cessé de l'être, mais tu m'as toujours traité comme un petit neveu de rien du tout ! Sauf que, moi, j'ai jamais rien dit ; suis pas un gros lamenteux, moi.

— Tu vois ? Tu ris encore de moi !…

— Viens-t'en, grouille. On a de l'ouvrage à Pikauba.

Sur le trajet du retour, dans la chaleur du camion, Méon avait retrouvé ses aplombs. Assis entre Eudore et Léo, la tête appuyée contre la vitre arrière de la cabine, il se faisait volubile maintenant, remuait d'autres souvenirs :

— C'était donc plaisant de revenir à la tente, mon père pis

moi, quand on avait chassé toute la journée dans le froid. Les autres étaient groupés près du poêle, en train de préparer le repas. Ça sentait la graisse brûlée que ma mère jetait sur le feu pour qu'il dégage plus de chaleur… Le printemps aussi, c'était plaisant. Les familles se regroupaient aux Fourches sur la Péribonka pis campaient près de la rivière. On attendait le dégel pour mettre les canots à l'eau. Ça durait une semaine ou deux, des fois trois. Nous autres, les jeunes, on était contents de se revoir, on faisait des jeux dans la neige. Y faisait beau. Les jours avaient pus la même couleur, la neige non plus. Y a des après-midi, c'est pas mêlant, on aurait dit que la lumière était sucrée…

Il s'interrompait, se tournait vers Léo au volant :

— T'as l'air de rire, là? C'est pourtant vrai… Dis-y donc, Eudore. Tu connais ça, toué, le bois.

Eudore confirmait. L'autre continuait :

— C'était le retour des oiseaux, aussi; c'était beau de les voir. On aimait ça les oiseaux, nous autres les Montagnais; plus que les autres, je pense.

— Ça vous empêchait pas de les tuer… ?

— Fallait bin, simple! Ça faisait des mois qu'on mangeait rien que du caribou pis de la graisse de castor! Tu devrais être capable de comprendre ça? C'est comme le dimanche à Pikauba quand tu nous fais servir du ragoût après nous avoir tenus aux binnes toute la semaine…

Cette fois, c'est l'Indien qui riait; Eudore aussi. Méon enchaînait :

— On se promenait sur les champs de neige; on disait qu'on marchait sur l'eau parce que, l'hiver, le vent fait des plis, comme des petites vagues à la surface, comme si elles étaient figées… Tu vas rire encore, là, toi?

— Moi, ça? non, non! Des vagues sur la neige, c'est bien connu, ça… Même l'été, des fois, j'ai remarqué sur les lacs; comme si l'eau reprenait son pli…

— On voit que t'es pas un vrai Sauvage, tu comprends rien!

Ils entraient maintenant dans l'Anse-aux-Foins. L'Indien n'en finissait pas de remuer ses souvenirs :

— Le jour où les glaces se brisaient sur la rivière, je me rappelle, mon père s'approchait pour lancer du tabac dans l'eau. T'as déjà vu ça, Eudore ? Il remerciait les esprits pour la chasse de l'hiver. Je l'ai vu souvent faire ça.

Il demeurait un moment silencieux, puis :

— Tu te souviens, Léo, les bilboquets que je te faisais à Pointe-Bleue avec des branchettes de sapin quand t'étais jeune ? C'était long à faire, maudit, mais tu t'en fournissais pas. Mon grand malcommode, ça m'a pris du temps avant de comprendre que tu les donnais à la petite Cibèle.

Léo eut un choc. La petite Cibèle, oui... Mais c'était dans une autre vie, ça ; ou presque. À son tour, il fut plongé dans ses souvenirs. Il les rumina longtemps, jusqu'à Pikauba. À ses côtés, Méon s'était endormi.

* * *

Le 20 décembre de cette année-là, une violente tempête paralysait tout l'Est du pays. Sur l'heure du midi, le Bâtard revenait de Québec où il avait passé trois jours pour ses affaires ; il avait aussi rendu visite à Julie. Il faisait très froid, il ventait et la neige tombait à plein ciel au moment où il s'engagea dans les côtes de la Jacques-Cartier. Mais il n'avait pas d'inquiétude ; bien au chaud dans sa cabine, il se laissait bercer par le ronronnement du Chevrolet qui renversait allégrement les gros bancs de neige encombrant la route. Il parvint à la barrière du Parc, près de Stoneham, où il s'arrêta pour le contrôle d'usage. Un gardien, grelottant dans son parka, sortit d'un camp et releva son numéro de plaque. Puis il s'approcha de la portière :

— T'es pas peureux ; y a seulement deux véhicules qui se sont pointés depuis le matin.

— Faut avoir un bon attelage !

— T'es seul dans ton troque?

— Oui.

— Tu ferais pas monter un pouceux qu'est là depuis une heure?

— Où ça?

— Juste derrière, adossé à la falaise.

Le Bâtard descendit dans l'épaisse poudrerie et entrevit à vingt pas une silhouette recroquevillée, fouettée par le vent. Il la rejoignit et, stupéfait, reconnut Nazaire. Il portait un petit casque de cuir qui lui cachait à peine les oreilles, un long manteau d'automne, un foulard de coton dont les extrémités volaient dans la bourrasque, des bottines recouvertes de caoutchoucs. Léo lui cria à travers la tourmente:

— Veux-tu me dire ce que tu fais là, toi?

— C'est Léo? Salut, Léo…

— Viens, dépêche!

Le Bâtard, à la fois attendri et fâché, réprimanda son cousin:

— Des plans pour attraper ton coup de mort! Regarde-toi, t'es rouge comme une écrevisse. T'es pas raisonnable, Nazaire.

— Tu t'en fais pour rien. Je savais bien que quelqu'un s'occuperait de moi, voyons donc. La preuve!

— Où est-ce que tu t'en vas comme ça?

— J'ai eu l'idée d'aller passer les Fêtes avec la famille à Saint-Nazaire. Quelqu'un est venu me mener à la barrière.

— Tu devrais prévenir dans ce temps-là. J'enverrais quelqu'un te chercher.

— Je te remercie, mais il faudrait que je décide d'avance. Quand je me lève le matin, je pense pas beaucoup plus loin que le soir.

— Ben tu devrais!

Parvenu au pont de la rivière Pikauba, Léo prit à droite et s'engagea dans le chemin du Village. En y entrant en fin d'après-midi, Nazaire vit les sapins de Noël illuminés dressés autour de la Place et les branches de pin ornant la façade des camps:

— C'est beau, an ?

— Ouais… Viens, tu vas passer la nuit chez moi. Quelqu'un te mènera au Lac demain.

Une fois dans son camp, il lui donna des bottes, des vêtements chauds. Ils conversèrent toute la soirée. Léo voulait convaincre son cousin de s'établir à Pikauba :

— Écoute, t'es rendu à trente-cinq ans, Nazaire. T'as jamais eu une grosse santé. Tu serais bien traité ici, tu pourrais te rendre utile aux familles, à l'école ; tu t'entends bien avec Maître Ouellet ? Je pourrais même te faire construire une chapelle, une belle grosse chapelle, juste à côté du Temple, le long de la Rivière…

Mais l'autre se désistait ; il n'y avait pas assez de misère et trop de bonheur à Pikauba. Il serait plus utile ailleurs.

Le lendemain, quand Léo se réveilla, son invité n'était plus là. Il sauta aussitôt dans le Chevrolet et le rattrapa un mille plus loin, dans le chemin menant à la route du Parc. Cette fois, il se mit vraiment en colère :

— T'as pas de génie, Nazaire ! T'as vraiment pas de génie ! Tu t'es vu, là ? T'as de la neige jusqu'au cou ! Il fait un froid à geler un troque…

— Mais arrête, arrête donc, tu te fâches tout le temps ! T'es bien rendu malin ? Tu dormais, je voulais pas te déranger, c'est tout.

Désarmé, il le fit monter, le ramena encore une fois au Village et le confia à Padoue avec ordre de le conduire à Saint-Nazaire. Il avait retrouvé son calme :

— Excuse-moi… j'aurais pas dû te parler comme ça tantôt.

— C'est pas grave, voyons.

— Des fois, je te trouve tellement… tellement… Excuse-moi.

— Joyeux Noël, Léo.

— C'est ça, joyeux Noël… Joyeux Noël à toi aussi, mon cousin…

Il le regarda partir et resta planté là, le cœur gonflé, la tête en désordre, peu pressé d'attaquer la besogne du jour.

Chapitre 33

À la fin de mai 1955, Léo s'était rendu dans la région de Bet-siamites avec quelques-uns de ses hommes pour repérer des territoires de coupe. Il avait aussi amené Méon, qui était redevenu le grand oncle de jadis, doux, attentif et rieur. L'Indien retrouvait dans cette Réserve de la Côte-Nord les lieux, les paysages de son adolescence.

C'était l'après-midi. Un épais brouillard recouvrait le golfe et le temps était sombre, comme si le soleil était déjà prêt à se coucher. Ils avaient terminé leur travail et un hydravion venait les reprendre le lendemain. Le Bâtard éprouva soudainement le besoin d'être seul. Il sortit du camp qu'ils occupaient en retrait de la Réserve, près du Quai, et marcha dans la direction de Pisto, puis il obliqua vers le vieux cimetière. Il s'immobilisa devant le monument à la mémoire des missionnaires Arnaud et Babel, erra un instant entre les croix de bois pourries, les sépultures négligées.

Il revint vers le fleuve, dépassa un attroupement devant la grosse maison de Jos Miller, le marchand général, puis déambula parmi les tentes grises bariolées de bleu et de rouge défraîchi. Il saluait distraitement les familles au passage. Des femmes silencieuses raclaient des peaux tendues sur des échafauds, sous le regard de vieillards pensifs. D'autres mettaient à fumer des truites de mer sur des tréteaux dressés au-dessus d'un feu. Des enfants allaient et venaient parmi les chaudrons et écuelles jonchant le sol. Plus loin sur la grève, il apercevait quelques adolescents qui recueillaient des palourdes, comme l'avait fait Méon jadis avec ses frères. Il bavarda un instant avec des chasseurs qui flânaient autour des fumoirs. La saison de chasse avait été médiocre ; la plupart des familles n'avaient pu rembourser les avances faites par la Hudson Bay l'année précédente.

Léo continuait à marcher dans le chemin poussiéreux. Il passait devant des maisonnettes aux murs délavés, aux fenêtres défoncées. Des chiens efflanqués le suivaient. Il s'arrêta. Tout le dressait tout à coup contre cette vie délabrée, humiliée. Il eut envie de fuir ces lieux qui ressemblaient si peu aux images qui avaient habité son enfance, aux récits qu'on lui faisait de Moïse et des siens.

La veille, il s'était fait annoncer chez le chef, Malek Napistau, qui habitait une tente au bord du fleuve, à l'autre bout du village, vers l'est. En y arrivant, il découvrit un grand et gros homme peu loquace, usé par l'âge. Il nota ses joues ridées, ses mâchoires saillantes, son front bas où naissait une épaisse chevelure poivre et sel. L'Indien avait connu l'ancienne vie des Territoires, y avait perdu des parents, dont un frère, mais il parlait rarement de ces choses-là. Il avait plusieurs fois souffert du mal de neige* et sa vue avait beaucoup décliné. Bien que n'ayant jamais été élu, il était pour tout le monde le vrai chef de la communauté. C'était comme cela. Il était connu et respecté dans toutes les Réserves à cause de la sagesse, de l'autorité qui émanaient de sa personne. Et aussi à cause de sa fidélité. Il avait su, lui, résister au Blanc et avait toujours repoussé les cadeaux, les emplois, les titres que les gouvernements et les compagnies lui avaient offerts.

Élevé en compagnie des Aînés, il n'avait rien oublié de ce qu'ils lui avaient enseigné. Il était l'un des seuls dans la communauté à savoir encore reconnaître le jeune caribou mâle ou femelle à la seule vue de ses empreintes ; ou à se rappeler que le bouleau dont on faisait le cercle des tambours devait être prélevé au pied de l'arbre ; ou encore qu'il fallait recueillir en hiver, après l'avoir arrosée d'eau chaude, l'écorce destinée à recouvrir les parois d'un canot. Il connaissait aussi le moyen de gommer les coutures de l'écorce de manière que l'embarcation paraisse fabriquée d'une seule pièce. Ses treillis de raquettes étaient parmi les derniers tissés avec des intestins d'orignal. Il pouvait deviner, au chant de l'oiseau, la distance exacte qui l'en séparait et savait, en forêt, identifier tous les bruits de la branche, qu'ils soient causés par le souffle du vent, le frôlement d'une bête, la fatigue de l'arbre, le heurt d'une autre branche. Et il se souvenait qu'une longue fêlure courant sur l'omoplate d'un caribou fraîchement abattu est signe de famine. Tout cela, il l'avait appris des Aînés qui, eux-mêmes, le tenaient des Anciens.

Il accueillit Léo plutôt froidement et le fit asseoir en face de lui sur un tapis de branchages. Des feuilles de tabac brûlaient dans un coquillage. Il laissa parler son visiteur.

— J'étais de passage et j'ai eu envie de vous voir. J'admire ce que vous faites pour les Indiens ; je voulais vous en remercier.

— …

— Je pourrais faire quelque chose pour vous, peut-être ?

— T'as fait de bonnes affaires chez les Blancs, Léo. Tu t'es montré souvent plus fort qu'eux autres. T'es content ?

— Oui, plutôt. J'ai travaillé fort ; j'ai eu de la chance aussi.

— Plus que nous autres, ça c'est sûr.

— Plus que bien d'autres. Mais je pourrais aider maintenant, j'en ai les moyens. Je pourrais… vous pourriez me dire…

La conversation achoppait. Le chef ne quittait pas des yeux son visiteur mais demeurait silencieux. Léo avait l'impression que son visage s'était durci ; il perdait contenance. Napistau se leva, alla se poster un moment devant l'ouverture de la tente, sembla s'intéresser au vol des outardes près de la rive. Ses gestes étaient mesurés, épurés, comme s'ils avaient été polis par une longue hérédité. Léo considéra dans le contre-jour sa haute silhouette courbée, ses fortes épaules et la grosse bosse du canot* qui émergeait à la jonction du dos et du cou. Le chef se retourna :

— Il y a longtemps, mon père m'a amené à la chasse. J'avais une quinzaine d'années, c'était le printemps. Il avait décidé que ce jour-là je tuerais mon premier ours. J'allais donc devenir un adulte et, à partir de ce temps, me tenir avec les hommes à la Réserve comme sur les Territoires. Il avait déjà repéré une proie, pas très loin. Une fois sur place, il m'a donné sa carabine et a fait sortir l'animal de son trou en lui parlant. J'avais rien qu'à tirer. Mais l'ours s'est mis à grogner et s'est dressé sur ses deux pattes. J'ai eu peur et je me suis sauvé, abandonnant le fusil. Pendant des semaines, j'ai été incapable de parler à mon père, même s'il se comportait avec moi comme auparavant. Puis j'ai décidé qu'il fallait en finir ; je lui ai dit : « Père, j'ai mal agi, j'ai honte ; je te demande de me pardonner. » Il ne m'a pas répondu tout de suite ; il ne répondait jamais tout de suite. Au bout d'un moment, il m'a dit : « La même chose m'est arrivée à moi, avec mon père ; ça m'a pas empêché de devenir un bon chasseur et un homme respecté. Mais maintenant tu dois retourner dans la forêt et faire ce que tu as à faire. » Cette fois-là, j'ai tué mon ours, sans difficulté, et nous n'en avons plus jamais reparlé. Le plus important, c'est que j'avais rétabli mon rapport avec mon père et j'avais vaincu la peur. Je n'ai plus jamais eu peur depuis ce jour-là, ni avec les bêtes ni avec les hommes.

Léo avait écouté attentivement. Il ne voyait pas bien où le chef voulait en venir :

— J'ai pas peur moi non plus.

— T'a pas peur des Blancs. T'as été courageux avec eux autres, t'as appris à pas les craindre. C'est bien. Asteure, ce serait bien que tu te mettes en règle avec les Sauvages.

— J'ai toujours été correct. Qu'est-ce que ça veut dire?

— Ça veut dire que tu dois te mettre en règle avec les Sauvages.

Piqué au vif, Léo élevait le ton :

— J'ai toujours eu des bons rapports avec vous autres !

Le mot lui avait échappé; il voulut réparer, s'embrouilla.

— Tu vois, tu te sens même plus des nôtres.

— C'est pas ce que je voulais dire…

Napistau était retourné à son silence. Léo reprit :

— J'ai pas eu la vie facile, il faut que vous compreniez ça. À chaque pas que j'ai fait depuis mon enfance, j'ai trouvé des traces devant moi. Des empreintes de Blancs, des empreintes d'Indiens, qui allaient pas dans la même direction. Des traces qui étaient trop grandes aussi. J'aurais bien voulu toutes les relever, mais c'était trop, vous comprenez? J'étais pas capable de suivre ces deux chemins-là. Je me suis débattu comme j'ai pu. Puis j'ai pas abandonné les Indiens; j'ai toujours pris soin de Méon, des autres.

— Ça c'est vrai.

— J'ai embauché plusieurs Montagnais.

— Que tu payais pas bien cher.

— J'ai aidé les familles de la Pointe-Bleue.

— Ça faisait ton affaire.

— C'est la vérité quand même !

— La vérité, Léo, c'est que tous tes chantiers, tes contrats, c'était bon pour toi mais pas pour nous autres. Quand tu fais des chemins, quand tu coupes le bois sur les Territoires, c'est notre vie que tu brises. Quand tu prépares les réservoirs pour les barrages, c'est notre gibier que tu chasses. T'as fait comme les autres Blancs, tu nous as détruits tant que ça faisait ton affaire. Tu t'en es même pas aperçu. T'as réglé tes comptes avec toi-même pis avec les Blancs, c'est vrai; mais c'est nous autres qui les avons payés.

— J'ai travaillé, vous pouviez en faire autant.

— Qu'est-ce qu'on aurait pu faire, d'après toi ?

Le Bâtard s'énervait :

— Vous auriez pu faire comme moi : vous tenir debout au lieu de vous plaindre. Vous auriez pu apprendre vous autres aussi, apprendre à vous défendre avec les moyens des Blancs au lieu de tourner le dos à tout ce qui se brassait en dehors des Réserves, au lieu de vous en remettre à vos shamanes. Vous auriez pu sortir de vos forêts, vous instruire ; vous auriez pu avancer au lieu de reculer.

Il était debout maintenant, fulminant :

— Vous avez rien compris à ce qui vous arrivait. Vous pensiez que les Blancs auraient pitié parce que tout ce que vous aviez à offrir, c'était votre misère ? Votre misère puis vos simagrées devant les touristes ? Les moteurs étaient partout mais, vous autres, il vous fallait vos raquettes puis vos canots. On était au temps de l'électricité, mais vous restiez dans vos tentes avec votre maudite boucane. Ben, vous avez fini par vous étouffer dedans, votre boucane ! Puis dites-moi pas que vous manquiez d'argent ; la chasse était encore bonne dans ce temps-là, les compagnies payaient bien. Mais aussitôt que vous en aviez, vous vous dépêchiez de le gaspiller ; il vous brûlait les doigts…

— Arrête, Léo !

— … vous avez perdu votre fierté. Vous allez même plus dans le bois sauf pour guider les Américains puis tuer les caribous à leur place. Ça, c'est quand vous êtes pas trop saouls pour marcher…

Hors de lui, il fit un pas vers le vieil homme qui s'était levé lui aussi et lui hurla au visage :

— Oui, j'étais content de les avoir mes contrats ! Oui, j'ai ouvert des chemins, tant que j'ai pu ! J'ai fait bûcher partout sur les Territoires, puis je le ferais encore !

Il se dirigea vivement vers la sortie, se retourna :

— Vous avez ce que vous méritez ! Continuez comme ça, c'est beau de vous voir dans votre crasse…

La voix étranglée, il s'interrompit une seconde, serra les poings et, presque inaudible, parvint encore à lancer :

— Je comprends Moïse d'avoir sacré son camp !

Et il bondit hors de la tente.

Il cracha de dépit, courut littéralement vers le chemin et s'y engagea, frappant rageusement du pied tout ce qui se présentait à sa portée, vociférant entre ses dents :

— Jésus-Marie ! Jésus-Marie !

Il faisait quelques longues enjambées, puis :

— Jésus-Marie-Joseph… Jésus-Marie-Joseph de… de… baptême !

Un jeune homme se présentait, muni d'un appareil photo ; un touriste, un journaliste peut-être. Il voulut intercepter Léo qui le foudroya du regard :

— Toué, fais de l'air, scramme*.

Il n'avait pas décoléré lorsqu'il parvint aux premières rangées de tentes où des familles rassemblées obstruaient sa voie. Il s'y faufila rudement, bouscula quelques personnes au passage et, bien involontairement, heurta un enfant. Reprenant ses esprits, il s'arrêta, présenta des excuses. On le prit à partie, il protesta. Des hommes l'entourèrent et il se trouva au milieu d'une échauffourée. Il fut durement bousculé, ne chercha pas à se protéger, se laissant choir tout simplement. Lorsque les hommes reculèrent, il était recroquevillé dans l'herbe et restait là, immobile, grimaçant.

Le chef arrivait. Il renvoya les Indiens, aida le Bâtard à se relever puis le ramena à sa tente :

— Tu vas pas bien, Léo. Tu vas vraiment pas bien.

— Je sais… Écoutez, je regrette ce que j'ai dit tantôt.

— T'es malin comme un vieux porc-épic !

Il lui avait passé le bras autour des épaules.

— Je le regrette, mais j'avais quand même besoin de le dire.

— Bon, c'est fait maintenant. On peut passer à autre chose ?

— …

392

— Mais c'est moi qui vais parler, asteure ; toi, tu vas écouter.

Léo s'accroupit. Napistau resta debout au milieu de la tente ; il parla doucement :

— J'ai bien connu Poness, ton arrière-grand-père ; j'ai vécu mon enfance et ma jeunesse auprès de lui.

Le Bâtard releva la tête :

— C'est vrai ?

— Nous avons passé plusieurs hivers ensemble sur les Territoires. Tu dois bien connaître sa réputation ? Tu sais quel chasseur il a été, tout ce qu'il a fait dans sa vie, à quel point il a été admiré pour son courage, son adresse, son jugement ? Tu sais tout ça, oui ? Dans toutes les Réserves, on parle encore de ton ancêtre. Dirais-tu qu'il manquait de fierté ? qu'il était du genre à ne pas se tenir debout ? qu'il a été victime de sa paresse, de sa lâcheté ? Penses-tu vraiment qu'il aurait dû quitter les Territoires, apprendre un métier, s'établir en ville comme tu l'as fait ?

— … Peut-être pas.

— Il aurait fini comme la plupart de ceux qui ont essayé : à creuser des fossés, des égouts, à pelleter de la neige près des usines, à fabriquer des mocassins, des raquettes pour les magasins, ou bien à jouer à l'Indien en lançant des flèches… Peux-tu l'imaginer une seconde à essayer de gagner sa vie comme ça ? à faire des niaiseries devant les touristes ?

— Bin non.

— Toi, t'as réussi à éviter ça, c'est vrai. Mais t'as jamais été un vrai Sauvage, t'as l'air de l'oublier. Des Blancs t'ont aidé ; t'as une moitié de ta personne qui leur appartient…

— C'est pas faux.

— Puis une bonne partie de ta fortune aussi !

Léo laissa passer. Il se leva, marcha à son tour vers l'embrasure de la tente. Les outardes n'étaient plus là. Un long moment s'écoula. Il revint vers Napiscau :

— N'empêche… n'empêche que, ce que j'ai dit tantôt, c'est pas tout faux non plus.

Le chef sourit :

— Tu vas pas recommencer ? T'es encore plus vireux que les vents du Golfe ?

— Je suis sérieux. Les Indiens se sont trop laissé faire.

— C'est facile à dire pour toi. Si t'avais vécu dans les Réserves, tu parlerais pas comme ça.

— Les Indiens ont été mous.

— Dis plutôt qu'ils ont été trompés. Comment-ce qu'ils pouvaient deviner tout ce qui s'en venait ?

— Ils auraient pu se méfier, s'organiser.

— Quand on s'est réveillés, il était trop tard. Les Blancs étaient plus nombreux, plus forts que nous autres ; le combat était perdu d'avance. Puis ceux qui ont essayé de suivre l'exemple des Blancs ont été traités comme des inférieurs. Ils ont vécu dans le mépris.

— Il fallait se révolter, se tenir debout.

— C'est insultant, ce que tu dis là ; t'as pas le droit de parler de même ! Ceux qui ont voulu se dresser ont été brisés, justement.

— Je le dis pareil. Il vous a manqué quelque chose, à vous puis aux autres.

— Je te trouve pas mal sûr de toi, là.

— Vous êtes pas assez malins, il fallait vous fâcher. Il vous a manqué la colère.

— Se fâcher... Tu dis n'importe quoi ! Tu peux pas savoir comme tu me déçois. La colère, c'était pas dans notre manière ; c'est pas ce que les Aînés nous avaient appris.

— Ça change rien...

— T'aurais voulu qu'on prenne les fusils ? C'est pour la chasse, les fusils, c'est fait pour vivre dans le bois, pas pour tuer du monde.

— Je vous ai pas parlé de fusils...

— T'as trop vécu loin de nous autres, tu sais pas tout ce qui s'est passé chez les Sauvages. Sais-tu seulement pourquoi j'ai passé ma vie à les défendre ? à me dresser contre les Blancs ? Sais-tu ce qu'ils ont fait à ma famille ?

— Vaguement.

— Assieds-toi, je vais te le raconter, moi. C'est une longue histoire mais ça fait rien ; je veux que tu l'écoutes jusqu'à la fin.

— Je pars seulement demain…

— T'es mieux de blaguer tout de suite parce que t'en auras peut-être pas le goût après.

Le chef s'interrompit un instant, comme s'il lui répugnait de faire revivre ce passé. Puis il se résolut :

— J'étais encore un enfant à cette époque-là ; on montait aux Territoires. Ma famille s'était campée près d'un vieux cimetière, à deux semaines de canot de la Réserve, avec deux de mes oncles et leurs familles. Un vieux chasseur était malade et on attendait qu'il soit rétabli pour se remettre en marche vers le nord. C'était en pleine nuit, en octobre. Les feux étaient éteints, nos gens dormaient dans les tentes. À un moment donné, les chiens se sont mis à japper. L'eau envahissait le campement. D'abord, tout le monde a cru à un gros orage qui avait fait déborder la rivière sur laquelle on naviguait. Les tentes étaient inondées, les vêtements et les lits de branchage tout détrempés. On s'est tous habillés en vitesse pour découvrir, une fois dehors, qu'il ne pleuvait pas. C'était comme une marée qui montait rapidement. La rivière avait débordé, les canots avaient disparu. Il a fallu, dans le plus grand désordre, défaire les tentes, empaqueter puis déguerpir en abandonnant nos pièges, nos raquettes, une grosse quantité de provisions. Les enfants pleuraient. Jusqu'au matin, on s'est hâtés comme des fous dans le noir, en trébuchant avec nos chargements, en s'inquiétant des retardataires, en cherchant les égarés. Finalement, le terrain s'est mis à remonter, on a pu prendre position sur le flanc d'une colline. D'autres Indiens étaient déjà là qui grelottaient, pressés les uns contre les autres. Quand le jour s'est levé, on a pu apercevoir à perte de vue l'étendue d'eau qui s'était formée. On pensait à nos portages, à nos chemins de trappe submergés, à nos caches détruites, au gibier déplacé. On pensait aussi au petit cimetière qui se trouvait maintenant inondé. Puis on se demandait comment on se tirerait de là. C'est plus tard qu'on a appris ce qui s'était passé. Une compagnie avait érigé un barrage et aménagé un réservoir qu'elle avait commencé à remplir. Les Indiens qui chassaient par là en avaient même pas été prévenus.

Le chef ne regardait plus Léo, se laissant immerger dans cette région de sa mémoire qu'il retrouvait toujours aussi douloureuse :

— Après ça, mon père et plusieurs chasseurs se sont découragés ; ils ont déserté les Territoires. La plupart ont trouvé à s'employer dans un village minier qui venait de s'ouvrir. C'est là que j'ai fini par me ramasser moi aussi. On gagnait pas mal moins cher que les Blancs, des fois en faisant le même ouvrage. C'est toujours sur nous autres que les contremaîtres passaient leurs colères. La Compagnie nous logeait à part, dans des sortes de hangars. Y avait un bar pas loin de la mine. J'y allais en fin de semaine avec les autres. On nous servait au sous-sol ; le rez-de-chaussée était réservé aux Blancs. Tout le monde se mettait chaud, en haut comme en bas. Plus tard dans la nuit, des buveurs descendaient à la cave pour « trimmer* les Sauvages », comme ils disaient. Des bagarres éclataient, qui se terminaient toujours de la même façon. Des policiers venaient, ramassaient les batailleurs et les emmenaient au poste. Là, c'était toujours pareil, ils relâchaient les Blancs et mettaient les Indiens en cellule. Après, ils nous écœuraient ; on avait même pas la permission d'aller aux toilettes. Ils faisaient des « interrogatoires ». Jusqu'au lendemain matin souvent, ils nous bousculaient, nous frappaient. À la fin, les Indiens se laissaient faire dans l'espoir de les amadouer. Pas moi. Mais ça me coûtait cher. Ils me passaient au boyau d'arrosage, ils me battaient. Trois ou quatre fois, j'ai dû être conduit à la clinique pour me faire soigner. Dans le livre des admissions, la formule était toujours la même : pour des blessures que je m'étais faites en état de boisson. Une nuit, les policiers m'avaient frappé plusieurs fois la tête contre le mur de veneer*; pendant deux ou trois jours, j'ai quasiment perdu la raison. Le lundi matin, on comparaissait devant un juge qui nous mettait à l'amende. Il interrogeait les policiers sur nos blessures; ils se parjuraient. Moi, j'étais souvent condamné à la prison parce que je voulais pas prêter le serment des Blancs. Des fois, un missionnaire essayait de nous aider, mais ça donnait pas grand-chose.

Napistau s'arrêta. Il se leva, fit quelques pas dans la tente. Il paraissait honteux de cette longue confession :

— Tu vois, c'est comme ça qu'on a commencé dans la vie, mes frères et moi. J'ai beau chercher, Léo, je vois pas où on s'est trompés. Je vois pas non plus où on aurait manqué de fierté.

Durant tout le récit, le Bâtard était resté silencieux. Il avait pris à plusieurs moments un air impatient, révolté. Le chef attendait sa réaction.

— Si Moïse avait vécu, puis d'autres comme lui, ça se serait pas passé comme ça.

Cette fois, c'est Napistau qui s'emporta :

— Ben justement, il a pas vécu, Moïse! Tu parlais tantôt des Indiens qui se sont pas tenus debout; là, c'est vrai, en voilà un! Tout ce qu'il a trouvé à faire, ton oncle, c'est de se sauver au bout des Territoires pis se sacrer en bas de la Source Blanche. Nous autres au moins, on est restés. On est pas des héros, on est pas des légendes, mais on a mangé toute la marde, pis on est encore là…

Léo était foudroyé. Il put à peine articuler :

— C'est… c'est terrible ce que vous venez de dire là.

— T'as couru après! Tu t'en aperçois pas, mais t'es rendu aussi Blanc qu'eux autres. Aussi Blanc, mais pas plus propre!

Ils se firent face un moment. Puis le chef tourna le dos.

Chapitre 34

Les privations, les intempéries et tous les avatars de la vie iti-nérante avaient affecté la santé du Frère Nazaire. En juin 1955, la mort dans l'âme, il dut renoncer à ses pérégrinations qui l'avaient conduit partout au Québec. Ayant choisi de revenir s'installer au Saguenay, il se rappela l'invitation de Léo, mais préféra retourner à Saint-Nazaire, son village natal, pour y jouir de la solitude pro-pice à la méditation. Il élut résidence dans un ancien camp de bûcherons, à peu de distance de la vieille maison familiale. Il apprit à y vivre tel un ermite, mangeant peu, priant beaucoup et passant le reste de son temps à contempler les astres, les arbres, les fleurs, les insectes. Il était retourné aux occupations de son enfance.

Fin juin, le Bâtard était de passage à Mistouk, chez sa grand-mère ; il fit un détour du côté de Saint-Nazaire pour y visiter le petit Frère :

— Je suis content de te revoir, mon cousin ; tu m'as man-qué.

— Bonjour, Léo. Nous pourrons nous voir plus souvent maintenant. Voici ma demeure.

D'un geste, il lui désignait le camp de bois rond rafistolé.

— Je te trouve amaigri. Tu manges à ta faim? T'es pas malade?

Nazaire ignora la question. Il avait le teint pâle, mais son regard imprégnait son visage d'une grande douceur. Léo, comme toujours, trouvait une sorte d'apaisement dans son abandon, dans sa quiétude. Nazaire souriait:

— T'as une minute? Viens, je vais te montrer mes terres…

Dans l'heure qui suivit, il entraîna le visiteur dans ses sentiers, lui montra les lieux, les ruisseaux, les plantes qui avaient enchanté ses jeunes années. Ils revinrent ensuite vers le camp, s'assirent sur une pierre et bavardèrent encore en suivant le mouvement des hirondelles qui nichaient sur le revers de la toiture. Le Bâtard s'inquiétait:

— T'as besoin d'argent?

— Non.

Léo jeta un regard sur les broussailles entourant le camp, sur les crans, la savane qui s'étendait plus loin:

— Qu'est-ce que tu vas faire ici?

— Ce que j'ai toujours fait; me mettre à l'écoute de la nature, du Bon Dieu.

Il n'en dit pas plus.

— Bon, moi, faut que je retourne à mon barda.

Le Frère sourit encore. Ils s'embrassèrent.

Mais l'existence du reclus fut bientôt troublée par les visiteurs qui recherchaient sa présence bienfaisante et imploraient sa protection. Les pèlerins s'agenouillaient autour de la souche qui lui servait de prie-Dieu. Les malades se pressaient pour le toucher; quelques-uns se déclaraient ensuite guéris. D'autres assuraient avoir vu la Vierge ou quelque saint apparaître au-dessus du camp. Une rumeur se forma, relayée par les journaux. Nazaire restait insouciant face à ce tapage. Il n'en avait que pour les bruits, les maux, les mouvements du cœur.

Un dimanche de juillet, comme il le faisait souvent, Louis-de-Gonzague refit le trajet de Chicoutimi à Pikauba pour y retrouver Ouellet en son camp de la rue des Pissenlits. Il laissa aux abords de la Place son Studebaker (qu'il avait fait repeindre en noir) et retrouva son ami qui venait à sa rencontre. Le temps était beau et les deux hommes marchèrent en devisant le long de la Rivière, vers le Mont-des-Conscrits — l'avocat aurait volontiers bifurqué vers le Boisé, mais son compagnon, discrètement, l'en éloigna. Le Maître avançait à petits pas. Ils s'arrêtaient parfois pour vanter les lignes d'un paysage ou jouir un instant de la fraîche près d'un ruisseau. Belley en profitait pour reprendre son souffle ; il était toujours accablé d'une irritation pulmonaire qui le faisait tousser. Ouellet, lui, se reposait un instant de sa bosse qui, avec le temps, alourdissait sa démarche et lui faisait courber l'échine.

Il commentait quelques points de sa philosophie, de sa grande vision de l'univers, qu'il allait bientôt livrer dans un volumineux traité :

— Vous savez que j'en suis à mon dernier tome ?

— Vraiment ? C'est merveilleux !

— Je prévois une grande crise de la pensée. Bientôt, les individus et les sociétés ne sauront plus se gouverner. Quand l'égarement sera à son comble, il faudra bien revenir au point de départ, là où je suis précisément. C'est ce temps-là que je prépare avec mes Écoliers. En puisant dans ce qu'ils auront assimilé ici, ils sauront remédier à la dérive de nos sociétés. Ce sera ma contribution à la grande œuvre du genre humain.

— Quel courage vous avez, quelle vision !

— J'aime à dire à mes jeunes…

Il s'interrompit tout à coup, tira son compagnon par la manche :

— Attention !

— Quoi donc?

— Vous alliez écraser une églantine…

— Oh pardon! Comme je suis maladroit.

— … j'aime à dire à mes jeunes: plantez un arbre et, dans cinq cents ans, mille tout au plus, vous aurez une forêt.

— C'est bien dit. Et bien pensé!

— C'est une question d'habitude. À force de fréquenter l'histoire de l'univers, une familiarité s'installe; comme un tutoiement, si vous voulez.

— Je le conçois.

— J'aime à penser que c'est d'ici, de Pikauba, que va partir l'onde minuscule, l'imperceptible secousse qui, en se propageant, va refaire le monde…

Louis-de-Gonzague avait pris un air songeur:

— Euh, à propos de l'univers justement, j'aurais une question à vous soumettre.

Ils passaient devant la Butte Socrate. Ouellet s'immobilisa:

— Tenez, assoyons-nous sur ces deux souches, nous y causerons plus à l'aise.

Belley dut s'interrompre pour tousser. Il enleva son binocle, lissa de la main les quelques cheveux qui lui restaient. Le Maître lui posa une main sur l'épaule:

— Songez à soigner cette toux; elle m'inquiète.

— Oui, je n'y manquerai pas. Eh bien, il y a un détail dans votre système qui me chicote. Ne mettez-vous pas dans vos théories plus d'harmonie qu'il n'y en a dans la nature? Et, pour tout vous dire, le devenir si assuré que vous prêtez à l'univers s'accorde-t-il bien avec le caractère si périssable de nos existences?

— Je vois; vous vous préoccupez de la mort, n'est-ce pas?

— En d'autres mots, oui.

— C'est la procédure d'excommunication engagée contre vous qui vous trouble?

— Mais pas du tout, pas du tout, qu'allez-vous penser! Des broutilles, tout cela… des broutilles. Je me disais simplement que, vous qui parlez si bien de la vie, vous avez peut-être quelques idées sur la mort également ?

— En réalité, j'en ai plusieurs et j'y travaille en ce moment même ; c'est justement le sujet de mon dernier tome. Mais il me reste deux ou trois points à clarifier qui me donnent un peu de fil à retordre. Vous allez devoir patienter un peu.

— Mais bien sûr, bien sûr, Maître. Après tout, rien ne presse. La mort peut bien attendre, n'est-ce pas ?…

Ils rirent très fort. Trop fort, peut-être.

* * *

À la fin de l'été 1955, Mercurie, tout excitée, s'était rendue à Chicoutimi pour prendre possession de son camion tout neuf ; un superbe Ford Mercury de l'année. Elle eut tout de même un serrement au cœur quand elle abandonna derrière le garage de la rue Racine, à Chicoutimi, le vieux bachâ* qu'elle conduisait depuis la mort de son père. Elle revint en hâte à Laterrière pour présenter le bel engin à sa famille. Ses frères et sœurs, émerveillés, envahirent aussitôt la cabine, qui sentait encore le cuir frais, et l'explorèrent en détail : le klaxon avait une belle voix claire et forte, l'aiguille du compteur allait jusqu'à soixante-quinze milles à l'heure, les miroirs étaient immenses et il y avait plein de mystérieux boutons sur le tableau de bord sur lequel était posé un vire-vent*. Une petite antenne de radio se dressait aussi sur l'aile gauche ; l'appareil permettait de capter les deux postes de Jonquière et de Chicoutimi. Et la grille avant du Ford avait été redessinée, ce qui lui donnait un bel air noble. Les Dallaire s'agitaient, entassés dans la cabine du Ford. Après un moment, Mercurie les en chassa ; voulant faire une surprise à Léo, elle prit la route de Pikauba.

Pendant ce temps, le Bâtard finissait de souper dans son camp. On frappa, il ouvrit : Cibèle se tenait sur le pas de la porte. Très surpris, il la considéra une seconde. Il la trouva changée. Elle avançait dans la trentaine et ses traits s'étaient affirmés. Sa coiffure dégageait le haut de son front et elle avait un peu maigri, ce qui accentuait le relief de ses pommettes et donnait de la gravité à son visage. Il la trouva encore plus belle :

— Cibèle ?

— Léo… Je t'ennuie peut-être, j'aurais dû te prévenir.

— Tu m'ennuies pas. Comment es-tu venue ici ?

— Quelqu'un est venu me conduire ; il m'attend dans l'auto. Je resterai pas longtemps.

— Je suis pas pressé.

— Moi non plus mais… c'est que je… Bien, je suis venue te faire mes adieux.

— Tes adieux ?

— Je pars pour le Nord, à Pakuashipi.

— Pakuashipi ? Mais c'est presque au Labrador, ça ! T'aurais pas pu aller moins loin ?

— J'ai trouvé un emploi là-bas, comme infirmière. Ils ont des gros problèmes, ils sont isolés.

— Comme infirmière ?

— Oui. J'étais tannée du bureau de poste. Je viens d'obtenir mon diplôme.

Elle fit une pause, reprit :

— Puis… j'avais justement besoin d'aller le plus loin possible.

Le Bâtard baissa les yeux. Elle continuait :

— J'ai décidé que j'avais… que je t'avais assez attendu. Je veux pas gaspiller ma vie. J'ai pas grand-chose à faire à Pointe-Bleue ; la chasse a baissé, le Poste de traite marche au ralenti, les gens s'en vont.

— Je sais. Tu vois, les choses ont pas mal changé de mon côté aussi, j'ai quelqu'un dans ma vie maintenant. J'aurais dû te le dire avant, je te demande pardon.

— …

— Ouais… infirmière à Pakuashipi !… Après tout, c'est

403

peut-être ce que tu devais faire. T'aurais pu m'en parler quand même.

— Je voulais pas entendre ce que tu m'aurais dit.

Elle s'interrompit, baissa les yeux à son tour :

— Je me fiais pas à moi ; j'ai eu peur de pas pouvoir te résister encore une fois.

Ces mots avaient été prononcés tout bas, tout bas, comme si elle n'avait pas prévu de les dire.

— J'aurais pu t'aider, non ?

— Insiste pas, s'il te plaît.

Et soudain :

— C'est plus fort que moi, je t'aime encore, Léo…

Elle était gênée, se reprit :

— Excuse-moi, j'étais pas venue pour te dire ça, j'aurais pas dû. Je le sais que c'est bien fini asteure, toi pis moi. C'est correct comme ça, je comprends.

Elle étouffa un sanglot :

— Je pensais que je serais capable de… Tu vois… j'étais pas encore prête, c'est trop dur.

Elle parlait d'une voix éteinte, paraissait si fragile, si déconcertée, si malheureuse. Il aurait voulu l'aider, la consoler mais se sentait impuissant. Il songeait à sa nouvelle vie depuis que Mercurie y était entrée ; se pouvait-il que le bonheur soit aussi mal partagé ? Presque à leur insu, ils se rapprochèrent. Elle posa son front contre sa poitrine, il glissa son bras autour de sa taille, elle retrouva la chaleur de son corps. Il reconnut le parfum de ses cheveux, celui qu'elle dégageait déjà quand elle était une toute petite fille. Elle sentit son cœur qui battait à tout-va contre le sien. Il fut soudainement troublé par le contact de ses seins, de son ventre. Elle ne parlait plus, s'abandonnait, frémissante. Il songeait à son enfance avec elle, aux promesses qu'ils avaient échangées et dont la vie avait disposé autrement. Cédant à leur émotion, ils se rapprochèrent encore, puis un peu plus. L'instant d'après, sans qu'ils l'aient vraiment cherché, leurs deux corps n'en faisaient qu'un.

Quand ils se reparlèrent, ils étaient apaisés. Ils avaient le sentiment que cette étreinte, étrangement, était le terme naturel de leur longue relation, alors même qu'elle aurait pu en être le vrai commencement. Léo était soulagé ; la dernière ombre qui subsistait entre lui et Mercurie venait de se dissiper. Il vivait la fin de ses amours enfantines. Cibèle avait séché ses pleurs et retrouvé son aplomb. Finalement, elle ne regrettait pas sa démarche. Elle partait intacte, avec tous ses souvenirs, tous ses sentiments encore bien vivants. Elle voyait bien qu'ils le resteraient mais ne souhaitait pas qu'il en fût autrement. Elle saurait bien les conjuguer avec d'autres ; ils survivraient sous un autre nom. Car il lui restait un peu de jeunesse, et encore bien d'autres années après ; c'était plus qu'il n'en fallait pour se faire, se refaire une vie.

Elle se haussa sur le bout des pieds, embrassa Léo sur la joue, sortit… et se trouva face à face avec Mercurie descendant de son camion neuf. La jeune femme pénétra en trombe dans la maison, écarta le Bâtard sur son passage, vit l'état du lit et revint à la course vers la sortie où l'autre, dévasté, la saisit par les bras et parvint à l'immobiliser en criant :

— Arrête. C'est pas ce que tu penses, Marie !

Elle se dégagea violemment et jeta, rageuse :

— Tu peux aller la r'trouver, ta Montagnaise. Mais dis-toi bin que tu vas rester avec, parce que moi, tu vas voir que j'm'appelle pas Julie !

Et elle claqua la porte.

Chapitre 35

Le 14 août 1955, toute la région du Saguenay fut en émoi : *La Vérité,* dans une édition spéciale, annonçait que d'importants capitalistes canadiens et américains allaient construire un chemin de fer à partir du Lac Saint-Jean jusqu'au grand lac Mistassini, et même plus loin encore vers la Baie James. Ce serait une artère de plusieurs centaines de milles qui amènerait vers « le grand pays du Saguenay » les ressources illimitées du Nord ! Le rêve ancien, celui des pionniers qui avaient ouvert la région au siècle précédent, renaissait un moment. Des dizaines de paroisses, des centaines d'usines, des milliers et des milliers d'emplois seraient créés. *La Vérité* reproduisait des plans, des cartes, des photos de locomotives fonçant à travers la forêt, semant derrière elles un chapelet bucolique de villages fleuris et de clochers étincelants. Des colons épanouis, entourés de leurs nombreux enfants, souriaient devant leurs champs verdoyants sur lesquels planait une immense main protectrice, celle du prêtre. Au loin, la fumée des défrichements se mêlait à celle des cheminées d'usine.

Ces grands travaux seraient financés par un syndicat de puissants « argentiers » dont les noms étaient inconnus dans la région mais la réputation considérable aux « States » et même outre-mer. C'est ce qu'expliquait Boivin, le directeur du journal. Les financiers en étaient aux derniers préparatifs, notamment l'obtention d'une charte du gouvernement québécois.

Ce que *La Vérité* cachait, c'est que le dossier suscitait de fortes réticences au sein des gouvernants qui craignaient le mécontentement des industriels du pays et un véritable soulèvement parmi les tenants du peuplement, en particulier la Société des Apôtres de la colonisation. Après quelque temps, les promoteurs réussirent à amadouer les premiers en leur ménageant une participation au projet (entendons : aux bénéfices). Quant aux autres, rien ne sembla plus propre à les assagir que la sanction d'une autorité morale incontestable. Les pensées convergèrent naturellement vers Mgr Bezeau. Un juge très respecté de Québec, tout fraîchement décoré de l'Ordre de Saint-Louis, ainsi que deux avocats montréalais se présentèrent fin août à l'évêché, en compagnie du député et de l'omniprésent Sieur Gosselin.

Charles-Antoine-Maurice-Éphrem, flatté par une ambassade aussi relevée, présenta aux visiteurs le chanoine Butain, son « très précieux et indispensable collaborateur, plein de ressources ». L'homme, très grand, très maigre, s'avança, offrant une main molle que les visiteurs se relayèrent du bout des doigts, puis il reprit sa place debout derrière Bezeau. Il avait le menton presque aussi fuyant que le regard, le sourire plus rare que le cheveu. C'est lui qui, en sa qualité de procureur, administrait le portefeuille de l'évêché. Il le faisait avec une telle largesse de vues que ses propres intérêts faisaient bon ménage avec ceux du diocèse, les deux cassettes prospérant en quelque sorte de concert. Par exemple, il arrivait à cet homme de bien d'emprunter sur le compte bancaire de l'évêché (qu'il gérait en son nom) pour effectuer un placement personnel très sûr, garanti par des alliés de l'Église, ou pour spéculer par amis interposés sur des terrains que la corporation diocésaine avait déjà désignés pour une construction prochaine. Il remboursait ensuite généreusement son créancier. Avec le temps, et parallèlement à la haute diplomatie de l'évêque, Butain en était venu à pratiquer aussi la sienne, dans un style plus effacé, il est vrai, et moins ganté assurément, mais non moins efficace. Le procureur avait le sens de la réciprocité et veillait à le répandre. Il avait fait éclore des amitiés qui lui étaient chères en ce qu'elles lui coûtaient peu et lui rapportaient gros. Entre toutes, il chérissait celles qui le liaient au Sieur Gosselin et au juge Létourneau.

Les membres de la délégation se virent désigner des sièges et Monseigneur se mit à l'écoute. Avant toute chose, l'auguste magistrat, qui arborait sa médaille de l'Ordre, tint à recevoir la bénédiction du prélat. Toute la délégation se retrouva aussitôt à genoux, dans un profond recueillement. L'évêque fut édifié de trouver tant de piété chez des gens du monde et en fit la remarque. Le juge, tout gourmé, tout gominé, se fit l'interprète des siens :

— Mais justement, Monseigneur, la privation accroît le besoin, tout comme la demande fait grimper les prix — si vous me permettez cette allégorie un peu cavalière.

Monseigneur permit ; le chanoine aussi. Autant d'esprit pratique, si bien servi par la dévotion, plaisait à Sa Grandeur.

— En quoi puis-je vous être agréable, messieurs ?

Ils le lui dirent. En termes clairs et concis, agrémentés de quelques autres allégories (cette fois fort pieuses), ils présentèrent le projet de chemin de fer dans toutes ses dimensions, ramifications, articulations, en insistant sur ses nombreuses retombées. Ils firent voir aussi l'ample logistique à déployer, l'ingénierie révolutionnaire à laquelle on ferait appel, la mobilisation sans précédent de ressources, de talents et d'audaces. Ils évoquèrent les avantages matériels de l'entreprise pour leurs promoteurs, bien sûr, mais aussi les perspectives qui s'ouvraient pour la propagation de la foi chez les Sauvages les plus éloignés.

Enfin, ils firent miroiter le profit qu'en retireraient les jeunes gens du diocèse aux prises avec un affreux sous-emploi et tous les vices qui accompagnent ordinairement l'oisiveté, surtout à cet âge. Monseigneur, en pasteur clairvoyant, voyait certes ce qui était à craindre ici ?

Monseigneur, assurément, voyait tout cela et bien d'autres choses aussi. Il tint du reste à le faire voir :

— Sans parler, messieurs, si vous me permettez d'ajouter à vos propos avisés, sans parler du lancinant problème de l'émigration vers Montréal, cette grande métropole mangeuse d'âmes dont nous connaissons vous et moi les dangers qu'elle fait courir à la moralité, n'est-ce pas ?

S'ils connaissaient ! Ils connaissaient même de première main, si l'on peut dire, mais ils n'entrèrent pas dans ces détails. Ils évoquèrent seulement quelques exemples aussi funestes qu'éloquents de « belles jeunesses » égarées, abîmées sur les pavés de la ville perfide. Puis ils revinrent à leur affaire. Le juge, resté vif de corps et d'esprit en dépit de ses longues années sur le Banc, fit le plus gros de la plaidoirie, s'arrêtant parfois pour porter la main à son parement et redresser sa médaille. Des perspectives d'emploi donc, particulièrement bienvenues pour une population brave, travailleuse, et surtout pour un estimable diocèse comme celui du Saguenay, qui avait su garder la foi, la vigueur intacte des fondateurs, et ce grâce à des bergers vigilants, éclairés, dévoués.

Affectant un air détaché, le prélat laissait dire, se contentant de signaler qu'« un gros travail de bras » avait déjà été réalisé par son prédécesseur, M\ggr Labrecque. À ce moment-là, il sortit d'un tiroir de son bureau un petit écrin de nacre contenant du tabac à priser. C'était l'un de ces produits fins dont il était devenu friand et que ses curés lui rapportaient de Rome pour entrer ou rester dans ses faveurs. Il en offrit à la ronde, ne trouva pas preneur. Là-dessus, l'un des deux avocats prit la parole :

— C'est un projet inespéré, Votre Grandeur, et qui tombe à point nommé, comme vous le voyez. Mais en dépit de tous les avantages qui viennent d'être mentionnés, nous pensons que ce n'est pas suffisant. Après tout, ces ressources nous appartiennent, à nous les Canadiens français qui les avons héritées de nos ancêtres; je crois savoir d'ailleurs que votre père lui-même était fils de défricheur, je me fais donc bien comprendre. Il faut nous montrer fermes devant ces riches Américains et faire en sorte que notre population catholique bénéficie le plus possible de leur projet. Il s'agit simplement de se montrer un peu habiles. Et c'est ici que votre concours devient précieux. Je dirais même indispensable.

Monseigneur leva un sourcil :

— Ah oui ? Et de quelle manière ?

— Voici. Ces capitalistes ne s'intéressent qu'à l'industrie, vous savez comment ils sont…

Si Monseigneur savait !

— Tandis que les gouvernants, eux, ne s'intéressent qu'aux taxes et autres profits qu'ils pourront en retirer, vous connaissez cela aussi…

Comment donc !

— Ce qui nous préoccupe, nous, comme Canadiens français et catholiques, c'est l'immense territoire qui sera à jamais soustrait à la colonisation, à notre véritable patrie, toutes ces terres si fertiles qui ne seront jamais exploitées si le projet actuel n'est pas modifié.

Le Sieur, jusque-là silencieux, se fit entendre :

— On ne saurait trop insister, Monseigneur, sur ce point. Il s'agit de notre territoire national, celui de la colonisation. Mais en plus, si je puis me permettre, c'est aussi le territoire ancestral de nos missions, celui que vos prédécesseurs ont évangélisé pendant des siècles d'une manière si héroïque, et qui est encore aujourd'hui parsemé des croix qu'ils ont plantées…

Le prélat se faisait grave. Il confia sa crosse à un assistant, renifla imperceptiblement, croisa ses petites mains rosées, se recueillit un moment puis demanda :

— De quelle superficie parle-t-on au juste?

L'autre avocat avait déjà extrait des cartes de son porte-documents. Il les étendit sur le bureau de l'évêque, désignant un immense quadrilatère:

— Regardez, Monseigneur, c'est presque l'équivalent de l'Acadie ou du Manitoba. Même votre grand diocèse y tiendrait quelques fois…

— Ciel! s'exclamait l'évêque, Doux Jésus! Il y a là de quoi établir des dizaines et des dizaines de belles paroisses.

— C'est bien ce que nous pensons, mais le gouvernement reste insensible à cette perspective.

— Vraiment?

— Vraiment! Nous avons tout essayé, sans succès. L'idéal serait que la charte réclamée par les Américains leur fasse obligation d'aider aux défrichements, à l'établissement de paroisses chrétiennes. Sinon, il sera trop tard. Au point où en sont les choses, il faudrait que se fasse entendre une voix plus puissante, beaucoup plus autorisée que la nôtre. C'est d'une force morale faisant l'unanimité que nous aurions besoin en ce moment.

— Ah oui?

Le juge prenait le relais:

— Monseigneur, au risque de heurter votre modestie légendaire, je ne vous cacherai pas la vérité: vous seul pouvez sauver ces paroisses et ces familles de colons. Vous seul disposez du prestige, de l'autorité capable d'infléchir les esprits à Québec. On vous y connaît bien, vous savez, et on y admire le talent que vous mettez à raccorder les parties en discorde.

L'évêque ne put réprimer une légère contraction sur sa lèvre inférieure:

— N'exagérons pas, je vous prie.

— Nous avons sondé le terrain. Soyez assuré que le Premier ministre lui-même se montrera très attentif à votre opinion. C'est un homme de conviction qui ne change pas d'idée aisément, vous le savez aussi, mais il sait reconnaître le bon sens et la vertu. Une intervention de votre part, suivant votre manière inimitable, pourrait faire toute la différence. Une lettre suffirait.

— Il est vrai que la douceur fait parfois merveille sur les âmes les plus endurcies. J'en ai fait plusieurs fois l'expérience…

Gosselin, qui connaissait son évêque, vit que le fruit mûrissait. Il y alla d'un autre arrosage :

— Je sais que vous êtes insensible à ces considérations, Votre Grandeur, mais il ne nous déplairait pas de donner une leçon à ces puissants étrangers qui n'aiment rien de mieux que de nous faire sentir leur supériorité. L'occasion est belle de leur montrer que ces petits Canadiens français ne sont pas si bêtes ! Comme il serait bon de voir leur arrogance se briser contre votre diplomatie éclairée… Vous n'allez pas nous priver de ce spectacle, Monseigneur ?

L'évêque fit une pause. Cette fois, la contraction s'était étendue à ses deux lèvres. Il parut réfléchir encore, puis :

— Soit ! Je veux bien vous venir en aide dans la mesure de mes modestes moyens.

Les délégués s'exclamèrent bruyamment, exprimant à la fois leur soulagement et leur gratitude. Le député, qui avait servi d'intermédiaire dans l'opération et escomptait une juteuse indemnité pour ses services, se tournait vers les trois hommes de loi :

— Je vous l'avais bien dit ! Je vous l'avais bien dit !

L'évêque se retranchait derrière un voile d'humilité. Lorsque le concert d'éloges se fut tari, il leva ses mains d'angelot et reprit la parole :

— Je pose toutefois une condition.

Du coup, la délégation se refroidit. Le Sieur et le député furent pris d'angoisse.

— Messieurs, vous n'ignorez pas la fierté et même l'orgueil proverbial des âmes dont j'ai la charge. Ces Saguenayens sont de valeureux pionniers qui adorent leur région et sont jaloux de leurs institutions autant que de leurs épouses — si vous me permettez cette formule un peu osée…

— Allons donc !

Le prélat attendit que les rires, bruyants, se calment et enchaîna :

— Ainsi donc, si mon intervention entraînait les heureux effets que vous dites, rien ne plairait davantage à ces braves gens que la chose soit un peu connue ; ils sont si attachés au personnage de leur évêque ! Vous qui vous y connaissez en hommes et en affaires, peut-être serait-il en votre pouvoir de faire en sorte que les gazettes de Québec et de Montréal ébruitent un peu la chose, si je puis dire...

À l'unisson, les délégués émirent un immense soupir de soulagement. Le juge s'exprima en leur nom :

— Mais, Monseigneur, mais cela va de soi ! Pardonnez-moi de ne pas l'avoir mentionné ; j'en suis honteux. Nous devinons bien la sensibilité de ces populations. Soyez rassurés, nous verrons à ce que vos fidèles soient contents : votre nom sera sur la première page de tous les grands journaux.

— Ce genre de requête ne m'est pas habituel, croyez-moi ; mais je sais l'immodestie de mes ouailles !

Les visiteurs commençaient à rassembler leurs documents quand le juge, se frappant le front avec la paume de la main, parut se raviser :

— J'allais oublier, Monseigneur. La création de ces paroisses, du point de vue religieux, entraînera des déboursés. Votre diocèse en a-t-il les moyens ?

— Certes non. Mais Dieu nous viendra en aide, ne vous en faites pas. Et puis nos colons sont habitués à la misère, aux privations, au dénuement ; ils sont admirables sur ce plan. Ils s'en accommoderont, comme toujours. Ils feront confiance à leurs pasteurs et suivront la voie qui leur sera indiquée.

— Mais les curés des futures paroisses, il leur faudra bien une chapelle ou une église, un revenu honnête et un presbytère convenable, ne serait-ce que pour accueillir leur évêque dans ses visites pastorales ?

— Euh...

— Je crois que j'ai une idée. J'hésite à m'en ouvrir car votre austérité est bien connue et je crains de vous offenser.

— Dites toujours, dites toujours.

— Eh bien, ces capitalistes américains sont extrêmement fortunés. Ne pourrions-nous pas les obliger à consentir quelques redevances destinées à financer l'édification des paroisses ? Il faudrait évidemment leur soumettre l'idée, car je parle ici en mon nom seulement — je n'aurais pas osé m'avancer devant eux sur ce terrain sans votre permission — mais je suis certain qu'ils n'y verraient pas d'objection.

— Écoutez, en ma qualité de pasteur des âmes, j'accorde assez peu d'attention à ces choses financières. Toutefois, je ne doute pas que mon procureur-économe, qui est un homme très inventif et plein de ressources, saura accueillir votre proposition et la faire fructifier, n'est-ce pas monsieur Butain ?

— Mais comme d'habitude, Monseigneur ; comme d'habitude.

L'un des deux avocats s'adressa à l'économe :

— Ce sera aisé à régler. Il suffira d'émettre quelques actions de la Compagnie en faveur des nouvelles paroisses.

Butain, aussitôt, objecta :

— La chose me paraît difficile, maître. Ces paroisses n'étant pas encore créées, elles ne sont pas des entités juridiques. Comment donc émettre des titres en leur nom ?

— Mais vous avez parfaitement raison, où avais-je la tête ? Peut-être avez-vous une suggestion ?

— Cela me paraît assez simple : il suffirait de recourir à une disposition provisoire en faisant émettre les titres au nom de Monseigneur lui-même, qui offre certainement toutes les garanties morales…

Ils rirent tous de bon cœur, trouvèrent l'expédient à la fois simple et sûr et s'accordèrent à louer l'ingéniosité de l'économe. Le magistrat, redevenu très sérieux, crut toutefois bon d'ajouter, sur le ton d'une mise en garde :

— Mais que ce soit bien clair entre nous, ce n'est qu'une disposition provisoire. Les nouvelles paroisses seront les véritables et seules bénéficiaires de ces actions qui leur seront transférées au fur et à mesure de leur création. Sans vous offenser, Monseigneur, j'aimerais que cela soit consigné au procès-verbal de notre réunion.

Sa Grandeur donna sa parole, le chanoine également. Le nom de Mgr Bezeau vint donc s'ajouter très officiellement à la liste des actionnaires (presque tous américains) de la nouvelle compagnie de chemin de fer. Si l'évêque avait alors imité le geste de son économe, il aurait parcouru la liste des investisseurs et, tout en bas, aurait aperçu le nom d'Elzéar Gosselin, à titre de détenteur d'un bon paquet d'actions.

Les visiteurs se déclarèrent très satisfaits de la rencontre ; en fait, ils n'avaient jamais rêvé d'obtenir autant et si aisément. Ils louèrent abondamment l'esprit de vision et la sagesse pratique de Sa Grandeur et lui firent présent d'une petite locomotive qui, lorsque mise en mouvement, émettait des sifflements comme à un passage à niveau. Ensuite, ils se levèrent tous et échangèrent de vigoureuses poignées de main, chaque partie se félicitant secrètement de s'être jouée de l'autre.

*　*　*

Quelques semaines s'écoulèrent. Bien d'autres affaires sollicitèrent l'attention et le doigté de l'évêque. Entre temps, à Québec et ailleurs, le projet américain avançait. Comme prévu, la lettre de Mgr Bezeau opéra sa magie, la charte fut émise, et les ingénieurs se mirent au travail. Dans chacune de ses éditions, *La Vérité* commentait les progrès de l'entreprise, soulignait son « urgence patriotique » et donnait à voir ses divers avantages pour la région et pour la nation.

Au début de novembre 1955, une grande cérémonie eut lieu sur les rives du Lac Saint-Jean, tout près de Saint-Félicien, là d'où partirait le fameux chemin de fer. Le prélat fut invité à couper un ruban, à donner un coup de hache symbolique dans un arbre, à lancer dans la forêt une poignée de semences, puis à bénir un rail de chemin de fer. De splendides photos de sa personne, entourée des principaux financiers américains, parurent dans les journaux nationaux. Et les gazettes ne manquèrent pas de saluer avec éclat « l'intervention très perspicace et absolument décisive » de Monseigneur en faveur de cette grande entreprise. Tous les partis se réjouissaient ; même les missionnaires-colonisateurs étaient de la fête.

Mais le plaisir ne dura pas. Au printemps suivant, le chemin de fer s'enfonçait loin déjà dans la forêt et il n'était toujours pas question de défrichements, encore moins de paroisses. En fait, la voie ferrée avait bifurqué vers Chibaugamau et ses gisements miniers. Les capitalistes étaient retournés aux États-Unis, requis par d'autres projets. Le député, convoqué plus d'une fois à l'évêché, se disait sans nouvelles. À Montréal, les deux avocats se faisaient introuvables, et même le magistrat de Québec ne répondait pas aux missives de plus en plus pressantes que lui adressaient les sociétés de colonisation. Le prélat, de son côté, esquivait les questions et tardait lui-même à répondre aux messages que, depuis quelque temps, des missionnaires lui faisaient parvenir au nom des chefs indiens de Pointe-Bleue, de Nikabau, de Manouane et d'ailleurs. Ils s'adressaient à lui comme à « un ami très sûr » dont ils connaissaient bien la générosité. Disant s'inquiéter du nouveau chemin de fer qui allait encore réduire leurs territoires de chasse, ils sollicitaient son intervention bienveillante auprès des gouvernants et des promoteurs. Ils se disaient assurés que son autorité morale ferait la différence.

Dans leur dernière lettre, ils annonçaient leur départ pour Chicoutimi, afin de le rencontrer.

* * *

Ils arrivèrent par la rivière Saguenay, le 8 juillet 1956. Cinq Aînés accompagnés de quelques rameurs, répartis dans quatre canots. Ils accostèrent à la hauteur de l'évêché, dont l'imposant immeuble en pierres de granit se dressait sur un large plateau dominant la rive. Laissant les jeunes derrière, les chefs grimpèrent lentement vers le talus et parvinrent à l'entrée de l'édifice. Un prêtre les reçut et les conduisit dans une salle d'attente.

Monseigneur, à ce moment, avait encore quelques affaires urgentes à expédier : la requête d'un médecin demandant l'autorisation de pratiquer une hystérectomie sur une dame du diocèse qui venait d'accoucher de son seizième enfant ; une réprimande à adresser à un jeune missionnaire de la Baie d'Hudson qui avait célébré la messe en la faisant servir par une Sauvagesse ; une lettre au Premier ministre pour appuyer la candidature d'un ami (par ailleurs « zélé et intelligent supporteur ») au poste de juge ; une autre lettre, au même, cette fois en faveur d'une nièce, employée du gouvernement, pour laquelle il sollicitait une hausse de salaire ; et pour terminer, il relut rapidement un projet de lettre pastorale invitant ses curés à exercer la plus grande vigilance envers leurs paroissiens qui s'aviseraient d'acquérir un exemplaire de la Bible, dont la lecture était formellement interdite à ces esprits simples, de foi robuste mais si aisément égarés.

Les visiteurs furent enfin admis au bureau du prélat. Ils avaient revêtu leurs longues tuniques en peau de caribou et arboraient leurs bonnets en forme de mitres ornés de rubans rouges et bleus. Ils arrivaient chargés de cadeaux : des mocassins perlés, des vestes à longues franges, des raquettes, des provisions de tabac ainsi qu'un magnifique canot miniature qui réveilla subitement chez l'évêque le souvenir de la petite locomotive reçue en cadeau l'année précédente et qui ornait maintenant un rayon de sa bibliothèque derrière son bureau. Il reçut les présents avec grâce puis offrit sa bénédiction à l'assemblée, après quoi chacun prit place. Les visiteurs parlaient assez bien le français, surtout le plus âgé d'entre eux qui se présentait comme leur chef.

Mgr Bezeau faisait connaissance avec Malek Napistau, de Betsiamites. Fidèle à son habitude, l'Indien se fit sobre de paroles et de gestes, intercalant de nombreux silences entre ses propos et ne quittant jamais le prélat du regard.

L'entretien fut cordial, jusqu'au moment où les émissaires abordèrent le vif du sujet :

— Au nom de notre Peuple, nous nous adressons à vous parce que vous nous inspirez confiance. Vous êtes le représentant de l'Esprit Blanc, vous pouvez nous aider ; c'est ce que nos amis les missionnaires nous ont dit. Le chemin de fer en construction va ruiner nos territoires et nos coutumes.

— C'est en effet une grandiose entreprise dans laquelle, vous le savez sans doute, sont engagés d'immenses intérêts.

— Nous avons aussi nos intérêts, qu'il faut protéger. Ces territoires nous appartiennent ; nous les occupons depuis cent générations. Aidez-nous.

— Messieurs, je suis très flatté de l'influence que vous me prêtez, mais comment pourrais-je donc vous secourir ?

— Nous voulons faire arrêter le projet.

— Arrêter le projet ? Mais il s'agit d'une affaire très complexe, comportant de multiples dimensions et retombées, sans parler de la logistique, de l'ingénierie, des articulations, des ramifications…

— C'est un projet injuste. Il viole des territoires de chasse que nous tenons de nos ancêtres. Et nous en avons besoin pour nos enfants qui en auront besoin pour leurs enfants.

— En effet, en effet, mais…

— Si nos territoires sont détruits, nous ne pourrons même plus recevoir vos prêtres et nous serons privés de religion. Vous devez intervenir pour faire arrêter les travaux.

— Comme vous y allez !…

— Vous êtes un homme puissant, honnête. Tout le monde vous respecte. Et vous avez le don de la parole.

— Mon Dieu, mon Dieu, je crains que vous ne surestimiez mes talents.

— Faites quelque chose pour nous. Depuis des siècles, vos missionnaires vivent parmi notre peuple, ils nous ont appris à prier le même Dieu que vous, à parler la même langue. Nous sommes des frères maintenant.

— Écoutez, je ne puis en effet rester insensible à vos représentations. Il est vrai qu'une longue histoire, une vieille amitié nous unit. Je… je vais voir ce que je peux faire.

— Nous pouvons compter sur vous?

— … Vous pouvez compter sur moi. Ne soyez pas trop optimistes, mais je vais tenter quelque chose.

Les Indiens se réjouirent de ces paroles et se levèrent pour serrer la main de l'évêque. La rencontre se termina sur une note plutôt gaie; les visiteurs étaient rassurés. Monseigneur les accompagna vers la sortie où il prit congé d'eux. Il retourna ensuite dans son bureau et s'arrêta devant l'immense bibliothèque qui recouvrait tout le mur du fond. Pointant le doigt vers la petite locomotive, il interpella le prêtre qui avait assisté à la réunion :

— L'abbé, vous aurez l'obligeance de déplacer ce bibelot. Il est un peu encombrant.

* * *

Entre temps, Louis-de-Gonzague avait fait son travail. Pendant des mois, *La Vérité* et les notables de la ville avaient mis tant d'ardeur à louer le projet de chemin de fer qu'il lui était devenu suspect. L'avocat avait d'abord rassemblé les données officielles, puis toutes les autres : les scénarios que les promoteurs rejetaient avec véhémence, certaines dispositions de l'entente sur lesquelles on faisait silence, enfin les informations qui circulaient à mots couverts. Belley avait profité d'un voyage à Québec pour aller consulter, au ministère des Terres et Forêts, le terrier des espaces visés par le projet puis, aux Archives de l'Enregistrement, les titres et droits octroyés ainsi que l'identité des bénéficiaires. Il recueillit quelques indiscrétions auprès de collègues de la vieille

Capitale dont les services n'avaient pas été retenus par les promoteurs et qui en avaient conçu de la rancune. Il eut aussi, dans des restaurants et des bars de la rue Saint-Jean, quelques conversations innocentes avec des députés de l'opposition depuis trop longtemps sevrés de patronage. Enfin, un samedi matin, il s'enferma dans son bureau et n'en sortit que le lendemain soir, portant sous le bras les textes de la prochaine édition du *Zadig*.

Elle fit beaucoup de bruit dans la région et même à l'extérieur, grâce aux journaux nationaux qui en reprirent les éléments principaux en manchette. Les lecteurs apprirent que les Américains s'étaient assuré un gigantesque « bonus » sous la forme d'une exemption fiscale de cinquante ans ; que des députés ministériels avaient retiré des honoraires substantiels en agissant comme « experts » durant la phase préparatoire du projet ; que certains d'entre eux siégeaient au conseil de la nouvelle compagnie dont ils détenaient des actions ; que l'octroi émis par le Conseil exécutif du gouvernement ne comportait aucun engagement relatif à l'installation de colons et à l'établissement de paroisses.

Le peuple, qui en avait vu d'autres, accueillit ces révélations à sa manière habituelle qui alliait la raillerie et le cynisme. Mais elles mirent le feu aux poudres dans les ministères et les autres officines du pouvoir. À l'inverse, elles firent les délices des salles de rédaction ainsi que des bureaux d'avocats alléchés par les perspectives de poursuites. Elles semèrent aussi beaucoup d'émoi chez les Apôtres de la Colonisation, les notables et autres bien-pensants de la nationalité, encore une fois flouée. Enfin, à l'évêché, elles plongèrent Mgr Bezeau et sa suite dans l'effroi.

Car Louis-de-Gonzague avait tenu à réserver à Sa Grandeur un traitement de faveur. Il garda pour une édition subséquente du *Zadig*, alors que la clameur publique commençait à faiblir, un article dans lequel il relata la rencontre de l'évêque avec la délégation de Québec. Il décrivit les grandes lignes de l'entente alors intervenue qui faisait de Monseigneur rien de moins qu'un actionnaire de l'entreprise. *La Vérité* cria au sacrilège et invita la population à ne pas donner foi à ces attaques en provenance d'un impie. L'avocat répliqua en invitant ses contradicteurs à en découdre devant les tribunaux. Son adversaire fit valoir que Sa Grandeur, comme l'ensemble du clergé, ne relevait pas de cette justice-là, livrée aux manœuvres des intrigants, mais d'un tribunal bien plus auguste devant lequel des individus comme le petit Voltaire Belley n'étaient pas admis à plaider, encore moins à juger.

Louis-de-Gonzague maintint la pression et profita de toutes les occasions pour glisser quelque autre provocation dans son journal. Le ton de *La Vérité* enfla encore, mais aucune poursuite ne vint.

Très fâchés, les Apôtres de la Colonisation s'agitèrent mais en se retenant; l'autorité épiscopale les contraignait à la discrétion. De même, les prêtres du Séminaire, qui s'étaient trouvés fort humiliés par la conduite de leur pasteur, s'abstinrent de toute manifestation et trouvèrent des chemins plus détournés, mais non moins efficaces, pour faire connaître leur sentiment.

On restait, pour l'heure, sans nouvelles des chefs indiens qui, venus à l'évêché pour solliciter l'aide d'un adversaire du projet, étaient tombés sans le savoir sur l'un de ses actionnaires.

Chapitre 36

Après la rupture de fin août 1955, Mercurie n'avait plus donné signe de vie. Léo ne sortait plus guère de son camp que pour se rendre à son bureau du Temple. Il ne visitait plus l'atelier de Machine ni la coulée de Cageau. Devant ses adjoints, il s'efforça d'abord de cacher sa peine, mais c'était trop lourd à porter. Bientôt, il chercha à s'isoler de ses proches. Il sautait dans son camion et roulait longtemps au hasard dans les chemins du chantier. Il se désintéressa de ses affaires jusqu'à fuir son travail, laissant à Fabrice et aux autres la direction des opérations. Il repassait tous les jours devant la maison de Laterrière, mais n'osait se présenter à la porte. Il faisait la tournée des scieries que sa fiancée fréquentait; elle était introuvable. Il retournait aux endroits qu'ils avaient visités : les ruines du Vieux-Moulin, le barrage du Portage, les rangs des environs. Il retrouvait partout sa voix, son visage et même parfois le grondement du Ford surchargé peinant dans les mauvais chemins. Il se rappelait qu'en son adolescence, rue Châteauguay, il trouvait à ce moteur une petite voix criarde, irritée; elle lui était maintenant devenue la mélodie la plus douce, la plus chère. Après quelques semaines, il ne songea plus qu'à s'évader, à chasser sa douleur. Il s'alimentait mal, repoussait les mains secourables qui lui étaient tendues. Il maigrit beaucoup. Sa tenue négligée, le masque décharné de son visage, son regard implorant, égaré, jetaient le trouble autour de lui. En octobre, il se désintéressa de la « retraite » de Montréal qu'il laissa aux soins d'Eudore et Fabrice.

Un matin de décembre 1955, après une nuit sans sommeil, il se rendit aux Chicots ; il avait besoin de la chaleur de Marie. Il la retrouva dans sa chambre, faisant ses prières. Elle s'étonna de sa visite à une heure aussi matinale :

— T'as mauvaise mine, mon petit garçon. Tu manges pas assez ?

— J'ai mal, grand-mère.

— De quoi donc ?

— Le même mal que tante Mathilde, je pense.

— Mon pauvre enfant, te v'là bin mal emmanché !

De sa main tremblante, elle lui caressa le front, les cheveux, pendant qu'il lui parlait de Mercurie, de l'amour qu'il avait pour elle, de leur séparation, de ce que sa vie était devenue, du dégoût qu'il en avait :

— C'est comme si c'était toujours la nuit. J'ai peur de devenir fou…

— Dis pas d'affaire de même.

— Vous avez jamais vécu ça, quand vous étiez jeune ?

— Mon pauvre toi, le mariage dans notre temps, c'était l'union du bœuf pis de la charrue. Du moment qu'on s'accordait… Ça faisait pas beaucoup d'étincelles, c'est sûr ; d'un autre côté, ça faisait pas de feu non plus, on risquait moins de se brûler.

— Vous auriez réagi comme Mercurie, vous ?

— Comme de raison ! Ça m'est jamais arrivé mais il me semble que quand on est trompé, plus on aime, plus on est fâché, non ?

— Je me contenterais qu'elle m'aime un peu moins…

Elle se pencha sur lui en souriant, lui tapota la joue affectueusement :

— T'en fais pas. Si ta Mercurie est aussi fine que tu le dis, elle va revenir. La nature est pas folle ; elle reste pas longtemps désaccordée.

— Puisque vous le dites…

Mais la nature ne se pressait pas. Ce fut bientôt l'hiver, puis le printemps et rien ne s'arrangeait. Très tard le soir, les Villageois voyaient le Bâtard traverser la Place et déambuler aux abords de la Rivière qui s'était libérée de ses glaces. Inquiets de le voir si mal en point, ses amis le gardaient à l'œil, craignant le pire. Plus rien ne lui importait que cette souffrance. Mais ses cris ne se laissaient pas entendre ; Mercurie restait inflexible, invisible. Fabrice, Eudore, Valère se faisaient assidus auprès de lui, tentaient de le raisonner :

— Remet de l'ordre dans ta tête, Léo.

— C'est pas la tête qui est de travers.

— Tu sais bien que Mercurie va revenir ; on va voir arriver son troque un beau matin…

— Vous la connaissez mal.

— Tu t'en fais trop. Tu t'imagines que c'est fini, mais en fait, elle t'a rien dit ?

— C'est bien ce qui m'inquiète.

Il se mit à boire pour chasser les cauchemars de la nuit, et bientôt ceux du jour. Il crut dissiper son chagrin dans des fugues, des excès. Et cependant, tous les matins, il se réveillait devant sa douleur. Il reprenait la fuite. Parfois, les Villageois étaient quatre ou cinq jours sans le voir. Il disparaissait seul et nul ne savait où le trouver. Des inconnus finalement le ramenaient dans un état pitoyable, ou bien un train le déposait comme une loque à la gare, ou encore un policier le découvrait la nuit errant sur le port. Seule la pensée de ne pas s'éloigner davantage de Mercurie le dissuadait d'en finir pour de bon.

D'autres fois, il emmenait avec lui Padoue-l'Ours, Ti-Co, De-la-Mort. Ils faisaient la tournée des tavernes et des hôtels dans un coin ou l'autre de la région. Ces virées-là faisaient du bruit et trouvaient des échos peu favorables dans les pages de *La Vérité*. En avril 1956, au début de la semaine de Pâques, ils partirent tous les quatre, entraînant Fabrice, et patrouillèrent les mauvais lieux de la rive nord entre le lac des Habitants et Saint-Fulgence. Ils réapparurent quelques jours plus tard, complètement ivres, marchant sur les glaces au bord de la rivière. Un grand soleil inondait le Fjord, chassant l'hiver. Léo avait abandonné son Chevrolet un peu plus loin. Parvenus à la hauteur du pont menant à Chicoutimi, ses compagnons s'y engagèrent à pied, mais lui se rapprocha encore de la rive puis s'avança vers le large à travers la frasie. Il parvint là où les eaux charriaient de larges plaques de glace encore recouvertes de neige. Des glaces descendues du Lac, de Pointe-Bleue, de Mistouk. Il parvint à prendre pied sur l'une d'elles et s'y allongea de tout son long, dans le sens du courant. Du haut du tablier, les autres, subitement dégrisés, lui criaient :

— Léo, Léo ! T'es fou ! Arrête, calvaire !

Il n'en faisait aucun cas.

C'était durant l'office du Vendredi Saint. Les cloches de la cathédrale sonnèrent ; il mit ses bras en croix. Sur le pont, les hommes, ahuris, impuissants, regardaient cette longue silhouette allongée, comme sur un cercueil blanc, dérivant au milieu de la rivière. Sur les deux berges, des attroupements se formèrent. Personne, heureusement, ne reconnut le Bâtard à cette distance. On crut à un fou, un noyé. À la hauteur de Rivière-du-Moulin, le courant le fit miraculeusement dévier sur sa droite. À une centaine de pieds de la rive, la plaque de glace bascula et Léo se retrouva à l'eau. Ses longs bras se mirent en mouvement, presque machinalement, et il put gagner le bord où quelques volontaires, munis d'un grappin, le récupérèrent. Il fut conduit à l'hôpital où on le garda quelques jours.

Mercurie, informée des débordements de Léo, s'en alarmait. Des proches intervenaient auprès d'elle pour adoucir sa colère, l'inciter à la clémence. Elle résistait :

— C'est pas la colère qui me retient, c'est la déception. Puis c'est pas la clémence qui me fait défaut, c'est la confiance.

Sa mère voyait les choses autrement. La dame, nous l'avons dit, était autoritaire et avait connu plus que sa part de misères. Elle savait, comme elle le disait, démêler le pain noir du blanc, la croûte de la mie. Un jour, elle décida de prendre les choses en main :

— Arrête donc tes simplicités, Fille. Tu vois bin que c'homme-là est fou de toi. T'as un bon parti, tu vas toujours pas le faire exprès pour le gaspiller ! C'est des caprices, tout ça.

Mercurie ne se laissait pas fléchir :

— Tu voudrais que je m'écrase ? C'est pas comme ça que tu nous a élevés, m'man ! Tu nous a appris à pas nous écouter pis à tenir notre bout dans la vie.

— T'exagères ; je vous ai jamais dit de vous l'arracher du corps, quand même. C'est ce que t'es en train de faire, là.

— Maman, depuis que pepa est mort, on a toujours été pauvres comme la gale. De la misère, on en a mangé à notre saoul, tu le sais. La seule chose qu'on a pu mettre de côté pour nous autres, c'est un peu d'orgueil, c'est l'idée qu'on devait rien à personne, qu'on était capables de se débrouiller tout seuls, qu'on avait pas de charité à recevoir du voisin, que même raides maigres, on pouvait se tenir debout ! Tu m'as toujours dit qu'on devait jamais se mettre à genoux, même devant la misère. Surtout pas devant la misère. Pis la richesse encore moins !

Elle avait parlé sur le ton de la colère tout en parvenant à se maîtriser. Subitement, elle s'effondra et des larmes roulèrent sur ses joues :

— J'ai toujours été une bonne fille, m'man ; j'ai toujours fait comme tu nous as dit. Dis-le moi que j'ai été une bonne fille ! On en a tellement arraché, toi pis moi, on a tellement…

Elle braillait maintenant. La mère s'était approchée, l'avait attirée contre elle :

— Bien sûr qu'on en a arraché, bien sûr. Qu'est-ce que tu

veux, la vie s'est présentée comme ça à nous autres. On s'est défendues comme on a pu. Mais arrête, là ; arrête parce que tu vas me faire pleurer moi aussi ; on va avoir l'air de deux feluettes au milieu de la cuisine.

Elle soulevait son tablier, essuyait elle-même une larme, surmontait son trouble :

— Je t'ai élevée trop durement, je m'en rends bien compte. Mais c'est pas de ma faute, tu le sais, c'est pas de ma faute…

Mercurie sanglotait doucement, posait sa tête sur l'épaule de sa mère :

— Fais-toi pas de reproche. Je regrette rien au fond. T'avais pas le choix, je sais bien. T'as fait ce que tu devais. Mais j'ai donc trouvé ça dur, m'man, tu peux pas savoir ! Tu vois, je pense que ça fait des années que je me suis pas collée contre toi…

— Mais pourquoi t'as enduré à ce point-là ? Pourquoi tu l'as pas dit ?

Mercurie resta silencieuse un moment. Elle s'abandonnait à l'étreinte maternelle, se laissait réchauffer le cœur, heureuse de retrouver ce refuge depuis si longtemps déserté. Toute pudeur avait disparu maintenant entre les deux femmes :

— Je voulais donner l'exemple aux plus jeunes ; je voulais être forte, comme toi. T'étais pas facile à suivre, tu sais. Quand j'ai pris le troque à dix-huit ans, j'étais contente de moi ; j'étais fière de remplacer notre père, de rentrer de l'argent à la maison, de travailler comme lui. Sur le coup, je me suis pas rendu compte du mal que je me faisais. Avec tout ça, j'ai jamais été un vrai garçon comme de raison, jamais été une vraie fille non plus. J'ai pas eu de jeunesse, pas vraiment d'amies. J'ai même jamais su m'amuser, je pense. Tout ce que j'ai appris, c'est de me raidir, de pas m'écouter, de pas penser à faire comme les autres filles.

— Ma pauvre toi, ma pauvre enfant…

Mercurie brailla encore un coup puis, subitement, se releva :

— Bon, on va arrêter de pleurnicher, an ? Je suis quand même contente de ce que j'ai fait. Je l'ai fait pour toi, pour pepa, pour les jeunes. Je t'avais donné ma parole que je serais toujours là pour vous autres. J'en avais fait le serment, tu te rappelles ? J'ai été correcte, an ? An, m'man ? Dis-moi que j'ai été correcte…

— Mais oui, t'as respecté ton serment ; arrête donc de te faire du mal. Pis t'as pus à t'inquiéter ; les enfants ont grandi, ils sont capables de prendre soin d'eux autres. Bien sûr que tu peux reprendre ta parole, asteure ! C'est le temps que tu penses à toi, là. Juste à toi.

Léo reçut son congé de l'hôpital un après-midi et vit qu'il avait atteint le fond de sa peine. Le lendemain soir, sans s'annoncer, il se rendit chez les Dallaire. Mais il joua de malchance. Des voitures étaient stationnées autour de la maison ; des parents y passaient la veillée. S'étant avancé sur la galerie, il s'arrêta un instant devant la fenêtre du salon. Quelques invités se tenaient autour du piano et chantaient. La mère de Mercurie l'aperçut, sur le point de rebrousser chemin. Elle sortit, l'attrapa fermement par le bras, l'attira à l'intérieur et l'immobilisa devant sa fille :

— Bon, c'est le temps de vous parler, vous autres.

— Voyons, m'man, pas devant le monde…

Mais la famille, les parents approuvaient. Le Bâtard restait là, figé au milieu du salon. Mercurie lui jetait de petits coups d'œil, à la dérobée ; sa pâleur, sa maigreur la troublaient. Il parvint à articuler :

— Ta mère a raison. Je veux te parler.

Il sortit sur la galerie et attendit. Quelques minutes plus tard, la porte s'ouvrit lentement. Mercurie était là. Elle restait debout face à la route, sans le regarder.

— Marie, on se fait mal, puis on perd du temps. Dans ma famille sur la Réserve, ils disaient que le bonheur, c'est pas comme le soleil ; quand ça s'en va, c'est pas sûr que ça va revenir. Si tu m'aimes encore, dis-le moi maintenant. Sinon…

— Dans ma famille à moi, ça parlait pas beaucoup du soleil pis encore moins du bonheur. Mais quand ils s'engageaient envers quelqu'un, ils s'organisaient pour pas le tromper.

Léo fit un pas vers elle :

— Je t'aime comme un fou, Mercurie, c'est impossible d'aimer plus que ça. J'aimerais mieux mourir que de continuer à vivre de même. Depuis des mois, j'essaie de te le dire ; mais tu te sauves de moi, tu veux pas m'entendre. Je sais que j'ai fait une grosse faute ; je te demande pardon. Qu'est-ce que tu veux que je fasse de plus ? Donne-moi une chance, rien qu'une chance ; tu verras bien.

Elle n'avait pas bougé, ne le regardait toujours pas. Un moment passa, puis :

— T'as changé de troque ?

— … Hier.

— T'as pas pris un Chevrolet ?

— Non. Un Ford… un Ford Mercury, tu vois bien…

Elle sembla rester indifférente, ne dit mot. C'est le Bâtard qui reprit :

— T'as vu ? Avec un gros différentiel.

— Ouais.

— J'ai… j'ai pris un dix-roues cette fois-là.

— J'ai vu ça !

— Avec une dompeuse à coulisses ; c'est nouveau. Le… le criard* sur le volant aussi, c'est commode. Pis une suspension à… une suspension à…

Elle ne bougeait toujours pas.

— Tu veux qu'on aille l'essayer ?

— On peut.

Ils descendirent, s'approchèrent de l'énorme véhicule. Léo lui tendit les clés :

— Tu veux chauffer ?

— Bin oui.

Ils montèrent chacun de son côté. Les pneus, les garde-boue, les marchepieds étaient encore immaculés ; il y avait de gros feux de position à l'avant et à l'arrière, deux immenses rétroviseurs de chaque côté de la cabine. Elle ajusta le sien, mit le moteur en marche, embraya. Ils roulèrent un moment en silence. Elle essayait les commandes, caressait la pomme du levier d'embrayage, passait les vitesses. Il la regardait faire :

— T'as vu? On a plus besoin de faire les doubles-clotches; c'est synchronisé.

À un moment, elle lui jeta un coup d'œil et laissa tomber :

— Le volant est doux, les bréques aussi; c'est nouveau?

— C'est hydraulique, ça évite de forcer.

— T'es rendu paresseux?

— Pas vraiment. Je… je l'ai acheté pour toi.

— Pour moi? Un dix-roues?

— Regarde, y a un miroir derrière le pare-soleil. Y a un coffre à gants aussi. Pis là, ça, c'est pour laver les vitres du pare-brise. Tu vois bin, c'est un troque de filles…

Elle réprima un sourire. Puis :

— Qu'est-ce que je vais faire du mien? Il est presque neuf.

— Tu peux me le vendre…

— Pense pas que tu vas tout régler à coup de troques, là!

— Je voulais juste te dire que j'ai perdu le goût des Chevrolet. C'est fini les Chevrolet.

Elle roula encore un moment, puis :

— Un dix-roues, franchement…

— Ils avaient pas plus gros que ça au garage.

Elle feignit de ne pas avoir entendu. Plus loin, en tournant à un coin de rue, elle glissa :

— Bon, à partir d'asteure, tous les deux, tu t'occupes des pédales si tu veux; mais moi, je m'occupe du volant.

— Tu pourrais t'occuper des pédales pis du volant si tu venais t'installer avec moi au Village.

— C'est pas le chemin de Pikauba qu'on vient de prendre là?…

* * *

Fou de bonheur, le Bâtard vivait maintenant avec Mercurie, dans un camp plus spacieux qu'il avait fait aménager, rue de Vérone. Il avait acheté des meubles plus confortables et fait planter des rosiers autour de la galerie. Le soir, comme autrefois, le couple se mêlait à la vie du Village. La joie était revenue parmi les Pikaubains. *O Sole Mio,* qu'on n'avait pas entendu depuis un bout de temps, enchantait de nouveau la Place.

Ils allaient souvent chez les Dallaire ; le Bâtard s'y plaisait. Un soir, il eut la surprise de voir Mercurie s'asseoir au piano et jouer quelques morceaux ; des valses, des airs de folklore, des marches. Ébloui, il s'approcha et s'assit près d'elle sur le banc, sans interrompre son jeu. Quand elle s'arrêta, il l'embrassa :

— Ça par exemple ! Pour une chauffeuse de troque…

— C'est pas aussi dur que tu penses. Le travail des mains est un peu plus compliqué, mais pour les pédales, c'est facile ; c'est comme des doubles-clotches…

Ce même soir, ils rentrèrent très tard au Village. Valère attendait le Bâtard à son camp. Il lui apprit que la grand-mère Marie venait de subir une violente attaque ; elle était hospitalisée à Alma. Léo remonta en vitesse dans son camion et prit la route du Lac, accompagné de son cousin. Arrivés à l'hôpital, ils montèrent à la chambre de la malade. Quelques parents s'y trouvaient. Léo s'approcha du lit. La grand-mère avait les yeux fermés et respirait faiblement. Il lui prit la main et lui dit quelques mots, mais elle n'eut aucune réaction. Il revint dans le corridor. Un médecin expliquait à l'oncle Adhémar que, dans l'immédiat, il ne craignait pas pour la vie de la patiente, malgré son âge très avancé — elle avait plus de quatre-vingt-dix ans — mais le cerveau était gravement touché.

Dans les semaines qui suivirent, elle prit du mieux et on put la ramener aux Chicots. Mais elle était paralysée. Elle avait aussi perdu l'usage de la raison et ne reconnaissait plus personne. Léo se rendit la voir à quelques reprises, espérant une amélioration qui ne vint pas.

Chapitre 37

La Mistapéo n'avait pas trop souffert des dérapages du Bâtard, grâce aux bons soins des contremaîtres et aussi des jeunes gestionnaires (les « Petites Cravates ») qui ne demandaient qu'à s'affirmer. Léo, ragaillardi, reprit les cordeaux de l'entreprise et voulut faire oublier sa dépression. Il voyagea de nouveau aux États-Unis, revint bourré d'idées, lança des projets, élargit encore son champ d'action. Prévoyant un développement de Chicoutimi vers le sud, il fit l'acquisition de quelques fermes en bordure de la ville, avec l'intention de les diviser en lots résidentiels. En mai 1956, il acheta un poste de radio à Chicoutimi et devint actionnaire principal de la station de télévision qui venait d'entrer en ondes dans la région. Comme il se déplaçait souvent maintenant en hydravion pour survoler les chantiers ou reconnaître des territoires de coupe, il acheta un appareil puis trois autres qu'il exploita sur une base commerciale par l'entremise d'une nouvelle compagnie (Air Saguenay) dont il confia la direction à Rodolphe Pagé, un vétéran pilote de brousse qui s'était rendu célèbre dans l'Est du Québec par ses exploits.

Un jour du mois de juin, Valère vint le voir à son bureau du Village avec un grand cartable rouge sous le bras, comme il le faisait de temps à autre. Il l'ouvrit devant lui, commenta les chiffres de la dernière année et attira son attention sur les actifs ainsi que la répartition des parts de la Société : le Bâtard, à lui seul, valait quatre millions ! Sept années seulement après son retour de Binghampton, il était devenu l'homme le plus riche de la région. Ce soir-là, il offrit à Mercurie un grand souper au restaurant de l'Étape, à mi-chemin entre Québec et Chicoutimi sur la route du Parc.

Il continua sur sa lancée, ignorant les appels à la prudence que lui lançaient ses proches — seules les Petites Cravates applaudissaient. Passant un jour à Dolbeau, il s'arrêta dans un magasin et s'étonna d'y trouver des sculptures maladroites, taillées dans de superbes blocs de pierre. Il s'informa de leur provenance et fut mis sur la piste d'un gigantesque dépôt de granit d'une grande qualité. Il s'en porta acquéreur pour trois fois rien, créa une autre compagnie qu'il dota de fonds modestes et commença l'exploitation. Très vite, il exporta vers Montréal, Toronto et même aux États-Unis. L'affaire rapporta beaucoup et devint l'un des joyaux de la Mistapéo. La même chose survint dans le transport routier. Pour entretenir sa flotte de camions, le Bâtard avait construit de grands garages, embauché des équipes de mécaniciens, édifié un entrepôt de pièces de rechange. Il eut l'idée d'ériger ce service en compagnie et de diversifier ses activités. En peu de temps, il allait devenir un acteur important dans l'industrie du camionnage. Tout, désormais, lui venait aisément. Trop peut-être ?

Pendant ce temps, diverses rumeurs couraient sur le compte de Gosselin. Certaines le disaient, à l'âge de soixante-six ans, tenté par la retraite, sur le point de vendre toutes ses entreprises. Selon d'autres sources, il était en sérieuse difficulté, peut-être même sur le bord de la faillite. Du côté de la Mistapéo, on ne prêtait guère attention ni aux unes ni aux autres ; le Sieur ne menaçait plus, c'était l'essentiel.

* * *

À la fin de juin 1956, un grand émoi vint troubler la vie du Village. Comme elle le faisait souvent, Nova était partie tôt le matin pour une autre de ses longues courses en forêt dont elle ne revenait qu'à l'heure du souper. Elle se traçait des itinéraires, recherchait les clairières, les savanes, les rivages, parfois retrouvait de vieux portages d'Indiens et se guidait sur le mouvement du soleil.

Ce jour-là, après qu'elle eut traversé un épais boisé, le temps se couvrit et, bientôt, le brouillard envahit la forêt. Nova poursuivit sa course en brisant son parcours et, après deux ou trois milles, comprit qu'elle s'était égarée. Elle grimpa au sommet d'un érable et ne vit que de la grisaille autour d'elle. Elle suspendit un bout de branche au-dessus du sol et n'aperçut aucune ombre d'un côté ou d'un autre. Elle courut encore, changeant plusieurs fois de direction, et s'aperçut qu'elle revenait toujours au même point après avoir, à son insu, effectué de larges cercles. Jusqu'à la nuit, elle poursuivit ses efforts, avec le même résultat. Alors, elle se maîtrisa et, sagement, décida de s'immobiliser jusqu'au lendemain sous une talle de bouleaux.

La nuit fut longue. L'Indienne eut à subir les piqûres des moustiques qui bourdonnaient à ses oreilles et pénétraient sous ses vêtements. Il plut, elle eut froid, sautilla, fit mille fois le tour de chaque arbre de son abri pour se réchauffer. Elle entendit tous les cris de la forêt, qu'elle s'appliqua à identifier en guise de diversion. Enfin, les lueurs diaprées de l'aube apparurent à travers les feuillus. Elle soupira : le ciel était clair.

À Pikauba, pendant ce temps, la panique avait succédé à l'inquiétude. Clothilde et Fabrice étaient consternés, ainsi que Ouellet et les Écoliers et tous les autres. Le Bâtard et Mercurie se tenaient sur la Place. Vers la fin de la soirée, il y eut un conciliabule au Temple. Babèle avait vu partir Nova vers l'est avec ses mocassins et sa chemisette jaune. Les Indiens se concertaient :

434

— Le temps s'est couvert subitement, elle a sûrement perdu ses repères.

— Espérons qu'elle a eu l'idée de s'arrêter, sinon elle va s'épuiser à tourner en rond.

Kurtness interpella Fabrice :

— Elle est gauchère ? droitière ?

— Euh… gauchère, je pense. Oui, gauchère. Pourquoi tu demandes ça ?

— Par ce que, si elle est gauchère, il est probable que, sans s'en rende compte, elle va faire des cercles de droite à gauche.

— Pis, à quoi ça nous avance ces niaiseries-là ?

— Écoute, Brice, on va probablement la retrouver assez vite, mais si ça devait traîner, c'est le genre de chose qui peut aider.

— J'ai l'impression que c'est vous autres qui tournez en rond, là. J'ai pus de temps à pardre, moué. J'y vais.

Ils le retinrent :

— Ça sert à rien ; tu vas te perdre toi aussi, ça va faire deux problèmes au lieu d'un. Y a rien à faire avant le lever du soleil.

Fabrice fit une grosse colère, mais on le ramena à son camp où des femmes entouraient Clothilde.

Léo, Méon et Kurtness formèrent des équipes pour la battue. Des hommes de Gosselin, qui travaillaient à une vingtaine de milles vers le nord-est, furent appelés et ils formèrent eux aussi des équipes. Il y eut une veillée d'armes sur la Place où les Pikaubains, regroupés, parlaient à voix basse. Au petit jour, tout le monde se mit en marche. Hommes et femmes s'enfoncèrent dans les bois en formant de longs cordons. Vers midi, alors que deux groupes de tête débouchaient sur une longue clairière longeant un ravalement, ils aperçurent Nova. Dans sa chemisette jaune, elle courait dans leur direction, d'un pas régulier, assuré. Elle sourit d'aise en voyant les marcheurs, dont Fabrice faisait partie, mais parut surprise de la commotion qu'elle avait créée. Puis elle s'excusa de sa bévue.

Partagé entre la joie et la colère, le contremaître exultait, grondait, prenait Nova dans ses bras puis la tançait durement. Plus tard, lorsqu'elle se trouva en présence de sa fille, Clothilde, à son tour, s'exclama, pleura, gesticula, rendit grâce « au doux Jésus » :

— Si ça a du bon sens ! courir à se désâmer* comme ça...

Puis, constatant que l'Indienne, malgré son épuisante équipée, ne se portait pas trop mal, elle eut ce mot qui mit fin aux lamentations :

— Coudon, c'est toujours bin vrai qu'y sont inmourables, ces saprés Sauvages-là !

* * *

Tout à son succès, Léo ne voyait pas qu'autour de lui, les gens, la vie avaient changé. Au Saguenay, les fantômes de la Grande Crise s'étaient estompés depuis longtemps et la génération qui en avait le plus souffert avait vieilli, laissant la place aux jeunes. Dans la région, comme au Québec, de nouveaux syndicats, libérés de la tutelle cléricale, se faisaient plus agressifs ; les salaires augmentaient, entraînant la consommation. Les familles ne se contentaient plus du boire et du manger. Un peu partout, les horaires de travail s'allégeaient aussi, la télévision entrait dans les maisons, les automobiles envahissaient les routes. Mais le Bâtard continuait de gérer ses opérations, et surtout ses employés, comme aux premiers temps, en maintenant partout la plus grande austérité. Tant que la Mistapéo était fragile, menacée par Gosselin et les autres, les gens de Pikauba s'accommodaient de ce régime. Ils tenaient à faire leur part pour la compagnie, pour le Bâtard, et se réjouissaient de ses succès. Mais désormais, ils élevaient la voix :

— Trois repas de binnes par jour, ça fait beaucoup de binnes à la fin de la journée.

— À la fin de l'année aussi...

À quoi les contremaîtres, peu convaincus eux-mêmes de leur cause, répliquaient :

— Sont bonnes, par exemple. C'est des bonnes binnes...

Les mauvaises blagues circulaient sur « les binnes à Léo ». Certains le tournaient maintenant en dérision :

— Nous autres, dans notre coukerie, on se plaint pas ; y a toujours au moins deux menus : des fèves au lard pis des binnes ; des fois les deux…

Le Bâtard, informé de la grogne, réagissait mal, faisait des colères. Des jeunes, qui avaient taillé leur place dans ses diverses compagnies, auraient voulu plus de loisirs. Et les visites occasionnelles des colporteurs avec leur bric-à-brac ne leur suffisaient pas. Eudore les admonestait :

— C'est pas l'esprit de Pikauba, ça. On voit que vous êtes pas des vrais fondateurs !

Il avait entendu le mot de la bouche de Ouellet. Les autres ricanaient :

— Pis ?

Du reste, les « fondateurs » eux-mêmes entretenaient quelques griefs contre le patron. Fabrice, Eudore et Valère l'approchèrent un jour :

— Ça gronde, Léo. Les gens savent que les affaires vont bien. Ils disent qu'on fait de l'argent comme de l'eau, mais que ça coule pas par en bas. Ils voudraient avoir leur part.

— Leur part ? Quelle part ? C'est moi qui ai tout monté ici. Je pense que j'ai été correct avec tous les employés. La plupart d'entre eux étaient sur la paille avant de travailler pour moi.

Et il ajoutait, comme s'il voulait conjurer une menace :

— Puis j'ai été correct avec vous autres aussi !

— Il s'agit pas de nous autres, mais des employés. Ils ont pas tort. C'est devenu gênant, on sait pas quoi leur répondre.

— Ils font leur travail, ils reçoivent leur salaire. Ils sont traités comme tous les gars de chantier.

— Justement, pas tout à fait. Ils sont pas assez protégés contre les accidents. Ils sont moins bien payés que les employés à Gosselin. Ils ont moins de vacances, ils ont pas de fonds de pension. Ils se plaignent des camps, des bécosses. Ils voudraient être mieux logés, avoir la télévision. Pis l'idée de les faire travailler d'une nuit à l'autre, ça marchait du temps où les chantiers se faisaient seulement l'hiver ; mais en été, les jours rallongent…

— C'est de ma faute ?

— Léo, t'es pas correct, là !

— Vous parlez comme des représentants syndicaux.

— C'est un autre problème ça, tu vois ; ils ont pas de syndicat. Ça devient de plus en plus rare aujourd'hui.

— Les ouvriers de Gosselin en ont un, un syndicat ; qu'est-ce que ça leur donne ?

— Pas grand-chose, c'est vrai. Mais c'était un syndicat catholique, dirigé par un aumônier qui prenait ses ordres de Gosselin.

— Pourquoi « c'était » ?

— Ils ont voté cette semaine. Ils se sont affiliés à un syndicat neutre. Une grève se prépare.

— Tant mieux ! Ça nous nuira pas.

— T'as raison, ça nous nuira pas. Jusqu'à ce que notre tour vienne. Ça devrait pas tarder.

Il n'y eut pas de grève chez Gosselin. Le syndicat, membre d'une nouvelle association ouvrière, manœuvra adroitement. Ses dirigeants firent les compromis nécessaires et en vinrent à une entente avec la direction. C'était seulement une feinte. Leur véritable cible, c'était Léo. Ils approchèrent ses employés, leur firent voir les conditions obtenues chez Gosselin et les persuadèrent assez aisément de se joindre à la jeune organisation. Le Bâtard, de son côté, s'obstinait, refusait même d'aborder le sujet aux réunions du Conseil.

Ses plus anciens compagnons firent d'autres essais. Ils allaient le rencontrer à son bureau du Temple, lui représentaient les enjeux, évoquaient la nouvelle mentalité qui s'installait, essayaient de le convaincre d'une adaptation nécessaire. Ils parlaient de négociation. Un jour, ils se présentèrent à cinq ou six. Eudore se fit pressant :

— Les temps ont changé, Léo.

— Vous autres aussi, à ce que je vois.

— Oui, c'est vrai. Nous autres aussi.

— Se démerder, essayer de se sortir du trou tout seul, c'est une idée qui a pas beaucoup vieilli, il me semble.

Fabrice s'énervait :

— C'est vrai, tu t'es sorti du trou, comme tu dis. C'est pas une raison pour sacrer les autres dedans, viarge !

Le Bâtard s'approcha de lui et l'interpella durement :

— Tu me lâches, Fabrice ?

— Mais non, j'te lâche pas, c'est toi qui suis pas ! Tu vois pas qu'on est tous contre…

— Contre qui ? Contre moi ? C'est ça que t'allais dire !

— On est contre ta façon de voir, contre ta façon de faire.

Soudainement, Léo les pointa du doigt et les défia du regard :

— Y a un nom pour ce que vous êtes en train de me faire, là. Je vois bien que vous vous êtes laissé endormir par le syndicat. Au lieu de défendre la Société qui vous a engraissés, vous avez trouvé plus facile de limoner avec les ouvriers, de vous laisser emmichouenner*. Je vous le dis en pleine face : vous êtes des peureux ! Des peureux pis des traîtres.

Fabrice s'était dressé d'un bond, le Bâtard lui fit face, les autres s'interposèrent. Il y eut une petite bousculade. Puis tout le monde se calma un peu. La délégation se retira en claquant la porte.

D'autres tentatives de conciliation par Méon, par Raoul et d'autres échouèrent. Le Bâtard se faisait inflexible, s'en tenait à son discours : les hommes devenaient paresseux, se laissaient gâter, et ses propres associés se faisaient complices. Par contre, ses jeunes gestionnaires l'appuyaient, faisaient valoir la « responsabilité d'entreprise », la « dynamique du rapport de force ». Fabrice maugréait :

— Les crisses de p'tites cravates… Les p'tites crisses de cravates… Les p'tites cravates de crisse ! Les… les… les sacrament !

439

Louis-de-Gonzague vint rencontrer le Bâtard à son camp au Village. Assis face à face, ils se considérèrent un instant. Ils étaient tous deux mal à l'aise.

— Léo, j'ai été avec toi depuis le début, je t'ai appuyé tant que j'ai pu, tu le sais, et je suis fier de toi. Tout le monde ici est fier de ce que tu as fait. Mais les choses ont changé. L'économie a bougé, les ouvriers ont le droit d'en profiter aussi. Les salaires ont monté partout, sauf ici. Tu es très riche maintenant, la Mistapéo est prospère. Tu as écrasé la concurrence, mais fais pas l'erreur d'écraser tes employés. Jusqu'ici ils t'ont aimé, maintenant ils te craignent, demain ils vont te détester.

— C'est eux autres qui vous envoient ?

— C'est eux autres, comme tu dis. Plusieurs sont venus me voir au cours des dernières semaines ; ils m'ont demandé de te parler. Je connais bien ces gens-là. C'est pas du mauvais monde. Des mères, des pères de famille qui ont travaillé dur, qui sont partis de rien eux autres aussi et qui ont maintenant des enfants qui grandissent. Ils savent ce qu'ils te doivent, ils voudraient éviter un conflit avec toi, mais pas à tout prix, tu comprends ? Léo, ça leur brise le cœur, vraiment. Fabrice, Eudore, Valère et tous les autres pensent la même chose.

— Ceux-là, je comprends surtout qu'ils sont contre moi. Je peux pas avaler ça.

— Comment veux-tu qu'ils se retournent contre les ouvriers ? C'est leur monde, c'est de là qu'ils viennent.

— Ça les a pas empêchés de s'enrichir en même temps que moi ! Quand on choisit de prendre l'argent, on prend ce qui vient avec. C'est facile de pleurnicher avec les pauvres quand on a les mains pleines. Leur argent, ils l'ont pas fait sur le dos des ouvriers, eux autres aussi ? Mais asteure que la vache à lait est dans la marde, le fromage, tout d'un coup, ça les intéresse pus !

Agacé, Gonzague se leva, se tourna vers la fenêtre donnant sur la Place :

— Tu deviens grossier, là.

— Excusez-moi.

L'avocat regagna son siège. Il semblait las ; il avait perdu sa vigueur de jadis et sa toux continuait de l'incommoder :

— C'est vrai que c'est ton affaire, c'est toi qui l'as montée, tu la mènes comme tu veux, où tu veux. Mais oublie pas d'où tu viens, Léo.

— Merci d'être venu. J'oublie pas d'où je viens, y a pas de danger. C'est pas ça le problème, c'est même plutôt le contraire ; j'ai un peu trop de chemins derrière moi.

Ils se regardèrent et se serrèrent la main.

Une atmosphère pénible s'installa à Pikauba. Les accidents sur les chantiers étaient devenus l'un des principaux motifs de mécontentement. Les bûcherons surtout élevaient la voix. Après avoir chanté les louanges de la pionneure, ils en avaient découvert les revers. Les blessures qu'elle infligeait mettaient beaucoup de temps à guérir, et ils étaient plusieurs au Village à arborer de profondes cicatrices. Les hommes voulaient modifier le système de paiement au rendement, exigeaient une meilleure organisation des soins dans les chantiers, réclamaient une assurance-maladie, se plaignaient des journées de douze heures en été, de la semaine de travail de six jours toute l'année. La vie au Village avait aussi perdu de son agrément. Les familles réclamaient des loisirs, des logis plus confortables, de l'asphalte dans les rues.

Le Bâtard commençait à fléchir, hésitait. Le soir dans son camp, il expédiait son repas sans un mot, puis se réfugiait dans un coin, près d'une fenêtre donnant sur le bois. Un soir, Mercurie vint s'appuyer contre son épaule :

— C'est devenu invivable, Léo. On dirait que t'es pus là ; c'est comme si on vivait séparés depuis un bout de temps, toi pis moi. Pourquoi tu te boques* comme ça ? Au début, tu voulais tenir ton bout, c'était correct. Mais là, c'est devenu de l'entêtement, tu trouves pas ?

Il lui passa un bras autour de la taille, pencha sa tête sur sa poitrine :

— C'est vrai que vous en connaissez un bout là-dessus dans votre famille !

— Ris pas, c'est sérieux. Les femmes me parlent, je sais pas quoi leur dire. Ça, c'est pour celles qui me parlent encore ! Les autres, si tu savais… Ça va pus, là. Tu veux sauver quelques piastres mais si tu continues comme ça, tu risques de tout perdre, non ?

— T'exagères.

— C'est vrai que les hommes travaillent dur. Pis la vie dans les camps, c'est pas toujours drôle. Moi-même, des fois, je trouve que…

— Tu trouves que… ?

— Écoute, Léo, j'ai pas à te faire de dessin. On doit être à peu près la dernière place au Saguenay sans télévision ; on cuisine sur des petits poêles à bois qui chauffent pas, avec des tuyaux qui fument ; dès qu'on ouvre une fenêtre, la poussière nous étouffe ; y a même pas un magasin où on pourrait acheter d'autre chose que des chemises carreautées, des gros mitons pis des parkas de bûcherons… Veux-tu que je continue ?

— Mercurie, je suis au courant de tout ça, je sais bien que… Mais d'un autre côté, c'est facile de tout lâcher…

— Bon, tu recommences. Mais arrête donc, arrête donc ! C'est juste de l'orgueil ça.

— C'est plus que ça ! Avec la Mistapéo, on est partis pour aller loin, là, tu comprends ? Pour une fois que c'est pas des Anglais qui s'enrichissent, pour une fois qu'on mène notre affaire nous autres mêmes…

— Tu fais plus d'argent que les autres, quand même !

— Pourquoi je serais gêné de l'argent que je fais ? Je le gaspille pas, je remets tout dans la compagnie. Écoute, on va quand même pas tout sacrifier pour des télévisions, des fournaises à huile puis un peu d'asphalte ? Faut voir plus loin que son nez, là !

Les choses en étaient là lorsqu'un matin, une rampe de billots hâtivement élevée s'écroula sur Cage-à-l'Eau en train d'en faire le collage. Des hommes intervinrent rapidement pour le sauver. Quand ils l'eurent dégagé, il était mort.

Les chantiers fermèrent aussitôt. La journée du lendemain fut consacrée à l'inhumation du marin. Il y eut beaucoup de chagrin dans le Village. Les adultes, tout comme les plus jeunes, perdaient une partie de leurs rêves, de leur folie, comme si le ciel de Pikauba s'était rétréci. Des hommes dressèrent un échafaudage sur la Place et y déposèrent le cercueil, fait de madriers recouverts de croûtes. Les Pikaubains y défilèrent, recueillis. Ils avaient appris à aimer cet homme singulier qui laissait derrière lui ses outils, un bateau inachevé au fond d'une coulée et quelques mystères. Au cours d'une brève cérémonie, Ouellet, très affligé et dont la bosse semblait avoir grossi, prit la parole. Il rappela des souvenirs de Cage-à-l'Eau, essaya de résumer l'esprit du personnage, expliquant qu'il avait « trop de pays dans sa tête ». Il commenta son étrange projet de goélette, dont le mât affleurait à l'orée du Village. Et il interrogeait les Pikaubains :

— C'était un curieux homme, il est vrai. Mais qui n'a pas au fond de son cœur un bateau qui ne prendra jamais la mer ?

On porta le cercueil au bord de la coulée du Radoub et c'est là que Cage-à-l'Eau — Capitaine Cage-à-l'Eau — fut enseveli, au-dessus de son bateau. Puis les Villageois se regroupèrent sur la Place et, jusqu'à la tombée de la nuit, ils se redirent tout ce qu'ils savaient du vieil homme. Chacun avait un incident, un trait à rapporter ; sauf Aller-Retour qui, à partir de ce jour, n'eut plus grand-chose à dire. Mais à la fin, même en rassemblant tous leurs souvenirs, tout ce qu'ils avaient appris sur le marin, ils durent convenir que c'était peu. Personne n'avait pénétré son secret.

Car il avait veillé à bien le protéger son secret, Cage-à-l'Eau. Pendant des années, enfants et adultes n'avaient cessé de l'entourer, de l'interroger. À chacun, il avait répété inlassablement les mêmes anecdotes, pleines de rebondissements, ou bien il revenait sur les innombrables épisodes de sa vie aux Îles-de-la-Madeleine. Mais il avait gardé pour lui le souvenir lointain de cette demoiselle qui, tous les jours à l'aube, apparaissait au sommet d'une butte du Havre-Aubert et guettait l'océan. Elle ne parlait ni ne souriait jamais. Ses cheveux châtains volaient au vent, comme une voile en détresse. Parfois elle étendait le bras vers le large; de petits oiseaux de mer venaient s'y poser. Cageau avait alors vingt ans ou presque et, pendant tout un été, il avait observé la fille, ne sachant comment l'aborder. Puis un chalutier était venu de loin, de l'est. Elle était montée à bord et n'avait plus été revue. Durant toute l'année suivante et encore bien d'autres années après, le jeune pêcheur, à son tour, avait guetté la mer du haut de la Butte de la Demoiselle. Rien ne venant, un jour il eut trop mal et résolut de s'éloigner du large. C'est pour cela qu'il avait quitté les Îles. L'idée de la goélette, c'était sa manière de maintenir un pont entre sa vie et son rêve. Et c'est pour cela peut-être qu'il avait orienté la proue du bateau vers l'est.

Le lendemain des funérailles, tous les chantiers de Pikauba restèrent fermés. La mort de Cageau avait attisé la colère des ouvriers; ce fut la grève. Sur les conseils de Raoul, Léo se fit représenter par des avocats de Québec auprès des responsables syndicaux. Mais rien n'avançait. Les porte-parole des deux parties s'accordaient sur des projets de convention; Léo les rejetait. Il y eut des assemblées houleuses au Temple; la grogne s'y faisait entendre. Rond-Coin, celui qui refaisait la langue en parlant, y prononça un dur réquisitoire contre le Bâtard, qu'il conclut en ces termes :

— Celui-là, baptême, il commence à me tomber sur les régions !

La salle, qui allait marquer bruyamment son approbation, se retint. Préposé au procès-verbal de la réunion, Barre-à-Clou se faisait perplexe :

— … J'pourrais-tu écrire : sur les rognons ?

— Toué là, déforme pas ma pensée !

Il y eut quelques actes de sabotage : des courroies de ventilateur lacérées dans les chaufferies, des contenants d'huile à moteur déversés dans les bureaux des « Petites Cravates », des assiettées de binnes dans les réservoirs des camions. Un matin, le Bâtard monta dans le sien mais n'arriva pas à le mettre en marche. Il en redescendit et découvrit qu'on avait fracassé le différentiel à coups de masse…

Il ne décolérait plus. Le soir, Mercurie essayait encore de le raisonner, sans succès. Il perdait beaucoup d'argent et, aux États-Unis, ses clients s'impatientaient. Pendant tout ce temps, Gosselin reprenait du terrain. À la fin d'août 1956, alors que la grève durait depuis plus d'un mois, le président du Consortium américain téléphona de New York. Il fit savoir à Léo que la situation était devenue intenable pour ses membres, qu'ils allaient devoir bientôt s'approvisionner chez des compétiteurs de la Mistapéo. Le Bâtard dut céder et acquiescer à plusieurs revendications. Mais il refusa d'aller signer lui-même la convention collective ; par dépit, il délégua une Petite Cravate. À partir de ce moment, il se renfrogna et s'en tint strictement à des rapports d'affaires avec ses adjoints. Aux réunions du Conseil de la Société, dès que le principal était expédié, il s'esquivait et allait s'enfermer dans son camp pour n'en ressortir que le lendemain. On ne le voyait plus sur la Place. Il n'y eut pas de « retraite » cet automne-là.

La vie du Village lui pesait. Il avait acheté l'ancien moulin à farine à Laterrière, jadis actionné par les eaux de la rivière, là où elle se précipite en une longue cascade. Il le fit restaurer et, au début de novembre, il s'y installa avec Mercurie. La jeune femme se réjouissait de se rapprocher des siens tout en regrettant de quitter Pikauba, et plus encore de voir se défaire la vie du Village. Elle conduisait toujours son camion mais avait réduit ses activités depuis la grève. Elle passait maintenant une bonne partie de son temps dans la vaste résidence. Elle y recevait souvent sa famille et des cousines qui habitaient dans les environs. Les ennuis de Léo la tourmentaient. Et pour la première fois de sa vie, elle découvrait la solitude. Elle avait toujours rêvé d'étudier un jour, devenir institutrice peut-être. Mais elle se voyait déjà trop vieille. Elle avait trop fréquenté les troques.

Pour la distraire, le Bâtard lui acheta un piano. Un grand piano à queue de marque Yamaha. Elle était contente :

— Yamaha ?

— C'est japonais ; c'est tout nouveau. Il paraît que ça joue bien. En tout cas, c'est ce qu'ils avaient de mieux à Québec.

— Extravagant, c'est bien trop ! Franchement, juste pour jouer des petites marches…

— Bin, tu joueras des galopes*, d'abord !

* * *

Au Village après le souper, des Habitants avaient continué de se regrouper sur la Place. Mais les conversations allaient au ralenti. Peu à peu, accordéons et harmonicas s'y mêlaient, en sourdine d'abord, dans une rumeur désordonnée, hésitante. Puis, à mesure que le soir tombait, les conversations déclinaient, les airs s'accordaient, la musique prenait le relais. Des vieilles rengaines, toujours les mêmes, des mélodies usées dont les origines s'étaient effacées avec le temps, des sons écorchés, familiers, habités de toutes les émotions du monde. Chacun y mettait ses paroles, ses pensées en silence. Parfois, un chant s'élevait, prenant d'assaut les contreforts de la nuit, refoulant les ombres menaçantes de la forêt.

Plus tard, la musique elle-même s'effritait, les conversations reprenaient, à voix basse. Des enfants se pressaient et s'endormaient contre leurs parents, d'autres se regroupaient autour de Méon qui les entraînait dans son univers de bois, de lacs et de bêtes parcouru par les bons et les mauvais esprits. Les Écoliers ne quittaient pas le Maître. Ils s'entretenaient du bonheur et du malheur, du cours des jours et des ans, du sens des choses et des gens. Après, ils aborderaient les saisons de l'âge, les humeurs de l'âme et leur mouvement compliqué. On n'entendait plus le marteau de Cageau dans sa coulée ni les moteurs de Machine dans son hangar. L'inventeur avait renoncé à son mouvement perpétuel ; pour toujours. Même la voix de Gigli s'était tue.

Tous, secrètement, espéraient le retour du Bâtard. À la fin de la soirée, ils se saluaient et regagnaient lentement leurs camps. Bientôt le Village était assoupi. Sur la Place, le feu retombait sur sa braise qui continuait de veiller sur Pikauba. Léo n'était pas venu. Demain, peut-être ?

Chapitre 38

Chaque fois que ses affaires l'amenaient à Québec, Léo s'arrêtait à l'hospice pour revoir Julie. Il la trouvait l'été dans le parc, marchant comme une aveugle aux côtés d'une infirmière qui la soutenait, et l'hiver dans sa chambre, toujours assise devant sa fenêtre, guettant les visiteurs. Elle ne reconnaissait plus Léo depuis quelque temps. Elle se dressait en l'apercevant, croyant apercevoir le Grand, puis retombait dans sa nuit. Elle avait beaucoup grossi, ses traits avaient perdu leur finesse et elle était devenue indifférente à tout. Mais elle continuait à porter machinalement la main à la bague de Méo qu'elle portait au cou. C'est tout ce qui la reliait à son ancienne vie.

Au début de novembre 1956, un médecin téléphona à Pikauba ; on venait de trouver Julie morte dans son fauteuil. C'était un beau matin ensoleillé. La lumière inondait son visage, y dessinant un pâle sourire. Comme un dernier espoir, comme une ultime renaissance malgré toutes les attentes déçues. Elle était âgée de soixante-trois ans. Léo fit transporter son corps à Mistouk afin qu'elle soit inhumée près du Grand. Juste avant la fermeture de la tombe, il s'approcha, enleva la bague du pendentif restée au cou de la morte et la glissa à l'un de ses doigts. Maintenant, elle pouvait reposer.

* * *

Cet automne-là, Ouellet fut pris à partie par des Villageois déçus des fruits de sa pédagogie. Revenant de la Sourche en fin de journée, certains Écoliers semblaient dédaigner les discussions autour de la table familiale. Entièrement requis par les complexités de l'univers, ils se désintéressaient des spéculations courantes sur les troques et les pionneures. D'autres, qui n'en avaient plus que pour les splendeurs de la géométrie, boudaient les tâches domestiques. Les mères grognaient :

— Les parallèles à Euclide, les parallèles à Euclide, c'est pas ça qui va r'dresser ma corde à linge !

D'autres encore, immergés dans les arcanes de la philosophie et de la rhétorique, monopolisaient maintenant les débats à l'assemblée des Habitants, épiçant même leurs diatribes de quelques mots latins. Mais, dans les rangées, d'irréductibles Pikaubains n'en perdaient pas pour autant leur canadien :

— Ma foi du crisse, veux-tu m'dire c'que cé que cé que c'te beurat-là ?

— Y nous parle-t-y du lard ou bin du cochon, là ?

— Sais-tu, les élèves à Ouellet, y sont rendus qu'y parlent comme des Français, baptême !

— Si on comprenait encore, ce serait pas trop pire.

Floune, lui, était au désespoir :

— Moué, chez nous, depuis un bout de temps, c'est pas mêlant, j'peux pus parler, j'fais pus rien que r'nâcler !

Ceci pour les modérés. Dans certains camps, des méchancetés furent prononcées :

— Cette idée, aussi, de confier nos enfants à un bossu…

— Bossu pis coque-l'œil, oublie pas !

— Les petites institutrices sont plus de mon goût pas mal.

— Tant qu'à ça…

Même des esprits charitables remettaient en question la pédagogie de la Sourche. Il se tint quelques assemblées tumultueuses au Temple, au cours desquelles le philosophe fut pris durement à partie :

— Monsieur, c'est bin beau votre affére, mais j'comprends même pus c'que mes filles me disent.

— Les miennes, c'est encore pire, y m'parlent pus pantoute !

— C'est comme mon garçon, y fais pus rien que s'promener dans la fardoche. Y dit qu'y médite…

— Le mien, y a tout le temps la tête en l'air, y r'garde même pus où'ce qu'y met les pieds. Y étudie les astres… Baptême, c'est pas là qu'y va s'trouver une job plus tard !

Mais le Maître eut aussi ses défenseurs qui firent valoir les qualités de son œuvre. Il prit lui-même la parole, donna raison aux mécontents et offrit sa démission. Les Écoliers s'y opposèrent, entraînant avec eux des parents. À la fin, on arriva à un compromis. Ouellet conserverait son poste, mais un autre professeur serait embauché, chargé celui-là « des enseignements pratiques », par quoi on désignait les métiers, les techniques. C'est ainsi que M. Léon, un jeune diplômé de Montréal, fit son entrée au Village.

La crise peu à peu s'apaisa, mais Ouellet avait encore bien d'autres soucis. Il avait maintenant soixante-quatorze ans et il lui restait tant à faire : d'abord, son alphabet essaguéen et sa langue mondiale, pour lesquels il se dépensait chaque jour et jusque tard dans la nuit. Il y avait aussi cette pierre philosophale, comme un caillou dans son soulier, qui ne cessait de le chicoter, sans parler de son immense traité de la vie et de l'univers qui n'en finissait plus. Il continuait à relever fébrilement les temps et les mouvements des astres, au sein desquels il croyait déceler une sorte de relativité. Il achevait de dresser une cartographie détaillée de la face cachée de la lune qu'il déduisait des traits et propriétés de sa face connue. Et, toujours préoccupé par la guerre, il cherchait depuis quelque temps à découvrir la clé de la paix perpétuelle.

S'intéressant tout autant à l'infiniment petit, il s'était amusé à refaire, mais avec des bleuets de Pikauba, la célèbre expérience des petits pois de Mendel et il avait observé dans leurs régularités héréditaires de nombreuses anomalies que le célèbre moine, emporté par ses idées préconçues, avait omis de rapporter. Ouellet en avait conclu que cette science de la génétique, prometteuse assurément, serait néanmoins à refaire complètement un jour. Il en allait de même avec l'arithmétique dont l'état le désolait : si peu de choses y étaient survenues depuis l'invention du zéro ! Il était en bonne voie aussi de résoudre rien de moins que la série complète des oracles de Delphes, dont il serait le premier à dresser le répertoire.

Le peu de loisir que lui laissaient ces grands travaux était consacré à revoir le postulat d'Euclide dans lequel son esprit voyageur se sentait un peu à l'étroit, à reformuler la théorie de la gravitation universelle qu'il voulait alléger, et à peaufiner son équation du bonheur. Car, oui, il l'avait bel et bien mise au point après toutes ces années ; elle achoppait seulement sur quelque détail ; il en était un peu malheureux.

D'autres soucis le poursuivaient. Depuis quelque temps, la solitude lui pesait et il lui arrivait de s'interroger sur le choix qu'il avait fait jadis de se priver d'une compagne. Il s'inquiétait de ses chers Écoliers, de ce que la vie leur réservait après Pikauba. Ses forces déclinaient. En classe, il avait parfois des absences qui le troublaient. Et toujours, cette chose dans son dos qui ne cessait de l'affliger, comme un sac de malédictions. Il maintenait néanmoins son régime d'étude. Le soir, sa lumière était encore la dernière à s'éteindre au Village. Les Habitants, en dépit de ses excentricités, s'émouvaient de le voir, tôt le matin, s'esquinter sur le sentier qui menait à la Sourche, se hâtant lentement, lesté comme un escargot. Dès qu'ils le voyaient apparaître dans son éternelle redingote, ils se pressaient pour le soutenir, tandis que d'autres s'arrêtaient pour l'observer de loin. Quel rêve, quelle étrange passion, quel feu habitaient donc ce drôle d'homme ?

* * *

Louis-de-Gonzague, dont l'insuffisance pulmonaire s'aggravait, poursuivait ses visites chez Ouellet. Il retrouvait son ami dans son camp, et parfois aussi méditant, appuyé contre un arbre, ou errant, de plus en plus courbé, du côté du Bosquet Don Quichotte qu'en vieillissant il affectionnait. Un jour, vers la mi-novembre, le savant avait pris place sur la galerie avant de sa résidence qui dominait la Rivière et la vallée. Il vit Gonzague gravissant péniblement le chemin des Lilas qui montait à partir de la Place. L'avocat, qui s'arrêtait tous les dix pas pour tousser, mit du temps à parcourir le court trajet. Ils se saluèrent :

— Ah, ça sent bon, toutes ces écorces fraîches !

— Oui, surtout après la pluie. Toujours cette vilaine toux ?

— Les maux de l'âge…

Chaudement vêtus, ils prirent place sur un banc à l'angle des rues de Florence et de Paris. Le vent soufflait légèrement du nord et le ciel promenait des nuages gris, déjà chargés de la première neige. Les deux hommes s'examinèrent brièvement et, sans se le dire, constatèrent qu'ils accusaient les effets de l'âge. Ils étaient chauves, osseux, et leur regard n'avait plus la même flamme.

— Rien de neuf sur la mort, Maître ? Je veux dire : vos travaux avancent toujours ?

— Oh, bien lentement. Plus l'âge m'en rapproche, moins il me semble y voir clair.

— Dommage.

— Le sujet vous préoccupe donc à ce point ?

— J'ai un peu honte de vous le dire, mais elle me fait terriblement peur ; je ne pense plus qu'à cela. Je me disais qu'avec votre philosophie…

— Moi aussi, mon ami, moi aussi. Mais je me console en pensant de plus en plus à mon enfance. C'est bizarre, j'ai plus la nostalgie de l'enfance que la crainte de la mort… Mais qu'est-ce qui vous prend, Louis ? Vous… mais vous pleurez ?

— Excusez-moi. Vous voyez, je n'en peux plus, je la sens qui rôde partout, qui me dévore. Surtout la nuit ; je n'en dors plus.

— Vous me troublez. Je n'aurais jamais cru qu'un esprit comme le vôtre…

— Je sais. Je me surprends, je me déçois moi-même. Vous avez de la chance, vous, avec votre système, votre philosophie. Il ne vous arrive donc jamais de… de douter ?

— Vous savez, mes idées ont vieilli avec moi, ce sont des compagnes fidèles. Comment pourrais-je les abandonner ou en changer ? Elles sont toute ma vie ; j'ai tout misé sur elles.

— Vous avez bien raison. Je vous prie de me pardonner, c'est la fatigue… En fait, tout ce qui me manque, vous savez, c'est un tout petit bout d'éternité ; cela me suffirait…

Ils esquissèrent un sourire et retombèrent dans leur silence.

Ce jour-là, au moment de se séparer, ils se donnèrent l'accolade et mirent du temps à se quitter. Chacun, secrètement, s'inquiétait du sort de l'autre.

∗   ∗   ∗

Depuis quelque temps, Belley s'éloignait des débats de la ville. Sa plume se faisait plus rare et moins aiguisée dans le *Zadig* où de jeunes rédacteurs prenaient le relais. Même devant le tribunal, il lui arrivait de refréner ses envolées, ses éclats. Ses vieux combats l'avaient usé. La solitude l'accablait lui aussi. Ce qu'il n'osait appeler ses amours lui étaient une source constante d'infortunes et d'humiliations : des élans platoniques, insensés, sans espoir ; des emballements dérisoires, jamais déclarés, fugitifs, pour de jeunes commis incultes, des stagiaires indifférents, des inconnus croisés dans la rue ; et, toujours, la crainte du ridicule, la hantise de la calomnie, du harcèlement, de la délation perverse. Et le sentiment de la faute.

La conviction de son échec, aussi, le poursuivait maintenant. Il était hanté par les rappels de sa jeunesse, de ces belles années dans le vieux Quartier latin de Québec. Années de liberté, d'impatience, d'agitation, d'espérances folles. Il avait du reste laissé des empreintes là-bas. Ses confrères, ses anciens professeurs se souvenaient bien de lui; plusieurs lui envoyaient encore un mot de temps à autre. On se rappelait l'étudiant qu'il avait été, ses talents exceptionnels, ses dons oratoires hors du commun auxquels il joignait une fougue, une insolence qu'ils avaient appris à redouter. Son érudition et sa culture aussi. Il est vrai qu'à vingt ans il avait lu presque tout Chateaubriand, et il était bien le seul de sa génération à pouvoir commenter *Les Aventures du dernier Abencérage*. Il s'était réjoui d'entrer dans la carrière juridique; ne consistait-elle pas à faire reculer la barbarie, à mettre de la raison, de la modération, de la douceur même, dans cette partie tourmentée de l'univers que sont les rapports entre les personnes?

À la fin de ses études, il avait obtenu la prestigieuse Médaille du Barreau. Il s'était fait une réputation dans les bureaux d'avocats de Québec et même de Montréal qui rivalisèrent pour le recruter. Mais il avait repoussé toutes les offres, car son siège était fait : il était pressé de retourner à Chicoutimi pour honorer son serment. Cette installation au Saguenay ne devait être qu'une brève parenthèse dans sa vie. Il avait pensé que, après avoir restauré l'honneur familial, après avoir confondu les coupables, il irait s'établir en métropole et y exercer des fonctions plus élevées auxquelles ses talents le destinaient. Au lieu de quoi, après toutes ces années, il se trouvait captif d'une misérable guerre de tranchées qu'il avait lui-même provoquée et sans cesse relancée. Il avait passé une grande partie de son temps à ferrailler contre des esprits médiocres auxquels il s'était mis à ressembler. Ses nobles aspirations avaient fait place à des visées mesquines. Désormais, la rancœur, la haine, les désirs de vengeance lui tenaient lieu d'idéaux. Et la gloire, la reconnaissance tant désirées se faisaient toujours attendre. Quel gâchis ! Il songeait à Voltaire, à Hugo : ses maîtres, ses chers maîtres en pensée et en poésie, ces grands virtuoses de la raison et du cœur l'avaient-ils donc égaré ?

Ce sentiment devint si puissant que son jugement parut tout à coup battre de l'aile. Raoul, qui s'était rapproché de lui depuis qu'il l'avait défendu en cour, observa le changement chez son ami. Un jour qu'ils soupaient tous les deux chez Georges, rue Racine, Gonzague se confia :

— J'ai visé trop haut, Raoul, et j'ai tout raté.

— Que dites-vous là ? Vous, l'avocat le plus redouté, le plus talentueux que je connaisse ?

— Justement. Tout cela est futile, je le vois bien maintenant. Il est trop tard pour réparer, hélas ! J'ai bien mal dirigé le cours de ma vie.

Mais il avait résolu, disait-il, de ne pas rater sa sortie et fit part de sa décision de briguer la présidence de l'Ordre des Chevaliers de Colomb de Chicoutimi.

— Les Chevaliers de Colomb ? Mais vous n'y pensez pas ? À peu près tous vos ennemis en font partie !

— Justement, j'aimerais leur montrer un autre visage de moi, celui qu'il n'ont jamais eu l'occasion de voir à cause de toutes ces batailles, de toutes ces rancunes.

Raoul trouva l'idée si incongrue qu'il crut à une blague. Voyant que l'autre persistait, il essaya de le dissuader, mais en vain. L'Ordre, qui regroupait en effet plus que sa part de tartuffes, était dirigé par un marguillier de la cathédrale dont le mandat arrivait à échéance. Louis-de-Gonzague entreprit de faire auprès de ses membres une cour qui le livra bientôt à l'humour des sots. Il fit des courbettes, flatta les infatués, flirta maladroitement avec le tout-venant. Et tant s'humilia que plusieurs éprouvèrent à son endroit de la gêne et une sorte de pitié.

À l'élection, il fut battu et, dans les jours qui suivirent, il sombra dans une profonde dépression.

Un soir, au début de décembre, Léo était rentré de Pikauba, avait embrassé Mercurie et pris place à la table de la cuisine. Mal remis du conflit qui avait ébranlé la Mistapéo, il se faisait peu loquace, ruminant son amère défaite. Il mangeait distraitement, tout en observant dans les grandes fenêtres du Vieux-Moulin les rafales de neige que le courant de la rivière emportait. Les premières glaces se formaient le long des rapides dont le cours s'alourdissait. Le vent secouait les feuillus dénudés. Le Bâtard posa sa fourchette, se tourna vers Mercurie qui l'avait rejoint :

— Ton troque, ça va ?

— Bien oui, voyons, il a même pas un an. La seule chose, c'est qu'il est trop gros. Un dix-roues ! Les gars me font étriver*, ils disent que j'en ai dix de trop.

— Des jaloux...

— À ce sujet-là justement, je voulais te dire, je vais le ranger un bout de temps, mon troque.

— Comment ça ?

— Je veux prendre un congé.

— Un congé ? Tu veux pas te syndiquer toi aussi ?

Elle s'approcha de lui, posa sa tête contre son épaule :

— C'est sérieux. Je vais m'arrêter un an.

— Un an ?

— Disons, à peu près un an.

Il se redressa subitement :

— Attends... Un an, c'est pas loin de neuf mois, ça ?

— Pas loin.

— Non ! C'est pas vrai ?

— Mais oui !

Il se tourna vers elle, mit les deux mains sur son ventre :

— Un bébé ?...

— J'espère bien... !

456

Ils se sautèrent au cou, s'exclamèrent, pleurèrent. Il la souleva dans ses bras, la déposa, la souleva à nouveau. Elle riait :

— Mais arrête, t'es fou, arrête !…

— C'est drôle ; je savais bien qu'on en viendrait là, mais au fond j'étais pas prêt. C'est comme si je tombais d'une corde de bois, là.

— T'as tout ton temps pour remonter.

— Euh, il me reste, quoi, un an, t'as dit ?

— Arrête de faire simple…

* * *

C'était la veille de Noël, et Louis-de-Gonzague n'était pas sorti depuis le matin. Il commença ses préparatifs vers la fin de l'après-midi. Chaque instant, chaque geste lui étaient pénibles. Il fit sa toilette, revêtit son costume sombre rayé, se parfuma légèrement, agrafa la médaille du Barreau à son parement. Puis il enfila le manteau de fourrure qu'il avait hérité de son père et appela un taxi qui le conduisit à la cathédrale. Une fois sur place, il s'attarda un moment dans la chaleur du véhicule. Il neigeotait. De la banquette arrière, il observait la grande façade de pierre illuminée surplombant le Fjord, et les fidèles qui se pressaient en laissant de larges empreintes sur la neige mouillée qui s'accumulait. La messe de minuit était commencée et la place était vide lorsqu'il descendit de voiture, ordonnant au chauffeur de l'attendre. Il gravit très lentement le long escalier menant à la porte centrale et, à bout de souffle, toussotant, pénétra dans le vestibule où il prit place sur une petite chaise à l'écart. De l'autre côté des hautes portes de chêne donnant accès à la nef, la cérémonie avait commencé. Il ferma les yeux. Un moment se passa puis, comme il l'avait espéré, la magie opéra.

Il retrouvait la musique, le chœur des hommes, l'odeur des bougies, de l'encens, le bruissement de l'assistance. Les années de son enfance lui revenaient. Les seules qui lui aient vraiment donné du bonheur. Il les revivait pleinement, se revoyait dans le grand banc sous la chaire, entre sa mère et son père qui tenaient sur leurs bras leurs gros manteaux de chat. Il enfouissait son visage dans la fourrure mouillée dont il aimait la douceur et l'odeur fauve. Plus tard, à la maison, ils se retrouveraient tous ensemble devant le sapin de Noël au pied duquel, mystérieusement, des cadeaux se seraient entassés.

D'autres souvenirs, d'autres sensations se réveillaient qui le faisaient sourire. Il revoyait les petites filles qui, le jour de Pâques, arpentaient l'allée centrale de la cathédrale, le visage dissimulé derrière leur voile de tulle. Et il lui semblait respirer encore le parfum de sa mère quand il la surprenait dans sa chambre, le soir d'une sortie. Il se souvenait de son expression bizarre lorsque, devant son miroir, elle fermait les yeux et plissait la bouche pour se poudrer le visage. Un petit nuage bleuâtre flottait un instant dans ses cheveux, puis se dissipait autour d'elle. Après qu'elle était partie, il prenait place sur le tabouret laqué et s'amusait avec l'armée de flacons dispersés sur la coiffeuse.

Le mouvement des cloches le tira brusquement de sa rêverie ; la messe s'achevait. Il était content d'être venu. Il ouvrit les yeux, surprit un garde du Sacré-Cœur qui le regardait étrangement. Il . se leva et lui tendit la main :

— Je vous souhaite un joyeux Noël, monsieur.

— À vous aussi, monsieur Belley. Je suis content de vous serrer la main.

Il sortit avant la foule, remonta dans le taxi et se fit ramener chez lui. Il se dirigea aussitôt vers sa chambre où il enleva son manteau, sa veste, son binocle. Puis il tira les rideaux, décrocha le téléphone et s'étendit sur le lit. Tout était prêt. Mais comme il avait peur !…

* * *

458

Au même moment, Léo et sa fiancée réveillonnaient chez les Dallaire. Chacun autour de la table se réjouissait de la grossesse de Mercurie, et surtout sa mère qui lui prodiguait mille douceurs. L'autre protestait :

— C'est assez, m'man, je suis pas malade, là ! On dirait que t'en as jamais eu.

C'était le début du temps des Fêtes, avec une vraie nuit de Noël, tout étoilée. Le temps était doux et il neigeait à plein ciel sur le barrage et sur le lac Kénogami ; de gros flocons qui valsaient, peu pressés de se poser. Le Bâtard était transformé ; il avait surmonté sa dépression. Il ne quittait plus Mercurie, s'activait constamment autour d'elle, s'inquiétait de tout. À un moment au cours de la soirée, elle l'avait tiré à l'écart et, la tête contre sa poitrine, lui avait dit :

— J'aimerais ça que tu me maries…

Étranglé par l'émotion, il s'était contenté de la serrer très fort ; puis encore plus fort. Ce grand silence qui l'avait envahi tout à coup, cette accalmie si douce, si chaude au corps et à l'âme, comme un rayon de soleil qui vient lécher la rosée du matin, c'était cela peut-être, le bonheur ?

Vers le milieu de la nuit, le téléphone sonna, interrompant la veillée ; c'était pour Léo. On venait de découvrir Louis-de-Gonzague inconscient dans son lit. Il s'était lacéré les veines des poignets.

Entraînant Mercurie, le Bâtard se rua vers son camion et démarra en trombe. Ils s'engagèrent dans les lacets et les bosses du rang qui menait à la route principale. Ils y voyaient difficilement à cause des paquets de neige qui s'abattaient sur le pare-brise, débordant les essuie-glaces. Mais Léo connaissait bien le chemin et anticipait les virages dans la nuit. À un moment, alors qu'il amorçait une descente après une petite butte balayée par le vent, il dérapa légèrement sur une plaque de glace, mais put reprendre la maîtrise du véhicule. À d'autres endroits, il lui fallut conduire tout près du fossé, le long des bancs de neige que les bourrasques avaient formés sur la route. Mercurie s'inquiétait :

— Pas si vite, Léo ; ça changera pas grand-chose.

Il s'en remettait à ses réflexes ; sa pensée était ailleurs. Il songeait au vieil avocat, à tout ce qu'ils avaient fait ensemble. Il se rappelait leur dernière rencontre à son bureau, la semaine précédente, et l'image qu'il en avait gardée : un homme brisé qui semblait avoir renoncé à ses passions, à ses rêves, même à ses colères, et se retrouvait plus seul que jamais dans le vide qu'il avait creusé en lui.

Léo, de temps à autre, jetait un coup d'œil vers Mercurie, agrippée à son accoudoir. Il aurait voulu lui parler, se soulager de sa peine, de son inquiétude. Mais la manœuvre du gros véhicule l'en empêchait. Ils venaient de s'engager dans une longue pente abrupte que le camion dévala trop vite. Au bas se trouvait une courbe puis un large ruisseau encaissé, surmonté d'une vilaine calvette. Léo freina, trop peu, trop tard. Il ne put voir qu'au dernier instant l'amoncellement de neige qui fermait la voie. Le Ford y plongea, fut déporté vers la droite sur le ruisseau, heurta de plein fouet la paroi rocheuse sur l'autre rive, rebondit brutalement et alla finir sa course parmi les arbres. Le Bâtard fut éjecté par la portière, Mercurie resta coincée dans la cabine.

Fortement commotionné, à demi inconscient, il saignait abondamment de la tête. Il put néanmoins se relever et se diriger vers la blessée. Elle reposait, inerte, le front contre le tableau de bord, les deux mains crispées sur son ventre. Il réussit à l'extraire de sa position et à la soulever dans ses bras. Enfonçant dans la neige jusqu'aux genoux, il s'engagea péniblement sur le chemin, s'efforçant de suivre les roulières qu'il venait de tracer. Mercurie avait les yeux fermés ; un mince filet de vapeur s'échappait de sa bouche. À tout moment, Léo perdait pied et roulait dans la poudreuse avec elle. Il continuait de neiger. Dix fois, il tomba et se releva. Le sang recouvrait son visage et lui obstruait la vue. Enfin, il crut apercevoir la lumière d'une maison au loin et poursuivit son effort. Plus tard, il se mit à hurler, à hurler. Puis il s'effondra et ne se releva plus.

Il reprit conscience à l'Hôpital de Chicoutimi, trois jours plus tard. Il ne se souvenait pas de l'accident, de sa marche forcée dans le rang du Portage, de sa dernière chute dans la neige. Il se trouvait alors à proximité de la maison qu'il avait repérée. Les occupants, alertés par ses appels, s'étaient portés à son secours. Un médecin se tenait maintenant à son chevet, qui l'informa en même temps de la mort de Mercurie et de ses funérailles. Quant à Louis-de-Gonzague, sa résolution avait fléchi au dernier instant et il ne s'était infligé que des blessures mineures.

Des proches de Pikauba rendirent visite au blessé : Méon, Fabrice, Eudore, Valère et d'autres. Ce fut l'occasion de leur réconciliation. Quand il reçut son congé de l'Hôpital, ils tinrent à l'accueillir au Village pour le soigner, l'entourer. Il demeura d'abord chez Méon. Grâce au dévouement, à la tendresse de l'oncle, il crut retrouver un peu des douces heures de son enfance. Puis il emménagea dans son ancien camp. Chacun, autour de lui, voulut adoucir sa peine. Nazaire vint le voir ; sa conversation parut l'apaiser. Il se remit peu à peu au travail ; l'hiver se passa. Tout le jour, il traînait son chagrin. Souvent, à le voir, rien ne transpirait ; tout se passait à l'intérieur.

Il se rendait souvent au cimetière de Laterrière où Mercurie reposait près de son père. Il y avait fait dresser un petit mausolée, tout près du mur de pierre de l'église. Et, pour la première fois de sa vie, il priait. Il priait pour Marie-Mercurie et aussi pour ce début d'enfant mort avant de naître.

L'année 1957 avançait. Le printemps avait perdu sa douceur. Le Bâtard était entré dans une autre vie peuplée de morts dont les fantômes le poursuivaient sans cesse : Senelle d'abord, puis Julie, et maintenant Mercurie. Et toujours : le Grand, Moïse, Poness…

Chapitre 39

Ils arrivèrent à Chicoutimi au début du mois de juillet 1957, par dizaines d'abord, par centaines ensuite, créant un très gros émoi dans la ville. Les Indiens. Ils venaient en grand nombre des postes et campements de l'Ouest, Nikabau, Manouane, Mistassini ; mais aussi de l'est, Essipit, Betsiamites, Uashat, et même d'aussi loin que Mingan et Natashquan. Ceux-là n'avaient pas à souffrir du grand projet américain, mais face à des problèmes semblables, ils étaient venus par solidarité. Bientôt, une flottille se forma le long du Saguenay dont la rive se recouvrit de tentes. Intrigués, de nombreux habitants de la ville s'y rassemblèrent et interrogèrent. Les Indiens étaient venus demander des comptes à Monseigneur.

Les chefs qui étaient venus en 1955 à l'évêché pour quémander l'appui de Sa Grandeur se trouvaient là, parmi des plus jeunes. C'étaient eux qui avaient pris l'initiative de cette grande opération après avoir appris les derniers développements touchant le projet de chemin de fer. Durant l'hiver, les informations s'étaient répandues dans les Territoires, jusque chez les Naskapis et, au printemps, les chasseurs étaient redescendus plus tôt vers les Réserves. Napistau en avait fait le tour, tenant partout le même discours :

— Nous venons de perdre une autre partie de nos terres sans même avoir été consultés. Le Prêtre de Chicoutimi nous a trompés. Il y a deux ans, nous nous étions tournés vers lui et il avait pourtant donné sa parole.

Les Aînés l'écoutaient puis tenaient conseil, pendant que les jeunes chasseurs, survoltés, manifestaient bruyamment autour du shapituan*. Chaque fois, le verdict était le même :

— Les jeunes ont raison, nous avons assez patienté. Cette fois, il faut agir.

Les chefs avaient consulté les Esprits puis un plan avait été arrêté. Dans les semaines suivantes, le message avait circulé d'une bande à l'autre, dans les sentiers de portage et le long des rivières. L'été venu, les chasseurs et leurs familles avaient écoulé leurs fourrures, accueilli les missionnaires pour les cérémonies annuelles et réglé toutes leurs affaires, après quoi ils s'étaient mis en chemin.

Une fois regroupés devant Chicoutimi, ils désignèrent une douzaine des leurs pour les représenter. La délégation, ayant à sa tête le vieux Malek Napistau, se présenta à la porte de l'évêché. Un prêtre en sortit et expliqua aux visiteurs que le prélat, souffrant, ne pourrait les recevoir. Les Aînés firent savoir qu'ils avaient tout leur temps et qu'ils attendraient. Sur ce, ils redescendirent sur la rive et tinrent conseil. Quelques heures plus tard, les canots furent tirés hors de l'eau et les tentes démontées. Puis les Indiens se chargèrent de leurs provisions et, escaladant le dévalement, vinrent dresser leur campement sur le large Plateau, sous les fenêtres de l'évêque. En quelques heures, un petit village prit forme. L'attente commença.

Ils avaient tout prévu, emportant de grandes quantités de graisse, de farine, de thé, de tabac. Ils pêchaient aussi dans le Fjord et entretenaient leurs feux avec le bois qu'ils allaient couper dans les environs. Ils s'occupaient le jour à de petits travaux ou bien, en groupes, ils faisaient de brèves excursions dans la ville, s'arrêtaient devant les magasins, échangeaient quelques mots avec les passants. Trois, cinq, dix jours s'écoulèrent ; rien n'avançait. Chaque matin, un chef frappait à la porte de l'évêché mais n'obtenait pas de réponse. Le *Zadig* et *La Vérité* paraissaient en éditions spéciales, de simples circulaires qui faisaient le point, rapportaient des propos des Indiens, imaginaient des scénarios parfois fantaisistes. Un jour, Louis-de-Gonzague fit paraître un entretien avec un vieillard de Mingan. Il s'appelait Mathieu Mestokosho. Il y était question d'ancêtres et de traditions, de territoires et de chasses, d'amitié entre Blancs et Sauvages, et aussi de pacte rompu.

Les citadins, de plus en plus perplexes, suivaient l'affaire de près. Le soir venu, ils accouraient maintenant en grand nombre sur le Plateau où un shaputuan avait été dressé. Ils assistaient aux jeux et aux danses auxquels les Indigènes se livraient jusque tard dans la nuit au son des tambours. Quelques Saguenayens, plus audacieux, s'y mêlaient. Les chasseurs les accueillaient, s'amusaient de leurs maladresses. Les Indiennes se montraient hospitalières, les jeunes faisaient connaissance. Un makusham succédait à un autre. Il y avait beaucoup de vie dans la ville.

Et de l'inquiétude aussi. Le chef de police se préoccupait de l'effervescence qui s'était emparée des lieux, de la tension qui montait dans l'évêché, des désordres qui menaçaient. Le député conférait avec la police provinciale et surveillait l'évolution de ce que certains avaient commencé d'appeler « le siège de l'évêché ». L'expression était reprise par les journaux nationaux qui avaient délégué reporters et photographes. Les Montréalais s'étonnaient de cette étrange rébellion qui prenait des airs de fêtes populaires où Blancs et Indiens fraternisaient bruyamment autour du feu. Les commerçants étaient en liesse également, l'afflux de touristes et d'observateurs stimulant les affaires. Les notables, jumeaux Bradette en tête, se retrouvaient à la une des grands quotidiens et appréciaient l'attention tout à coup accordée à leur « jeune ville dynamique », ainsi qu'ils la présentaient aux journalistes.

Dans l'entourage de l'évêque, l'humeur était sombre. Il fallait maintenant user de ruse pour s'approvisionner et la table des prêtres était passablement dégarnie. Le sommeil faisait cruellement défaut aussi, à cause des fêtes tardives. De jeunes abbés aux traits tirés étaient pris en flagrant délit à communier nuitamment au spectacle populaire par des fenêtres dérobées. On déplorait des absences, et même des absents, aux messes du matin. Et cependant, Monseigneur, d'une nature pourtant si paisible, alimentait le feu. Il se durcissait, faisait des colères, persistait dans son entêtement, réclamait l'intervention des forces policières. Ses proches ne le reconnaissaient plus. Plusieurs se résignaient à croire qu'il avait perdu la touche. Comment tout cela finirait-il ?

Ces péripéties survenaient au moment où les lutteurs de Léo effectuaient leur tournée annuelle dans la région. Partout, ils étaient accueillis avec la ferveur habituelle. Des foules nombreuses, trépidantes, affluaient dans les arènes, chahutaient joyeusement les « méchants », célébraient les « bons ». À Pikauba, pendant ce temps, le Bâtard ainsi que Méon, Kurtness et les autres Montagnais se faisaient du souci. Ils suivaient de près l'affaire du Plateau. Le soir, quelques camions quittaient le Village pour Chicoutimi. Des hommes se mêlaient à la fête et recueillaient des informations qu'ils relayaient à leur retour. Léo les questionnait longuement. Il s'intéressait au chef Napistau qui semblait avoir pris les commandes de l'opération. Tous ces événements le gardaient en alerte, l'arrachant par moment à son deuil.

Un jour, vers la fin de juillet, des policiers municipaux accompagnés de mystérieux agents de sécurité prirent place en grand nombre autour de l'évêché. À partir de ce moment, les gens de la presse se virent interdire l'accès au Plateau. Le soir venu, sans qu'on sût exactement de quelle manière, de la boisson en abondance y fut introduite. Il s'ensuivit un grand désordre. Les jeux et les danses firent place à l'agitation. Les Indiens, des jeunes surtout, devinrent agressifs. Des échauffourées éclatèrent, des bouteilles furent lancées contre les fenêtres de l'évêché, des feux allumés dans les broussailles se propagèrent à des hangars. Pendant tout ce temps, à la grande surprise des citadins et des Indiens eux-mêmes, les policiers et les agents gardaient leur position. Ce n'est qu'au milieu de la nuit, lorsque la violence fut à son comble, qu'ils intervinrent. Brutalement, sans faire de quartier, frappant le premier venu, s'attaquant même à des vieillards et à des femmes qui tentaient d'intercéder.

Méon se trouvait là, parmi les Indiens. Voyant tout à coup deux inconnus qui s'apprêtaient à frapper Napistau, il eut le réflexe de s'interposer, fut durement atteint au front et s'écroula. À cause de la panique qui régnait dans la place, on mit plus d'une heure à l'évacuer vers l'hôpital.

Au matin, le Plateau, de nouveau ouvert aux photographes, offrait un spectacle désolant. Des tentes renversées, des canots détruits, des vêtements, des effets dispersés parmi les bouteilles vides et les tessons, de la fumée qui s'élevait encore de quelques feux mal éteints ; et du côté de l'évêché, des fenêtres brisées, des murs enduits de suie, deux garages et trois voitures incendiés. Plusieurs Indiens avaient été emmenés à la prison de la ville. Les autres, stupéfaits, erraient parmi ce qui restait du campement.

Informé des événements de la nuit, Léo se précipita à Chicoutimi, accompagné de quelques hommes. Il se rendit immédiatement au chevet de Méon. L'oncle souffrait d'une vilaine blessure à la tête et les médecins craignaient pour sa vie. Le Bâtard attendit près de lui et put lui dire quelques mots :

— Tu as été courageux, Méon. Tu t'es bien racheté.

— Léo… ?

— Tu as été un bon frère aussi.

Il s'apprêtait à se retirer quand l'autre remua la main et parvint à balbutier :

— Tu sais… mon jeune frère… c'était Charles… Paul-Charles…

Léo se souvenait.

— Repose-toi maintenant.

Il allait mourir dans la soirée.

Le Bâtard sortit en trombe de l'hôpital et se rua vers le Plateau où il se heurta à un cordon de gardiens qu'il enfonça violemment. Il se dirigea vers Napistau qu'entourait un groupe d'Indigènes. Ils s'écartèrent pour livrer passage à l'arrivant qui s'arrêta devant le chef. Leurs regards se croisèrent. Ils ne s'étaient pas revus depuis leur affrontement à Betsiamites. Il y eut un moment de tension. Puis ils se donnèrent l'accolade.

Louis-de-Gonzague, qui avait suivi l'affaire depuis le début, s'était joint au groupe de Léo. Ils parlèrent aux Indiens. Tous se demandaient comment une telle quantité de boisson avait pu être introduite dans le campement. Gonzague et le Bâtard se rendirent ensuite à la prison où l'avocat entreprit, mais en vain, de négocier la mise en liberté des détenus. Ils purent cependant s'entretenir avec plusieurs d'entre eux. Durant les jours qui suivirent, avec l'aide de Raoul et de plusieurs autres, ils poursuivirent leur enquête, contactant leurs amis, suscitant des indiscrétions. Les propos recueillis convergeaient : des hommes payés par « le Palais de justice » avaient apporté la boisson sur le Plateau ; les policiers avaient reçu instruction de laisser les choses dégénérer avant de passer à l'action ; des agitateurs s'étaient chargés du reste. Tout avait été planifié au bureau de Létourneau.

Le *Zadig* publia ces informations, mais ce fut peine perdue, les reporters de Québec et de Montréal ne les jugeant pas crédibles. La mort de Méon était mise sur le compte de la panique générale consécutive à l'orgie. Dans tous les journaux du Québec, les lecteurs purent voir les scènes de dévastation, les restes de l'immense soûlerie : les « Sauvages » retournés à leur naturel. L'opinion, jusque-là amusée, complaisante, bascula. C'était le but de l'opération. Une grande hostilité se manifestait maintenant à l'endroit des Indiens dans tout le pays ; sauf à Chicoutimi où, parmi le peuple tout au moins, on avait appris à respecter la parole de Belley.

Les choses en restèrent là pendant quelques jours au cours desquels des gens de la ville vinrent approvisionner les occupants du Plateau restés sans vivres. Des photographes et des journalistes continuèrent d'arpenter la place. Puis une rumeur circula : les « forces de l'ordre » s'apprêtaient à investir le campement. Mettant encore à profit leurs contacts, Louis-de-Gonzague et Léo purent apprendre que l'assaut serait donné dans les quarante-huit heures. Les deux hommes se concertèrent. Il leur faudrait faire vite.

Deux jours plus tard, à l'aube, deux cents agents et policiers armés se pressaient à l'entrée du Plateau. L'évêque et le personnel de l'évêché avaient été évacués de nuit par une porte arrière. On attendait le député et le chef de la police municipale pour passer à l'action. À ce moment même, un train spécial en provenance du Lac entra en gare dans le bas de la ville. Quelques centaines de Montagnais envahirent le quai et montèrent aussitôt vers l'évêché. En même temps, une dizaine d'automobiles y arrivaient, transportant une trentaine de molosses à la mine peu engageante : les lutteurs de Léo. Ils furent aussitôt rejoints par les premiers camions amenant des dizaines de bûcherons des chantiers de Pikauba. Ils n'avaient pas oublié l'assaut contre le Village, six ans auparavant ; c'était l'heure de régler les comptes. Léo s'avança vers eux pour les remercier. Ils avaient passé l'éponge sur le conflit qui les avait opposés.

Sur le Plateau, les policiers s'étaient immobilisés, alors que la plupart des Indiens, dépassés par les événements, s'étaient réfugiés dans les tentes qu'ils avaient pu remettre sur pied. Les officiels, enfin, se présentèrent et le chef Lévesque, muni d'un porte-voix, amorça la lecture de l'acte d'émeute. Mais il fut interrompu par l'irruption d'une bande d'ouvriers montés du Bassin — les amis de Gonzague — qui prirent place eux aussi autour des policiers. D'autres camions de la Mistapéo continuaient d'arriver, déversant leurs chargements de bûcherons alléchés par l'action. Alertés par tous ces mouvements, des centaines de curieux arrivaient également de la ville.

Au milieu de cet immense rassemblement, le chef de police ne put recouvrer la parole. À partir de là, c'est Belley qui, s'étant emparé du porte-voix, prit les choses en main. Parlant derrière deux rangées de gladiateurs pour une fois réconciliés, eux-mêmes flanqués de quelques centaines d'ouvriers et de bûcherons guère plus amènes, Louis-de-Gonzague s'adressa aux agents et policiers et présenta sa propre sommation. Il en appelait au bon sens et à la justice. Il fit voir à chacun le caractère explosif de la situation et évoqua le péril d'un affrontement dont personne ne sortirait gagnant. Il eut à la fois le bon goût d'éviter les excès de rhétorique, dont il était friand, et l'habileté de ne pas insister sur le rapport inégal des forces qui, pour une fois, favorisait très évidemment les Montagnais et leurs alliés. Puis il énonça les termes de ce qu'il présenta comme le seul règlement équitable : qu'on laisse la voie libre aux occupants du Plateau, qu'on libère les détenus et que tous retournent paisiblement dans leurs Réserves.

La foule nombreuse fit connaître bruyamment son accord. Lévesque voulut répliquer mais, cerné de près, il se ravisa et fit signe à ses hommes de se retirer. La place se vida dans l'heure qui suivit. À la fin du jour, tous les Indiens purent quitter la ville comme ils y étaient venus. Ainsi prenait fin le « siège de l'Évêché ». Mais dans les esprits, il mettrait bien du temps à se lever.

* * *

Debout au bord du Plateau, Léo observait les canots qui s'éloignaient sur le Saguenay. Quelques minutes auparavant, il avait pu échanger quelques mots avec Napistau. Il songeait à ses dernières paroles :

— Il nous reste pas grand-chose maintenant, on nous a pas mal tout pris. Mais nous gardons l'essentiel ; la flamme qui nous brûle au cœur ne s'éteindra jamais. C'est elle qui, un jour, va rallumer notre race. Moi, mon temps est fait. Mais d'autres viendront.

Le soir tombait ; un dernier rayon de soleil s'attardait sur le Fjord. Le chef avait été le dernier à quitter la rive. Léo lui envoya la main tandis qu'il s'éloignait au large en compagnie des siens. L'autre souleva sa rame en guise d'adieu.

Il ne restait plus personne maintenant sur la place où le Métis, perdu dans ses pensées, allait et venait parmi les vestiges du « siège ». Il descendit le long de la rive et marcha quelque temps vers la Rivière-du-Moulin. Il reconnaissait les lieux de sa première fugue à l'époque où il fréquentait le Séminaire. Lorsqu'il revint sur ses pas, une douzaine de policiers surgirent des buissons et s'en saisirent. À la faveur de l'obscurité, ils le conduisirent en prison.

Deux jours plus tard, une accusation de complot et de rébellion fut encore une fois portée contre lui. Belley parvint à le faire libérer sous caution. Le procès allait commencer à l'automne.

* * *

Léo put assister aux funérailles de Méon à Pikauba. Cette fois, c'est lui qui prit la parole sur la Place. Il salua une dernière fois son oncle, son presque père, son frère. Il rappela sa vie difficile, ses tourments, et le réconfort qu'il avait enfin trouvé parmi les Villageois. Il termina en disant :

— Si Cageau avait trop de pays dans sa tête, Méon, lui, n'en avait pas assez. Il a cherché toute sa vie une patrie où il aurait pu être heureux. C'est au Village, avec vous tous, qu'il en a été le plus proche. C'est ici qu'il doit rester.

On enterra l'Indien au Radoub, près de Cage-à-l'Eau.

Chapitre 40

Le Bâtard avait convoqué à son bureau ses proches collaborateurs, ainsi que Raoul. Ils avaient pris place autour de la table ; Léo siégeait à une extrémité, comme à l'habitude. Le regard fixe, il tardait à prendre la parole. Les autres, en entrant, avaient été frappés par sa mine renfrognée, son air mauvais. Fabrice rompit le silence :

— Écoute, Léo, t'as eu ta part de malheurs ces derniers temps. Pourquoi tu prendrais pas un peu de vacances ? On est capables de faire marcher la Mistapéo tout seuls pendant un bout de temps.

— Des vacances ? Tu veux rire, Brice. On s'en va plutôt en guerre, là.

— En guerre ?

— Je te rappelle que j'ai encore un procès sur les bras. Un gros.

Raoul se leva, fit quelques pas dans la pièce :

— Léo a raison. Des accusations de complot, de rébellion, c'est grave. Il faudrait trouver un moyen de miner la crédibilité de la bande à Gosselin ; ça nous aiderait au tribunal. Après tout, c'est eux autres qui ont mené tout le jeu depuis l'arrivée des Indiens sur le Plateau.

Ils avaient moins de trois mois devant eux. Dans les jours qui suivirent, ils se concertèrent, essayant de mettre au point un stratagème. Mais tout cela à l'insu de Louis-de-Gonzague ; ce genre d'opération relevait plutôt de la compétence de Raoul.

Selon la rumeur, le Sieur faisait transporter de la bagosse dans ses ambulances. Plusieurs villes et villages du Saguenay avaient maintenant levé le vieil interdit sur le commerce de l'alcool mais les propriétaires d'alambics offraient de meilleurs prix et le marché noir demeurait florissant. Léo et ses hommes résolurent d'y regarder de plus près en organisant une étroite surveillance. Comme d'habitude, des liasses de billets circulèrent, des pressions discrètes furent exercées. Deux semaines plus tard, l'information était confirmée : deux soirs par semaine, une ambulance, sirène et gyrophare en action, quittait Chicoutimi en direction de Jonquière et du Lac Saint-Jean pour effectuer des livraisons de bagosse. Son itinéraire ne variant guère à la sortie de la ville, Raoul eut l'idée d'y provoquer un accrochage et d'appeler les policiers assez tôt pour constater le délit. L'incident surviendrait dans une courbe très serrée le long de la rivière Saguenay, juste avant une vilaine calvette qui obligeait les voitures à ralentir. On procéda aussi à une simulation, au lever du soleil. Puis on passa à l'action.

À l'heure dite, l'ambulance parvint dans la courbe, juste au moment où un camion s'engageait sur la calvette, du mauvais côté de la route. L'ambulance eut largement le temps de freiner, mais l'autre véhicule vint la heurter légèrement et s'immobilisa devant elle. À ce moment, une voiture de la police municipale arriva sur les lieux. Deux agents en descendirent et constatèrent des dégâts mineurs. Pressés par le chauffeur du camion qui s'inquiétait fort de l'état du malade en cours de transport, ils ouvrirent la porte arrière de l'ambulance pour y trouver une patiente somnolant sur une civière.

La mèche avait-elle été vendue? Léo et sa bande, redoublant de prudence, firent le point et accouchèrent d'un autre plan. Cette fois, il s'agissait de dévoiler un autre manège de Gosselin qu'on soupçonnait de recycler ses tombes. Au lendemain d'une inhumation, ses hommes venaient nuitamment déterrer le cercueil, le vidaient de son contenu et remettaient la terre en place. Le contenant était ensuite nettoyé et remis en vente. Le procédé n'était pas neuf; il avait déjà été signalé dans d'autres villes du Québec. Encore là, une opération de guet fut mise sur pied au cimetière de Chicoutimi. Il y eut quatre enterrements durant les dix jours qui suivirent; dans deux cas seulement, une équipe vint reprendre possession du cercueil et replaça soigneusement la terre dans la fosse. Craignant un nouvel échec, Raoul ordonna de poursuivre la surveillance. Mais la suite ne fut pas plus concluante.

L'avocat suggéra alors de recourir aux services d'un photographe et de surprendre les fraudeurs en action. La semaine suivante, au milieu de la nuit, trois intrus furent photographiés près d'une camionnette, en train d'extraire un cercueil d'un lot familial. Le crépitement subit des flashes les foudroya de peur. Des hommes de Léo les malmenèrent un peu et n'eurent pas de mal à recueillir leur identité. Deux jours plus tard, Raoul transmit les pièces à conviction à la Cour qui intenta une poursuite contre les trois hommes.

Les prévenus souffraient d'un violent choc nerveux consécutif à leur aventure nocturne et il fallut retarder l'instruction. Finalement, ils furent condamnés, mais sans qu'on puisse établir un lien entre eux et Gosselin. Le juge Létourneau conclut à un cas grave de « nécromanie », dont il fit deux conférences très remarquées le mois suivant à la Société des bonnes mœurs. Le parti de Léo essuyait un autre échec.

Pendant que Gonzague continuait à préparer l'affrontement judiciaire de l'automne, il y eut un autre conciliabule à Pikauba. La partie devenait encore plus serrée car on savait que la méfiance régnait chez Gosselin. Cette fois, le hasard vint en aide au Bâtard. Le cousin de l'un de ses employés, ramoneur de son métier, travaillait à ce moment au presbytère de la cathédrale. Il s'y trouvait plusieurs cheminées à nettoyer et quelques foyers à vérifier, ce qui l'amena à quelques reprises au sous-sol de l'édifice. Y cherchant un jour le raccordement d'un conduit, il arpenta d'abord la salle de la fournaise, puis la pièce voisine, mais sans succès. Il allait ainsi de porte en porte quand il pénétra dans une sorte de galerie mal éclairée remplie de grosses boîtes. Il y regarda de plus près; c'étaient des cercueils. Surpris, il voulut en avoir le cœur net. Il en ouvrit un, puis quelques autres: ils étaient tous remplis de quarante onces de whisky. Il raconta la chose à son cousin qui s'en ouvrit à Fabrice. C'était inespéré! Gosselin, pour économiser, entreposait des tombes chez son frère, le curé, et, certainement à son insu, y cachait de la boisson de contrebande. Les hommes de Léo tenaient enfin de quoi abattre le Sieur. Mais comment procéder?

L'esprit fertile de Raoul vint encore une fois à leur secours. Il suffisait d'attirer les policiers-pompiers au presbytère de la cathédrale en y allumant un petit incendie. La galerie où s'empilaient les cercueils parut l'endroit tout indiqué. Comme le poste de police serait immédiatement prévenu, le feu, alimenté par un peu d'essence, serait tout de suite maîtrisé. Le reste serait facile à orchestrer. Fabrice, l'intrépide, se porta volontaire pour s'introduire de nuit dans le sous-sol de l'édifice, grâce à la complicité du ramoneur, et y faire le nécessaire. Cette fois, le plan était des plus simples et ne pouvait échouer.

Muni d'un contenant d'essence et d'une lampe de poche, Fabrice s'introduisit sans difficulté dans le sous-sol du presbytère, puis dans la galerie. Il s'apprêtait à répandre un peu d'essence sur le plancher quand, poussé par la curiosité, il souleva le couvercle d'une tombe posée sur le sol. N'y voyant pas très bien, il se pencha pour mieux examiner son contenu… et se trouva face à face avec un cadavre. Du coup, il poussa un terrible cri qui se répercuta jusqu'au Mont-Valin, semant la panique dans tout le presbytère. Mort de peur, il fut en moins de deux à l'extérieur de l'édifice, sauta par-dessus un muret de huit pieds, parcourut les talons aux fesses un long terrain vague parsemé de broussailles, dévala une coulée, chuta dix fois, se retrouva sur un mauvais sentier d'où il sortit vêtements et chairs en lambeaux et toujours aussi effarouché. Les policiers perdirent sa trace et il parvint, mais seulement à l'aube et dans un état dévasté, à regagner Pikauba où régnait la plus grande inquiétude.

Encore haletant, il raconta ses déboires. Tous faillirent à expliquer cette chose pourtant si naturelle en d'autres circonstances : la présence d'un cadavre dans un cercueil. Gosselin anticipait donc tous les coups ? Chacun déplora cette troisième déconfiture, mais nul n'avait le cœur à un autre essai. Léo était furieux :

— Le plan était pourtant simple ! Veux-tu me dire, Brice, comment t'as fait ton compte ?

— Calvaire, Léo, j'aurais voulu t'y voir, toué. Un mort ! Un mort en pleine face en pleine nuite ! Pis pas frais en plus…

* * *

Les choses en étaient là à la fin d'octobre. Il restait un mois avant le grand procès, qui se présentait on ne peut plus mal. Gonzague prit soin d'en informer Léo : les preuves de la poursuite étaient solides et ses témoins nombreux. Il fallait s'attendre au pire. Même la mort de Méon était difficile à utiliser contre les policiers et les prétendus « agents de sécurité » — on avait découvert qu'ils étaient des hommes de bras embauchés à l'extérieur pour l'occasion. Raoul lui-même ne voyait pas d'issue et Belley, en dépit de son agressivité, baissait les bras. Il avait beau se lisser les trois cheveux qui lui restaient, il était à court d'expédients. Cette fois, le Bâtard était bel et bien coincé.

Novembre débutait et, à cause des événements de l'automne,

la « retraite fermée » de Montréal n'avait pas eu lieu. L'année financière avait été excellente cependant et le Bâtard décida de mettre à profit le court délai qui restait pour remercier ses principaux collaborateurs. Comme il s'agissait peut-être de la dernière virée montréalaise, il voulut leur réserver une surprise en retenant cette fois tout un étage du luxueux Hôtel Mont-Royal. Les hommes en furent reconnaissants et, malgré les circonstances difficiles, ou peut-être à cause d'elles, ils se livrèrent avec un entrain redoublé à leurs excès habituels.

Avec le temps, le pèlerinage des Saguenayens était entré dans la vie de la Main, devenant une sorte de kermesse annuelle que les tenanciers appréciaient — il y avait toujours un creux dans les affaires après le boom de l'été. La bande à Léo était donc très attendue, et même de pied ferme. D'une année à l'autre, il y avait un peu partout des comptes à redresser : un combat revanche avec un boulé du coin, un fiancé humilié exigeant réparation, une partie de poker à poursuivre, une entreprise galante à conclure ou à relancer. Ceci pour la nuit. Le jour offrait lui aussi mille attractions. Le réseau des tavernes dans l'Est de la ville dessinait d'innombrables itinéraires. Les Pikaubains, généreux, s'assuraient la sympathie des tenanciers et se mêlaient aux discussions, surtout quand il était question de hockey. Lors de la « retraite » de l'automne 1955, tout le monde, révolté, commentait encore bruyamment la fameuse émeute du printemps précédent au Forum, déclenchée par l'ignoble suspension de « Maurice ». Les buveurs hurlaient, quelques chaises volaient contre les murs ; on se serait cru dans les gradins de l'enceinte, rue Atwater. Un autre parcours, reliant le Forum au stade De Lorimier, était un pèlerinage obligé en hommage au même Maurice Richard et au lutteur Yvon Robert.

Aussitôt arrivé à Montréal cet automne-là, avant même de porter son sac au Mont-Royal, Fabrice fut au four et au moulin. Fidèle à son habitude, il se dépensa généreusement, courant de bar en tripot, écumant tavernes et salons de jeu. Vers le milieu de la soirée, il se trouva un peu fatigué par les libations de la journée. La nuit s'annonçant longue et agitée, il eut l'idée de passer à sa chambre pour s'étendre un peu. Mais son état d'ébriété fit qu'il se trompa d'étage. Juste au moment où il sortait de l'ascenseur, il aperçut à vingt pas, sur sa droite, le Sieur Gosselin en personne qui pénétrait dans une suite. Il était suivi de trois filles que Fabrice avait déjà repérées l'après-midi dans une petite maison spécialisée où il avait lui-même ses habitudes. Du coup, il dégrisa net et grimpa chez le Bâtard.

La nouvelle fit sensation parmi ceux qui étaient là. Raoul, toujours lui, fut le premier à imaginer le parti à tirer de l'affaire. Il donna deux billets de cent dollars à Valère et l'envoya dénicher en vitesse deux photographes. Il dépêcha Fabrice à l'étage du dessous pour y effectuer une surveillance discrète. Puis il se mit lui-même en quête d'un moyen d'accéder à la suite de Gosselin. L'entrain était revenu parmi la bande à Léo, en particulier chez Raoul qui, subitement, se retrouvait sur son terrain. Il s'en alla flâner du côté des chasseurs de l'hôtel et n'eut pas de peine à acheter la complicité de l'un d'entre eux. Il revint ensuite à la chambre pour conférer avec le Bâtard du scénario qu'il avait mis au point. Vers minuit, jugeant que tout était prêt, ils déclenchèrent l'opération.

D'abord, il n'y eut pas de réponse lorsque le chasseur frappa à la suite 911. Il dut s'y reprendre à deux fois et attendre longuement avant de voir la porte s'entrouvrir. Une voix peu amène se fit entendre :

— Qu'est-ce que c'est ?

— Pardonnez-moi, monsieur. Comme vous faites partie des invités de marque de l'hôtel, la direction souhaite vous offrir son service Royal Three C's : Champagne, Caviar, Cigares.

Il eut un flottement. Des rires étouffés fusaient de la pièce. Le chasseur put apercevoir une femme à demi nue traverser en courant son mince champ de vision. Il vit aussi que son interlocuteur était en robe de chambre.

— Écoutez, c'est très aimable mais là, nous… je suis occupé. Laissez donc le chariot dans le couloir ; je m'en occupe dans une minute.

— Bien sûr, monsieur. Quand vous voudrez.

Le chasseur, comme convenu, fit rapport de ce qu'il avait vu. Une demi-heure s'écoula. Dans la suite de Léo, Raoul vérifia sa tenue puis, très correct, très « business », se dirigea vers l'ascenseur. Parvenu au rez-de-chaussée, il pénétra dans le vaste lobby du Mont-Royal, presque désert à cette heure, et se rendit au comptoir de la réception où il demanda à parler au Surintendant de nuit. Un homme dans la cinquantaine, tiré à quatre épingles, fraîchement rasé et parfumé, apparut bientôt. Il s'adressa à Raoul avec onction, comme s'il avait affaire à une tête couronnée. L'autre, jouant de sa corpulence, se fit le plus intimidant possible et donna à comprendre que l'entretien était confidentiel. Il fut introduit dans un bureau adjacent.

— Merci de votre obligeance, monsieur le Surintendant. Voilà, c'est un peu délicat. Vous avez présentement des invités qui occupent la suite 911 et qui souhaiteraient plus d'intimité, si vous me comprenez bien. Je suis leur représentant ; voici ma carte.

Le surintendant s'en empara, y jeta un coup d'œil et émit un petit signe complice :

— Vous pouvez compter sur mon entière discrétion, cher Maître. En quoi puis-je vous être utile plus précisément ?

— Eh bien, mes clients, qui sont des personnages haut placés, aimeraient profiter de leur séjour chez vous pour se détendre un peu. Je crois que vous êtes familier de ce genre de choses ?

— Mais bien sûr. Distinction, Discrétion, Diligence ! Ce sont les marques de la maison. Vous connaissez le mot : Three C's, Three D's…

Raoul ignora le sourire complice du Surintendant. Prenant plutôt un air contrarié, il éleva un peu le ton :

— Un chasseur s'est présenté à la porte de mes clients tout à l'heure.

— En effet, l'un de ces messieurs vient de nous téléphoner à ce sujet. C'était une maladresse que je vous prie d'excuser. Un jeune membre de notre personnel qui a voulu trop bien faire.

— Je comprends. Mais à compter de maintenant, vous voudrez bien vous assurer d'interrompre tout service au 911. Nous vous appellerons au besoin.

— Vous pouvez compter sur moi. L'établissement sera à la hauteur de sa réputation.

— J'y compte bien.

En disant ces mots, Raoul glissa discrètement un billet de cent dans la poche du Surintendant qui cligna légèrement d'un œil sans se départir de sa raideur. Puis, le représentant très spécial tourna les talons, comme pour prendre congé, mais se ravisa :

— Ah j'oubliais. On n'a remis que deux clés de la suite à mes clients, c'est un peu juste.

— Je vous en fais donner une autre tout de suite. Ou préféreriez-vous deux ?

— Une suffira.

Plus tard dans la nuit, deux photographes accompagnés de cinq fiers-à-bras pénétrèrent en coup de vent dans la suite 911 et firent le tour de la place en mitraillant à tout-va. Il y eut des cris effarouchés, des protestations et quelque résistance rudement réprimée. Après moins de deux minutes, les intrus repartaient en courant et disparaissaient par un escalier de service.

Un coursier vint livrer photos et négatifs quelques heures plus tard chez Léo, qui convoqua aussitôt Fabrice, Raoul et les autres. Une dizaine de clichés étaient étalés sur une table basse. Un grand silence se fit. Ils n'en croyaient pas leurs yeux. Deux ou trois photos représentaient le Sieur en nu intégral, dans une posture très athlétique, surprenante pour son âge, qui lui faisait chevaucher deux partenaires très obligeantes. Sur d'autres photos, une dame très avenante tentait d'accommoder simultanément le vénérable juge Létourneau, plus blême que jamais, ainsi que le député, l'un et l'autre affichant beaucoup de dignité en dépit de postures peu propices. Sur un autre cliché, deux sexagénaires rondouillets, en qui on reconnaissait les jumeaux Bradette, tenaient à eux seuls la vedette, en duo.

Léo et ses hommes étaient là, pressés les uns contre les autres, pantois. Raoul commenta le premier :

— On les savait proches tous les deux, mais à ce point-là ?

— Tu parles des jumeaux Braguette… ?

Un grand éclat de rire ponctué d'exclamations remplit la pièce. Chacun y allait de son analyse :

— Une chance qu'ils ont gardé leurs bérets, je les reconnaîtrais pas.

— Ils ont cassé leur carême, on dirait.

— Ah bin calvaire…

— C'est le cas de le dire, chose : les culottes à terre…

— Pis les fesses à l'air.

— C'est pas beau, ça monsieur ?

— Combien ça peut valoir tout ça au détail ?

— Ah bin calvaire…

— Y vont aimer ça au Saguenay !

— Pis à l'évêché, tu penses pas ?

— Ah bin calvaire…

— Le Chevalier de Saint-Grégoire, tu y as vu c'te monture, toué ?

— Regardez-moué le stock de bouteilles ! Y aurait d'quoi charger une goélette, chose.

— On s'doutait pas qu'y faisaient leur retraite dans le même couvent que nous autres !

— Ah bin cal…

Léo ramassa les pièces et les remit à Raoul :

— Bon, faut pas que les gars d'en bas nous voient dans l'hôtel. Vous allez tous sortir en ville pour la journée. Le 911 va se vider dans l'avant-midi, certain, si c'est pas déjà fait.

Ils quittèrent la chambre en vitesse. Raoul s'attarda :

— Tu trouves pas que ton procès s'annonce mieux ?

— On dirait…

— C'est de la dynamite, Léo ; ça va sauter fort.

— Ce serait encore mieux si ça sautait pas ; ça pourrait servir plus d'une fois.

Il réfléchit une seconde :

— Faut-il en parler à M. Belley ?

— Ça me paraît pas nécessaire.

* * *

Le procès fut instruit deux semaines plus tard. Il se déroula d'une manière inattendue et se termina encore plus étrangement. La poursuite parut étonnamment négligente, mal préparée. Les rares témoins qu'elle appela à la barre n'avaient pas vu grand-chose ou bien ne se rappelaient de rien. Les interventions de Maître Warren furent erratiques, les preuves mal présentées et peu convaincantes. Le jury avait peine à suivre, le public ne s'y retrouvait plus. Le juge Létourneau lui-même paraissait absent, escamotait la procédure, bousculait le procureur de la Couronne. Louis-de-Gonzague, par contre, surmontant ses malaises, rajeuni de dix ans, fit preuve d'une formidable maîtrise en contre-interrogatoire. Avec une aisance, une élégance déconcertantes, il mit en pièces les prétentions de la partie adverse, subjugua les jurés, éclipsa magistralement la plaidoirie de son vis-à-vis qu'il mit vingt fois en difficulté au cours des audiences et il éblouit littéralement l'assistance par sa science, son brio, son humour, ses formules à l'emporte-pièce. Un quidam résuma le sentiment général :

— Un génie…

Le public applaudissait aux salves de l'avocat, s'amusait de ses excès. Les bévues de l'autre partie étaient saluées par de bruyants sifflements que Létourneau semblait ne pas entendre. On n'avait jamais vu affrontement aussi inégal.

Après trois jours, l'affaire était emballée. Le jury rejetait à l'unanimité l'accusation et le juge lui donnait cent fois raison. Dans un coin de la salle, dissimulés sous leurs bérets, les jumeaux Bradette n'en menaient pas large. Ils avaient assisté à toutes les séances et récité vingt chapelets. Le verdict les indifférait ; ils n'en avaient que pour leur réputation. Pour une fois, ils ne hoquetaient pas à l'unisson. Près d'eux, des Amis des Douze s'arrachaient les cheveux. Les Dames de Saint-Éphrem étaient aux abois :

— La vertu est encore bafouée… Bon saint Éphrem !

— En parlant de saint Éphrem, je sais pas ce qu'il fait celui-là, mais nos affaires avancent pas vite, on dirait.

— Pauvre Chicoutimi ! C'est clair que Belzébuth s'est emparé de la place.

— Câline de binne de mozusse…

— Seigneur, faites de quoi ! Votre Église est en train de retourner aux catacombes, là…

— Sainte-Bénite, pas les catacombes ! Va-t-il falloir recommencer à creuser ?

Le Bâtard, Raoul et les autres eurent la victoire modeste. Feignant l'innocence, ils entouraient Louis-de-Gonzague et le comblaient des superlatifs les plus flatteurs. Le vieux plaideur savourait le moment, commentait sobrement son triomphe :

— Bof ! c'est l'expérience… avec un peu de talent, bien sûr !

*　*　*

Quelque temps après, l'avocat apprit avec surprise que, pour des raisons qui lui demeurèrent inconnues, la procédure en excommunication engagée contre lui avait été abandonnée. Dans le *Zadig*, il nargua aussitôt l'évêché, expliquant à ses lecteurs que Bezeau et ses acolytes avaient cédé à la crainte de l'affronter. Il en voulait pour preuve que même *La Vérité*, qui venait subitement d'interrompre sa collaboration avec Torquemada, ne l'attaquait plus depuis quelque temps. Pouvait-on imaginer confirmation plus éclatante de l'ascendant qu'il en était venu à exercer sur ses contemporains? Comme quoi l'esprit finissait toujours par triompher de la bêtise, tout comme la vertu du vice…

Gonzague ne pouvait deviner que, en l'occurrence, l'esprit et la vertu s'étaient ligués avec la circonstance la plus favorable qui soit. Ainsi que Léo l'avait espéré, l'arme secrète provenant de l'arnaque montréalaise continuait de produire ses effets miraculeux.

Chapitre 41

Presque tous les jours au Village, des Habitants allaient se recueillir sur la tombe de Méon et celle de Cage-à-l'Eau, dont la goélette gisait toujours dans sa coulée du Radoub, avec son mât qui se dressait comme un défi à la forêt… et à la mer. Le Maître, entouré de ses plus vieux Écoliers, faisait souvent le court pèlerinage. Ses jeunes, en grandissant, délaissaient un peu leurs jeux et tenaient entre eux de longues conversations ; ils commençaient à se trouver à l'étroit à Pikauba. Ouellet le voyait bien qui, à soixante-quinze ans, souffrait lui aussi de son âge. Il lui semblait que sa bosse enflait et il y voyait de moins en moins de son mauvais œil.

En ce jour de décembre 1957, il put encore une fois quitter sa maisonnette, aidé par M. Léon qui le soutint jusque dans la classe. Il y prit place et mit quelques instants à rassembler ses idées. Depuis quelque temps, son enseignement tenait dans de courts monologues que les Écoliers se gardaient d'interrompre, redoutant que le Maître en soit à ses dernières leçons. Chacun s'efforçait de capter ces précieux morceaux de sagesse qui étaient le fruit de toute une vie de solitude et de méditation.

Il attendit d'avoir retrouvé son souffle et finalement parla, d'une voix fêlée, en s'arrêtant à tout moment. Il n'en avait plus, dit-il, pour très longtemps ; ses forces l'abandonnaient. Il évoqua son savoir qui lui avait déjà paru immense ; mais en cet instant où il voulait le résumer, le ramener à ses éléments principaux, il se sentait démuni, un peu comme jadis lorsqu'il avait entrepris sa longue quête :

— Il faudra toujours vous rappeler le contenu de nos échanges. Mais surtout, tâchez de vous imprégner de leur esprit, de le cultiver en chacun de vous, et aussi entre vous. Car je souhaite que vous restiez unis autour des idées, des élans qui ont fait de vous et de cette école un épisode singulier dans l'histoire du monde : un éclat de lumière, une source de vie. En dépit de tout ce que l'on vous dira, conservez l'innocence, la candeur, qui est le bien le plus précieux de tous et que j'ai mis, pour ma part, si longtemps à acquérir. Dites-vous bien que, sous ce rapport, l'enfant est très en avance sur l'adulte ; ne permettez pas qu'il soit rattrapé.

Comme sa voix faiblissait, les élèves quittèrent peu à peu leur siège et se regroupèrent à l'avant de la classe. Ouellet apprécia le geste et en fut réconforté :

— Je ne sais ce qu'il en sera de votre vie, mais Pikauba a fait éclore la mienne. J'en étais venu à désespérer de ma mission. Je sais bien que mes idées peuvent surprendre. En plus, la nature ne m'a pas facilité les choses en m'apprêtant de la façon que vous voyez. Mais vous avez été généreux. Vous m'avez sauvé et je vous en remercie.

Oppressé par l'émotion, il dut faire une pause. Puis il reprit :

— Dans l'agitation désordonnée de nos sociétés, j'ai voulu faire de ce lieu une réserve de fraîcheur et de beauté ; une réserve d'où, bientôt et grâce à vous, les vertus principales vont se répandre à nouveau. Dans cent ans, dans mille ans, on se souviendra que tout a recommencé ici.

Il sourit à ses élèves et, rassemblant ses forces, il put ajouter :

— D'ici peu, le temps sera venu pour vous de quitter ce Village. Vous allez descendre dans la plaine, vous irez de par le pays et le monde. Il vous faudra beaucoup de courage. Cent fois vous voudrez renoncer ; c'est dans ces moments-là surtout qu'il faudra vous souvenir de Pikauba.

Les jeunes s'étaient encore rapprochés de lui.

— Mes enfants, mes chers enfants, je laisserai bien des travaux en friche. J'aurais tant à apprendre et à réapprendre encore sur les humeurs des peuples. Il restera beaucoup à faire aussi sur mon nouveau langage et j'aurais tellement voulu me remettre à la mathématique où se trouve le secret de toutes les harmonies. Vous finirez tout cela pour moi. Je vous souhaite bonne route.

Ils mirent beaucoup de temps à se séparer. Chacun, en sortant, s'approcha du Maître et lui serra la main en silence.

* * *

Les morts continuaient de hanter Léo. Il était retourné vivre au Vieux-Moulin, toujours habité par la présence de Mercurie. Désormais, il lui répugnait de conduire son camion sur les chemins d'hiver. Les nouvelles des Indiens qui avaient commencé à organiser des manifestations dans le Nord lui rappelaient Méon agonisant à l'hôpital. Et, quand il s'engageait sur la route de Québec, il revivait constamment ce dimanche où, avec Blanche et Antonin, il était allé conduire Julie à l'asile.

Grâce à l'arnaque de Montréal, il était parvenu à renverser une situation qui avait failli l'emporter, lui et la Mistapéo. Usant de chantage, il avait humilié ses rivaux et avait désormais les coudées franches dans la ville. Il se crut tout à coup invincible et, animé par un désir de vengeance, il voulut exploiter au maximum son avantage. Il céda de nouveau à la frénésie de l'action. Il y trouvait en même temps une diversion aux événements tragiques qui venaient de perturber sa vie.

Il continuait de diriger le Conseil de la Mistapéo tout en se tenant éloigné des affaires courantes, ce qui le rendait disponible pour d'autres entreprises. Faisant jouer l'arme secrète dont il était muni, il s'était d'abord étonné de l'aisance avec laquelle il avait fait cesser la procédure d'excommunication contre Louis-de-Gonzague. Il s'était ensuite amusé à faire congédier Torquemada à *La Vérité*. Tablant toujours sur les précieuses photos, il allait maintenant passer à des choses plus sérieuses.

En quelques semaines, il força Gosselin à lui vendre successivement ses parts dans les installations portuaires, le poste de radio local et, enfin, très discrètement, *La Vérité* elle-même. Il se donnait bonne conscience en se montrant généreux sur les prix et en se rappelant la façon dont le Sieur l'avait traité jadis ; tout cela n'était que justice. Il approcha ensuite Louis-de-Gonzague et offrit de le soulager du fardeau financier qu'était devenu le *Zadig*, lourdement endetté. L'avocat, maladif, n'écrivait plus guère dans son hebdomadaire, dont il avait confié la direction à des collaborateurs. Il accepta l'offre de Léo et lui fut reconnaissant de son geste qu'il qualifia de fraternel :

— C'est bien que tu assures la suite. Ainsi, mon *Zadig* sera entre bonnes mains ; il restera dans la famille, si je puis dire.

Le Bâtard, à la faveur de quelques manœuvres, se porta aussi acquéreur d'une petite gazette de Jonquière qui lui faisait la vie dure depuis quelque temps. Le jeune avocat qui l'avait fondée avait pris Léo pour cible. Mais il apprit un jour que ses principaux fournisseurs doublaient leurs prix et que ses plus gros annonceurs le délaissaient. Il fut heureux de conclure la transaction avantageuse que le Bâtard, par l'intermédiaire de Raoul, lui proposait. Le nouveau propriétaire séjourna alors à Montréal et à Québec où il étudia la situation des médias. Il en revint avec une idée qu'il s'empressa de mettre en œuvre : l'heure, annonçait-il, était à la « convergence ». Il créa alors une compagnie qui regroupa le poste de télévision et la station de radio qu'il possédait déjà, celle qu'il avait achetée à Gosselin ainsi que les trois publications fusionnées en un nouveau journal appelé *L'Ordre*.

Il mit à sa tête un rédacteur talentueux, fort ambitieux et néanmoins docile qui sut apprêter le contenu des pages au goût du patron. Les éditoriaux et les chroniques soulignaient les hauts faits du Bâtard, vantaient les vertus de l'esprit d'entreprise et du progrès, et mettaient en garde contre toutes les formes de désordre, notamment les conflits de travail et les grèves dont les syndicats étaient si friands. La radio et la télévision relayaient le message, et vice-versa.

Procédant avec adresse et fermeté, Léo avait pu mener à bien ces opérations en quelques mois seulement. Il était maintenant en position de faire l'opinion et l'événement, de défaire les réputations et les carrières, de bousculer les hiérarchies. Il prenait goût à la richesse, au pouvoir qui l'accompagnait, aux égards qu'elle commandait. Ses proches, ses vieux associés l'observaient, inquiets et perplexes. En avril 1958, au cours d'une brève réunion du Conseil, il informa les autres administrateurs de son dernier projet : acheter le barrage Price à Chicoutimi et remettre en marche la vieille pulperie de Dubuc… L'assemblée fut levée dans un silence glacial.

Sur ces entrefaites, il reçut une invitation à se joindre au très huppé et non moins anglophile Garrison Club de Québec — ses amis de New York, à son insu, avaient préparé le terrain. Il fit paraître la lettre du Club dans les pages de *L'Ordre* au-dessus d'un encart annonçant son acceptation. Puis ce fut au tour de la Chambre de commerce du Québec qui le décora de sa Médaille d'excellence. Fin avril, il se rendit à Montréal où, au cours d'une cérémonie qui fit les manchettes des grands quotidiens, il fut comblé d'honneurs devant un parterre très relevé. Il eut droit à tous les superlatifs, les orateurs s'accordant à souligner son esprit « visionnaire », son ascension « foudroyante », son « esprit d'équipe ». En entrevue avec les médias, il se déclara heureux de contribuer à la prospérité de sa région et au relèvement des Canadiens français. On l'interrogea sur ses antécédents, ses origines ; il parla abondamment et avec émotion de Méo, de Mistouk et de ses grands-parents défricheurs dont il avait sans doute hérité quelques traits. Au Saguenay, les médias débordèrent de louanges et, à son retour à Chicoutimi, le héros eut droit à diverses réceptions. On le vit à profusion dans les journaux, à la télévision. Il avait troqué sa veste à franges pour un veston de cuir noir acheté à Montréal.

À Pikauba aussi, on souligna l'événement en organisant une petite fête après une réunion du Conseil. Mais le cœur n'y était pas. Léo lui-même était mal à l'aise. Valère lui tourna carrément le dos et Kurtness, compagnon de la première heure, refusa de lui serrer la main, lui glissant plutôt à l'oreille :

— C'était beau ce que t'as dit sur ta famille à Montréal. Mais je pensais que t'avais un peu de Sauvage du côté de ta mère ? Manigouche, ça te dit rien ?

Le Bâtard encaissa.

À la fin de mai, la grand-mère Marie mourut. À vrai dire, tous ceux qui l'aimaient éprouvèrent du soulagement ; depuis longtemps, son âme avait quitté ce corps ravagé auquel la vie restait accrochée. Pendant deux jours, tous les parents, proches et lointains, affluèrent à Mistouk pour rendre hommage à la défunte. Léo fut heureux de revoir ses cousins, en particulier les enfants de Blanche et Antonin. Très amaigri, l'oncle avait le souffle court et se déplaçait maintenant à l'aide d'une canne. Nazaire vint aussi, la première journée, mais on le vit peu. Il se recueillit un moment auprès de sa grand-mère, lui passa doucement la main sur le front, comme pour le réchauffer, puis il sortit et passa de longues heures sur le rivage et sur le Cran-Rouge à contempler le Lac et l'horizon. Le troisième jour, après le service et l'inhumation, la parenté et plusieurs amis se rassemblèrent une dernière fois à la vieille maison des Chicots. Il y avait là une soixantaine de personnes, à qui on servit à manger et à boire. Les conversations s'animèrent. Plusieurs faisaient la cour au Bâtard, réclamant ses opinions, escomptant ses faveurs. Il distribuait les unes et les autres.

Un journaliste de *L'Ordre,* accompagné d'un photographe, se présenta pour l'interviewer. Il reprit son refrain : tout ce qu'il avait fait, c'était pour sa famille ; il avait marché sur les traces de Méo et de son grand-père, le défricheur. Puis, il y eut quelques flashes. Les deux hommes en avaient terminé, ils s'apprêtaient à se retirer.

Valère s'était enivré. Il fit tout à coup irruption devant le Bâtard et l'apostropha bruyamment :

— Ce que t'as fait pour les tiens ? Parle plutôt de ce que t'as fait pour toué. Ce serait plus clair.

Du coup, le silence se fit et l'assemblée, stupéfaite, se tourna vers Léo qui restait calme :

— Valère, t'as trop bu ; tu ferais mieux d'aller te reposer.

Mais l'autre en remettait :

— Je t'ai déjà admiré, Léo, dans le temps où t'étais des nôtres. Maintenant, c'est fini. T'es rendu comme eux autres, asteure.

— Valère, ça suffit !

— Tu devrais avoir honte de parler de l'oncle Méo.

Des hommes essayèrent de le contenir, de l'éloigner. Il se débattit, leur échappa, éleva encore le ton :

— Personne ose te le dire, mais si le Grand était là, il serait gêné de toué. Pis y te r'mettrait à ta place, tu peux être sûr ! T'es pas digne de lui.

Là-dessus, Léo s'élança et gifla violemment son cousin qui s'étendit de tout son long. On l'aida à se relever. Il disparut en sanglotant.

L'incident créa un vif émoi, et plusieurs invités prirent congé. Le Bâtard lui-même se retira seul sur la galerie arrière de la maison. Son regard errait sur les lieux familiers, mais il n'y prêtait pas attention ; il était effondré. Un moment s'écoula, puis l'oncle Antonin, l'air attristé, vint le rejoindre. Léo l'aida à s'asseoir sur une marche du petit escalier et prit place près de lui.

— J'aurais pas dû m'emporter, j'aurais pas dû ; je le regrette.

Valère, en plus ! Mais qu'est-ce qui lui a pris ? Qu'est-ce qui lui a pris là, devant tout le monde ?

Antonin demeurait silencieux, la tête basse.

— Vous pouvez me parler franchement, mon oncle. J'ai confiance en vous.

— Écoute, il a peut-être pas tort, Valère…

— Comment… ?

— T'as changé, Léo. On s'en est aperçu, Blanche pis moué, les dernières fois que t'es passé à la maison. Après, t'es pus revenu ; on l'a bin regretté. Mais, pour te dire, on n'était pas vraiment surpris.

— Je vous ai jamais oubliés. Simplement, je trouvais pas…

L'oncle eut un petit geste de la main, comme pour repousser une mouche, et continua :

— C'est bin ce que je veux dire. Mais c'est pas vraiment ça le problème. Tu vois, avant, on était avec toi ; on savait d'où tu venais, ce que t'avais dans le cœur. On était contents de tes réussites, y avait comme une justice là-dedans. C'est un peu nous autres qui montaient avec toué, tu comprends ? Asteure, c'est pus pareil. J't'aimais mieux avant.

— Soyez pas injuste, là. Vous le savez comment tout ça a commencé, ce qui est arrivé à l'époque avec ma scierie du lac Long, l'affaire de Port-au-Persil. Vous vous rappelez, avant de partir pour Montréal, j'avais fait le serment que je me rachèterais.

— J'ai pas oublié. Mais t'avais juré de te racheter, pas d'écraser tout le monde.

Léo ne bougeait pas ; il avait enfoui son visage dans ses mains. Alors, il se redressa et, se tournant vers son oncle :

— Je vous déçois ?

Antonin parut ébranlé, hésita, puis, dans un souffle :

— C'est ça.

Sur ce, il se releva péniblement et rentra dans la maison. Léo resta longtemps assis sur la galerie, puis, les mains dans les poches, le pas traînant, il s'en alla marcher dans les champs, vers le Pré-du-Loup, les crans derrière l'école, les Eaux-Belles. Il voyait bien tout le gâchis dans lequel il se trouvait; il essayait d'y voir clair.

Bâtard, c'est le programme qu'il s'était donné treize ans auparavant. C'est bien ce qu'il était devenu.

Chapitre 42

Depuis deux ou trois ans, *La Vérité* tenait une chronique peu fréquentée mais très chère à la direction. *Mens sana in corpore sano,* tel était le titre qui coiffait deux feuillets des plus convenus que signait chaque semaine un prêtre du Séminaire sous le pseudonyme non moins attendu de Spartacus. Cet ecclésiastique avait en effet démontré en diverses circonstances (incluant quelques fâcheux incidents heureusement soustraits à la rumeur) son amour de la jeunesse. Afin de promouvoir la cause athlétique, il émit un jour l'idée de tenir à Chicoutimi de grandes olympiades régionales. Le projet plut à la direction du journal qui y vit une belle occasion de conjuguer l'idéal de la santé corporelle avec celui des bonnes mœurs. On était alors en février 1958. Le journal annonça que les Jeux auraient lieu le 1er juillet.

Il s'ensuivit tout un branle-bas dans les villes du Saguenay, chacune étant invitée à présenter une équipe. Bien sûr, il se trouva quelques esprits chagrins pour souligner que Chicoutimi détenait un gros avantage du fait qu'elle était la plus populeuse et serait l'hôtesse des jeux. Mais *La Vérité* en fit peu de cas. Spartacus mit sur pied une grosse organisation et diffusa le programme de la compétition qui comprendrait cinq épreuves, s'étendrait sur une journée et accueillerait les garçons de quinze à dix-huit ans. En plus de Chicoutimi, quatre villes annoncèrent leur participation (Jonquière, la Baie, Alma et Roberval), chacune étant priée de déléguer quinze athlètes.

L'intérêt pour l'événement ne cessa de grandir, aussi bien chez les adultes que chez les jeunes gens, car l'honneur des municipalités était en jeu. Un peu partout, on tint des conférences de notables, des assemblées populaires en plein air, des journées de flexions et de réflexions afin de préparer rigoureusement la chose. Les chambres de commerce se mobilisèrent, ainsi que le Club des Zouaves. Et pour insuffler l'esprit olympique, les maires et les conseillers municipaux ne siégèrent plus désormais que chaussés de choutlaques*.

Spartacus, comme on devine, était au four et au moulin. Il trouva néanmoins le temps de composer un hymne (qui faisait rimer Athénée avec Saguenay, Olympie avec Chicoutimi, Marathon avec Saint-Gédéon), et de dessiner un immense drapeau « authentiquement olympique » sur lequel chacune des cinq villes trouvait son anneau — Chicoutimi trônant au centre. Ce faisant, il gardait aussi un œil sur la préparation de l'équipe locale. Le recrutement et l'entraînement en avaient été confiés à la direction du Séminaire qui embaucha à grands frais un entraîneur de Québec, spécialiste des « jeux sportiques ». Bien d'autres questions, tout aussi graves, sollicitaient l'attention de l'abbé, par exemple la longueur des costumes que porteraient les athlètes. Ici, les impératifs de la décence entraient en conflit avec ceux de la performance. Il trancha en faveur des premiers.

Une autre difficulté survint. À Pikauba, les forces du Maître déclinaient; néanmoins, il demeurait attentif à la marche du monde, proche ou lointain. Il se prit d'intérêt pour ces Jeux régionaux dans lesquels il vit un moyen, après toutes ces années, de mettre à l'épreuve une partie de ses théories pédagogiques. Ils lui offraient en même temps l'occasion de confondre les Pikaubains qui l'avaient pris à partie l'année précédente. Il fit demander, par l'intermédiaire de son ami Belley, qu'on inscrive ses Écoliers aux Jeux. Spartacus rejeta la requête, sous prétexte que Pikauba n'était pas une ville. Louis-de-Gonzague menaça de poursuivre *La Vérité* et d'obtenir de la Cour une injonction contre l'événement. Il plaida que, Pikauba n'ayant jamais décliné aucun des statuts prévus par la loi, il pouvait donc se réclamer de tous, y compris celui de ville ; et quoi qu'il en soit, il mettait l'autre partie au défi de prouver le contraire.

Dans le camp de Spartacus, le caractère spécieux de l'argument n'échappait à personne, mais on eut beau le retourner dans tous les sens, nul ne trouva le point par où l'enfoncer. Tous connaissaient par ailleurs la pugnacité de l'avocat. On se mit à craindre qu'une croisade du *Zadig*, doublée d'une guérilla judiciaire, ne vienne compromettre le projet. Et puis, à bien y penser, admettre la participation de ces jeunes Écoliers ne fournirait-il pas une occasion inespérée d'infliger une profonde humiliation au Bâtard et à ses affidés ? Pikauba fit son entrée dans la compétition.

Au Village, les jeunes accueillirent la nouvelle assez froidement : l'exclusion des filles choquait. Belley se remit en guerre ; mais cette fois, *La Vérité* se montra inflexible. Du coup, les garçons voulurent annuler leur participation. Les filles les en dissuadèrent ; l'affaire revêtait trop d'importance aux yeux du Maître, il en serait courroucé. Elles suggérèrent un compromis symbolique : pourquoi ne pas user d'un subterfuge et faire en sorte qu'une fille, Nova par exemple, soit de la compétition ? Il faudrait donc la déguiser ? Et pourquoi pas ! L'idée plut à tout le monde, y compris à l'intéressée, et elle amusa fort Ouellet qui pourrait ainsi vérifier une autre de ses thèses.

On étudia soigneusement les règlements des Jeux. Les cinq disciplines consistaient en une course de cent verges, deux sauts (en hauteur et en longueur), le lancer du poids et une course de cinq milles. Monsieur Léon fut désigné pour s'occuper des préparatifs, en remplacement de Ouellet. Sa première tâche fut d'organiser des épreuves préliminaires destinées à sélectionner les quinze concurrents. Parmi les filles, Nova fit tout de suite l'unanimité. Tous les autres volontaires furent soumis à des exercices simulant les cinq épreuves. Théo calcula que le tour du Mont-des-Conscrits faisait exactement cinq milles et qu'il y avait cent verges entre la rue d'Athènes et la Rivière. Des pierres tinrent lieu de poids à lancer. Une aulne supportée par deux échafauds servirait de barre pour le saut en hauteur. Enfin, l'horloge du Temple permettrait de mesurer les prestations des coureurs.

Il régna beaucoup d'entrain à la fin de mai, pendant les trois jours que durèrent les sélections. La compétition était féroce, les Écoliers se livrant une guerre sans merci. Ouellet, qui n'arrivait plus à se déplacer, se faisait porter sur le rocher Sisyphe d'où il pouvait observer les prouesses de ses chers jeunes gens. Des Pikaubains, dont Fabrice et Eudore, désertaient leur travail pour voir les jeunes à l'œuvre. Le Bâtard lui-même fit quelques apparitions. À la fin du troisième jour, M. Léon établit la composition de l'équipe. Théo en faisait partie, sans surprise, mais aussi le petit Émilien qui avait manifesté une opiniâtreté louée de tous. La semaine suivante, *La Vérité* publia la liste des cinq délégations. En tête de l'équipe du Séminaire venait le nom de Jules Gosselin, le fils du Sieur, en qui l'on voyait déjà la grande vedette des Jeux.

Pendant ce temps, intimidée peut-être, Nova préférait s'entraîner à l'écart, aidée par les autres filles, et elle ne voulut ni connaître les performances des garçons ni divulguer les siennes. Il faut dire qu'elle en aurait été bien incapable; elle s'exerçait à franchir les ruisseaux d'un bond, à sauter par-dessus les arbres morts dans les sentiers, à sprinter dans les terrains marécageux, à escalader en courant le Mont-des-Conscrits et à en faire quelquefois le tour à la course. Pour ajouter aux difficultés, elle fixait sur son dos un sac rempli de cailloux. Elle rentrait le soir à demi morte, au grand désespoir de Clothilde :

— C't'enfant-là va finir par se morfondre, c'est sûr !

Fabrice, au contraire, suivait sa progression et la poussait à l'effort :

— Écoute, c'est pas la petite Aurore, quand même ! T'as pas l'air de comprendre pantoute, ma pauvre Clothilde. C'est de la course olympique !

— Ah, tu connais ça, toué, l'olympique ?

— Ben, plus que toué, ça a l'air.

— Tu mêlerais pas la course pis le couraillage, là ?

Des femmes du Village, mieux disposées que Clothilde envers l'« olympique », confectionnèrent les costumes réglementaires, aux couleurs de la Mistapéo : des espèces de grands maillots orange qui descendaient jusqu'à mi-jambe et portaient à l'arrière, en lettres bleues, l'inscription PIKAUBA. Comme rien n'était spécifié pour les chaussures, on opta pour le « pichetou », un mocassin d'été confectionné par Jérémie, le cordonnier, et dont il mit au point un modèle allégé, sur les conseils des Montagnais. Quant à Nova, on lui rasa les cheveux en brosse et une dame lui tricota un maillot bouffant qui adoucissait les courbes de sa poitrine et de ses hanches. Cette mesure aggrava le dépit de Gemma :

— Ça y est, y vont m'en faire un vrai gars. Me v'là avec une tondue, asteure ! Pourquoi pas une bossue, tant qu'à y être ?

Pendant tout le mois de juin, les quinze sélectionnés s'entraînèrent très dur. Deux jours avant la compétition, l'équipe, vêtue de son costume officiel et acclamée par les Villageois, se produisit une dernière fois sous l'œil sévère de M. Léon. Tout semblait au point. Ouellet, cependant, ne parut pas. On ne s'en aperçut pas tout de suite. Quelqu'un eut finalement l'idée de passer chez lui. Il était étendu, immobile, sur son lit. Une expression très douce parcourait son visage. Il était mort.

Les Écoliers furent atterrés, tout comme les autres Pikaubains. Ils refusaient cependant de s'abandonner à leur chagrin et, comme il leur avait été enseigné, ils refoulaient les effusions. Ils se regroupaient plutôt et se recueillaient, s'efforçant de graver cet instant dans leur mémoire et de l'y garder bien vivant. Le Maître n'était plus mais sa parole demeurait.

Belley se déclara dépositaire de son testament. On procéda à l'inhumation. Conformément à la volonté du Maître, son corps fut recouvert de feuilles de framboisier et de ramilles de cèdre, puis exposé pendant une heure sur la Place, face au sud. Ses élèves y défilèrent et plusieurs prononcèrent quelques mots devant l'assemblée. Après quoi, Louis-de-Gonzague, tout vêtu de noir, très digne et toujours toussotant, se dressa près de la sépulture. En des mots simples et éloquents, il vanta le grand homme qui gisait dans le petit cercueil, le disant aussi immense que sa pensée qui embrassait l'univers et n'allait pas cesser de grandir. Il résuma son itinéraire, depuis Port-au-Persil jusqu'à Pikauba, soulignant la foi, la passion qui le dévoraient, et tout ce qui l'avait rendu si attachant, si émouvant dans son extrême dénuement. Retiré dans ces latitudes, on l'avait cru hors du monde, alors qu'en réalité, il en habitait le cœur et le refaisait. Il acheva sur ces mots :

— En votre nom à tous, je salue l'ami, le savant, le Maître de Pikauba et, peut-être, qu'en sait-on ? le gardien de l'univers.

À la tombée du jour, ainsi que l'avait souhaité Ouellet, le corps fut enseveli à l'entrée du Village, à l'ombre d'un rocher dominant la vallée. Le Maître léguait ses livres — ses chers livres — à la Sourche. Le rôle de Belley, exécuteur testamentaire, s'arrêtait là, le défunt n'ayant laissé aucun autre bien ni exprimé aucune autre volonté.

Les jeunes olympiens, chagrinés, n'avaient plus le cœur aux Jeux. Certains voulurent y renoncer. Les Habitants tinrent conseil dans la grande salle du Temple. La participation aux olympiades étant l'idée de Ouellet, il sembla à plusieurs qu'on devait y donner suite. Le vote confirma leur opinion : il fallait aller à Chicoutimi. On fit monter les athlètes sur la tribune et les Pikaubains leur adressèrent moult encouragements et ovations.

L'esprit du Maître les habitait de nouveau. Ils étaient galvanisés. L'inévitable *O Sole Mio* vint clore la réunion — c'était devenu l'hymne de Pikauba.

Le lendemain à l'aube, les Écoliers et plus d'un millier de Villageois s'embarquèrent à bord de camions qui les amenèrent à Chicoutimi. Les Jeux allaient se dérouler sur un grand terrain aménagé sur le port. De nombreux gradins y avaient été érigés, dont la plupart étaient déjà occupés. Un murmure impatient s'en élevait. Des commerçants avaient dressé des kiosques, comme à une kermesse. La fanfare du Séminaire jouait des marches militaires. Une tribune ornée de banderoles attendait les dignitaires. Trois équipes étaient arrivées et s'affairaient sous leur chapiteau et sur la piste. Le soleil inondait le Fjord mais le temps était frais, propice aux exploits « sportiques ».

Un grondement parcourut la place lorsque la délégation de Pikauba y débarqua. Chacun voulut voir de plus près ces spécimens dont plusieurs disaient le plus grand mal. Regroupées près de la tribune d'honneur, les Dames de Saint-Éphrem leur jetaient un regard dédaigneux. Les plus généreuses éprouvaient à leur endroit de la compassion, s'étonnant que les représentants de la loi n'aient pas encore enlevé ces pauvres enfants à la vie scandaleuse du Village. Elles leur trouvaient du reste la peau bien foncée : n'était-ce pas le signe de quelque métissage douteux ? Il est vrai que le régime de plein air et de liberté conçu par le Maître avait beaucoup bronzé les visages et les corps, assoupli les démarches et allongé les chevelures. Certaines opinaient :

— Mais ce sont des Sauvages !

— Disons : une sorte de Sauvages.

— C'est à cause de la forêt.

— Ou à cause des animaux ?

— Peut-être les deux…

— Bon-yenne de bon-yenne !

Quelques-unes exprimèrent leur déception ; elles s'attendaient à voir débarquer des êtres tordus par le péché, des culs-de-jatte ou des monstres géants, des nains, des bossus, et même des bossus nains.

Lorsque tous les gradins furent remplis, des centaines de spectateurs se pressèrent encore près des estrades. Des autobus, venant de tous les coins de la région, continuaient d'arriver. Il y avait bien dix mille personnes qui s'agitaient maintenant autour de la piste. Alors, tous les membres de la fanfare se levèrent, et la musique des clairons et des tambours remplit l'enceinte, soulignant bruyamment l'entrée des dignitaires. L'Évêque et sa suite, le juge Létourneau, le Sieur Gosselin, le député, le directeur de *La Vérité*, les jumeaux Bradette et d'autres prirent place sous les applaudissements. Enfin, des roulements de tambour s'élevèrent, et un ministre du gouvernement fédéral fit son entrée solennelle. Il avait généreusement commandité l'événement et fait disposer une flopée de drapeaux de l'Union Jack tout autour du stade. Spartacus, dont le crâne déchaussé et bosselé luisait comme un astre de l'Olympe, accueillait un à un les notables.

Il ne manquait plus que l'équipe locale. Les organisateurs avaient voulu ménager une surprise à la foule et, en même temps peut-être, intimider les autres équipes. Au signal de Spartacus, la fanfare s'avança vers le quai, tout proche, où vint bientôt accoster, tout enguirlandé, le yacht de Gosselin transportant l'équipe de Chicoutimi. Du côté des partisans locaux, une ovation salua cette heureuse initiative. Un à un, les athlètes du Séminaire vinrent prendre place sur la piste, sous les applaudissements. Ils portaient chacun un dossard blanc sur lequel était inscrit en grosses lettres rouges : International Manufacturing ; on devait apprendre plus tard que le Sieur avait lui-même payé le salaire de l'entraîneur de Québec. Les représentants de Pikauba se tenaient bouche bée à l'entrée de leur chapiteau. M. Léon les rappela à l'intérieur.

Plus tard, tous les compétiteurs furent invités à s'aligner sur le terrain pour être présentés à la foule. L'équipe de Pikauba se retrouva près de celle du Séminaire. Théo, du coin de l'œil, apercevait le fils Gosselin, un grand blond placide, sûr de ses moyens, solidement bâti, qu'on aurait dit prêt à bondir ; il détourna son regard. À cet instant, un frémissement parcourut la tribune d'honneur : la fanfare, toujours elle, interprétait le *God Save the Queen*. Des huées fusèrent des derniers gradins occupés par des ouvriers du Bassin. Puis, toujours à la tribune, Mgr Bezeau se dressa. Pour la circonstance, il avait troqué la mitre pour une casquette rose, un peu juste, d'où émergeaient deux ou trois mèches. Solennellement, il bénit les lieux et, projetant vers le ciel ses petites mains immaculées, il déclara ouverts les premiers Jeux de Chicoutimi.

Les équipes déléguaient cinq représentants dans chaque discipline. On commença par la course de cent verges. Vivement disputée, elle fut remportée par le fils Gosselin, qui précéda de peu un concurrent de Jonquière. L'action se déroulait sur une surface de sable durci qui n'avantageait pas les Écoliers dans ce genre de sprint. Leurs pichetous dérapant, ils perdirent beaucoup de temps au départ, ce qui déclencha des rires dans l'assistance. M. Léon adressa un regard sévère à Jérémie, le cordonnier. Les Pikaubains arrivaient parmi les derniers, sauf Émilien qui avait fait assez bonne figure ; la petite Yvonnette, il faut le dire, n'avait pas ménagé ses encouragements. Par contre, dans l'épreuve suivante, Théo s'imposa aisément au saut en longueur, où les pichetous cette fois firent merveille. Le même, très à l'aise, triompha au lancer du poids, le fils Gosselin se classant deuxième.

En quittant la piste, le vainqueur se tourna vers les gradins réservés aux Pikaubains et envoya la main à ses parents. Eudore pleurait de joie pendant que Gemma, debout, déchaînée, hurlait en faisant tournoyer son fichu au-dessus de sa tête. L'instant d'après, toutes les Villageoises imitaient son geste. Les Dames de Saint-Éphrem, effrayées, crurent à un cri de guerre :

— Mais ce ne sont pas seulement des Sauvages, ce sont des Iroquois !

Près de là, le Bâtard, nerveux, surveillait la foule et la piste, s'amusant de l'une, s'inquiétant de l'autre.

Il était alors midi. Spartacus apparut à la tribune et, de sa voix puissante, hurla dans le microphone que la « joute » faisait relâche jusqu'à deux heures. La plupart des spectateurs, ayant apporté de quoi manger, restèrent sur place et l'ambiance se détendit. Des préposés affichèrent une première compilation des points sur un tableau orné de deux photos, l'une représentant la Reine, l'autre le Sieur. Elle plaçait Chicoutimi au premier rang, Pikauba au troisième. Par contre, Théo dominait le classement individuel. Durant la pause, après s'être légèrement alimentés, Théo, Nova et leurs équipiers se dispersèrent aux abords de leur tente, cherchant un moment de solitude. Ils pensaient très fort à Maître Ouellet dont ils craignaient de trahir la mémoire.

Louis-de-Gonzague, dont l'affection pulmonaire s'aggravait depuis quelque temps, fit une visite éclair au stade. Soutenu par une infirmière, il apparut brièvement au kiosque des Pikaubains ; il tenait à leur apporter ses encouragements. Il fut aussitôt ébloui par la musique, la foule trépidante, les couleurs vives des costumes, l'éclat du soleil sur la piste. Et tous ces jeunes corps en fête célébrant le mystère troublant de la vie ! Retraitant vers sa voiture, il s'émut de ces « fastes athéniens ». Il imaginait, juste au bout du quai, la mer Égée gorgée de lumière et, tout au loin, l'archipel fleuri des Cyclades avec ses idoles de marbre…

À la reprise, les concurrents s'affrontèrent au saut en hauteur. La compétition, très serrée, fut enlevée par un Pikaubain de petite taille au visage d'ange et d'allure assez efféminée, qui étonna la galerie par sa souplesse et sa grâce. L'athlète disparut aussitôt sous la tente des Pikaubains qui montaient dès lors au deuxième rang du classement par équipes. Cependant, au cours de la même épreuve, Théo se blessa à une cheville en retombant au sol après un saut. Il quitta difficilement le terrain et voulut déclarer forfait pour l'épreuve finale, la course de cinq milles, dont il avait fait sa spécialité. Les esprits s'assombrirent dans l'équipe des Villageois. La nouvelle gagna les gradins. Gemma, effondrée, en déchira son fichu et l'aurait avalé si Eudore n'était intervenu.

Un Montagnais, appelé à la rescousse, massa la cheville de Théo et lui appliqua quelques herbes qu'il était allé recueillir derrière l'estrade. Le blessé hésitait et ce n'est qu'à la dernière minute que, boitillant, il résolut de se présenter sur la ligne de départ. Le hasard le plaça aux côtés du fils Gosselin dont les longs cheveux blonds chatoyaient sous le soleil. Très concentré, il affichait maintenant un regard féroce. On le donnait comme favori de l'épreuve. Nova, qui faisait partie des représentants de Pikauba, s'était postée un peu en retrait. Clothilde, résignée, marmonnait :

— Là, c'est sûr, Brice. À va s'époumonner, çartain. Elle a beau être Sauvage, c'est du monde pareil ! Sainte-Bénite ! On est arrivés avec une tondue, on va r'partir avec une morfondue…

Les concurrents devaient effectuer vingt-cinq tours d'un tracé ovale. Un grand silence envahit tout à coup les gradins. De sa loge, Spartacus photographiait les coureurs, figés dans leur position de départ. Tous les autres athlètes avaient quitté leur chapiteau pour s'aligner le long de la piste. Un coup de revolver fendit l'air ; la course était lancée.

Gosselin prit aussitôt la tête et s'y installa. Chacun pouvait voir qu'il courait en deçà de ses moyens. Intimidée par l'ampleur de l'événement, Nova éprouva de la difficulté à se concentrer et se retrouva quasiment en queue de peloton. Elle gagna ensuite quatre ou cinq places et s'installa dans un rythme qu'elle s'efforça de maintenir. Elle courait alors derrière un garçon d'Alma. De loin, elle voyait le Blond qui cavalait en tête, très à l'aise. Théo parvint d'abord à le suivre, mais sa cheville le faisait souffrir et il perdit peu à peu du terrain. Au huitième tour, il se trouvait trois ou quatre places devant Nova. Il se laissa glisser jusqu'à elle :

— Comment vas-tu ?

— Pas si mal.

— Pas mieux que ça ?

— Mieux que ça…

— Moi, ça va pas. Ma cheville va me lâcher, j'pense pas être capable de finir. Si on continue de même, c'est sûr que le Blond va gagner. Je vais le remonter, juste pour essayer de l'énerver.

— Qu'est-ce que je fais?

— Tu bouges pas, surtout s'il s'excite.

La course était plutôt lente, les meilleurs ayant choisi de se réserver pour le sprint final. Les trois autres concurrents de Pikauba couraient dans la foulée de Nova. Théo accéléra, reprit trois places puis quatre. À la fin du douzième tour, il était sur les talons du meneur. Affectant un air décontracté, il le doubla. Aussitôt, les Chicoutimiens encouragèrent leur athlète, croyant qu'il faiblissait. Théo creusa un écart de dix à douze pieds et surveilla le comportement de son poursuivant qui passait alors devant son chapiteau. Une centaine de séminaristes, gesticulant, s'avancèrent pour le presser de réagir. Mais il gardait son rythme. Théo força encore un peu l'allure. Rien ne se produisit derrière. Il attendit un moment, rassembla toutes ses forces et répéta son manège, espérant toujours une réaction. L'émotion grandissait dans les gradins, on hurlait du côté du Séminaire. Théo souffrait le martyre.

À ce point, le Blond, inquiet de l'apparente aisance du Pikaubain, craignit que la victoire ne lui échappe et, enfin, mordit à l'appât. Il accéléra, imperceptiblement d'abord, puis de façon de plus en plus appuyée. Théo le surveillait du coin de l'œil. Il attendit un peu et, lorsqu'il vit son opposant à sa hauteur, il y alla d'une dernière poussée. L'autre réagit aussitôt et, en moins d'un quart de tour, combla son retard. Les deux meneurs fonçaient à ce moment à un rythme d'enfer qui avait fait exploser la course à l'arrière. Deux concurrents, eux-mêmes largement détachés des autres, suivaient à une centaine de pieds: Nova et, sur ses talons, le coureur d'Alma. Nova avait bien compris la manœuvre de Théo à l'avant et faisait exactement ce qu'il fallait.

Il restait alors sept tours à faire et une grande clameur s'élevait de l'estrade où presque tous les spectateurs, voyant que la course s'épurait, s'étaient levés de leur siège. Théo parvenait encore à dissimuler, mais il approchait du point de rupture. Voyant que Gosselin se contentait de le suivre, il parvint encore à lui prendre deux foulées. Le Blond crut que son opposant donnait l'assaut final. Libérant alors toutes ses énergies, il rejoignit Théo et, dans un bond spectaculaire, le doubla puis continua de creuser l'écart. Sa coordination, son aisance étonnaient, sa foulée était superbe, dominatrice, sa chevelure volait au vent ; c'était un spectacle d'une rare beauté. Dans l'assistance, c'était le délire. Survolté, le fils Gosselin jouait son va-tout et écrasait la course.

Pendant une seconde, Théo fit mine de s'accrocher, mais la douleur lui arrachait les larmes ; il dut relâcher son effort et se laisser dériver. C'était maintenant à Nova de jouer. Il jeta un coup d'œil vers l'arrière et l'aperçut. Elle s'était défaite de son poursuivant. Devant, exalté par la clameur de la foule, le Chicoutimien maintenait son train époustouflant.

Théo perdait rapidement du terrain. Lorsqu'il se trouva à la hauteur de Nova, il lui cria dans un souffle :

— Comment te sens-tu ?

— …

— Essaie surtout pas de le reprendre, laisse-le aller. Je l'ai chauffé pas mal, il va peut-être craquer.

C'est tout ce qu'il put lui dire. Tout près de s'affaisser, il se retira de la piste, pendant que l'autre filait, sans briser son rythme.

Moins de trois tours à faire. Le Blond, vrai dieu du stade, dopé par le tumulte, poursuivait son festival, forçait même encore l'allure. Chaque fois qu'il passait sous la tribune, il pouvait voir la jubilation parmi les notables. Le Sieur et le Ministre étaient dans les bras l'un de l'autre, le député sautillait, Spartacus photographiait à tout-va, pendant que Monseigneur, la casquette de travers, brandissait d'une main son scapulaire, de l'autre un petit drapeau de l'Union Jack. Sur la piste, presque tous les concurrents étaient à la dérive. Mais Nova ne s'énervait pas, assurait le rythme, surveillait le meneur qui volait vers la gloire sous un tonnerre de bravos. Regroupés dans un coin du stade et devant leur chapiteau, les Pikaubains continuaient de soutenir leur athlète. Cependant, ici et là dans les gradins, des cris d'encouragement commençaient à s'élever à l'endroit de ce drôle de garçonnet, si minuscule, qui ne lâchait pas prise derrière.

Et alors, le miracle se produisit. Nova sentit tout à coup que son retard cessait de croître, qu'il se stabilisait. Devant, le Blond maintenant peinait, sa foulée se désunissait et, bientôt, l'écart se mit à fondre. Le champion était tombé dans le piège. Grisé par la foule, ayant mal réparti son effort, il fut bientôt pris de crampes et son rythme se brisa. Souffrant, il fit preuve d'un grand courage, mais la douleur augmentait et ses poumons voulaient éclater. Nova le doubla au milieu du dernier tour, sans même accélérer — il faut dire qu'elle en aurait été bien incapable. Dans la foule, la faveur avait changé de camp ; voici qu'on louangeait bruyamment cet étrange et inattendu vainqueur.

Le public du Séminaire était déconfit. Un vent glacial soufflait sur la tribune d'honneur d'où Spartacus et plusieurs autres s'étaient esquivés. Ceux qui étaient restés affichaient une mine sombre. Même les drapeaux de l'Union Jack étaient en berne. Les Villageois, exultant, dévalaient les gradins et envahissaient la piste. Clouée sur son siège, Clothilde pleurait à chaudes larmes sur l'épaule de Fabrice qui ne se contenait plus :

— Hourra ! Hourra ! Elle a gagné, elle a gagné !

Un Ami des Douze, qui se trouvait en faction à proximité, sursauta :

— Mais de qui parlez-vous donc ?

— Mais de… mais… de notre équipe, de l'équipe de Pikauba. Elle a gagné, hourra… vous voyez bien ?

Les Écoliers, en effet, l'emportaient au classement des équipes, tandis que le fils Gosselin, athlète remarquable bien qu'impétueux, remportait les honneurs individuels sur l'ensemble de la compétition. Enfin, Nova, le visage à demi dissimulé dans une grosse serviette, se vit remettre une imposante sculpture en forme de couronne pour sa victoire dans cette épreuve qui avait été qualifiée de « reine » des Jeux. On ne pouvait mieux dire.

Les Pikaubains quittèrent rapidement l'enceinte et reprirent place dans les camions de la Mistapéo. Parmi les Écoliers, le retour se fit dans le calme; les mines étaient pensives. Tous se réjouissaient de leur victoire, mais nul n'avait le cœur à la fête. En rentrant dans le Village, le jour déclinait. Ils s'arrêtèrent pour se recueillir sur la tombe du Maître, où Nova déposa sa couronne. Ils restèrent ainsi un moment, en silence. Ils avaient beaucoup mûri durant ces derniers jours. Ils étaient des adultes maintenant.

Chapitre 43

Quinze jours s'étaient écoulés depuis les Jeux et Chicoutimi commençait à retrouver son calme. Mais le soleil s'était éclipsé avec les bruits de la fête. Les gradins avaient été démontés sous la pluie et il faisait très mauvais depuis. Ce matin-là, un fort vent dévalait du Mont-Valin, balayant la ville et le Fjord. Louis-de-Gonzague avait mal dormi. De violentes quintes de toux l'avaient forcé à se relever plusieurs fois. Il avait commencé à cracher du sang depuis quelques jours et ses poumons le faisaient souffrir. Il reposait maintenant sur le grand sofa du salon. Il venait tout juste de s'assoupir lorsque le Bâtard se présenta à sa porte. Une dame d'un certain âge vint ouvrir et le conduisit auprès de Louis-de-Gonzague. Sa pâleur le surprit :

— Excusez-moi. J'aurais dû prévenir, mais je passais dans le quartier…

L'avocat restait étendu :

— Tu as bien fait d'arrêter. Je te présente ma cousine Thérèse, mon infirmière. C'est la fille de mon oncle Ovila, une sainte femme. Elle ne me quitte pas de la journée.

Il se tourna vers elle, lui saisit doucement la main :

— C'est ma « sainte Thérèse d'Ovila »…

Elle esquissa un sourire. Léo la salua et revint à Belley :

— Vous paraissez bien souffrant.

— C'est le cas. Mes poumons m'abandonnent et je suis pris d'angoisse. Surtout quand vient la nuit. Je repousse le sommeil ; j'ai toujours peur qu'il soit le dernier. Assieds-toi.

Léo choisit un fauteuil près du sofa. Il paraissait embarrassé, fuyait le regard de Gonzague, tardait à engager la conversation. C'est finalement l'avocat qui prit l'initiative ; il parlait faiblement :

— C'est bien que tu sois venu ; je voulais te parler.

Il se redressa péniblement, replaça les coussins sur lesquels il s'appuyait :

— Tu m'as fait beaucoup de peine en supprimant le *Zadig*. Si j'avais su, je l'aurais gardé.

— Mais vous n'y écriviez plus.

— Parce que je n'en étais plus capable.

— Son tirage tombait, les finances étaient à la dérive.

— Comme bien d'autres choses dans ma vie !

— J'ai réembauché le personnel…

— La question n'est pas là.

Léo allait enchaîner. Belley leva la main, l'interrompit :

— Je croyais que tu comprenais tout ce que ce journal signifiait pour moi, tout ce qu'il incarnait après toutes ces années : tant de joies, de déceptions, de luttes ; tout le bien et tout le mal dont ma vie a été faite. Tu aurais pu au moins m'informer de tes plans. Tu t'es conduit d'une façon très cavalière. Je t'en ai beaucoup voulu.

Le Bâtard fut ébranlé. Il recevait plus que sa part de taloches depuis quelque temps ; il pensait au comportement de Kurtness à son endroit, à la scène de Valère à Mistouk, aux propos de l'oncle Antonin. Et, maintenant, son vieux protecteur. Belley, sur un ton très sec cette fois, continuait :

— Ce n'est pas tout. Depuis quelque temps, tu te conduis comme ceux que tu as combattus. Encore un peu et tu ne vaudras pas mieux qu'eux.

Il s'arrêta, constata le trouble que ses mots provoquaient chez son vis-à-vis, poursuivit :

— J'ai vu le numéro spécial de *L'Ordre* la semaine dernière sur le neuvième anniversaire de Pikauba. Cela m'a rappelé *La Vérité* du temps où Gosselin en était propriétaire. Tu veux devenir premier marguillier de la cathédrale ? porter le dais au défilé de la Fête-Dieu ? t'entourer de jumeaux Bradette pour t'encenser, te faire des courbettes ? C'est ce que tu vises ? Continue, tu es bien parti !

Léo était dans ses petits souliers. Louis-de-Gonzague reprenait, durement :

— Tu m'as beaucoup déçu, Léo.

L'avocat fit une pause, pendant que son visiteur, effondré, restait silencieux, fixant le tapis. Alors, il se radoucit :

— Je t'ai aimé comme un fils, Léo ; je veux te mettre en garde. Ne suis pas mon exemple. J'en suis venu à ressembler à mes ennemis, j'ai tout raté. Je les ai beaucoup frappés et, à la fin, je me suis détruit.

Surpris de cette confession, le Bâtard relevait la tête, observait l'avocat. C'est lui maintenant qui avait détourné le regard :

— J'avais rêvé d'une autre vie. J'aurais voulu laisser un peu de lumière derrière moi ; je laisserai seulement des éclaboussures. Je me sens comme ces bourgeons qui meurent avant d'éclore. Voilà ce que je voulais te dire. Tu as abattu tes bourreaux ; tu es en train de les remplacer. Moi, j'en suis à mes derniers pas, c'est fini ; mais toi, tu entres à peine dans la quarantaine, tu peux tout racheter si tu veux. Maintenant, laisse-moi ; je ne suis pas bien.

— Vous… vous me permettez de revenir vous voir ?

— Bien sûr. Mais pas avant que tu aies remis de l'ordre dans ta vie.

Une violente quinte de toux le secoua. La cousine Thérèse sortit d'une chambre et l'aspergea. Léo attendit un moment puis se retira.

*   *   *

Le dimanche, mais aussi durant la semaine, les fidèles se pressaient vers Saint-Nazaire pour assister à la prière matinale du petit Frère. Ils étaient là des centaines, parfois plus. Il s'y mêlait aussi quelques discrets observateurs dépêchés par les Amis des Douze. La réputation de thaumaturge de Nazaire continuait de courir dans la région et au-delà. Apparemment insensible à cette agitation, l'intéressé n'avait rien changé à son rituel. Il s'agenouillait près de sa souche pour réciter son chapelet, puis s'assoyait dessus pour faire ses méditations. Après quoi, il marchait parmi la foule et prononçait ses formules habituelles à l'intention des affligés.

Cette effervescence inquiétait fort les curés des environs qui craignaient de voir leurs églises se vider. En plus, des paroissiens ici et là se permettaient des remarques désobligeantes sur le faste des cérémonies et des temples, la vie princière de certains prêtres, la façon dont ils apprêtaient le message évangélique. On faisait grand cas, en particulier, de ce curé d'une paroisse pauvre de Jonquière qui, l'été, recueillait la capitation à bord de sa Lincoln… À tout cela, ils opposaient la manière frugale et fraternelle du petit Frère de Saint-Nazaire. Tant d'impudence ne pouvait être tolérée. Il y eut un conciliabule à l'évêché, au terme duquel il fut résolu que le Frère avait dépassé les bornes. Il était temps d'y mettre ordre ; on lui ferait un procès canonique.

Un prêtre se présenta peu après chez Nazaire pour l'en informer. Léo se trouvait là. Après le départ de l'émissaire, il se fit pressant :

— N'y vas pas, Nazaire, c'est un piège.

— J'aurais l'air de fuir.

— Tu seras seul contre eux.

— Je ne suis jamais seul…

— Laisse-moi t'accompagner.

— Tu vas indisposer mes juges.

— Bon, comme tu veux. Je peux t'envoyer quelqu'un pour te conduire ?

— Ce serait gentil.

Le procès eut lieu au début du mois d'août 1958 à l'évêché. Le jury était composé de trois docteurs en théologie. Ils se tenaient à l'avant de la salle, assis à une large table. Deux des juges enseignaient au Grand Séminaire de Chicoutimi, le troisième était le Doyen de la faculté de théologie de l'Université Laval. Une petite chaise droite leur faisait face, destinée à Nazaire qui se faisait attendre. Dans la grande pièce, un public soigneusement choisi commençait à s'agiter ; on y trouvait le personnel de l'évêché et du Grand Séminaire, quelques notables de la ville, des journalistes.

Raoul et Eudore, chargés de conduire le Frère à l'évêché, avaient tout à coup réalisé qu'il était en chaussons. Ils s'étaient donc arrêtés au Bassin, chez le cordonnier Tremblay, pour lui acheter une paire de bottines. Son arrivée dans l'enceinte fut très remarquée. Son visage osseux donnait du relief à ses petits yeux noirs et vifs. Et sa silhouette chétive, presque défaillante, sa soutane délavée cintrée à la taille d'un cordon effiloché, sa démarche brisée, douloureuse (ses bottes, un peu justes, le faisaient souffrir atrocement), tout cela ne manqua pas d'impressionner. L'un des deux docteurs du Grand Séminaire présidait. Il imposa le silence et donna la parole au Procureur, le Doyen de l'Université Laval.

C'était un petit homme cramoisi, au dos voûté par un demi-siècle de dur labeur. Son sourcil épais, sa lèvre mince et son nez plongeant bannissaient de son visage toute expression d'aménité. Censeur redouté, il s'était illustré au Québec et ailleurs dans des causes très délicates où il était toujours parvenu à faire triompher l'autorité, et parfois même la vérité. Par tempérament autant que par profession, il ne croyait pas la vertu capable de triompher et se répandre de sa propre force. Tous les regards se portaient maintenant sur sa personne. Les lumières de la salle illuminaient son crâne dégarni d'où semblait irradier toute sa science. Il se livra à une démonstration impeccable des dérogations du petit Frère, soit, en résumé : une interprétation et un usage fautifs du message de l'Église, une usurpation du titre de thaumaturge, des fréquentations scandaleuses avec des personnes de mauvaises mœurs. Devant, Nazaire restait impassible.

Le Président, reprenant la parole, s'adressa à l'accusé :

— Qu'avez-vous à dire sur le premier chef d'accusation ?

— On m'a toujours enseigné que la parole de Dieu et de l'Église tenait dans les Évangiles. Je me suis contenté d'en réciter partout des extraits.

Le Président se faisait perplexe :

— … C'est tout ?

— Oui.

— Mais il vous faut répondre au Procureur, à ses arguments sur le fond et la forme, sur les grâces efficaces et les autres…

— J'en serais bien incapable, monsieur ; ces théories et querelles me dépassent.

— Mais vous avez bien quelques notions, tout de même ; vous avez fait des études, allons !

— Il est vrai, mais sans en retirer beaucoup, sauf au chapitre des Évangiles.

— Vous revenez toujours aux Évangiles ; mais il y a bien d'autres livres savants que vous connaissez certainement ?

— Je sais qu'ils existent, mais j'ai toujours compris qu'ils prenaient leur source dans les Évangiles et ne sauraient les remplacer.

— Il y a du vrai dans ce que vous dites… mais enfin, c'est tout de même embarrassant ! Euh, monsieur le Procureur désire reprendre la parole peut-être ?

— Avec plaisir, monsieur le Président, avec plaisir.

Il avait griffonné des notes durant l'échange précédent. Il les mit rapidement en ordre et, avec des mouvements de buste qui dégageaient beaucoup d'autorité, il revint à la charge :

— Vous ne connaissez donc, dites-vous, que les Évangiles ? Admettez que c'est un peu court !

— Peut-être. Mais c'est déjà plus qu'il en faut pour remplir une vie ; la mienne en tout cas.

— Et comment la remplissez-vous, au juste, cette vie ?

— Je m'efforce d'apporter un peu de chaleur, un peu d'espoir aux infortunés. Je leur enseigne aussi à aimer le bien et à détester le mal.

— Enseigner, dites-vous ? Puis-je savoir à quelle tradition vous faites appel ?

— Celle de l'exemple, monsieur.

— Mais lequel ?

— Le mien. Celui que j'essaie de montrer dans mes actions de tous les jours.

— Et peut-on savoir ce qui les guide, ces actions ?

— Ma conscience.

Le Doyen de Laval, maintenant sur la défensive, durcissait le ton :

— Votre conscience ! Voilà qui est édifiant ! Et à qui rendez-vous compte de vos jugements ?

— À Dieu, monsieur. À Dieu.

— Et le prêtre ? Vous avez songé au prêtre ? Et aux autres membres du clergé ?

— J'imagine qu'ils s'en remettent à Dieu eux aussi ?

Il y eut une pause, qui s'allongea. Le savant de l'Université Laval, pris au dépourvu, compulsait nerveusement ses papiers. Le Président intervint :

— Vous désirez poursuivre, monsieur le Procureur ?

— Bien sûr, bien sûr… Laissons donc pour l'instant cette question et venons-en au deuxième chef. Vous vous prétendez thaumaturge ?

— Non.

— Comment non? Allons, ne vous moquez pas du jury, nous avons rassemblé des dizaines de témoignages.

— C'est possible qu'on ait parlé de miracle. En ce qui me concerne, je n'ai jamais utilisé le mot.

— Mais on dit bien que vous touchez les malades?

— Je trace le signe de la croix sur leur front.

— Et pourquoi, dites-moi, le faites-vous toujours de la main gauche?

— Je suis gaucher…

Le Président sourit, la salle se retint. Le Procureur reprit :

— Vous savez pourtant que seule la main droite est consacrée?

— Chez le prêtre, oui. Je ne suis qu'un frère.

— Et tout cela se passe dans un sanctuaire que vous avez aménagé sans autorisation dans votre village?

— Un sanctuaire? C'est un bien grand mot pour désigner la souche sur laquelle je m'assois pour prier et le camp où je me retire pour dormir.

— Vous suscitez des apparitions?

— On le dit. Pour ma part, je n'ai jamais rien vu.

— Vous faites payer les fidèles?

— Je reçois les dons qu'ils me font et les redistribue.

— Vous vous contentez donc, Frère Nazaire, de tracer un signe de croix et de dire une prière pour les malades?

— Oui, c'est-à-dire que… En toute honnêteté… pas tout à fait.

— Ah bon! Tiens, tiens… Et que faites-vous d'autre?

Le Frère hésitait, baissait la tête :

— Je… je les recommande souvent à…

— À qui donc?

— … À Saint-Nazaire.

Cette fois, tout le monde, sauf le Procureur, s'esclaffa. Le Président ramena la salle à l'ordre :

515

— Vous désirez poursuivre, monsieur le Procureur?

— Je… je crois que je vais passer la parole à mon collègue de Chicoutimi pour le dernier chef.

Le professeur du Grand Séminaire ne montrait pas beaucoup d'entrain :

— Frère Nazaire, nous sommes informés que, sous prétexte d'action missionnaire, vous fréquentez des lieux et des personnes que l'Église diocésaine a sévèrement condamnés. Comment justifiez-vous votre comportement?

— Vous voulez parler des gens de Pikauba? J'ai beaucoup de plaisir à les fréquenter, c'est vrai. Rappelez-vous, le Christ condamnait les païens, les pécheurs, et cependant, il a dépêché ses disciples auprès d'eux. À l'inverse, il louangeait la vertu mais châtiait les bigots, les pharisiens, les hypocrites. C'est dans les Évangiles.

— Oui, oui, sans doute… Mais toutes ces gens de mauvaises mœurs qui élèvent leurs enfants dans le péché, en marge et au mépris des institutions catholiques?

— Les pauvres de corps et d'esprit…

— Ça va, ça va, nous avons compris : encore les Évangiles, nous direz-vous!… Vous ne connaissez donc que cela?

— Oui.

Le Procureur, qui s'était emparé d'un autre dossier, tenta de relancer l'interrogatoire. Mais Nazaire repoussait maintenant les questions, assurant qu'il avait tout dit. Les juges se retirèrent et délibérèrent longtemps. La salle, perplexe, s'impatientait. Les sages finalement revinrent et, par la bouche du Président, firent savoir que leur décision serait transmise confidentiellement à l'intéressé. La séance prit fin sur cette note décousue et chacun retourna à ses affaires.

Quelques jours plus tard, Nazaire fut informé par la poste qu'aucune sanction n'était prise contre lui pour le moment, mais que l'instruction se poursuivait. En attendant sa conclusion, la convenance, arguait-on, lui dictait de s'éloigner du diocèse.

Durant les mois et les années qui suivirent, dans son grand bureau de l'Université Laval, au milieu de ses innombrables codes, traités et manuels, le Doyen poursuivit fiévreusement la rédaction d'un gros ouvrage dans lequel il démontrait d'une manière définitive les errements du petit Frère.

Chapitre 44

À la fin du mois d'août 1958, trois semaines après le procès à l'évêché, le Bâtard conduisit Nazaire à la gare de Chicoutimi. Il descendit sa petite valise de la cabine du camion et la porta jusqu'au train :

— T'as pas plus de bagages que ça ?

— Ce que j'ai de plus important prend pas beaucoup de place. Presque tout tient dans la tête et dans le cœur.

— Je pourrais pas en dire autant…

Nazaire, mal à l'aise, resta un moment silencieux. Puis :

— Ça me fait drôle de partir.

— T'as bien réfléchi ? C'est vraiment ce que tu veux faire ?

— Ça fait dix fois que tu me le demandes depuis hier, Léo. J'y vais librement, je t'assure ; c'est ma mission, c'est ma vie.

— L'Afrique, c'est loin. Nos pauvres à nous autres, ça te suffit pas ? Je pourrais t'en trouver d'autres, si t'en as pas assez. Il paraît même que j'en fais…

Le Frère sourit :

— Pas comme là-bas… Et puis, tu vois, je serai plus à l'aise pour travailler à mes œuvres.

— Plus à l'aise ? Tu penses à l'évêché, à ton procès ?

— Laisse, c'est sans importance.

— Mais ta santé ?

— Tant que je peux prier…

— Tu vas revenir ?

— J'aimerais bien.

Trois coups de sifflet retentirent. Soudain, le Bâtard s'énerva, saisit son cousin par les épaules :

— Va-t'en pas, Nazaire. Reste avec nous autres, installe-toi à Pikauba !

— Voyons, Léo…

Le Bâtard était désemparé, cherchait ses mots :

— J'ai… j'ai besoin de toi.

Et subitement, il le serra dans ses bras. Surpris, le Frère se dégagea doucement :

— Il faut que je parte, là. Je te laisserai pas, je t'écrirai, mon cousin ; je t'écrirai souvent. Et je prierai pour toi.

Ils s'embrassèrent. Nazaire monta dans le train qui s'éloigna. Léo resta longtemps sur le quai, le cœur serré. Il se doutait bien qu'il ne reverrait plus le petit Frère.

*   *   *

C'était le matin, au début de septembre. Ils étaient tous là, les plus vieux Écoliers, une cinquantaine, regroupés sur la Place avec leur sac sur l'épaule, entourés des autres Villageois. Ils étaient habillés proprement ; les femmes avaient confectionné leurs vêtements d'après les indications laissées par Ouellet. Ils esquissaient des gestes maladroits, échangeaient des regards furtifs, des propos décousus. Chacun essayait de dire et de cacher l'inquiétude qui le glaçait. Théo et Nova allaient lentement de l'un à l'autre, souriaient, se faisaient rassurants. Tous le savaient bien :

avec cette aube qui venait de se lever s'achevaient une époque, une vie, un rêve merveilleux. Le jour suivant, si proche déjà, éclairerait un autre univers, une autre société à découvrir, à apprivoiser, à combattre peut-être? Cet inconnu les intimidait. Mais le temps était venu de quitter Pikauba.

Leurs parents se tenaient auprès d'eux, solencieux. Leur regard s'échappait vers les collines et les rochers de leur enfance où ils avaient tout appris. À cette heure même, ils devinaient dans leurs tanières et dans leurs sentiers les animaux qui avaient été leurs compagnons de tous les jours, avec qui ils avaient partagé tant d'émotions, tant d'amitié. Leur pensée errait le long des ruisseaux, des prés retranchés, pleins de secrets. Ils revoyaient, au gré du vent dans les feuillages et selon l'heure du jour, la géographie changeante et capricieuse de la lumière et de l'ombre. Ils se rappelaient le mélange des parfums que dispensaient ici le bosquet de cormiers en juillet, là le bouquet de noisetiers à la tombée du jour, et plus loin l'arpent de savane après la pluie. Ils revivaient leurs jeux, leurs exploits, leurs émois, là-bas le long de la Rivière, sur le Mont-des-Conscrits, aux abords du Lac, et plus loin encore vers le nord, là où il n'y avait plus de sentiers. Et leurs ébats, leurs amours enfantines enfuies, enfouies, par là, dans les replis du Boisé. Toutes ces belles années… Sauraient-ils vivre loin de tout cela, survivre à toutes ces absences, à ces éclats d'une autre existence qui ne mourrait jamais?

Ils songeaient aussi à Ouellet, au savant chaleureux et bienveillant, à la fois maître et ami, si frêle et si fort, dont le corps reposait tout près et dont l'âme était partout. Ils le voyaient différemment, maintenant. Ses théories leur étaient chères, certes, mais ils devinaient tout ce qu'elles avaient d'audacieux, d'insolite, d'extravagant même. C'est l'homme avec sa passion qui désormais leur importait. Il les accompagnerait jusqu'à la fin et sa parole encore toute chaude, son affection, sa folie continueraient de les soutenir, de les guider. Cette pensée les réconfortait. Et puis il y avait Théo et Nova. Ceux-là non plus ne fléchiraient jamais; ils étaient si forts, ils seraient toujours là, auprès d'eux.

Le temps passait, l'impatience grandissait sur la Place. Finalement, un picope se pointa à l'entrée du Village et vint s'arrêter devant l'école. Le Bâtard en descendit. L'autobus, tombé en panne en sortant de Chicoutimi, ne viendrait pas. Il avait été impossible d'en noliser un autre; il faudrait trouver rapidement un autre véhicule — le chemin de fer vers Montréal était toujours impraticable à cause de manifestations tenues depuis la semaine précédente par de jeunes Indiens dans les environs de La Tuque. Padoue-l'Ours, qui se trouvait en ce moment sur la Place près de son gros camion, proposa ses services. En raison de l'heure tardive, on dut s'en remettre à ce moyen de fortune.

C'était le moment des adieux. La voix de Gigli, tout à coup, surgit des haut-parleurs du Temple. *O Sole Mio,* toujours. Il y eut quelques scènes douloureuses entre parents et enfants. Puis Léo s'avança. Il donna l'accolade aux Écoliers qui firent rang devant lui et remit à chacun une pièce d'or sur laquelle il avait fait graver : « Pikauba 1958 ». Puis il s'éloigna lentement. Il se souvenait de son premier voyage à Montréal, treize ans auparavant, de sa nuit tourmentée à bord du train. Il devinait la même angoisse chez les jeunes. Il avait tenu à financer leur installation dans la métropole et la poursuite de leurs études. À l'écart, il les observa qui lançaient leurs sacs dans la boîte du véhicule et y prenaient place un à un. À la fin, il ne resta plus que Théo sur la Place. Tout le monde alors s'aperçut qu'Eudore et Gemma n'avaient pas paru depuis le matin.

Rien ne bougeait du côté de leur maison. Théo s'y dirigea et les aperçut tous les deux, renfrognés, dans un coin du camp :

— P'pa, m'man, je m'en vais là…

Ils restaient immobiles, comme prostrés. Il attendit un moment, leur jeta un dernier regard puis, attristé, il leur tourna le dos et revint vers la Place. À trois reprises, il se retourna. La dernière fois, il les surprit à la fenêtre. Alors il s'arrêta, courut à nouveau vers la maison. Cette fois, ils s'embrassèrent tous les trois. Ils restèrent ainsi un moment, debout, maladroits. Théo les découvrait tout à coup vulnérables, paralysés par le chagrin. Subitement, il songea à renoncer, à reprendre le cours de sa vie auprès d'eux.

— Je peux rester si vous voulez ; je pensais pas vous faire autant de peine.

Ils répondaient tous les deux en même temps :

— Mais non, mais non, t'as pas compris, Théo.

— On est tellement fiers de toi. C'est ce qu'on a toujours voulu, nous autres, c'est ce qu'on a toujours rêvé, que t'ailles aux écoles.

— On l'a toujours su qu'un jour tu t'en irais.

— Mais c'est dur, tu sais ; quand le moment vient, là, c'est dur...

— Excuse-nous, on s'était préparés pour à matin, mais on a pas bien fait ça ; on a fait simple.

— Tu peux y aller, on est corrects, là.

— Va-t-en faire ta vie, va.

— Oublie-nous pas, par exemple, mon malavenant !

— Pauvre enfant...

— T'as tout ce qui t'faut, là ?

Théo les regardait. Oui, il avait tout ce qu'il lui fallait, moins tout ce qu'il laissait derrière et ne retrouverait plus jamais. Bien sûr, il reviendrait, mais eux, y seraient-ils encore ? Mais non, il n'avait plus besoin d'eux maintenant ; il pouvait se débrouiller tout seul... Il était grand, il était fort maintenant, Théo !...

Les autres l'attendaient, mais il ne bougeait pas. Il rassemblait son courage, ses mots ; il avait tant à leur dire :

— Je vous ferai pas honte...

Il les embrassa une dernière fois, revint en courant vers les autres et sauta à son tour dans la boîte du camion. Padoue avait pris place derrière le volant ; il démarra. Le vrombissement familier du Ford Mercury brisa la torpeur qui avait envahi la Place.

Derrière, les Habitants, hébétés, ne bougeaient pas. Quand le camion passa devant le Bâtard, il s'arrêta une seconde. Tous les jeunes se déplacèrent de son côté pour le saluer une dernière fois. Il leur sourit, envoya la main. Padoue relança la machine.

Ils se tenaient debout de chaque côté de la boîte, agrippés aux haridelles pour contrer les heurts du véhicule. Ils ne parlaient pas. Ils voyaient défiler au proche et au loin ces lieux qui seraient pour toujours leur première, leur vraie patrie. Parmi eux, les jeunes Indiens regardaient plus loin encore et se rapprochaient les uns des autres. Tous, ils songeaient à Montréal où ils arriveraient dans la soirée ou dans la nuit. Quelques-uns se demandaient si les causes premières et secondes, si les caractères provisoires et les permanents s'y agenceraient comme à Pikauba qui, après tout, était le centre du monde. Cette lointaine périphérie qu'ils s'en allaient habiter leur faisait peur. Allant de la montagne vers la vallée, les grandes idées du Maître n'allaient-elles pas se défaire ? Ils se remémoraient ce qu'il leur en avait dit : la ville, ses habitants, le parc Lafontaine, le pont Jacques-Cartier… Et ce Mont-Saint-Louis où il les avait fait admettre.

Le Maître, justement. Ils passaient devant sa stèle ; le camion s'arrêta une seconde fois. Les jeunes descendirent et se recueillirent un moment. Au moment où ils reprenaient place à bord, Océane et Mathias subitement reprirent leur sac, s'excusèrent auprès de leurs camarades et revinrent en courant vers la Place ; une patrie leur suffisait à eux. Yvonnette eut un sursaut de panique :

— Émilien, j'ai envie de rester moi aussi.

— Non, tu peux pas ! Si tu viens pas, je serai pas capable moi non plus.

Elle se calma, lui prit la main. Il lui sourit :

— Merci. Le Maître l'a dit, il faut que nous nous aidons toujours.

— Que nous nous aidions, Émilien ; c'est un subjonctif…

Ils s'étaient regroupés autour de Théo et de Nova. Malgré

l'inquiétude et le chagrin, une douceur les envahissait maintenant. Ils faisaient la somme de tout ce qu'ils avaient vécu à Pikauba et il leur venait comme un apaisement, un sourire à l'âme. Alors, embrassant tout l'horizon, dans une pensée qu'ils adressaient indistinctement au ciel et à la terre, ils communièrent silencieusement, en une sorte de prière. Ce fut leur façon de dire adieu.

Le gros Mercury disparut dans le premier virage, juste après la sortie du Village, soulevant derrière lui un nuage de poussière qui dissimula un instant le mât de la goélette dans le Radoub, là où reposaient Cageau et Méon.

Chapitre 45

En décembre 1958, le gouvernement annonça qu'il s'apprêtait à octroyer un plantureux contrat de coupe, très loin dans le Nord. Compte tenu de son importance, il ne serait alloué qu'après appel d'offres auprès de toutes les entreprises forestières du Québec. La rumeur parlait d'un déboisement massif nécessité par l'érection d'un barrage géant. Partout, les entrepreneurs furent sur les dents, attendant la publication des cahiers de charges. Pour des raisons évidentes, l'optimisme régnait à la Mistapéo. Les états de service de la Société la plaçaient parmi les meilleures et ses finances étaient saines avec un chiffre d'affaires de près de 10 millions de dollars et de gros profits accumulés. En plus, dans les cercles de la politique, la rumeur voulait que le Bâtard soit le protégé du Premier ministre.

Puis un matin, le 26 mars 1959, la nouvelle vint : le barrage allait être érigé à la Source Blanche ! Toutes les données techniques devenaient accessibles aux éventuels soumissionnaires. Il y eut immédiatement branle-bas de combat à Pikauba. Mais Léo, étrangement, se faisait invisible, restant enfermé toute la journée dans son bureau du Temple. Peu avant la fermeture, il convoqua ses principaux adjoints. Ils étaient tous là, Fabrice, Eudore, Kurtness, Valère, les Petites Cravates et d'autres, impatients et fébriles, heureux de passer enfin à l'action. Le Bâtard observa un long silence puis :

— C'est au sujet du projet de barrage. J'ai bien réfléchi, il n'y aura pas de soumission ; je ne peux pas toucher à la Source Blanche.

Un silence de mort accueillit ces mots. L'autre enchaîna :

— Il faut que vous compreniez. Cet endroit-là n'est pas comme un autre ; c'est une espèce de sanctuaire dans ma famille.

Se tournant vers Kurtness, il ajouta :

— Pour toute ma famille.

L'incrédulité se lisait sur tous les visages :

— Voyons, Léo…

— C'est une farce ?

— Je suis sérieux ; pas de soumission en ce qui me concerne.

— C'est correct mais, en ce qui nous concerne, nous autres, tu y as réfléchi aussi ?

— Léo, t'as perdu le nord ou quoi ?

La discussion tournait en rond. Le Bâtard se montrait intraitable. Ils durent se quitter là-dessus après une heure.

Le lendemain, nouvelle réunion au Temple, convoquée cette fois par les adjoints. Longs échanges encore, pénibles par moments ; même résultat. La séance se termina dans la confusion ; c'était l'impasse totale. Léo demeura assis à la grande table ovale, regardant ses compagnons sortir un à un. Kurtness fut le dernier ; il le retint.

— Reste avec moi. Je t'emmène souper à la maison.

Ils se rendirent au Vieux-Moulin de Laterrière dont le toit en mansarde était recouvert d'une épaisse neige. Sous la lune, elle illuminait les environs et faisait miroiter le tracé sinueux de la rivière. Mais les deux hommes avaient l'esprit ailleurs. Une domestique leur prépara un repas. Assis l'un en face de l'autre, ils mangèrent peu.

Le Bâtard interrogea son vis-à-vis sur la Pointe-Bleue. Comme il l'avait souvent fait avec Méon, il lui fit raconter son enfance dans la Réserve, ses déplacements sur les Territoires, sa vie chez les Blancs. Il écoutait attentivement, s'intéressait à tous les détails, faisait répéter des passages.

— Parle-moi de mon aïeul, Poness. Tu me dis que ton père l'a fréquenté?

— Je t'ai déjà raconté. Il était très vieux à l'époque.

— Dis-le encore. Comment il menait la chasse, de quoi il parlait autour du feu, sous la tente, ce qu'on disait de lui dans les Réserves… J'ai besoin que tu me redises tout.

Et Kurtness, étonné, racontait, se captivant finalement lui-même pour cette vie lointaine et pourtant si vivante encore. Quand il croyait avoir terminé, le Bâtard le relançait:

— Et mon père? Répète ce que tu sais du Grand.

Le récit reprenait. Plus tard:

— Et Senelle?

Plus tard encore:

— Et Moïse? Et mon grand-père, Janvier? Et les autres?

— Écoute, Léo, tu te fais souffrir pour rien; ça finira jamais.

— Justement, il faut pas que ça finisse.

Et l'autre enchaînait. L'exercice dura longtemps, jusqu'à la nuit.

Au moment où ils se quittèrent, le jour se levait là-bas sur le Mont-Valin, de l'autre côté du Fjord. Léo serra la main à l'Indien:

— Merci. Merci, Kurtness.

— T'as pas à me remercier.

— Tu comprendras tout à l'heure.

Léo s'allongea un instant mais ne dormit pas. Il arriva aux bureaux de la Société avant tout le monde, téléphona à Valère, lui demandant de le rejoindre; puis il s'affaira dans ses papiers, fit quelques appels téléphoniques. Vers onze heures, il réunit les autres. Ils vinrent s'asseoir autour de lui, mal à l'aise, échangeant des regards interrogateurs. Il prit la parole:

— Ce sera bref. Je me retire.

Tous s'exclamèrent, voulurent parler en même temps. Il les fit taire :

— Je vais vous vendre toutes mes parts dans la Société, à un prix que nous allons fixer ensemble. Vous n'aurez rien à débourser. La banque vous prêtera sur les actifs de la compagnie, vous n'aurez même pas à endosser personnellement. Épargnons-nous des discussions inutiles ; j'ai bien réfléchi, ma décision est prise. Est-ce que vous acceptez cet arrangement ?

— Mais Léo…

— Je n'agis pas sur un coup de tête, ni par colère ni par dépit ; vous savez l'attachement que j'ai pour vous autres, ça fait pratiquement dix ans qu'on travaille ensemble. Je veux que nous traitions ça comme une question d'affaires. Je vais retourner dans mon bureau, vous me ferez connaître votre décision.

Ce ne fut pas long. Ils le firent revenir après quelques minutes ; ils refusaient sa démission :

— C'est impossible ; tu peux pas faire ça.

— Ce n'est pas ce que je vous ai demandé. Ma décision est prise, je vous l'ai dit. C'est la vôtre que j'attends.

Ils se regardèrent longuement, désemparés.

— Bon, si c'est vraiment ce que tu souhaites…

Ils se plongèrent dans un document de quelques pages qu'il avait fait préparer et s'entendirent rapidement sur le prix de la transaction. Après quoi le Bâtard se leva :

— Maintenant, si vous le désirez, vous pouvez vous mettre au travail sur la soumission.

* * *

C'était la fin d'avril. La santé de Belley n'avait cessé de décliner, surtout depuis quelques semaines. Les hémorragies se faisaient plus fréquentes, et une autre infirmière s'était jointe à Thérèse, la cousine, pour le veiller la nuit. Il était alité depuis trois jours et le bruit courait qu'il n'en avait plus pour longtemps. Léo, qui s'était annoncé, sonna à sa porte. Thérèse l'accueillit et le conduisit au chevet du malade. Il put à peine reconnaître son ami tant il avait changé depuis sa dernière visite. Grelottant sous d'épaisses couvertures, il sortait d'une crise. Son visage, très pâle, ciré, était strié de petites veines violacées. Ses deux mains squelettiques croisées sur sa poitrine épousaient le rythme d'une respiration saccadée, incertaine, scandée de petits râles.

— Vous auriez dû me dire ; j'aurais reporté ma visite.

— Non, je voulais te voir. Pour la dernière fois, peut-être.

Il articulait péniblement, s'en tenait aux mots essentiels, confiait le reste aux regards, aux silences.

— Ça va, toi ?

— Oui, ça va mieux. Beaucoup mieux…

— Tu as bien réfléchi depuis la dernière fois ?

— Soyez tranquille, j'ai fait le nécessaire. Tout est en ordre maintenant.

— Bien. Je suis content. Approche-toi.

Léo vint s'asseoir au bord du lit. L'avocat le regarda, tendrement :

— Figure-toi que j'ai rêvé aux anges, cette nuit. Je n'en avais jamais vu d'aussi près…

Il ajouta en esquissant un sourire :

— J'ai bien peur que ce soient les derniers.

— Qu'en savez-vous ?

— J'avais rêvé d'un monde plus doux, plus fraternel ; je ne le verrai pas et je m'en sens coupable. Ça me rend la mort plus difficile.

— Pourquoi vous juger aussi sévèrement ? Essayez de vous aimer un peu, de vous réconcilier.

— La réconciliation, bien sûr… Mais il faudrait savoir plier. Sais-tu que j'ai un ancêtre qui avait demandé à être enterré debout ?

Sa voix était faible. Léo vint s'asseoir au bord du lit. L'autre enchaînait :

— Il faudrait aussi que je fasse la paix avec mon passé, mon enfance. Je n'y arrive pas.

— Mais cessez donc de vous tourmenter !

— Tu vois la photo sur le tourne-disque ? Apporte-la.

Léo se leva, s'empara d'un cadre jauni où apparaissait une femme tenant un fusil, avec un enfant agrippé à ses jupes. Il le remit au malade.

— La photo a été prise au lendemain de l'élection dont je t'ai parlé déjà, tu te souviens ? Mon père avait fait campagne pour le parti ouvrier et avait dénoncé les abus de l'évêque Labrecque. Mais le parti au pouvoir a été réélu et, le lendemain, l'évêché a voulu servir une leçon à mon père en encourageant une manifestation devant sa maison. La canaille s'en est mêlée et l'affaire a dérapé. On ne le voit pas sur la photo, mais il y avait un gros attroupement qui hurlait et lançait des pierres dans nos fenêtres. Mon père, pendant ce temps, mon père qui était un homme fier, qui avait lutté toute sa vie pour ses opinions, un homme que je vénérais pour sa droiture, sa bonté, ce matin-là, il se terrait au fond de sa maison. Comme un froussard. Tous les coups qu'il avait reçus avaient eu raison de lui. La peur l'avait vaincu, il s'était réfugié au sous-sol. Et c'est ma mère, ma mère indignée, révoltée, que vous voyez là, c'est elle qui est sortie avec le fusil pour menacer la foule et la chasser à coups de semonce. Et moi, le fils aîné, terrorisé, je l'avais suivie par orgueil, avec l'idée, déjà peut-être, de remplacer mon père.

— Arrêtez, monsieur Belley, vous êtes tout en sueur.

— J'étais mort de peur et, à huit ans, je faisais l'expérience de la méchanceté, je découvrais le visage de la haine. Et je n'ai jamais pu m'en libérer. J'ai lutté tous les jours de ma vie pour retrouver un peu d'innocence, pour apprécier la beauté des choses, pour éprouver à l'égard d'autrui ce qu'on peut appeler de l'amitié.

— Pourtant, ce qui m'a frappé la première fois que je vous ai rencontré, c'est la lumière, presque une flamme dans vos yeux…

— Oui, mais ce n'est pas une flamme qui éclairait, c'est une flamme qui brûlait, qui détruisait. Après l'excommunication de mon père par Labrecque, nous avons dû affronter les quolibets, les calomnies. Nous étions pointés du doigt comme des malfaiteurs ; nos voisins, même nos parents nous repoussaient. À l'école, les pupitres du fond de la classe nous étaient désignés. À l'église, nous n'étions tolérés qu'au jubé ; c'est en tremblant et sous les murmures que mes sœurs et moi nous nous avancions pour la communion ; ma mère, elle, n'osait plus. Nous avons grandi dans la honte et le déshonneur. C'est dur, Léo, d'apprendre la fierté quand on a vécu dans l'humiliation, d'aimer son prochain quand il vous a fait si mal.

Oppressé, il dut s'interrompre. Léo se pencha sur lui :

— Arrêtez, vous vous épuisez.

L'autre l'ignorait :

— Mon père n'a plus trouvé de clients. Nous allions de logis en logis, laissant partout des dettes et du mépris. Tout cela a duré des années, jusqu'à ce que notre famille se résigne à quitter la région, sans qu'il se trouve personne pour prendre notre défense, pour nous témoigner de la sympathie. Personne, tu entends ? Personne. Tout le monde craignait à ce point le clergé…

Il toussa violemment. Thérèse s'approcha et lui souleva la tête, tenant une bassine. Il y cracha plusieurs fois ; du sang noir, épais. Il se laissa retomber sur l'oreiller.

Léo ne savait que dire :

— Calmez-vous, maintenant. Essayez de vous reposer.

Affaissé, Gonzague reprenait :

— Tout cela a empoisonné ma vie. Je n'arrive pas à éteindre ma colère, à chasser toutes ces vipères. Fais attention, Léo ; elles pourraient t'envahir toi aussi.

Désemparé, le Bâtard prit un verre d'eau, souleva la tête du malade, lui humecta les lèvres. Gonzague ferma les yeux, puis :

— J'aimerais que tu t'occupes de mes affaires après mon décès. Ce ne sera pas compliqué, tu verras.

— Je m'en occuperai.

Le malade se taisait, se faisait absent. Léo laissa passer un moment :

— Je vais vous quitter maintenant.

Il hésita, ajouta :

— Quand… quand vous fermerez les yeux pour la dernière fois, regardez bien. On sait jamais, peut-être que vous les reverrez, les anges…?

Gonzague souleva ses paupières. Ses traits se détendirent un peu :

— Peut-être. Après tout, peut-être…

— Bon courage, monsieur Belley.

— Adieu, mon ami.

Léo se pencha, l'embrassa sur le front. Sa peau moite, déjà laiteuse, avait un goût de cendre et de sel. Il sortit sans se retourner.

Après son départ, Thérèse revint vers le malade :

— Tenez, mon cousin, c'est le chapelet de notre grand-mère Belley ; c'est moi qui en avais hérité. Vous en ferez bien ce que vous voudrez.

Elle le déposa sur un coin de l'oreiller et prit congé.

*　*　*

Louis-de-Gonzague mourut le surlendemain. C'était le 30 avril 1959 ; il avait soixante-cinq ans. Thérèse, qui découvrit son corps, trouva sur la moquette près du lit le chapelet qu'elle lui avait donné. Mais elle n'aurait su dire si Gonzague l'y avait poussé ou s'il avait glissé de ses doigts. Le Bâtard arriva peu après. Il voyait pour la première fois le visage jaunâtre de Louis-de-Gonzague sans son binocle. Ses yeux, que des larmes mouillaient encore, le frappèrent ; de grands yeux sans défense, doux et souffrants, comme ceux d'un enfant apeuré. Et aussi, ce regard enfiévré que la mort n'avait pas apaisé. Il se pencha sur le lit, considéra une dernière fois le visage ravagé de son protecteur et lui abaissa les paupières.

L'avocat avait rédigé ses dernières volontés. Il n'y aurait pas de service à l'église et ses restes seraient très brièvement exposés à son domicile. Mgr Bezeau avait pris ses dispositions lui aussi : la dépouille serait enterrée dans la partie non consacrée du cimetière, à bonne distance des autres sépultures. Le jour de l'enterrement, deux femmes âgées se présentèrent, des sœurs du défunt venues d'Ontario. Il y avait aussi Léo, des collaborateurs du *Zadig,* quelques dirigeants ouvriers, Raoul et quelques autres de Pikauba. Ainsi que Thérèse d'« Ovila », bien sûr. Le petit cortège se mit en marche, au bout de la rue Jacques-Cartier, et prit la direction du cimetière sous une pluie fine. Louis-de-Gonzague avait tenu à quitter sans bruit cet univers qui lui avait été si peu favorable.

Au premier coin de rue, quelques voisins se joignirent au groupe des suiveurs. Puis des passants, et des habitants firent de même. Le mot se répandit et, à la hauteur de la rue Morin, il s'en trouva des dizaines et bientôt des centaines à emboîter le pas. Et la foule continua de grossir. Des échoppes, des ateliers, des magasins se vidaient. Le défilé s'allongeait rapidement, dans le plus grand désordre. Des ouvriers en habit de travail, casquette à la main, marmonnaient des Ave. Des hommes âgés, des mères de famille sortaient de leur maison et s'engageaient un instant dans la rue pour toucher au corbillard. Une vieille dame y accrocha un chapelet. Une petite fille vint y déposer un bouquet de fleurs séchées.

Ce qui devait être un cortège discret devint en peu de temps une procession gigantesque, chaotique, qui paralysait une partie de la ville. Le corbillard n'avançait presque plus, il y avait autant de monde devant que derrière. L'agitation fut à son comble lorsque, au bas de la côte du Palais de justice, des journaliers de l'International Manufacturing s'emparèrent du cercueil et le hissèrent sur leurs épaules. D'autres groupes, montés du Bassin, prirent le relais. Des ouvriers de Pikauba arrivaient aussi en grand nombre.

Pendant deux heures, la dépouille de Gonzague zigzagua d'un bord et de l'autre de la rue Jacques-Cartier, au gré des volontaires qui se la disputaient. Au moment où elle allait obliquer à droite vers la rue Bégin, l'immense procession dut s'immobiliser devant une plate-forme de camion transformée pour l'occasion en reposoir. Il y eut quelques bousculades. Tous ceux et celles que l'avocat avait cherché à protéger et à défendre durant sa vie tenaient à s'avancer pour dire merci à leur façon. C'était leur défunt, leurs funérailles. Il était midi lorsque le cortège parvint au Chemin Saint-Thomas et pénétra dans le cimetière. L'emplacement désigné se trouvait à l'écart, dans une espèce de broussaille. Le corps fut enfin déposé dans la fosse. Il ne se trouva personne pour réciter une homélie. Léo, très affecté, aurait été bien incapable de prononcer deux mots.

La pluie avait cessé; un rayon de soleil filtrait. Plusieurs hommes s'avançaient pour lancer une poignée de terre sur le cercueil. La foule restait sur place. Quelqu'un entonna un *Tantum ergo,* qui fut repris à la ronde. Un autre s'était déjà lancé dans un *Gloria,* aussitôt recouvert par un *Agnus Dei.* L'événement se terminait dans un immense brouhaha, aussi échevelé que chaleureux. C'est bien l'hommage qui convenait pour souligner la vie turbulente, douloureuse et passionnée de Joseph-Jules dit Louis-de-Gonzague Belley.

L'homme, hélas! fut privé du spectacle de ces funérailles exubérantes qui lui auraient plu. Elles lui auraient rappelé celles d'Hugo, son cher Victor Hugo, le géant des humbles, promené à travers les rues de Paris dans le petit corbillard des pauvres, bousculé par la cohue en deuil.

Chapitre 46

Il se mit en marche à la fin du mois de mai 1959 à Pointe-Bleue, avec une dizaine de chasseurs montagnais. Les Aînés de la Réserve les avaient eux-mêmes choisis parmi les plus aguerris. Répartis dans cinq canots chargés de provisions, ils traversèrent le Lac en longeant la rive vers Saint-Félicien et Dolbeau. Ils prirent ensuite vers le nord. Destination : la Source Blanche. Le Bâtard en avait fait le projet depuis longtemps. Il lui fallait marcher sur les dernières traces de Moïse, refaire le parcours tragique du Grand. Il avait le sentiment que toute sa vie y conduisait, qu'une vérité l'attendait dans cette lointaine patrie, que ses errements, ses déchirements s'y résorberaient. Mais il devait faire vite ; la construction du barrage allait débuter vers la fin de l'été. La Mistapéo avait obtenu le contrat de coupe.

Naviguant sur la rivière Péribonka, ils la quittèrent peu après et débouchèrent sur le lac Tchitogama d'où, au fond d'une petite baie ombragée, ils parvinrent à localiser la Rigane où son père et son oncle s'étaient rencontrés pour la première fois. En fouillant longuement, ils retrouvèrent des bouts de toile, un canon de fusil, quelques ustensiles rouillés. Mais ils furent incapables de trouver les sépultures des Manigouche qui reposaient là. Léo marcha longuement sur le rivage, essayant de s'approprier ce lieu ancestral, se remémorant tout ce qu'on lui en avait raconté.

Ils reprirent place dans les canots et revinrent sur la Péribonka. Au passage, les Indiens indiquèrent au Bâtard un emplacement sur le flanc d'une haute montagne ; c'est là que, jadis, Moïse et le Grand s'étaient rendus pour explorer les débris d'un dirigeable américain qui s'y était écrasé. Léo connaissait bien cet épisode dont la grand-mère Marie lui avait parlé plusieurs fois. Il songea aux cerfs-volants qu'il avait lui-même découverts dans le grenier de la maison des Chicots ; Méo les avait fabriqués pour les enfants du rang, avec des bouts de toile du ballon.

Ils remontèrent la rivière jusqu'au lac Mistassini où ils s'arrêtèrent. Le Bâtard avait besoin d'une pause. Les longues journées de rame et de portage sous le soleil et la pluie l'avaient fatigué, et plus encore, enivré. Il renouait avec un passé lointain, un univers qui lui était étrangement familier, auquel, à son insu, il n'avait pas cessé d'appartenir. Il croyait même parfois reconnaître des paysages. Il s'abandonnait aux émotions de son enfance sur les Territoires, surtout le matin lorsque les premiers rayons du soleil réchauffaient la tente et que ses compagnons allumaient le feu. Les odeurs de fumée et de poisson frit se mêlaient aux exhalaisons de marais tourbeux, de souches décomposées et de résine fraîche. De vieilles sensations se réveillaient. La nuit, il retrouvait les bruits, la musique d'autrefois : les hurlements du vent fouettant la cime des mélèzes géants, le clapotis de la vague contre la toile des canots, le souffle lent des Indiens dormant près de lui. Cette proximité lui rappelait la chaude présence de Senelle contre laquelle il aimait se blottir.

Le jour, il prêtait attention à la conversation de ses compagnons, réapprenait des mots, des phrases de sa première langue, et il se joignait à leurs exclamations. Parfois, il délaissait la rame et s'abandonnait à de longues rêveries. Enfin, après tant d'années, il avait pu s'immobiliser, s'extraire de la tourmente. Il cherchait à ordonner les images de son ancienne vie, à mettre du silence, du repos dans sa tête, à en chasser les démons. Il voulait se rendre disponible à la lumière, aux sons, aux voix des Territoires.

Il s'était arrêté au lac Mistassini pour une autre raison. Il voulait grimper sur la Colline Chauve et visiter l'Antre de Marbre, ce temple de roc que les Indiens fréquentaient depuis des siècles. Comme Moïse et le Grand avant lui, il rama quelques heures avec ses guides sur la rivière Témiscamie et mit pied à terre. Il grimpa sur le flanc de la montagne, repéra l'entrée de la grotte sacrée et passa la nuit dans l'alcôve creusée à même le calcaire, d'où jadis les shamanes essayaient de capter la voix des dieux. Il se tint aux aguets jusqu'à l'aube mais ne perçut aucun murmure. Seules les bourrasques du vent et le cri du hibou troublaient le silence. La pierre glaciale restait muette.

Au matin, ils reprirent leur voyage sur la Témiscamie puis, à nouveau, sur la Péribonka qu'ils remontèrent jusqu'à son origine. De là, ils progressèrent en suivant un réseau de petites rivières et de lacs parsemés de portages où les accueillaient des nuées de moustiques. Le mois de juin avançait; le temps pressait. Ils mangeaient à la hâte, s'arrêtaient avec la tombée de la nuit pour monter la tente et repartaient au lever du soleil. Léo parlait peu, écoutait distraitement ses guides qui commentaient le trajet du jour, les lieux qu'ils reconnaissaient, ce que les Aînés leur en avaient dit, les faits remarquables, les légendes qui y étaient associés. C'était la première fois qu'ils parcouraient ces parages en été. Les reliefs, les couleurs, les bruits n'étaient pas les mêmes; parfois, ils avaient du mal à retrouver leurs repères. La végétation changeait à mesure qu'ils avançaient. Léo découvrait dans les portages des plantes étranges, de grandes fleurs jaunes et rouges qui ne se déployaient qu'au milieu du jour. Mais il retrouvait partout des boutons d'or, des quatre-temps, des framboisiers et toute une variété de champignons. Et, à perte de vue, des arbres trapus, recroquevillés, comme pour se protéger des vents et du froid qui habitait presque toute l'année ces latitudes. Un harfang les survolait de temps à autre.

À la fin de juin, les voyageurs eurent encore à affronter quelques chutes de neige qui rendirent plus pénibles les longues marches qu'ils devaient souvent effectuer. Ils remontèrent aussi plusieurs rapides en s'appuyant sur des perches. Un jour, en haut d'une cascade, ils en découvrirent tout un bouquet, plantées sur la rive, abandonnées là par d'anciens chasseurs qui en étaient à leur dernier hiver sur les Territoires. De temps à autre, ils apercevaient dans des clairières des hardes de caribous au repos, mais ils n'y prêtaient guère attention, se nourrissant plutôt de pêche et de petit gibier. Il leur fallait se hâter.

Après avoir contourné les Monts Otish, ils parvinrent au lac Nishikun et obliquèrent vers l'est, poursuivant leur effort plusieurs jours encore. Ils ramaient maintenant avec le courant et s'octroyaient quelques moments pour observer le paysage. Au loin se succédaient des pics déchiquetés, des collines râpées, entrecoupées de vallées désertiques. Plus loin encore, d'immenses blocs de granit gisant sur des plateaux surélevés déchiraient l'horizon. La navigation, subitement, devint dangereuse. Ils doublaient des amoncellements de roc gros comme des banquises, entre lesquels les cours d'eaux louvoyaient. Les rameurs se tenaient sur le qui-vive et mettaient souvent pied à terre pour éviter les bancs de récifs, les chutes abruptes que signalaient de loin des nuages d'embruns, les cascades patrouillées par des ours faméliques à l'affût de saumons qu'ils captaient dans leur bond.

Un jour, le canot de tête chavira dans un violent rapide et trois Indiens se retrouvèrent dans la rivière. Les autres brisèrent aussitôt leur course pour s'extraire de la veine d'eau. L'un des trois naufragés parvint à s'immobiliser grâce à une souche qui affleurait au milieu du courant. Un autre se laissa dériver avec le canot renversé. Le troisième, un dénommé Raphaël, avait disparu. L'embarcation dans laquelle Léo avait pris place glissa jusqu'à la souche à laquelle s'agrippait l'un des Indiens; au prix d'une manœuvre dangereuse, les rameurs purent le hisser à bord en l'attrapant au passage. Juste à ce moment, des cris s'élevèrent : Raphaël venait de faire brièvement surface au pied d'un rouleau à cent pieds devant, puis il s'était de nouveau enfoncé. Le Bâtard s'était déjà dressé; d'un bond, il se porta à la tête de son canot et plongea dans le bouillon.

Il disparaissait de long moments, resurgissait plus loin, se dérobait aussitôt. Il luttait furieusement, ses longs bras s'agitant dans le tumulte de la rivière. Après quelques minutes, ses compagnons l'aperçurent aux pieds du rapide où il venait de réapparaître cette fois avec Raphaël qu'il soutenait par la taille. Il s'abandonna au courant encore un moment puis remorqua le naufragé jusqu'à la rive où les autres canots vinrent accoster. Raphaël saignait d'une large entaille au front et avait avalé beaucoup d'eau. Ses compagnons le firent dégurgiter et, peu à peu, il revint à lui. Ils décidèrent de camper à cet endroit, écoulant le reste du jour à soigner le blessé et à récupérer le canot chaviré avec son chargement. Le lendemain, ils purent reprendre leur navigation. La mémoire des Territoires s'était enrichie d'un autre épisode. Le Bâtard en était le héros, comme son père avant lui.

Au milieu de juillet, ils atteignirent le lac Opocopa et ensuite la rivière Ashuanipi qu'ils délaissèrent pour remonter vers le nord-est jusqu'au grand lac Mishikamau. Les difficultés du relief en cette saison les avaient obligés à s'écarter de l'itinéraire suivi jusque-là par Moïse et Méo, mais ils allaient le retrouver plus tard. Le décor changeait encore. Léo était frappé par l'alignement nord-sud, quasi parfait, des rivières, des vallées, des lacs allongés, des petites collines en rangées. Il en fit la remarque à ses guides qui lui signalèrent l'avantage de cette surprenante symétrie : elle aidait les chasseurs qui s'orientaient ainsi plus facilement dans ce paysage désolé. À la fin d'août, ils commencèrent à rencontrer d'autres Indiens, de plus en plus nombreux, qui, pour la dernière fois peut-être, remontaient vers leurs terrains de chasse ancestraux pour l'hiver. Des Montagnais de la Côte et de l'intérieur, quelques Cris aussi. Ils partageaient leur repas avec eux.

Un jour, ils s'arrêtèrent près d'un campement de chasseurs naskapis. Léo interrogea les plus âgés qui parlaient anglais. À sa grande surprise, chacun avait quelque chose à raconter sur le jeune shamane qui, plusieurs années auparavant, s'était précipité du haut de la Source Blanche après une marche forcée de plusieurs semaines. Et aussi sur le Blanc, le puissant Mistapéo qui l'accompagnait et en était revenu plus mort que vif, se montrant aussi résistant que les caribous dont il avait emprunté l'esprit, l'instinct, le courage. Parmi les chasseurs qui l'avaient finalement recueilli et soigné, quelques-uns vivaient encore à un jour de canot vers le nord, en un village nommé Naskaupi. Ils pourraient raconter ; c'est d'eux qu'ils tenaient ce récit.

Le Bâtard et les siens s'y rendirent. Ce n'était pas un village mais un regroupement d'une dizaine de familles. Les tentes se dressaient sur une pointe sablonneuse qui s'avançait dans un grand lac. Des restes d'un repas fumaient au-dessus d'un feu. Quelques enfants s'amusaient autour d'un radeau près de la rive. Plus loin, deux rangées de perches indiquaient l'emplacement de filets de pêche. Léo et les siens s'immobilisèrent près du feu. Des femmes apparurent d'abord, puis quelques hommes, tous vêtus à l'ancienne avec leurs longues bottes et leurs tuniques de peau garnies de franges et de glands. Ils avaient le teint très foncé et d'épaisses chevelures noires en broussaille. Ils restaient là, silencieux, souriants devant les arrivants. Léo leur adressa la parole, toujours en anglais. Il se nomma, et présenta ses compagnons, leur dit qu'ils étaient en route vers la Source Blanche, leur parla de Moïse, de Méo — de Mistapéo : à ce mot, leur visage s'éclaira.

Un homme l'invita à le suivre et pénétra dans une petite tente mal ajourée. Des fourrures recouvraient le sol. Une vieille femme, accroupie, s'affairait à droite de l'entrée ; à gauche, un vieillard sommeillait sur un lit de branchages. L'homme le réveilla et lui chuchota quelques mots. Puis il fit signe à Léo de s'approcher. La conversation s'engagea ; l'homme traduisait dans une langue que Léo ne comprenait pas. Le vieillard, apparemment aveugle, avait refermé les yeux. Tremblotant sous des couvertures de peaux de lièvre, il répondait par saccades, incapable d'énoncer plus de quelques mots à la fois. Le relief sévère de ses traits se découpait dans la demi-obscurité.

Léo se présenta comme le fils de Mistapéo et le neveu de Moïse. Il parcourait les Territoires sur les traces des deux hommes, refaisait, plus de quarante ans plus tard, leur voyage à la Source Blanche. À ces mots, le vieillard avança la main à tâtons. Léo lui tendit la sienne, l'autre s'en saisit et la serra faiblement. Puis il parla. Il n'avait jamais vu Moïse, mais c'était en ce lieu même que lui et quelques autres chasseurs avaient ramené le Grand après l'avoir découvert errant dans une vallée, alors qu'il arrivait du Nord, de la Source Blanche. Il neigeait et ventait très fort ; eux-mêmes avaient décidé de rentrer au camp. C'est alors qu'ils l'avaient aperçu, le géant. Il titubait. Ses yeux qui n'y voyaient presque plus étaient gonflés par le froid ; la peau brûlée de son visage se resserrait sur ses os ; le sang avait gelé sur ses lèvres éclatées. Et il continuait d'avancer, lentement, à travers la poudrerie, un bras bizarrement tendu vers l'avant, comme s'il marchait dans le noir. Cette vision soudaine les avait d'abord effrayés et ils s'étaient écartés. Puis ils s'étaient ressaisis et lui avaient porté secours.

Ils l'avaient allongé dans une tente et déshabillé pour le masser. Ils savaient y faire avec les sinistrés de l'hiver. Ils lui firent boire des bouillons, du thé, puis ils lavèrent ses plaies au visage, aux mains, aux pieds. Et ils le firent transpirer, beaucoup. Il dormit longtemps. Ils le réveillaient de temps à autre pour lui faire absorber un peu de viande en poudre ou du poisson séché. Et ils se tenaient toujours près de lui car il parlait dans son sommeil. Ils n'entendaient rien à son délire, ponctué de cris, d'exclamations, mais c'étaient pour eux paroles de dieux. Ils tenaient Mistapéo pour un grand shamane, un envoyé du Manitou. Car aucun être humain n'avait jamais eu la force de se porter aussi loin dans l'épuisement et dans la souffrance. Ils s'interrogeaient sur le sens de ses mots, de ses murmures, de ses longues plaintes dans la nuit. Ils craignaient d'avoir indisposé les esprits par quelque imprudence et ils redoublaient d'attentions autour de l'étranger.

Plus tard, il était revenu à lui. Et il avait raconté : la marche forcée vers la Source Blanche, le geste désespéré de son compagnon, la vision qu'il conservait de lui à l'instant où il s'enfonçait dans le gouffre, puis son pénible parcours jusqu'à ce qu'il croise la piste des caribous en migration vers le sud. Alors, il s'en était remis à l'instinct des bêtes dont il avait suivi la marche, adoptant leur rythme, se nourrissant comme eux de racines prélevées sous la neige. Ce récit, aux yeux des Naskapis, confirmait que le géant était bel et bien commandé par les Esprits. Ils mémorisaient la parole de Mistapéo qui se mêlait à la rumeur antique des Territoires. Vers le début de l'été, quand l'homme eut retrouvé ses forces, il avait repris sa route solitaire.

À ce point de son récit, le vieillard se tut ; il était exténué. Léo le remercia et dégagea doucement sa main que l'autre retenait. Il se leva, salua la femme, toujours silencieuse, immobile, et rejoignit ses compagnons. Au moment des adieux, l'homme qui les avait accueillis retourna subitement dans la tente et en ressortit tenant à la main un étui de cuir noir qu'il remit à Léo :

— Mistapéo avait abandonné ça ici ; nous l'avons retrouvé après son départ. C'est presque un talisman pour nous, mais il t'appartient. Prends-le.

Léo s'en saisit et prit congé de ses hôtes. De retour dans le canot, il ouvrit l'étui et, incrédule, en sortit un appareil photo. Il l'examina un moment ; cette vision lui paraissait des plus insolites dans les circonstances.

Agité par des sentiments confus, il reprit sa navigation avec les Montagnais. À travers la parole du vieillard, l'image de Méo et de Moïse s'était ranimée ; leur présence se faisait plus intense, plus pressante, plus douloureuse aussi. Il sentait maintenant que ses pas se confondaient avec les leurs. Les paysages violents qu'ils traversaient accentuaient cette impression. Des falaises abruptes se prolongeaient dans des crevasses sombres ; des torrents enjambaient des éboulis de rocs, de souches et de ronces et creusaient dans les tourbières de larges échancrures. Partout, la végétation et la faune retraitaient. Quelques mélèzes tordus, blottis les uns contre les autres, défiaient les vents de l'Arctique chargés de poussières noires comme de la cendre. Sur les lacs, des anses profondes abritaient des talles de saules et de bouleaux nains.

Le Bâtard, impatient, pressait les rameurs. Les conversations s'étaient tues dans les canots. Les chutes de neige se faisaient plus fréquentes ; ils affrontaient de forts vents, de violents orages ; les matinées étaient glaciales. Ils forcèrent encore l'allure. Le soir, ils dressaient le camp en vitesse sur l'épais tapis de lichens et pêchaient quelques dorés ou perchaudes qu'ils faisaient cuire en se collant près du feu. Puis ils se retiraient dans les tentes et s'abandonnaient à un demi-sommeil troublé par le hurlement des loups dans la toundra.

Le mois d'août était très avancé lorsque, mal alimentés, exténués, ils se trouvèrent en vue du fjord Nachvak. Léo entra subitement dans une grande excitation. Le lendemain, vers la fin du jour, enfin, ils aperçurent de loin la Source Blanche, majestueuse, souveraine, presque indolente dans son puissant mouvement, tout illuminée encore sous le soleil couchant. Ils se précipitèrent vers la rive et mirent pied à terre. Ils étaient parvenus aux confins des Territoires. Les Montagnais criaient de joie, sautillaient, s'embrassaient. Se tenant à l'écart, Léo resta longtemps immobile, sidéré par cette vision démesurée, prodigieuse. Derrière lui, ses guides maintenant se prosternaient et priaient.

Après un long moment, ils revinrent tous aux canots et se rapprochèrent lentement de la Source où ils arrivèrent par une petite rivière bordée de sable fin, immaculé. Ils dressèrent la tente dans une anse, aux pieds du torrent. Le Bâtard n'avait pas sommeil. Il quitta le campement et se hissa sur un rocher au bord de l'immense bassin creusé par la chute. Il fut aussitôt submergé par les paquets d'embruns qui fouettaient la rive. Le tumulte des eaux qui dévalaient en trombes la falaise vertigineuse l'effraya. Plus loin en aval, la rivière était violemment agitée par de sourds bouillonnements qui roulaient en s'allumant dans le noir. Jusqu'au milieu de la nuit, il ne put détacher son regard de la chute dont le sommet se découpait sous les étoiles. Et partout s'étalaient des aurores boréales, comme de longues flammes blanches qui montaient lentement de la Source et se dispersaient dans le ciel.

Il songeait à nouveau à Méo, à Moïse, qui avaient fait tout ce trajet en hiver, se déplaçant à pied depuis la tête de la Péribonka, luttant contre le vent, la faim, le froid, égarés dans cette contrée hostile. Et il les imaginait là-haut, debout au bord de la crête, silhouettes frêles, minuscules, au moment où leur destin à tous les deux allait basculer. Il faisait le bilan des pensées, des émotions si fortes qui avaient parsemé son propre parcours. Enfin, ils étaient réunis tous les trois.

Tôt le lendemain, les voyageurs s'avancèrent jusqu'au pied de l'imposante paroi. Léo tint à y monter seul. Il se défit de son sac et se sépara de ses compagnons. Ayant gagné le flanc de la chute, il grimpa lentement jusqu'au sommet, se retournant plusieurs fois pour observer tout en bas le bassin en ébullition, la furie qui semblait vouloir remonter vers lui. Il s'arrêtait longuement, hypnotisé par la course massive du torrent, par la violence et la beauté qui depuis la création du monde avaient habité ces lieux. Parvenu au sommet, il prit pied sur un escarpement rocheux et s'immobilisa. Il s'approcha jusqu'au rebord et plongea à nouveau son regard au fond du gouffre puis au loin, là où s'égarait le lit sinueux de la rivière. Voilà, se disait-il, la dernière vue qui s'était offerte à Moïse. Il se recueillit, chercha à s'imprégner du vertige, de l'émoi qui avait dû les saisir : celui qui avait dicté à l'Indien la conclusion brutale de son étrange odyssée, celui aussi qui en avait détourné le Grand. Le Bâtard s'interrogeait : le geste de l'oncle n'était-il pas, depuis le tout début, inscrit dans son sang, dans sa chair, dans sa destinée à lui aussi ? Il ferma les yeux, serra les poings.

Il resta longtemps ainsi, survolant en esprit toutes ses années d'agitation depuis le décès de Senelle. Des années de déchirements, de rage sourde, de passions contenues, parsemées de réussites sans joie, d'échecs aussi, et d'abandons, de trahisons même. Mais tous ces chemins mêlés qu'il avait parcourus, il pouvait maintenant en refaire le tracé, les faire converger ici même, les mettre en gerbe. Louis-de-Gonzague avait raison, il était encore possible de tout racheter. N'est-ce pas ce que Méon avait fait ? Et toute la vie de Nazaire n'en témoignait-elle pas ?

La journée était douce ; un vent léger caressait la crête. Léo se récitait ce que les anciens shamanes et les Aînés disaient de ce lieu : qu'il donnait accès à la patrie des dieux, que la vie elle-même y était née. Peu après le début du monde, la Source avait jailli subitement dans ce paysage désertique par le fait d'un Wisigoth maladroit — ou était-ce plutôt l'égarement d'un jeune dieu facétieux comme Carcajou ? ou bien d'un vieil esprit aigri et mauvais, Atshen peut-être ? Les Anciens ne s'accordaient pas là-dessus. Ne disait-on pas aussi que la Source avait été le prélude puis le vestige du Déluge ? Depuis ce jour, par cette brèche géante, l'esprit, la vie s'écoulaient, comme d'une blessure, sur la terre. Et tous les êtres, une fois parvenus au terme de leur course, y retournaient mystérieusement par un chemin ou un autre. Chacun, cependant, pouvait en tout temps briser son trajet et réintégrer sur-le-champ la patrie de la Source. C'est ce que Moïse avait fait. Léo comprenait qu'il devait choisir lui aussi : en amont, la compagnie immédiate des dieux ; en aval, le long détour par la turbulence des hommes.

Un avion qui passait à basse altitude le tira de sa rêverie. Il respira profondément, laissa errer son regard au loin vers les enfilades bleutées de collines et de monts, de vallées et de plaines, parcourues depuis toujours par les Indiens. Puis il se retourna vers le Nord. Une autre immensité lui apparut, peuplée elle aussi de récits, de légendes, de mémoire. Un autre continent, gorgé de cris et de silences. Et il se demanda si tout cela appartenait au passé ou à l'avenir. Il crut se trouver au partage du temps, là où tout peut se dissoudre ou renaître.

En cet endroit même où il se tenait, Moïse et Méo s'étaient séparés. Il considéra encore une fois le paysage qui s'était offert à leurs yeux : les méandres de la rivière le long des escarpements rocheux, les reflets chatoyants du lichen, les rayons tamisés du soleil à travers les nuages, tout un assemblage disparate de couleurs, de demi-teintes, de dissonances. Et c'est à ce moment-là que la lumière, enfin, lui apparut. Subitement, il réalisa que tous ces contrastes, tous ces contraires, loin de se repousser, s'alliaient pour produire de l'harmonie, de la beauté. Pourquoi n'en serait-il pas ainsi avec les sentiments qui le divisaient ? et de même avec les passions qui dressaient les hommes entre eux ?

À cet instant, il sut que son parti était pris. Ce serait celui de la vie ; il épouserait le mouvement de la Source et de la rivière. Il se sentit tout de suite soulagé, délivré ; tout lui sembla différent. Son passé, ses années d'impatience s'apaisaient. Sa nouvelle existence ouvrait sur des horizons enfin réconciliés. Il n'avait plus à être de Pointe-Bleue ou de Mistouk, de Chicoutimi ou de Pikauba ; il n'avait plus à choisir entre Moïse et Méo, à se faire Blanc ou Sauvage. Il serait l'un et l'autre : Tremblay et Manigouche. Le Bâtard, enfin, était baptisé.

Il recula d'un pas, s'imprégna encore de la magie du paysage. Il lui venait des désirs d'enfance, de recommencement. Il lui avait fallu la moitié d'une vie pour accéder à cet âge, en ce lieu où se formaient les aurores et où les choses, les êtres n'avaient pas encore de nom. C'est de là qu'il allait repartir.

Il voyait bien maintenant ce qu'il avait à faire. Il pensait encore à Gonzague, aux tourments qui l'avaient poursuivi jusque dans la mort. Il songeait au chef Napistau, à leurs adieux près du Plateau de l'évêché, à son combat inachevé. Il pensait aussi à Maître Ouellet, à sa folie qui lui paraissait maintenant plus raisonnable. Et il revenait à Méo, à Méon; à Julie, à Mercurie : à tous ces élans brisés, à tous ces parcours apparemment sans issue et sans empreintes. Non, il n'en avait pas fini avec l'existence; il irait jusqu'au bout de sa course, d'où il reviendrait un jour se réfugier, à son tour, dans le souffle caressant des Esprits qui siégeaient là-bas. Les dieux pouvaient attendre.

Par où commencer? Il éprouva tout à coup une grande excitation mêlée d'inquiétude, mais il s'en voulut aussitôt et se reprit. C'en était bien assez pour cette journée-là. Il avait tout son temps maintenant.

Il se dressa une dernière fois au-dessus de la rivière, face à sa nouvelle vie qui commençait. Puis il amorça sa longue descente, à petits gestes prudents. Il eut le sentiment qu'il refaisait ses premiers pas; cette pensée le fit sourire. Un peu plus tard, il rejoignit ses guides à un tournant de la rivière, là où les eaux se calmaient. Le surlendemain, ils rentraient au Saguenay à bord d'un hydravion de la Mistapéo; les travaux du barrage débutaient.

Chapitre 47

Léo était revenu au Saguenay vers la fin du mois d'août. Sa première sortie fut pour les gens de Pikauba qui l'accueillirent bruyamment. Lui-même éprouva un immense plaisir à les retrouver.

Interrompant leur travail, les ouvriers accouraient de toutes les directions. Un gros rassemblement se forma sur la Place. Chacun voulait entendre le récit de son expédition à la mystérieuse Source Blanche ; mais lui se faisait laconique. Plus tard, Fabrice, Eudore et les autres le promenèrent à travers le chantier, lui faisant voir de nouvelles machines, de nouvelles aires de coupe vers l'ouest, des bâtiments tout neufs. Il y prenait intérêt et se réjouissait pour ses compagnons mais à distance, un peu comme un étranger. Il constatait que ses anciennes passions s'étaient refroidies, ses élans déplacés.

Le soir, il prit le repas avec ses anciens associés et exprima à chacun son amitié. Il blagua avec Fabrice et Eudore :

— Dites donc, vous êtes rendus tous les deux avec des cravates ?

— Euh… oui, si tu veux ; mais on les a pris larges, comme tu vois.

— Vous êtes en petits souliers aussi ?

— Ah, ça, c'est juste sur les heures de bureau. Le soir au camp, on remet nos bottes, an, Eudore ?

Maintenant qu'ils étaient en charge de la Mistapéo, Fabrice semblait assagi, Eudore avait acquis de l'assurance. Léo prit plaisir à s'entretenir avec eux. Cependant, la nuit venue, il fut heureux de rentrer à Laterrière et de retrouver le paisible voisinage du Vieux-Moulin.

Il reprit contact avec Chicoutimi, se mêla un peu à la vie de la ville, se retrempa dans la lecture des journaux nationaux. Dégagé de ses anciennes ambitions, de toutes ses entreprises, il jetait un autre regard sur les choses et les gens. Bien des changements maintenant lui apparaissaient. Un peu partout, la vieille garde passait la main. À Chicoutimi, l'évêché avait perdu de son lustre et Mgr Bezeau lui-même venait d'annoncer sa démission. Quant à Gosselin, il avait vendu ce qui lui restait d'actifs et, âgé de soixante-neuf ans, il s'était retiré dans son domaine du Jardin d'Eugénie. Des coteries s'étaient dissoutes et de vieilles querelles s'apaisaient, faute de belligérants. À Québec, le Premier ministre, dont la santé donnait de l'inquiétude, faisait face à une forte opposition. Des voix annonçaient la fin de son « trop long règne ». Dans tout le pays, une nouvelle génération se faisait entendre qui désirait prendre le relais avec de nouvelles idées, de nouveaux moyens.

Ici et là, des bruits commencèrent à circuler sur l'avenir de Léo. Il était très riche, au seuil de la quarantaine, disponible. Chacun avait son idée à Québec sur ce qu'il allait devenir. Au Saguenay, la rumeur d'un retour à Pikauba se répandait. Mais certains le disaient meurtri, usé prématurément, content de se tenir en retrait. D'autres l'envoyaient à Montréal dans les affaires, ou même aux États-Unis. Plusieurs le voyaient en politique.

Et, justement, le matin du 1er septembre 1959, son téléphone sonna ; il décrocha et fut pris de vitesse par son interlocuteur :

— C'est toi, Léo ?

— … Monsieur Duplessis ?

— Ça va ?

— Mais oui, et vous-même ?

— Comme ça. Écoute, j'ai besoin de toi ici. C'est le moment.

Décontenancé, Léo demeura un instant silencieux, puis songea à l'entretien qu'ils avaient eu tous les deux à Québec dix ans auparavant, juste après son retour des États-Unis. Et à tout ce qui s'était passé depuis. La voix de l'homme au bout du fil n'était plus la même ; une voix fatiguée, mal assurée, presque chevrotante :

— Votre appel ne me surprend pas vraiment ; mais je croyais qu'après tant d'années vous aviez oublié. On peut dire que vous êtes pas trop achalant vous non plus !

Le Chef riait ; il se souvenait de tout. Léo reprit :

— Dites-moi toujours ce que vous avez en tête.

— Le comté de Chicoutimi va se libérer bientôt. J'aimerais que tu te présentes.

— C'est à ça que vous pensiez déjà à l'époque ?

— Peut-être. Alors ?

— Alors, c'est pas le temps qui me manque évidemment, j'ai vendu toutes mes…

— Je sais tout ça. Alors ?

— J'y mettrais une condition.

— Laquelle ?

— Ne jamais devenir votre ministre de la Voirie…

Le vieux Chef rit encore. Léo n'avait rien oublié lui non plus ; il enchaîna aussitôt :

— Je blaguais. En fait, j'ai peur de vous décevoir, là ; j'ai pas vraiment l'esprit à la politique ces temps-ci.

— Tu peux quand même entendre mon offre ?

— Je vous dois bien ça.

— Viens me voir à Québec dès que tu peux.

— Après-demain si vous voulez?

— Non, je dois me rendre sur la Côte-Nord pour visiter une mine. Disons lundi prochain?

— D'accord. À lundi.

La semaine suivante, il se rendit à Québec comme prévu, mais ce fut pour assister aux funérailles du Premier ministre, décédé subitement au cours de son voyage à Schefferville.

*   *   *

Trois semaines s'écoulèrent. Léo songeait à son avenir. Il avait son idée, mais ne se pressait pas; il réfléchissait. Un matin, il déjeunait seul, devant la grande baie vitrée de sa salle à manger. Il observait distraitement la première neige de la saison qui se posait délicatement sur la rivière. Il lui sembla que le sommet du Mont-Valin en était déjà saupoudré. L'hiver serait précoce. Un messager sonna et lui tendit un télégramme. On lui annonçait que le chef Malek Napistau était au plus mal.

Il sauta sur le téléphone, affréta un hydravion puis monta dans sa voiture. En arrivant à Chicoutimi, il s'engagea dans la rue Racine, s'arrêta brièvement au bureau de poste où un colis l'attendait et fila vers le nord, en direction du lac Sébastien. Rodolphe Pagé, le vieux pilote de brousse, s'y trouvait, aux commandes d'un appareil, prêt à démarrer pour Betsiamites. Durant le vol, Léo scruta un moment la forêt qui s'étendait au-dessous, cherchant à retrouver des repères, des lacs qu'il avait visités, des anciens chantiers de Gosselin ou de la Mistapéo. Tout un passé hier encore si grouillant, maintenant refroidi, rendu à son silence. Plus tard, il se cala dans son siège et ouvrit le colis qu'on lui avait remis à la poste.

Au retour de la Source Blanche, fin août, il avait retrouvé dans ses bagages l'appareil photo que les Naskapis lui avaient rendu. Puis il avait découvert, à sa grande surprise, qu'un film s'y trouvait toujours. Sans trop y croire, il l'avait confié à un laboratoire spécialisé, près de New York. Il tenait maintenant dans ses mains les clichés que les techniciens avaient pu en tirer. Il y en avait une douzaine. Les trois quarts étaient complètement embrouillés. Sur deux autres, on distinguait vaguement des paysages brisés, comme d'immenses récifs. Et sur le dernier apparaissaient assez clairement l'un à côté de l'autre, faisant face à la caméra, Méo et Moïse debout près d'un campement de chasseurs, sans doute des Naskapis ou des Cris qu'ils avaient dû croiser sur leur parcours vers la Source. Léo eut un choc. La dernière image du Grand avec son oncle ; la dernière image de Moïse.

Les deux longues silhouettes ployaient sous d'énormes sacs. La photo laissait apparaître le visage émacié des deux hommes, leur peau noircie, les filaments de glace qui pendaient à leur bouche. Le front dissimulé sous leur casque de fourrure, ils ne souriaient pas ; ils semblaient étrangement affaissés. Mais leur regard… Cette intensité, cette brûlure, presque une violence dans ces yeux, comme si toute la vie qui leur restait s'y était concentrée. Bientôt, cette photo elle aussi s'embrouilla ; Léo avait des larmes plein les yeux.

Après avoir longuement survolé la rive nord du golfe Saint-Laurent, l'hydravion amorça sa descente, se posa à l'embouchure de la rivière Betsiamites et vint s'immobiliser près du Quai. Quelques Montagnais s'y trouvaient qui firent monter Léo dans une camionnette et le conduisirent aussitôt chez Napistau. C'était le milieu de l'après-midi. Sur la place devant l'église, des hommes tambourinaient, des femmes entonnaient des cantiques. Léo redécouvrait la musique des Montagnais, les airs de son enfance : les rythmes lents, les échos amortis des tambours, les voix éteintes, lancinantes des vieilles femmes, et les mélodies tristes, comme le glissement du vent dans les feuilles mortes ; ou était-ce plutôt un murmure qui s'adressait aux Esprits ? Plus loin, une centaine de personnes, silencieuses, entouraient la tente du chef. Il y pénétra.

Une forte odeur de feuilles de menthe l'accueillit. Dans la

pénombre, il discerna un grabat sur lequel le mourant était étendu. Trois soigneuses étaient penchées sur lui. Léo s'en approcha, les femmes s'écartèrent. Napistau était encore conscient ; son regard s'alluma quand il aperçut le visiteur. Il toucha de sa main brûlante la main de Léo, tout en proférant quelques paroles inaudibles qui venaient mourir sur ses lèvres. L'autre se pencha, colla son oreille à sa bouche et put capter des bouts de phrases :

— Merci… T'es venu à temps… je n'en ai plus pour longtemps.

— Dites pas ça.

— J'ai pas peur de la mort, elle fait partie de la vie… Ce sont les Blancs qui les ont séparées… et en les séparant, ils les ont brisées… toutes les deux.

Il s'interrompit, haletant, sans quitter Léo du regard. Sa poitrine s'agitait sous la fourrure qui la recouvrait. Une violente crispation parcourut tout à coup son visage. Quelques secondes s'écoulèrent ; puis :

— Les Indiens sont… tu dois les aider. Tu…

Il émit une plainte sourde, ferma longuement les yeux et, au prix d'un autre effort, ajouta :

— Le lac John… va au lac John.

— Au lac John ?

— … lac John…

Il ne put en dire plus. Léo se pencha une dernière fois sur lui :

— J'irai. Je vous le promets.

Il se retira, serra des mains à l'extérieur de la tente et prit place au milieu de l'attroupement qui ne cessait de grossir. Napistau mourut dans la nuit.

Le lendemain, Léo assista aux funérailles. Un missionnaire oblat officiait. De nombreux Indiens étaient venus d'Essipit, de Uashat, de Mingan et d'ailleurs. Après le service à l'église, la dépouille du chef fut menée en procession sur le chemin Lalitaut qui longeait la mer, en direction de la statue de la Vierge qui se dressait à l'autre bout du village sur une plate-forme coiffée d'un dôme. Le religieux ouvrait le cortège, flanqué de quelques enfants de chœur en soutanelle rouge. Les Montagnais suivaient en reprenant leurs chants sacrés.

À nouveau, Léo s'imprégna de la plainte sourde des tambours que recouvraient les mélodies répétitives, monotones, des femmes. Le défilé se regroupa un moment devant la statue, face à la mer, et un groupe d'enfants chanta un vieil air des Territoires que les adultes reprirent en chœur. Puis ils allèrent déposer le corps au cimetière aux côtés des plus anciens chasseurs. Des petites filles vinrent disperser sur la tombe un peu de tabac et de viande séchée. Il y avait là autant d'enfants que d'adultes. Ils ne bougeaient pas. Personne ne voulait quitter la place encore habitée par l'âme du chef.

Revenus plus tard près de l'église, les Indiens conversèrent longuement à mi-voix. Ils voulaient se remémorer les actes, les paroles, l'esprit de Napistau. Après quoi Léo put s'entretenir avec des chefs de bande, les interroger sur l'état des Réserves sur la Côte. Il apprit qu'une alliance appelée le Mishta Kapatakan — le Grand Portage — venait d'être créée. Regroupant toutes les communautés montagnaises, elle se vouait à la défense de leurs intérêts, à leur relèvement matériel, au maintien de leurs traditions. Depuis peu, les Indiens lui versaient une partie des revenus tirés de la chasse, de l'artisanat ou d'autres emplois. L'alliance entendait redonner à ses membres la fierté et la mémoire de leur peuple. L'un des chefs expliquait :

— Le Mishta Kapatakan évoque la longue marche à entreprendre vers la reconquête. Il voudrait aussi réparer le lien entre l'Indien et le Blanc, en faire deux égaux sur la même terre, comme les frères qu'ils auraient dû être dès le début. C'est vers cela que le Portage devrait nous conduire tous. Et bien après nous, après que nos enfants et leurs enfants seront morts, un jour viendra où il fera le tour du monde ; alors il unira tous les vivants de la terre.

Léo apprécia la grandeur de l'idéal et loua la candeur du chef, mais il voulut en savoir davantage sur l'organisation de l'affaire et ses buts immédiats. Il s'attarda longuement auprès des Aînés et c'est seulement vers la fin de l'après-midi qu'il remonta dans l'hydravion.

* * *

Quinze jours plus tard, donnant suite à sa promesse, il s'envola à nouveau pour le Nord. Il s'arrêta d'abord à Betsiamites où s'étaient à nouveau réunis les chefs responsables du Grand Portage. Il passa quelques heures avec eux avant de redécoller pour le lac John, toujours avec Pagé. Par-delà le golfe et la Côte, ils avaient encore près de quatre cent milles à parcourir vers l'intérieur des terres. À un moment, ils affrontèrent un violent orage qui secoua rudement l'appareil. Mais le pilote se montra à la hauteur de sa légende — au Saguenay, on disait qu'il aurait pu faire voler un bœuf. Plus tard, ils survolèrent le chemin de fer qui, plusieurs fois par semaine, amenait de Schefferville vers la Côte des trains chargés de minerai. Léo ne connaissait pas ces lieux. Dans son parcours vers la Source Blanche quelques mois auparavant, il avait dû passer tout près de là, à une soixantaine de milles peut-être. Mais il se souvenait que le Premier ministre était décédé dans cette petite ville, juste à côté du village indien, deux mois auparavant. La compagnie Iron Ore y exploitait un énorme gisement minier.

Le temps était toujours au vent et le Cessna papillonnait, se cabrant parfois dans les bourrasques. Pagé perdit un peu d'altitude pour stabiliser l'appareil. Léo put scruter le sol dont le relief se dessinait plus clairement. Il distinguait maintenant les arbustes décharnés et le tapis blanchâtre du lichen, comme de la neige, à travers les broussailles clairsemées. À certains endroits, de longues lignes noires y couraient ; il reconnut les traces laissées par les troupeaux de caribous qui y migraient. L'avion survola Schefferville peu avant la tombée du jour. Les fosses rougeâtres, à ciel ouvert, se déployaient sur des dizaines de kilomètres. Partout, des camions et des grues s'activaient dans un lacis de chemins qui se perdaient à l'horizon. Pagé fit pivoter l'appareil, faisant apparaître un pâté de maisons à côté de la gare où stationnait un long convoi. L'avion survola ensuite l'hôtellerie de la Compagnie, un chalet brun en forme de croix, sur une rive du lac Knob. Le pilote fit un signe à son passager : c'est là que Duplessis était mort. Quelques minutes plus tard, ils se posaient sur le lac John, à quelques milles de là.

Pagé, d'une main experte, immobilisa l'appareil près de la rive, en un point où elle s'élevait en pente douce vers le village — ou ce qui en portait le nom. Il n'y avait pas de débarcadère. Léo sauta sur la grève et considéra le paysage désertique de lichens et de roc sur lequel se dressaient, à la diable, quelques dizaines de tentes et de bicoques battues par le vent. Au loin sur sa gauche, il apercevait les installations grisâtres de l'Iron Ore : des cheminées, des ateliers, des hangars de tôle dont les toits s'allumaient sous le soleil couchant. Un chemin rocailleux y conduisait. Quelques enfants rachitiques, accourus de nulle part, s'étaient immobilisés à vingt pas et examinaient l'arrivant d'un œil méfiant. Une pluie fine tombait en rafales, étouffant le feu d'ordures qui fumait près de la rive. Léo se demandait bien pourquoi Napistau l'avait envoyé là.

Le soir tombait. Pendant que Pagé s'affairait dans son cockpit, Léo s'avança sur le chemin de la mine et, après quelques minutes de marche, repéra l'auberge dont on lui avait parlé. Ce n'était guère plus qu'un camp en bois rond auquel on avait ajouté un étage. Cloué près de la porte, un écriteau portait l'inscription : *Le Terminus*. Un rideau était tiré sur l'unique fenêtre de la façade. Léo s'approcha de l'entrée et dut se pencher pour franchir le seuil. Il se retrouva dans une pièce enfumée, mal éclairée, bondée de buveurs répartis autour de petites tables surchargées de grosses bières. Il jeta un coup d'œil à la ronde, ne vit que des Blancs, sans doute des employés de la mine. Une femme sans âge, courte et costaude, faisait le service entre la salle et le comptoir du bar. Là, un gros homme montait la garde, assis devant la caisse, et considérait le visiteur d'un œil peu engageant. Léo se dirigea vers lui :

— C'est pour une chambre.

— Pas de chambre pour les Sauvages. Tu peux r'prendre ton chemin.

Léo se dressa :

— J'ai dit : c'est pour une chambre.

— Pis moué, j'te répète : pas de chambre pour les Sauvages. C'est un hôtel icitt, pas une porcherie.

— Vous avez pas le droit !

— Tu peux porter plainte ; y a un bureau du gouvernement à Sept-Îles.

Des éclats de rire venus de la salle accueillirent cette répartie.

Léo attrapa le tenancier par le col de sa veste et le tira violemment à lui. Mais il dut s'arrêter là. Cinq ou six hommes lui avaient déjà sauté dessus et le frappaient. Il roula au sol et parvint à se remettre sur pied. Il reçut d'autres coups, fut repoussé vers la sortie et projeté dans la vase. La porte se referma.

Il se tâta, vit qu'il n'avait rien de cassé, mais tout son visage lui faisait mal et il saignait abondamment de la bouche et du nez. Il se releva et marcha vers le hameau, maintenant plongé dans l'obscurité. La pluie s'intensifiait. Il s'engagea dans la montée et parvint à la hauteur des premières habitations. C'étaient tantôt des tentes fatiguées, tantôt des masures sans solage faites de bouts de madrier, de morceaux de carton et de contreplaqué. Une porte s'ouvrit sur son passage, une femme déversa le contenu d'une chaudière puis retraita. Il eut le temps de distinguer à l'intérieur du camp plusieurs silhouettes de femmes et d'enfants sous la lueur vacillante d'une lampe à huile. Il avançait lentement, essayant d'éviter les trous d'eau tout en gardant la tête relevée pour refouler le sang qui lui coulait du visage. Il repéra sur sa gauche une construction un peu plus longue que les autres et, s'y étant rendu, se pencha à une fenêtre. Sept ou huit enfants en haillons étaient attablés à des pupitres posés à même le sol, face à une femme que Léo voyait de dos.

Il entra, la femme se tourna et retint un geste d'effarement. Léo lui-même resta figé, clignant des yeux : Cibèle se tenait devant lui.

Chapitre 48

Quatre ans s'étaient écoulés depuis la dernière fois qu'elle l'avait vu ; c'était le jour où elle était allée faire ses adieux à Pikauba. Et voilà qu'il surgissait dans cette Réserve, au bout du monde ou presque, tout ensanglanté... D'un geste, elle renvoya les élèves.

— Léo... Je peux pas le croire !

Il s'était emparé d'un chiffon et épongeait le sang sur son visage :

— Je pensais que tu étais infirmière ?

— C'est ce que je suis, mais bien d'autres choses aussi ; ils manquent de tout par ici.

— J'ai un peu d'ouvrage pour toi, comme tu vois.

— Qu'est-ce qui t'est arrivé ?

— J'ai eu droit à votre comité d'accueil au *Terminus*.

— T'es allé demander une chambre, je suppose ?

— C'est ça. Ils font pas trop de différence entre les Métis et les Indiens, à ce que j'ai compris. Mais t'étais pas partie pour Pakuashipi, toi ?

— Oui, mais pour le moment on a besoin de moi ici. Je vais

y rester encore un bout de temps, je me déplacerai dans d'autres communautés ensuite. J'ai l'habitude maintenant.

Pendant qu'elle le soignait, il la regardait à la dérobée. Une salopette de toile noire moulait ses longues jambes et sa taille. Son visage s'était aminci; une ombre voilait ses paupières. Ses cheveux, retenus en chignon, dégageaient son front doucement bombé. La gravité de ses traits en accusait la vigueur, l'harmonie. Quand elle eut terminé, il se passa la main sur le visage :

— Qu'est-ce que tu m'as mis, là ?

— C'est un onguent de chiendent mêlé avec de la graisse de gibier.

— Euh… t'as rien d'autre ?

— Je regrette, c'est tout ce que j'ai. Mais t'en fais pas, c'est aussi bon.

Puis elle parut se raviser et, affectant un air très professionnel, ajouta :

— Autrement, si tu veux, il me reste encore un peu de crottin de caribou…

— Laisse, je voudrais pas vider ta pharmacie. La graisse, c'est parfait.

Il se leva et marcha dans le camp mal éclairé. Des pièces de carton et de contreplaqué recouvraient la terre à l'avant de la classe et dans les allées. Il contourna quelques pupitres déposés à même le sol rocailleux, s'arrêta un instant devant un tableau noir portant diverses inscriptions en montagnais et revint vers elle. Ils firent le point brièvement. Elle résuma son parcours, il en fit autant. Puis il revint à la charge :

— Mais comment vis-tu ? T'as pas d'aide, personne pour s'occuper de toi ?

Elle sourit :

— J'en ai pas besoin. J'ai passé l'âge des bilboquets, Léo.

— Comment arrives-tu à te débrouiller ?

— Le Kapatakan, le Portage, me donne un peu d'argent. Tu sais, l'alliance qui a été créée ?

— Je sais. Mais t'es toute seule ici !

— C'est vrai, je vis seule, mais…

— Excuse-moi, c'est… c'est pas ce que je voulais dire.

— Mais toi, tes scieries, tes chantiers, toutes tes affaires ?

— Vendues.

— C'est pas vrai ! T'étais… t'étais en difficulté ?

— Non, non. J'avais perdu le goût, c'est tout.

— Tu… tu dois avoir des enfants maintenant ?

— Assoyons-nous, si tu veux. C'est un peu long à raconter.

* * *

Plus tard dans la soirée, ils traversèrent la ruelle et se retrouvèrent dans une cabane mise à la disposition de Cibèle. Une petite table et deux chaises occupaient un coin de l'unique pièce. Dans un autre, sur une longue armoire renversée, des branches de sapin enveloppées dans une couverture servaient de matelas. Des peaux de caribou recouvraient le sol. Ils firent du feu et préparèrent à manger ; de la truite grise, de la banique, du thé. Et longtemps, ils parlèrent encore. De leur enfance beaucoup, de leur séparation un peu, puis des Blancs, des Indiens, de ce qu'ils devenaient. Il se fit tard :

— Comme tu vois, c'est pas très spacieux, mais tu peux dormir ici si tu veux.

— Non, merci. Je vais m'arranger, t'inquiète pas. Je reviendrai demain.

Ils se quittèrent en se serrant la main. La pluie avait cessé mais il faisait très froid. Avançant presque à tâtons dans les flaques d'eau, Léo regagna l'hydravion où Pagé avait aménagé un bivouac.

* * *

Le lendemain, à l'aube, il retrouva Cibèle qui s'affairait seule dans sa classe. Elle avait passé une jupe et un gros chandail de laine rouge. Ses longs cheveux soyeux ondulaient sur ses épaules. Une légère touche de crème éclairait ses paupières. Elle avait eu le temps d'aller cueillir quelques fleurs de pavot, des jaunes, des blanches, des orangées, qu'elle avait déposées dans une canette d'huile. Léo les remarqua :

— D'où ça vient ces fleurs-là ? Y a rien qui pousse ici…

— Faut pas se fier, comme tu vois.

Il la regarda, toute belle, au milieu de cette désolation. Il allait faire une réflexion mais s'en abstint. Tout à coup, il sentit une longue vibration sous ses pieds, suivie d'un sourd grondement :

— Qu'est-ce que c'est ?

— Le dynamitage à la mine. Ça dure toute la journée ; on s'habitue.

Elle vint vers lui, lui sourit et, se penchant, passa un doigt sur sa lèvre enflée, son nez tuméfié, ses ecchymoses :

— Là, t'as l'air d'un vrai Sauvage, asteure. Bienvenue au lac John !

— C'est parfait, j'ai justement l'intention de m'établir.

Elle le regarda d'un drôle d'air :

— Comment ça, t'établir ?

— T'as pas entendu l'hydravion ce matin ?

— Oui, mais j'ai cru que…

— Si ça t'ennuie pas, je m'installe au lac John.

— Mais…

— Pour un bout de temps, en tout cas. Après, je ferai comme toi, je me déplacerai. J'ai décidé que j'avais assez travaillé avec les Blancs. Maintenant, je voudrais frayer avec les Indiens.

— Mais tes affaires au Saguenay ? T'as bien encore des…

— Non, plus rien. J'ai tout vendu, même ma maison.

— Voyons donc, tu dis n'importe quoi ! T'es riche, t'as quand même ton argent ?

— Non plus. Je l'ai donné.

— Eille, arrête donc tes folies !

— J'ai tout donné au Grand Portage.

Cette fois, elle parut vraiment estomaquée :

— Tu l'as donné au Portage ? Tu vas laisser la direction administrer ton argent ?

— Mais oui.

— C'est pas… t'es pas un peu imprudent ?

— On verra.

— Tu te moques de moi, là ! Connais-tu au moins le directeur ?

— Assez bien. Enfin, mieux qu'avant, disons.

— Qu'est-ce que ça veux dire, ça ?

— En fait, depuis hier, c'est moi le directeur du Portage.

— Léo…

— C'est comme je te dis. Je suis sérieux.

— Excuse-moi, c'est un peu trop tout d'un coup. On reprend depuis le début, tu veux ?

Il lui raconta, en détail cette fois, les événements des derniers mois et surtout des dernières semaines. Il lui dit aussi tout ce qu'il avait appris au cours de son pèlerinage à la Source Blanche.

— Je veux tout recommencer, Cibèle. Près de toi, si tu veux.

— Léo, tu vas pas me faire mal encore ?

— T'as rien à craindre ; j'ai eu trop mal moi aussi.

— Écoute, j'arrive à quarante ans ; il me reste pas beaucoup de temps pour être heureuse. Je peux plus me permettre d'en perdre, là.

— Je sais que je suis capable d'aimer encore.

— Tu as déjà dit ces mots-là à une autre.

— Justement, je sais ce qu'ils veulent dire. La deuxième fois qu'on les prononce, ça peut pas être à la légère.

— Oublie pas que, moi, j'en suis toujours à la première fois…

— On pourrait commencer par être amis, si tu veux. Ce serait déjà pas mal ?

— J'aimerais mieux ça de même. Pour commencer.

Le ciel s'était dégagé, l'air était bon. Ils sortirent. Des enfants jouaient dans les mares. Ils restèrent un instant à les regarder puis firent quelques pas vers le lac et revinrent s'asseoir sur les deux marches de l'école :

— Il n'y a pas d'hommes au lac John? J'ai vu personne hier soir.

— Ils n'étaient pas encore revenus de la mine.

— J'en ai pas vu ce matin non plus.

— Ils étaient déjà repartis.

— Il y a beaucoup de monde qui vit ici?

— C'est dur à dire; ça va, ça vient. Il y a une trentaine de tentes, de cabanes. Des fois, deux ou trois familles vivent ensemble.

— Où est-ce qu'ils ont pris ça, les bouts de madrier, les cartons?

— Des rebuts de la Compagnie.

— Les Indiens pourraient rester à Schefferville, ils seraient plus près de leur travail?

— C'est là qu'ils vivaient, la Compagnie les a repoussés ici.

Léo se faisait pensif. Les enfants s'étaient regroupés près du lac maintenant; trois ou quatre chiens s'agitaient autour d'eux. Des femmes étendaient du linge sur des cordes tendues d'une bicoque ou d'une tente à l'autre.

— Tu sais, Cibèle, l'affaire du Grand Portage, j'y crois vraiment. Les chefs ont raison; au bout du compte, ça devrait aider les Indiens à se relever puis, un jour peut-être, à se rapprocher des Blancs. Tu imagines tout ce qu'on pourrait faire ensemble? Tu imagines, Cibèle, les Blancs puis les Indiens du même bord? Ce serait du jamais vu, ça! Ça vaut la peine d'essayer, je trouve.

— Oui, c'est sûr. Mais tu dois bien savoir que ce sera pas facile.

— Un portage, c'est bien à ça que ça sert : à raccorder deux parties d'une rivière, à unir l'eau puis la terre? Tu vois, je parle déjà comme un vieux shamane… Je vais peut-être m'ouvrir une tente tremblante*, tiens.

— Simplicités !

Ils s'observèrent en silence un moment. Elle s'approcha, lui prit la main :

— J'ai de la misère à réaliser tout ce qui m'arrive depuis hier. Mais je vais te faire confiance, Léo. C'est curieux qu'on se soit perdus à Pointe-Bleue puis qu'on se retrouve ici par hasard.

Il pensa à Napistau qui l'avait envoyé là.

— Par hasard, oui, si on veut…

— Il faut que tu sois prudent ; le Kapatakan, ça marchera peut-être pas.

— On peut pas le savoir d'avance.

— C'est gros, ça va prendre du temps.

— J'en ai.

— Ça va prendre de la patience aussi.

— T'en as. Tu vas m'en prêter.

— T'as pas peur des tracas ?

— J'ai déjà brassé un peu.

— Tu vas peut-être découvrir que les Indiens sont pas tous des grands portageurs…

— Il me semble que j'en ai connu quelques-uns comme ça chez les Blancs.

— Tu te trouveras pas perdu ici ? On est à trois cent cinquante milles du fleuve ; c'est le bout du monde !

— À Pikauba, Maître Ouellet disait que la terre est ronde partout, que ça existait pas le bout du monde…

— Peut-être ; n'empêche que y a pas plus pauvre qu'ici dans le Nord. Tu penses pas que tu repars de loin ?

— Ce qui compte, c'est jusqu'où on va se rendre, non ?

— Les troques vont pas te manquer ?

— Pourquoi, c'est défendu ici ?

— Non, mais les chemins sont pas longs.

— J'achèterai plus petit d'abord…

Il souriait, mais elle restait préoccupée :

— T'es bien sûr que tu t'ennuieras pas ici ? Tout ce que tu as vécu chez les Blancs, tous les gens que tu as aimés ?

— Plusieurs sont morts…

— Excuse-moi. Je pensais aux autres.

— Tu vois, j'ai l'impression de m'être rendu au bout de quelque chose, là-bas. J'ai le goût d'ouvrir un autre chemin.

Il l'observa longuement, puis :

— Fais-moi confiance, Cibèle.

— Bon… Bon ! Je vois que t'as réponse à tout. Puisque c'est comme ça…

Elle se planta devant lui, se croisa les mains derrière le dos comme une petite fille indécise :

— Ça fait que… on commence ? pour vrai ?

— Pour vrai ! Donne-moi de quoi écrire. Dis-moi d'abord tout ce qui manque ici.

Elle lui tendit une enveloppe, il sortit un stylo de sa poche ; son regard tomba sur le nom qui y était inscrit : Mistapéo. Il se fit songeur une seconde.

— T'es prêt ?

— Vas-y.

— Avant toute chose, il faut acheter des médicaments…

Il se rebiffa :

— Comment ça, des médicaments ? Tu veux gaspiller mon argent ? T'as pas tout ce qu'il faut, là ? des rognons de castor, de la graisse de queue de loutre, du crottin de…

— Malavenant !

Épilogue

◆

Bien des années plus tard, un déluge frappa la région du Saguenay. Les rivières sortirent de leur lit, menaçant de renverser les barrages, et un peu partout des lacs se formèrent. Chicoutimi et Laterrière furent durement touchés. Dans le quartier ouvrier du Bassin, du côté nord de l'église, l'eau emporta toutes les constructions, sauf la petite maison blanche où Maître Ouellet avait fondé sa première école en 1950. Elle s'y dresse encore aujourd'hui au milieu d'un lit de roc, comme ces mélèzes géants qui jadis veillaient sur le camp des Eaux-Belles à Mistouk.

À Pikauba, le chantier avait été fermé depuis longtemps et les lieux étaient retournés à leur état sauvage. La coulée du Radoub où dormait la goélette de Cage-à-l'Eau fut inondée et, pendant quelques jours, la vieille carcasse du bateau flotta. Le marin l'avait toujours dit ; là où on érige un bateau, tôt ou tard, il y a la mer.

Glossaire saguenayen

Allée : bille

Allège : véhicule, instrument de transport qui circule sans chargement

Apsme : asthme

Arrachis : en forêt, éclaircie provoquée par une tornade, un coup de vent qui a déraciné les arbres

Bachâ : machine, véhicule, outil déglingué, à bout d'âge

Bagosse : alcool de fabrication domestique écoulé en contrebande

Bâlbeurigne : bille de roulement (de l'anglais *ball bearing*)

Bâleur : brûleur, salle des chaudières (de l'anglais *boiler*)

Barsalou : vaurien, malfaiteur, personnage scandaleux

Bent-saw : dans une manufacture, grande scie inclinée

Beu : *a*) bœuf *b*) grosse toupie *c*) engrenage le plus puissant dans une transmission de camion

Boquer : regimber, se rebiffer, s'entêter (de l'anglais *balk*)

Bosse du canot : chez les Indiens, protubérance qui, avec les années, se développait à la jonction du cou et du dos à force de portager le canot, résultat de la pression qu'il exerçait sur la peau

Boursouffle : enflure, protubérance anormale, cellulite

Bran de scie : sciure de bois

Calvette : ponceau (de l'anglais *culvert*)

Canteur : dans une scierie, celui qui retourne le billot sur lui-même après chaque passage dans la scie (de l'anglais *cant*)

Caterpileur : Caterpillar (marque de bulldozer)

Cavêche : femme étourdie ; aussi, femme peu recommandable

Chef-d'œvreux : bricoleur, inventeur artisanal

Chôboïlle : aide-cuisinier, homme à tout faire affecté aux travaux de cuisine dans un chantier forestier

Choutlaque : chaussures de sport

Cionnar : déformation de l'acronyme CNR (Canadian National Railways)

Claireur : dans une scierie, celui qui évacue la *croûte** après chaque passage du billot dans la scie (de l'anglais *clear*)

Clotche : pédale d'embrayage (de l'anglais *clutch*)

Collage : opération consistant à mesurer le bois coupé et à en éliminer les pièces non utilisables (de l'anglais *cull*)

Colleur : préposé au *collage**

Copeurse : petit voyou

Couke : cuisinier dans un chantier (de l'anglais *cook*)

Coukerie : cuisine d'un chantier

Criard : klaxon

Crôute : rebut du sciage ; partie du billot faite d'écorce et de bois, trop mince pour donner un madrier ou une planche

Dépâmer (se) : se calmer

Désâmer (se) : s'activer fébrilement, s'épuiser

Détail : terme de hockey désignant les séries éliminatoires (on disait d'une équipe qu'elle faisait ou manquait le détail ou les détails)

Dompe : dépotoir

Dompeuse : benne d'un camion

Driving-shaft : arbre-moteur

Ébaroui : étourdi, chancelant, abasourdi

Écouèpeau : freluquet, avorton, petit fanfaron

Emmichouenner : emberlificoter, circonvenir par de belles paroles

Enfle : rétention d'eau

Esprit : alcool pur ou très fort

Étriver (faire) : se moquer sans méchanceté de quelqu'un, taquiner

Faite : cigarette de fabrication industrielle, achetée au magasin (on fumait « des faites »)

Falle : poitrine

Flailler : fuir, partir à toute vitesse, décamper (de l'anglais *fly*)

Flasse : petit flacon plat que l'on remplissait d'alcool

Floche : prodigue

Frasie : glaces en cristaux qui se forment et se défont continuellement le long d'une rivière ou d'un fleuve au gré des marées

Galope : pièce de musique, ordinairement interprétée au piano, d'origine états-unienne

Gesteux : nerveux, agité ; se disait de quelqu'un qui gesticulait constamment

Gibard : un homme très costaud, une sorte de géant

Glenne : le ramassage des billes de bois (le « quatre-pieds ») sur les rives des cours d'eau ; on disait aussi la « glèbe »

Gueteurse : entorse

Machine : jusque dans les années 1950, désignait une automobile

Makusham : chez les Indiens, festin de graisse, de viande, accompagné de tambour, de chants et de danses

Mal de neige : chez les personnes ayant séjourné trop longtemps au soleil, cécité provisoire provoquée par la réverbération de la lumière sur la neige

Menette : se disait d'un garçon ou d'un homme efféminé

Metteur : aux *allées**, la personne qui disposait ses billes à l'intention des *viseurs**

Miquelon : alcool de contrebande

Pendrioches : testicules, appareil génital de l'homme

Picope : camionnette dont la partie arrière, servant au transport de marchandises, n'était pas recouverte (de l'anglais *pick-up*)

Pitoune : bille de bois d'une longueur de 120 centimètres environ (quatre pieds), servant à la fabrication de la pâte de papier

Plémas : chez une personne, les flancs, les côtes

Pmp : pied mesure de planche (unité de mesure des billots ou du bois de sciage)

Queue-de-poêlon : têtard

Raboudiner : assembler tant bien que mal, réparer sommairement

Râstel : dans un camion, dispositif fixé au levier des vitesses ; lorsque actionné, il augmentait la puissance du moteur sans qu'on ait besoin de changer de vitesse

Renoter : rappeler constamment la même chose, ordinairement par dépit, en guise de reproche

Rippe : résidu du planage du bois de sciage (madriers ou planches)

Rognon : rein

Ronne : au sens strict, séjour de travail dans un chantier forestier ; au sens large, séjour de travail quelconque, long déplacement

Rouleuse : cigarette de fabrication domestique (confectionnée avec les doigts ou avec un petit moule)

Saint-Pierre : alcool de contrebande

Scrammer : fuir, partir à toute vitesse, décamper ; synonyme de *flailler**, « faire de l'air » (de l'anglais *scram*)

Shapituan : chez les Indiens, très grande tente capable d'accueillir plusieurs personnes

Snoreau : enfant, personne débrouillarde, dégourdie, espiègle

Souippe : ramassage des billes ou billots égarés dans le courant (de l'anglais *sweep*)

Tente tremblante : tente dans laquelle prenait place un shamane pour entrer en communication avec les esprits

Trimmer : infliger une raclée à quelqu'un ; aussi, l'humilier, le dominer aisément

Troque : camion (de l'anglais *truck*)

Truie : petit poêle à bois utilisé dans les camps forestiers et dans les tentes (chez les Indiens)

Vargeux : (ne s'utilisait que négativement) peu impressionnant, avantageux, utile, profitable

Varnousseux : fainéant, qui tourne en rond, qui s'active mais n'arrive jamais à rien

Veneer : mot anglais désignant le contre-plaqué

Vire-vent : petit ventilateur électrique jadis fixé sur la console des camions

Viseur : aux *allées**, celui qui lance et doit atteindre une rangée de billes disposées à une certaine distance sur la neige (jeu pratiqué uniquement par les garçons)

Visou : aux billes, habileté à viser